# WERELDMEIDEN!
– een droomjaar

Elizabeth Craft en Sarah Fain

# WERELDMEIDEN!

– een droomjaar

De Fontein

www.defonteinkinderboeken.nl

Oorspronkelijke titel: *Footfree and fancyloose*
Verschenen bij Little, Brown and Company,
een onderdeel van Time Warner Book Group
Copyright © 2008 by Elizabeth Craft en Sarah Fain
Voor deze uitgave:
Copyright © 2008 Uitgeverij De Fontein, Baarn
Vertaling: Erica Feberwee
Omslagafbeelding: Getty Images
Omslagontwerp: Miriam van de Ven
Grafische verzorging: Hans Gordijn

ISBN 978 90 261 2425 9
NUR 284, 285, 300

Voor alle vriendinnen waar ook ter wereld.
Wat zouden we moeten zonder elkaar?

# Proloog

HARPER WADDLE VROEG ZICH AF HOE ZE de eerste zeventien jaar van haar leven was doorgekomen zonder eigen zwembad. Of in elk geval zonder gebruik te mogen maken van het zwembad in de tuin van Genevieve en Gifford Meyer. De Meyers behoorden tot degenen die in Hollywood de dienst uitmaakten en hadden een villa in Beverly Hills. Harper kon er nog steeds niet over uit dat Sophie Bushell, een van haar drie beste vriendinnen, onderdak had gevonden in het gastenverblijf bij het zwembad, van waaruit ze probeerde haar droom te verwezenlijken. Een droom waarin ze zichzelf als Oscar-winnares op de rode loper zag poseren, in een charmeoffensief jegens de haar omringende paparazzi. Na twee uur in de Californische zon, languit op een comfortabele ligstoel met dikke, roomwitte kussens, voelde Harper zich volmaakt ontspannen. Sterker nog, ze had zich niet meer zo ontspannen gevoeld sinds ze in de eerste klas van de middelbare school een Tylenol PM had geslikt en de halve middag had verslapen op de versleten, kunstleren bank in het leerlingenhonk.

Na haar eerste, euforische verhalen had Sophie geprobeerd haar opwinding wat te dempen, en inmiddels begreep Harper waarom. Want wat had Sophie moeten zeggen? *Hé, Harper, jij mag je dan nog altijd opsluiten in dat donkere souterrain van je ouders in Boulder, maar ík heb het voor elkaar! Ik zit in Beverly Hills, tussen de beau monde, in een Spaanse villa, compleet met torentjes en een slotgracht. Het zwembad heeft een echte waterval, en het gastenverblijf waar ik woon, is voorzien van een stoomdouche en een plasma-tv.*

Harper was zich bewust van een lichte verbittering, een gevoel van onvrede, maar daar wilde ze niet aan toegeven. Dus ze zei tegen zichzelf dat ze moest genieten, dat ze zich moest koesteren in de zon, en ze speelde dat dit haar huis was. Want als Sophie niet zo had geboft, zou zij, Harper, nu in het koude Boulder zitten in plaats van een bruin kleurtje te kweken en te mijmeren over de schoonheid van kunstmatige watervallen.

'Lieverd, je moet echt een hogere beschermingsfactor gebruiken.' De zangerige stem van Genevieve Meyer drong door Harpers gemijmer heen, zoemend als een ergerlijke vlieg. 'Je hebt zo'n licht huidje!'

Harper deed haar ogen open en glimlachte geforceerd naar haar gastvrouw. Genevieve was ergens in de vijftig, superslank. Met haar bevroren voorhoofd en berijpte, platinablonde haar zag ze eruit alsof ze sliep in een koelcel.

'Dat zal ik doen, mevrouw Meyer. Dank u wel.' Harper was niet van plan de IJskoningin tegen te spreken en te zeggen dat ze haar leven lang nog nooit verbrand was in de zon. Genevieve was een studievriendin van Sophies moeder. Haar man, die als advocaat in de entertainmentindustrie werkte, hielp Sophie de Juiste Mensen te ontmoeten. Wie dat ook mochten zijn. Maar het belangrijkste was dat Genevieve bepaalde wie een uitnodiging kreeg voor het traditionele oudejaarsfeest van de Meyers. Volgens Sophie was de party – waarbij de gasten in avondkleding verschenen – dé sociale happening van het seizoen – ook al wist Harper niet goed welk seizoen daarmee werd bedoeld, in het altijd zonnige LA. Bovendien was Sophie nog nooit op een van de feestjes van de Meyers geweest, dus haar beloften van weelderige buffetten en supersterren waren ongeveer net zo betrouwbaar als haar hardnekkige bewering dat ze was genezen – helemaal, totaal genezen – van de teleurstelling die haar ex-vriendje, allemansvriend Trey Benson, haar had bezorgd.

'Je huid begint al tekenen van veroudering te vertonen,' vervolgde Genevieve, nog altijd overdreven bezorgd. 'Het gebeurt zonder dat je het merkt.'

*Wat krijgen we nog meer?* Zou Genevieve zich vervolgens gaan opwinden over Harpers sluike dubieus blonde haar, of suggereren dat ze de rechthoekige, zwarte bril die haar handelsmerk was, verving door zeegroene contactlenzen? Op zijn minst verwachtte Harper een opmerking over de vijftien pond die ze sinds september was aangekomen. Het was iets wat alle eerstejaarsstudenten overkwam, maar Harper had het helemaal op eigen kracht voor elkaar gekregen. Want in plaats van te gaan studeren, had ze de afgelopen maanden in de al genoemde helse kelder gezeten, waar ze zich als een eersteklas nerd met acné – zo iemand die niets liever deed dan schaken en Dungeons & Dragons spelen – had opgesloten om de nieuwe Grote Amerikaanse Roman te schrijven.

Maar Genevieves blik was afgedwaald naar een caterkelner, een jonge vent van ergens in de twintig, gekleed in smoking. Hij was bezig een bar op te zetten naast de reusachtige stenen fontein aan de andere kant van het enorme zwembad. 'Ik heb nog zo gezegd dat ik die bar aan de zuidkant wilde! Waarom luisteren mensen toch niet?'

Harper deed haar ogen weer dicht. Misschien zou ze in haar roman een op Genevieve gebaseerd personage verwerken. Want nu ze eindelijk was bevrijd van de last van De Leugen, zou ze die roman absoluut, definitief gaan voltooien.

De Leugen was vorig jaar april begonnen, met de ontvangst van een brief van NYU waarin ze te horen had gekregen dat ze niet was toegelaten. NYU was de enige universiteit waarvoor ze zich had aangemeld – stom, besefte ze nu – omdat ze er absoluut van overtuigd was geweest dat ze zou worden toegelaten. Vermorzeld door de vernedering had ze haar beste vriendinnen – Sophie, Kate en Becca – doen geloven dat ze was toegelaten. Ze was van plan geweest op hun laatste avond de waarheid te vertellen.

De avond waarop ze bij Kate hadden afgesproken, voordat ze in de herfst allemaal hun eigen weg zouden gaan. Maar toen het eenmaal zover was, had ze het niet kunnen opbrengen. Ze voelde zich een totale loser, een volslagen idioot. Dus in plaats van alles op te biechten, had ze een gepassioneerde verklaring afgelegd over dromen en hoe je je daardoor moest laten leiden. Vervolgens was ze met de verbijsterende mededeling gekomen dat ze had besloten niet te gaan studeren, maar haar Droom te verwezenlijken. Haar Droom om een roman te schrijven.

Wat er toen gebeurde, had niemand kunnen voorspellen. Binnen vierentwintig uur waren ook Sophie en Kate op de zogenaamde droomtrein gesprongen en hadden ze besloten om, net als Harper, niet te gaan studeren. Sophie kondigde aan dat ze naar LA verhuisde, om te proberen het te maken als actrice. En Kate schokte iedereen – vooral haar ouders – door Harvard in de wacht te zetten en te kiezen voor een jaar rondtrekken door Europa. In haar eentje. Becca had als enige vastgehouden aan haar voornemen om te gaan studeren. Maar dat was omdat uitkomen voor de beroemde skiploeg van Middlebury háár Droom was. Harper, Kate en Sophie hadden haar wel laten beloven dat ze ook een andere Droom zou proberen te verwezenlijken. Een Droom die aanzienlijk angstaanjagender was. Namelijk verliefd worden.

Het psychische trauma dat het gevolg was van het feit dat ze tegen haar vriendinnen had gelogen, had Harpers creativiteit volledig lamgelegd. In vier maanden was ze niet verder gekomen dan vijftig bladzijden hoogdravend gezwam. Ze had zulke hoge verwachtingen gehad van *Tussen de momenten*, het verhaal van Violet, Lucille, Beatrice, en tientallen andere sympathieke personages die in haar hoofd zo levensecht waren. Maar eenmaal op papier klonken ze allemaal hetzelfde. Ze had de bladzijden verbrand in haar prullenbak, tijdens een privéceremonie op kerstavond. De ochtend daarna had ze eindelijk alles opgebiecht aan haar drie vriendinnen. Tot haar verrassing (het bleef haar verbazen, en mateloos ontroeren) hadden ze haar vergeven. Blijkbaar blééf het waardevol om je Droom achterna te gaan, ook al was dat ingegeven door bedrog.

Dus nu had Harper een schoon geweten, en ze was vast van plan een prachtig – *mocha chocolatta ya ya* – kleurtje te krijgen. Het was inmiddels twee dagen geleden dat Sophie had gebeld met de mededeling dat Becca en Harper van harte welkom waren op de oudejaarsparty van de Meyers. In haar bewoordingen ging het om een kruising tussen de Oscar-afterparty van *Vanity Fair* en de shoot voor een Jay-Z-clip op een exotisch Caribisch eiland. Becca en Harper hadden geen plannen gehad voor oudejaarsavond, anders dan zelf taco's en *frozen margarita's* maken in Harpers sombere vrijgezellenkelder. Dus ook al hadden ze elkaar een week eerder nog in Boulder gezien, Harper had onmiddellijk ingelogd op Expedia.com om een vlucht te boeken. Wat gaf het dat het vliegticket haar het hele bedrag aan fooien kostte dat ze met drie weken keihard werken als *barista* had verdiend? En wat gaf het dat ze werd geacht te zwoegen op een nieuw en verbeterd essay voor haar volgende aanvraag tot toelating op NYU, in plaats van te luieren en te dagdromen aan de rand van een zwembad? Ze was nog nooit in Los Angeles geweest. Trouwens, dit was niet zomaar LA! Dit was alsof ze in slaap was gevallen en wakker geworden in de puberteit van Tori Spelling, of misschien in *E! True Hollywood Story: 90210*. En het fijnste van alles was dat ze oudejaarsavond zou vieren met twee van haar drie beste vriendinnen. Wanneer ze daarna terugging naar Boulder, was ze er helemaal klaar voor om zich aan het schrijven te wijden.

Deze keer zou het niet mislukken. Het mócht niet mislukken. Want als dat wel gebeurde, dan had Harper niets meer om voor te leven. Dan zou ze, compleet met haar vijftien 'kelderponden', wegsmelten, en zou er slechts een plas van haar overblijven. Een royaal formaat plas. Ook dat nog.

'Ik bel je om twaalf uur.'

Hij zat meer dan drieduizend kilometer bij haar vandaan, maar Becca Winsberg raakte helemaal van de kook bij het horen van de stem van Stuart Pendergrass. Niet alleen kwam er een knoop in haar hart en begon haar hart onder haar roze poloshirt snel en krachtig te slaan, maar er ontstond zelfs een onrustig gevoel in haar ónderbuik. Een gevoel dat ze herkende uit de erotische romannetjes die haar moeder altijd zorgvuldig onder haar bed verstopte, tussen een van de poten en de muur.

Becca liet zich op een van de lange stenen banken vallen die strategisch verspreid stonden door de weelderige tuin rond de royale villa van de Meyers. Bij het zien van Stuarts naam op het schermpje van haar telefoon had ze Harper bij het zwembad in de steek gelaten en was ze als een speer een van de smalle, met keitjes geplaveide paden afgerend, langs bloeiende rozen en bougainville.

'Mijn tijd of jouw tijd?' Toen ze besefte dat haar stem beefde van verrukking, begon ze te blozen, ook al was er niemand die haar zag.

Ze ging met een hand door haar golvende, kastanjebruine haar. Het viel tot op haar schouders en was minder kroezig dan anders. Dat was blijkbaar de heilzame invloed van de Californische zon, en ze hoopte dat de ontspannen sfeer ook in andere opzichten goed voor haar zou zijn. Het was allemaal even heerlijk. Er was geen enkele reden waarom ze niét verrukt en beverig zou mogen klinken. Stuart was tenslotte haar vríéndje. Alleen, dit was iets wat ze nooit eerder had gevoeld, en ze vond het nog steeds doodeng. Het leek wel alsof sommige mensen er récht op hadden om overdreven tortelig en verrukt te doen – mensen die bij hun geboorte een speciale Geluskpas hadden gekregen, zoals Brad en Angelina. Daar geloofde Becca heilig in, net zoals ze er heilig in geloofde dat zij niet tot die mensen behoorde. Dus ze kon het knagende gevoel niet van zich afzetten dat haar kersverse Gelukspas een vervalsing was, gemaakt in Tijuana en de grens over gesmokkeld. En dat die pas haar elk moment kon worden afgenomen door de Liefdespolitie.

Zo mogelijk nog erger was de overweldigende angst dat ze, zelfs als ze erin slaagde iedereen wijs te maken dat ze er recht op had zo gelukkig te zijn, uiteindelijk toch bezeerd zou raken. *Echt* bezeerd. Niet zoals wanneer je je teen stootte, maar alsof er een stoomwals over je heen was gereden.

'Allebei,' zei Stuart. 'En omdat ik je nu niet kan zoenen, doe ik dat als de colleges weer beginnen.'

Hij klonk op zijn sexy, mannelijke manier net zo verrukt als zij. Ze hoefde zich geen zorgen te maken. Stuart was niet zoals haar ouders, die zichzelf voortdurend op de eerste plaats zetten en haar telkens opnieuw teleurstelden. Becca kon hem vertrouwen. Hij gaf oprecht om haar. Hij zou haar geen pijn doen.

'Oké, daar hou ik je aan,' zei ze met een zucht van geluk.

'Dus ik spreek je nog.'

'Oké.'

Het bleef even stil. Becca's hart begon sneller te slaan, alsof het – eerder dan haar verstand – besefte wat die stilte betekende. De adem stokte in haar keel. Dit was niet zómaar een stilte. Oooo, zou hij... Ging hij het zéggen? Ze haalde diep adem. Stond Stuart Pendergrass op het punt om haar te vertellen dat hij van haar hield?

Hij schraapte zijn keel. 'Ik mis je,' zei hij toen zacht. 'Dag.'

Ze ademde uit. 'Ik mis jou ook. Dag.'

Ze liet haar handen in haar schoot vallen.

Hij had bijna gezegd dat hij van haar hield. Daar was ze van overtuigd. En na alles wat er de afgelopen maanden was gebeurd, was dat een klein wonder. Na een semester vol onnozele misverstanden hadden ze met hun eerste date een afschuwelijk verkeerde start gemaakt. En vervolgens had Becca het pas goed bedorven door tijdens een feestje in New York dronken te worden en de meest betreurenswaardige fout van haar leven te maken. Ze kon het niet verdragen eraan terug te denken. Dus streelde ze de sierlijke, zilveren bedelarmband die Stuart haar met Kerstmis had gegeven, en hield ze zichzelf voor dat alles in orde was. Tenslotte belden ze elkaar minstens vijf keer per dag.

Deze keer had hij het nog niet gezegd, maar het zou niet lang meer duren. En wanneer hij dat deed, dan wist ze al precies wat ze ging terugzeggen.

♥

Het was heet in de kast. En stoffig. Bovendien werd Sophie Bushell zich bewust van een misselijkmakende geur, mogelijk afkomstig uit de fles zoete amandelolie – volgens de overlevering het favoriete schoonheidsproduct van Jackie Kennedy – die Becca haar enkele maanden eerder uit een natuurwinkel in Vermont had gestuurd.

Ga weg, ga weg, dacht ze dwingend, gebruikmakend van de visualisatietechniek die haar moeder tijdens therapiesessies met haar cliënten gebruikte. Sam Pipers had op zijn kenmerkende manier op de deur van het gastenverblijf geroffeld, net toen ze haar favoriete bikini aantrok – een rode Isaac Mizrahi, ontworpen voor Target – om zich weer bij Harper en Becca aan het zwembad te voegen. Haar maag had bij het geluid een duik gemaakt, en ze was zonder aarzelen in de kast gesprongen (de enige ruimte in de kleine *casa* zonder raam) om ontdekking te voorkomen. Ze wist dat ze Sam uiteindelijk onder ogen zou moeten komen, maar ze was er niet klaar voor. Nog niet.

Sam Piper werkte als *poolboy* voor de Meyers, maar zijn werkelijke ambitie was acteur worden. Hij kon buitengewoon aantrekkelijk en charmant zijn, maar ook afschuwelijk, een en al oordelen en vooroordelen. Dat wisselde met de dag. Nog niet zo lang geleden had iemand Sophie op een feestje verteld dat Sam verliefd op haar was. Maar toen ze daarop had gezinspeeld, had Sam haar de indruk gegeven dat ze hem volslagen koud liet. Niet dat ze daar moeite mee had. Ze had wel wat anders aan haar hoofd om zich druk over te maken – audities, agenten en... en Trey Benson, op wie ze maandenlang smoorverliefd was geweest. Trey, de grote ster, die haar had overgehaald Kerstmis met hem in Aspen door te brengen, in plaats van thuis in Boulder met haar beste vriendinnen. Trey, de egocentrische leugenaar, die ze op kerstavond had gedumpt. Sophie wist bijna zeker waarom Sam op haar deur bonsde. *Ik heb je gewaarschuwd!* Ze kon het hem al horen zeggen.

Het bleef even stil. Sophie verroerde zich niet. Ze wist uit ervaring dat Sam niet zo gemakkelijk opgaf. Hij had de gewoonte net zo lang op haar deur te blijven kloppen tot ze uiteindelijk gegeneerd opendeed. Ten slotte hoorde ze hem op het raam van de slaapkamer tikken.

'Je kunt je niet eeuwig blijven verstoppen, Bushell!' riep hij. Waar haalde hij het lef vandaan! Sam deed altijd alsof hij een Echte Acteur was, ver verheven boven het laag-bij-de-grondse geroddel over de sterren, maar het was duidelijk dat hij niet kon wachten om het hele verhaal te horen over Trey en hoe de filmster haar had vernederd.

*Ga weg*, dacht ze opnieuw. En deze keer werkte het. Even later hoorde ze Sam luidruchtig weglopen.

Terwijl ze tevoorschijn kwam, besefte ze opgelucht hoe blij ze was dat Harper en Becca geen getuige waren geweest van het incident. Wegduiken in een rommelige, benauwde kast hoorde niet bij de indruk die ze wilde maken nadat ze vier maanden haar Droom achterna had gejaagd en had geprobeerd aan de bak te komen als actrice.

Natuurlijk zou ze niet eens van het bestaan van de kast hebben geweten, als Harper die avond, bij Kate op het dak, niet haar gloedvolle *Ik Heb een Droom*-toespraak had gehouden. Trouwens, zonder die toespraak zou ze een hoop dingen niet hebben geweten. Zoals hoe je te handhaven in het drukke verkeer van LA, of hoe te bepalen wat de beste outfit was voor een auditie, of hoe het voelde om – op kerstavond in de rij voor de kassa van een supermarkt in Aspen – op de cover van een roddelblad haar veronderstelde vriend te ontdekken, heftig zoenend met zijn getrouwde tegenspeelster.

*Maar ik zou ook niet weten hoe het is om drie regels tekst te hebben in een echte film.* Sophie glimlachte, ondanks haar ergernis over Sam. Nadat ze Trey de rug had toegekeerd, had ze besloten terug te gaan naar Boulder en haar hele droom om actrice te worden te vergeten. Sterker nog, eenmaal bij Harper in het souterrain had ze gezworen dat ze geen voet meer buiten de deur zou zetten. Maar toen had Becca de boodschappen op Sophies telefoon afgeluisterd. Een ervan was afkomstig van een castingdirector. Ze had een rolletje in een film. Drie regels, meer niet. Maar het was een echte film, een echte rol, en die had ze op eigen kracht binnengehaald. Niet als de laatste verovering van Trey Benson, maar omdat ze een veelbelovende, jonge actrice was. Dus uiteindelijk was ze toch teruggegaan naar Los Angeles, ook al riskeerde ze daarmee de hoon van mensen zoals Sam Piper.

Terwijl ze zichzelf bekeek in de lange rechthoekige spiegel aan de binnenkant van de kastdeur, twijfelde Sophie er niet aan dat ze eruitzag als een aankomende, beroemde actrice. Haar huid had een romige caramelkleur, ze had reusachtige chocoladebruine ogen, en haar weelderige, lange, donkere krullen hadden haar aan een shampoocommercial geholpen. Met Kerstmis hadden ze de commercial diverse keren op tv gezien. Hij was zo vaak uitgezonden, dat Harper haar 'Het Meisje met de Haat-Liefdeverhouding met Haar Haar' was gaan noemen, compleet met een overdreven imitatie van de manier waarop Sophie in het reclamefilm-pje shampoo in haar haren deed.

'Het is niet waar!' zei ze. Dat was een van haar drie regels. Ze had ze al tig keer geoefend, maar ze probeerde het opnieuw, met een andere intonatie. Brrr. Haar wenkbrauwen maakten over-uren, zag ze. En als ze ergens een hekel aan had, dan was het aan overacting.

Ze pakte een spijkerbroek – True Religion, tweedehands ge-kocht bij American Rag, omdat ze nog niet het salaris van een echte actrice verdiende – en trok die aan over haar bikini. Het zwembad kon wachten. Ze had een rol waar ze aan moest wer-ken.

❤

'Welkom in Ethiopië,' zei de douanebeambte achter zijn hoge balie van imitatiehout, en hij schoof Kate Foster haar paspoort toe vanonder het glas.

Ze pakte het aan, slaperig met haar ogen knipperend. Vanaf het paspoort werd ze aangekeken door een knappe, zorgeloze blondine. Kate herkende zichzelf bijna niet. Wat op zich niet ver-keerd was.

'Dank u wel.'

'Voor de bagage moet u die kant uit!' De man wees met een slanke bruine hand.

Kate stopte het paspoort in een ritsvak van haar inmiddels ver-sleten suède tas en volgde met haar ogen zijn wijzende vinger. Dorothé, een van de Franse ontwikkelingswerkers die ze in Parijs had ontmoet, stond al te wachten bij de bagagecarrousels. Een paar weken eerder was Dorothé slechts een van de vaste klanten geweest in het café waar Kate werkte. Kate had haar met Mira, een andere ontwikkelingswerker, horen praten over het project in Ethiopië waar ze zich na Kerstmis bij zouden aansluiten. Voordat ze wist wat ze deed, had Kate gevraagd of ze nog vrijwilligers nodig hadden, en ze had met grote stelligheid verklaard dat ze niet opzag tegen de ontberingen. In de maanden sinds haar komst naar Europa had ze ongelooflijke hoogte- en dieptepunten gekend, maar inmiddels had ze behoefte aan meer dan rondreizen en genieten van het uitzicht: ze was eraan toe om risico's te nemen, en ze wilde iets zinvols doen. Ethiopië was het land van Habiba, haar geadopteerde, jongere zusje. De kans om erheen te gaan, leek haar een vingerwijzing van het lot.

Dorothés korte boblijn, tot net onder haar oren, was aan één kant platgedrukt. Het was haar aan te zien dat ze had geslapen tijdens de zeven uur durende vlucht. Kate was daarentegen zo opgewonden geweest, dat ze geen oog had dichtgedaan. Misschien was het besluit om hierheen te komen wel erg ondoordacht geweest. Wat wist ze tenslotte van het slaan van putten? Hoe kon ze pretenderen anderen te helpen, wanneer er nog zo veel was wat ze niet wist? Gedurende de hele vlucht was ze gekweld door dit soort vragen en gedachten, en daar moest ze nu voor boeten. Haar verstand liet het van pure uitputting afweten, en haar lichaam stond op het punt hetzelfde te doen.

Om vijf uur 's ochtends waren de passagiers van de vlucht uit Parijs de enige reizigers die arriveerden. Voor het overige was het spierwitte Bole International Airport zo goed als uitgestorven. De lichte terminal met zijn glazen plafond en ultramoderne ontwerp was niet wat Kate had verwacht. Integendeel. Stilzwijgend maakte ze zichzelf verwijten over haar vooroordelen over 'Afrika', en ze wenste dat ze niet zo was opgegaan in haar eigen leven, maar zich meer in Habiba's achtergrond had verdiept. Slaperig baande ze zich een weg door een groepje Ethiopische mannen en vrouwen, gehuld in wijdvallende, witte doeken die ze sierlijk om hun hoofd en schouders hadden gedrapeerd, en sleurde ze haar kaalgesleten, zwarte North Face-rugzak van de band. Toen haastte ze zich achter de vertrouwde, enigszins mollige gedaante van Dorothé aan naar buiten, waar het al drukkend warm was, ook al moest het nog dag worden in Addis Abeba, de hoofdstad van Ethiopië.

'Deze kant uit,' zei Dorothé. Ze sprak Engels met een zwaar, Frans accent. Ondanks haar jonge leeftijd – ze was ergens in de twintig – was Dorothé al bij diverse ontwikkelingsprojecten betrokken geweest, in Kenia, Tsjaad, Sudan en al eerder in Ethiopië. Ze kwam uit Marseille, de drukke havenstad in het zuiden van Frankrijk met een hoog percentage inwoners uit Noord-Afrika. Meteen na haar afstuderen was ze in het ontwikkelingswerk gegaan. Dorothé was een warme, kalme persoonlijkheid, die Kate van meet af aan vriendelijk had bejegend. Anders dan Mira, Dorothés vriendin en collega, die er geen geheim van had gemaakt dat ze Kate beschouwde als een oppervlakkige Amerikaanse die niet wist waar ze aan begon. Misschien had Mira wel gelijk, dacht Kate. Misschien was zes maanden Ethiopië op haar leeftijd te veel gevraagd. Maar ze was hier nu, en ze zou haar beloften moeten waarmaken. Dat was ze verschuldigd aan Habiba – en aan zichzelf.

Kate volgde Dorothé over de verlaten weg van het luchthavengebouw naar een zwart geasfalteerd parkeerterrein, waar diverse oude auto's en busjes in het donker stonden te wachten. Het was doodstil, het enige geluid kwam van de stemmen van de andere passagiers en degenen die hen hadden opgehaald. De nachtlucht was vervuld van een doordringende bloemengeur die Kate niet bekend voorkwam. Ze had meer lawaai verwacht, meer stoffigheid, ook al moest ze tot haar schaamte bekennen dat ze haar kennis over de steden van Afrika voornamelijk had opgedaan door te kijken naar *The Amazing Race*, waarin de hyperactieve deelnemers van het ene vliegveld naar het andere jakkerden.

Vanuit de duisternis doemden twee jongemannen op in haveloze, westerse kleding. Ze kwamen glimlachend naar hen toe. Kate probeerde te verstaan wat ze zeiden, en besefte dat ze Amhaars spraken, de eerste taal in Ethiopië. Terwijl ze hun handen uitstrekten naar de bagage van Kate en Dorothé, schakelden ze op Engels over. 'Dragen, mevrouw, dragen.'

Dorothé gaf een van de twee haar rugzak en gebaarde Kate hetzelfde te doen.

'Geef hem je rugzak,' zei ze.

'Welnee, ik red me wel. Zo zwaar is hij niet.' Ze waren bijna bij de busjes. Het leek haar onzin om iemand geld te geven voor het dragen van haar rugzak, nadat ze dat maandenlang zelf had gedaan.

'Ze proberen een paar *birr* te verdienen,' legde Dorothé uit. 'Want ze hebben geen werk.'

O. Kate gaf haar rugzak aan de tweede jongeman, die hem hoog op zijn smalle schouders hees.

'Dag, mevrouw,' zei hij met een zwaar accent, maar hij glimlachte en maakte een vriendelijke indruk. Kate schatte hem amper twaalf.

Tien stappen verder bleef Dorothé staan bij een klein, wit bestelbusje. Ze omhelsde de chauffeur, een lange Ethiopiër met een grote neus en hoge jukbeenderen. Hij droeg een spijkerbroek en een versleten, net blauw overhemd. Dit was Ibrahim, aldus Dorothé. Hij laadde hun schaarse bagage achter in het busje, en ondertussen gaf Dorothé de twee jongens ieder twee birr.

Ze knikten dankbaar en toen ze wegliepen, begon Kate haastig te rekenen. Acht birr was ongeveer een dollar. Dus twee birr... een kwartje. Toen zat ze in het busje en reden ze door de brede straten van Addis Abeba naar hun hotel. Zelfs in de halve duisternis kon ze aan de palmbomen, de dicht opeenstaande, bouwvallige winkeltjes en rommelige appartementengebouwen zien dat ze niet langer in Parijs was. Haveloze blauwwitte taxibusjes passeerden hen met grote snelheid. Ibrahim keek over zijn schouder, wijzend naar de schimmige massa's die de stad leken te omringen. 'Dat is het Entoto-gebergte,' vertelde hij.

Kate dacht aan de drie woorden die haar naar Ethiopië hadden gebracht. *Neem het water.* Harper had de regel ontleend aan een van haar favoriete gedichten. 'Soms is de klei van een mens niet sterk genoeg om het water te nemen.' De drie woorden waren een soort opdracht voor Kate geworden, een raadsel dat ze moest oplossen, een pad om zichzelf te vinden. En nu was ze hier, als lid van een internationale groep jonge mannen en vrouwen die naar Ethiopië kwamen om putten te slaan. Ze ging, letterlijk, het water nemen.

Mira en Dorothé hadden haar uitgelegd dat Ethiopië al meer dan dertig jaar gebukt ging onder rampzalige droogten en hongersnoden. Schoon water was van essentieel belang voor de bevolking. Daarmee kon aan het herstel van de gemeenschappen worden gewerkt en konden gewassen worden verbouwd. Het slaan van putten was de eerste stap om miljoenen mensen te helpen hun leven weer op te bouwen en een toekomst voor zichzelf te creëren. Het had zo simpel geklonken, aan dat cafétafeltje in Parijs. Maar nu was ze in Addis Abeba – een stad van meer dan vier miljoen mensen, de hoofdstad van een land van tachtig miljoen inwoners – en het begon tot Kate door te dringen hoe enorm de taak was die ze op zich had genomen.

Ze hoopte vurig dat ze ertegen opgewassen zou zijn.

Persoonlijke Verklaringen en Essay

**Beschrijf in maximaal vijfhonderd woorden iemand die van invloed is geweest op je leven, en waaruit die invloed heeft bestaan.**

Adam Finelli heeft donker haar, dat schattig om zijn oren krult. Door zijn metalen bril lijken zijn sprekende, lichtbruine ogen nog groter dan ze al zijn. De bril geeft hem bovendien een uitstraling van niet-bestudeerde intelligentie. Hij doet zijn werk met hart en ziel, maar is verre van stoffig of ouderwets. Integendeel, hij draagt kakibroeken en T-shirts en lijkt volledig op zijn gemak met zichzelf. Hij begint elke week gladgeschoren, maar tegen het weekend heeft hij een nogal armzalige baard, alsof hij het te druk heeft met denken, lezen en praten om zich bezig te houden met zoiets onbeduidends als scheren. Zijn passie voor wat hij doet, is voelbaar in alles.

Het is deze totale inzet en toewijding die diepe indruk op me hebben gemaakt. Ik heb altijd geweten dat ik wilde schrijven, maar Adam Finelli heeft me geleerd waar m ik dat wil. Hij heeft me geleerd dat schrijven niet alleen een kwestie is van voor je eigen plezier woorden achter elkaar zetten. Als de woorden die je schrijft goed genoeg zijn - eerlijk genoeg - kunnen ze de wereld veranderen. Ik wil niet beweren dat ik al het vermogen heb om de wereld te veranderen, maar dankzij Adam Finelli besef ik dat alles mogelijk is.

Behalve dat hij mijn leraar Engels was, is hij ook de eerste man van wie ik heb gehouden, zoals een vrouw houdt van een man. Hij heeft me aangemoedigd mijn dromen achterna te gaan en hij heeft me zijn steun aangeboden toen ik aan een roman begon, een ongelooflijk ambitieus project voor iemand van mijn leeftijd. Maar toen onze relatie eenmaal het punt bereikte van de eerste kus...

IK, HARPER WADDLE, BEN STAPELGEK.

WIE IS ER NOU ZO IDIOOT OM EEN ESSAY VOOR DE UNIVERSITEIT TE SCHRIJVEN OVER HAAR FLIRT MET EEN LERAAR?

DUS: BEGIN OPNIEUW EN SCHRIJF OVER MAM.

# EEN

'Ik heb echt een enórme kont.'

'Niet waar.'

'Wel waar!'

'Bec, zeg eens tegen Harper dat ze géén enorme kont heeft.'

Bij het horen van haar naam schrok Becca op uit haar gedachten. Midden in de woonkamer van Sophies gastenverblijf stonden Harper en Sophie als kemphanen tegenover elkaar. Doordat ze sinds Stuarts telefoontje op een roze wolk had gezweefd, was het nauwelijks tot Becca doorgedrongen waar het over ging.

'Eh... kont. Nee, niet enorm.'

Harper keerde zich triomfantelijk naar Sophie. 'Ze aarzelde.'

'Ze is in Stuartland,' protesteerde Sophie.

Harper keek Becca wantrouwend aan. 'Waar was je met je gedachten? Bij Stuart?'

'Ja,' bekende Becca, en ze zette zich schrap voor de reactie.

Harper rolde met haar ogen en liet zich naast Becca op de dikke, roomwitte kussens van de bank ploffen. 'Nou, ik hoop dat je dan tenminste aan Stúarts kont dacht!'

Becca voelde dat ze bloosde – de vloek van haar lichte huid in combinatie met haar aangeboren gêne. Hoe dan ook, de kont van Harper was absoluut niet enorm. Misschien iets dikker dan vier maanden geleden, maar dat kreeg je van een mislukte romance met een leraar Engels en vierentwintig uur per dag, zeven dagen in de week achter de computer zitten, in een poging de Grote Amerikaanse Roman te schrijven. Onwillekeurig had ze een beetje medelijden met Harper. Alle anderen waren naar elders vertrokken en beleefden allerlei avonturen, sommige leuk, sommige minder leuk. Harper zat nog altijd bij haar ouders in de kelder, had uit pure wanhoop haar eerste manuscript verbrand en bovendien een potentiële relatie met meneer Finelli verknald. Geconfronteerd met een blozende Becca en een opschepperige Sophie, had Harper het volste recht om een beetje onverdraagzaam te zijn.

Becca overwoog een steunbetuiging – misschien een knuffel of alleen een vriendschappelijk kneepje in haar dij – maar Harper was alweer opgesprongen. De ruzie met Sophie was vergeten, en ze gingen eendrachtig voor het raam staan, genietend van de bedrijvigheid die aan het feest voorafging. Becca leunde naar achteren op de comfortabele bank en slaakte een zucht. Het was te gek, dit gastenverblijf. Minstens zo groot als vier studentenkamers op Middlebury – waarschijnlijk kon Becca het grootste deel van haar spullen, inclusief haar bed en haar bureau, in Sophies reusachtige kast kwijt – en oneindig veel chiquer.

Buiten waren snoeren met twinkelende lichtjes om het 8-vormige zwembad van de Meyers gespannen. Een menigte blauw geüniformeerde werklui en tuinmannen barstte in gejuich uit. Ze waren de hele dag op het uitgestrekte terrein in touw geweest. Er waren stoelen en tafels neergezet, er waren snoeren met lichtjes gespannen, en struiken en bomen waren gesnoeid voor wat Sophie 'dé oudejaarsparty van het jaar' noemde. Becca twijfelde er niet aan dat ze gelijk had, ook al vroeg een sceptisch stemmetje in haar achterhoofd hoe Sophie daar zo zeker van kon zijn. Vorig jaar hadden ze met z'n allen bij Kate thuis gezeten en 'jongleren met pretzels' gespeeld. Toen was Los Angeles voor Sophie alleen nog maar een droom geweest. Ze deed zich graag voor als vrouw van de wereld, maar uiteindelijk was dit allemaal nieuw voor haar. Net zo nieuw als voor Harper en Becca.

Eerder die middag had Becca zich schuldig gevoeld toen de werklieden bezig waren met het plaatsen van tafels en warmtelampen, terwijl zij lag te luieren bij het zwembad. Maar toen had ze beseft in welke gebronsde glorie ze zou terugkeren naar Middlebury, en hoe Stuart Pendergrass dat ongetwijfeld zou waarderen. Hoe hij háár zou waarderen. Dus in plaats van haar gebruikelijke, preutse badpak had ze het kleinste zwarte broekje en topje aangetrokken dat Sophie in haar ogenschijnlijk bodemloze la met bikini's had kunnen vinden. Als Becca dan toch eindelijk aan een echte relatie ging beginnen, dan wilde ze dat niet doen met zo'n akelig witte buik.

'Oeps!' Sophie keek op haar horloge. 'De party begint al over anderhalf uur. We moeten aan de slag.'

Harper sprong bij het raam vandaan. 'Ik ga als eerste douchen!' riep ze, en ze was al in de badkamer verdwenen, haar gele T-shirt over haar hoofd trekkend, voordat Sophie zelfs maar een stap had kunnen zetten.

'Als je kont erin past!' riep Sophie toen Harper de badkamerdeur dichtgooide. Mompelend dat ze op zoek ging naar de perfecte outfit, verdween Sophie in de slaapkamer. Waardoor voor Becca de weg vrij was om terug te keren naar Stuartland. Ze kon het nog altijd nauwelijks geloven. Zij, Becca Winsberg, had een vríéndje. En wat voor een. Stuart was slim, grappig, sterk. Zijn zachte, warrige, bruine haar en donkere ogen deden haar telkens opnieuw smelten. Maar het fijnste van hem was zijn vermogen – en zijn bereidheid – om haar te begrijpen en te vergeven.

Zelfs toen Becca iets onvergeeflijks had gedaan.

Niet dat ze eropuit was geweest om zich door de ex van Kate, een van haar beste vriendinnen, te laten ontmaagden. Maar met Thanksgiving, toen ze haar ontluikende relatie met Stuart nog niet echt onder ogen had durven zien, was ze op een feestje in New York onverwacht Jared Burke tegen het lijf gelopen. Jared, op wie ze jarenlang in het diepste geheim verliefd was geweest. Dat was haar alsnog te machtig geworden. Door de – achteraf bezien idiote – overtuiging dat Jared de liefde van haar leven was, had ze twee van de mensen die haar het dierbaarst waren, Stuart en Kate, pijn gedaan. Dat had ze bijna onmiddellijk beseft, maar toen was het al te laat.

Het had wel wat wrijving opgeleverd, maar uiteindelijk had Kate haar kunnen vergeven. Om Stuart zelfs maar zover te krijgen dat hij weer met haar wilde praten, had ze echter een dramatisch gebaar moeten maken. Het was het meest gedurfde, het meest angstaanjagende wat Becca ooit had gedaan. Op aandringen van Isabelle Sutter, haar kamergenoot op Middlebury, had ze op weg naar huis op het laatste moment een overstap in Kansas City geregeld en had ze, onuitgenodigd, twee dagen voor Kerstmis, bij zijn ouders op de stoep gestaan. Ze kon bijna niet geloven, dat het pas acht dagen geleden was dat ze Stuart in een uitgebreide, ongeremde toespraak op de veranda van de Pendergrasses om vergiffenis had gesmeekt. Stuart was met stomheid geslagen geweest, maar hij had geluisterd. Echt geluisterd. En hij had het begrepen. Zodat hij haar uiteindelijk had kunnen vergeven.

Haar hand gleed weer naar de zilveren bedelarmband, Stuarts kerstcadeau. Haar hart begon sneller te slaan bij de herinnering aan hun eerste ontmoeting. Wat had ze hem gehaat, zoals hij daar stond op de atletiekbaan van Middlebury, met een groepje footballvrienden. Ze had net haar eerste training met de skiploeg achter de rug en ten onrechte gedacht dat hij de spot met haar dreef. In haar angst om haar idool, coach Jackson Maddix, teleur te stellen, had ze niet eens beseft dat er naar haar werd gekeken terwijl ze over horden, footballspullen en rondslingerende sporttassen sprong. Maar toen had ze in de gaten gekregen dat Stuart stond te lachen, en ze had op slag een hekel aan hem gekregen. Haar neiging om alle jongens te beschouwen als lomp en onaangenaam – een overblijfsel van haar eerste jaren op de middelbare school toen alle jongens nog zo onvolwassen waren en Becca had geworsteld met een extreme vorm van verlegenheid – had het er bepaald niet gemakkelijker op gemaakt.

Maar Stuart had geduldig volgehouden en daarmee haar vertrouwen gewonnen. Uiteindelijk had hij haar duidelijk gemaakt dat hij haar helemaal niet had uitgelachen. Integendeel, hij had tegen zijn vrienden gezegd dat hij nog nooit zo'n lekker ding zo moeiteloos had zien hordelopen. Het was zo ongeveer het liefste en het meest verbijsterende wat ze ooit had gehoord, gedeeltelijk omdat Becca zichzelf nooit als een lekker ding had gezien. Met vriendinnen als Sophie en Kate was ze eraan gewend geraakt altijd enigszins op de achtergrond te blijven en niet op te vallen.

Niet dat Harper en zij niet aantrekkelijk waren, ze waren alleen niet zulke adembenemende schoonheden als Sophie en Kate. Die twee hadden in genetisch opzicht de jackpot gewonnen – iets waaraan ze opnieuw moest denken toen Sophie de slaapkamer uit kwam in een strak, rood, jersey jurkje met bijpassende hoge hakken met een open hiel. Sophies zachtbruine huid vormde een schitterend contrast met de stralend rode jurk. Ze zag er op en top uit als een filmster. Wat ook de bedoeling was, veronderstelde Becca.

'Is het te veel van het goede?' Sophie ging met haar handen door haar wilde, donkere krullen. Ook al had ze geen grammetje vet, toch ontbrak het haar vriendin niet aan rondingen, registreerde Becca wrang.

'Het is in elk geval niet te veel stof.'

'Nou, wat vind je? Zie ik er een beetje hot uit?'

Becca knikte. 'Angela zou erin blíjven!' Sinds hun scheiding – Sophie was destijds tien – sprak ze haar ouders met hun voornaam aan.

Sophie glimlachte alsof ze zojuist een Academy Award had gewonnen. 'Yes! Het is een Stella McCartney. Ik mocht hem lenen van Genevieve. Ze zei dat hij bij haar op de verkeerde plekken strak zit, maar volgens mij heeft ze helemaal geen verkeerde plekken! Zeker niet na de laatste operatie.'

Genevieve Meyer was een studievriendin van Angela – ook al

was de leeftijdsloze wandelende tak die in de villa aan de andere kant van het zwembad woonde, destijds nog niet zo'n stoot geweest maar een tamelijk truttig wezen, luisterend naar de naam Genny Perry.

Stuart had een tante die Genny heette, herinnerde Becca zich. Stuart... haar vriend. Haar snoepje. Haar lekkere ding. Haar geliéfde. Haar enige ware. Ze kon nauwelijks wachten tot ze hem weer zag. Ze kon zelfs niet wachten tot ze die avond om middernacht zijn stem zou horen. Maar dat duurde helaas nog úren. Voor het eerst in haar leven had ze op oudejaarsavond een vriendje. Ach, was hij maar hier, in plaats van op een feestje dat hij traditiegetrouw samen met zijn broer in een goedkope kroeg in Kansas City gaf voor hun vrienden. Als hij hier was, konden ze elkaar zoenen...

'Hallo!' Sophie stond nog altijd voor haar, met haar handen op haar heupen, een ontstemde uitdrukking op haar gezicht.

'Wat is er?'

'Becca! Zo is het wel genoeg.'

'Ik zat alleen maar –'

'Hè nee, niet weer!' Harper verscheen in de deuropening van de badkamer, gewikkeld in een gigantische, dikke witte handdoek die tot over haar knieën reikte.

Sophie schudde haar hoofd. 'Het lijkt wel alsof het haar niets doet dat John Krasinski komt. Alles draait om "Stuart, Stuart, Stuart".'

Becca knipperde met haar ogen. De charmant afstandelijke – en in Becca's ogen ongelooflijk sexy – acteur uit *The Office*, de Amerikaanse versie van de oorspronkelijk Britse televisieserie, was de enige ster op wie Becca ooit echt verliefd was geweest. 'Echt waar?'

Sophie zuchtte. 'Nee. Volgens Genevieve is hij de stad uit. Maar er komen wel mensen van *Grey's Anatomy*. Tenminste, dat geloof ik. En die dunne griet met die ouwe-vrouwenknieën – je weet wel, ze heeft net een hoofdrol gehad in een film met Tom Cruise. En verder tig agenten en advocaten uit de showbizz, dus pas op je tellen. Ik heb gehoord dat ze nog wel eens handtastelijk kunnen worden.'

'Die chick van Tom Cruise komt niet,' schamperde Harper, en ze schudde als een hond haar natte haar uit.

'Echt wel, douchemonster, en ze brengt een date mee.'

'Hé, wacht eens even! Ging ze niet met... hoe heet hij ook alweer?' Harper omklemde kreunend haar billen. 'Met zo'n kont kan ik me niet aan hem vertonen!'

'Er is niks mis met die kont...'

'Becca vindt hem enorm.'

Die schudde haar hoofd, terwijl Harper en Sophie opnieuw opgewekt begonnen te kibbelen. Voor het eerst in haar leven, besefte Becca plotseling, was ze volmaakt gelukkig. Haar ouders – die op een afschuwelijke manier waren gescheiden – en hun nieuwe partners hadden zich de volle vier dagen dat ze met Kerstmis in Boulder was geweest, correct weten te gedragen. Ze had een schitterende nieuwe jurk om die avond aan te trekken, gekocht in New York waar ze samen met Isabelle heftig was wezen shoppen. Ze was voor het eerst van haar leven in LA, met twee van haar drie allerbeste vriendinnen – hoewel, dat waren er eigenlijk vier, want ze begon Isabelle ook steeds meer te beschouwen als lid van dat uiterst selecte groepje.

En ze had Stuart.

Het nieuwe jaar was nog niet eens begonnen, maar het was nu al het mooiste jaar van Becca's leven.

'Je doet me denken aan mijn kleindochter,' vertrouwde de oude heer Sophie toe. 'Ze woont aan de oostkust, dus ik krijg niet vaak de kans haar te verwennen.'

Sophie had geen idee wat een ouwe kerel als hij te zoeken had op wat ongetwijfeld een van de hipste feesten van het jaar was.

Hij zag er weliswaar perfect uit, modieus gekleed in een onberispelijk linnen pak met een zijden choker, zijn zilvergrijze haar was keurig naar achteren gekamd, maar zijn huid was bleek en droog, bijna perkamentachtig. Eén duwtje, en hij verpulverde tot stof, dacht ze onwillekeurig. Dit was niet het type oudere man met wie Sophie wilde optrekken tijdens een waanzinnige party in Beverly Hills. Maar ze had geleerd respect te hebben voor oudere mensen, dus ze glimlachte beleefd. 'Ik weet zeker dat uw kleindochter dol op u is.'

'Dat is ze ook,' zei hij met een twinkeling in zijn blauwe ogen. 'Vooral omdat ik haar regelmatig een vette cheque stuur.'

Terwijl hij doorpraatte – iets over een pony die hij voor de kleine Madison had gekocht toen ze zeven was – liet Sophie haar blik in het rond gaan. Ook al wist ze dat Trey nog een aantal dagen in Aspen had willen blijven, toch was ze bang dat hij ineens voor haar neus zou staan, en haar zou smeken hem te vergeven. Niet dat ze nog eens zou zwichten voor die warme, chocoladebruine ogen. Geen denken aan! Al bood hij haar een hoofdrol aan in zijn volgende film!

De benedenverdieping van de reusachtige, in Spaanse stijl opgetrokken villa van de Meyers was door *event planners* omgetoverd in een smaakvol winterwonderland. Overal twinkelden witte lichtjes, de Perzische tapijten waren verruild voor kunstsneeuw, en alle kelners droegen bontmutsen en laarzen bij hun smoking. Middernacht zou nog uren op zich laten wachten, maar nu al hadden veel van de gasten zich in knusse hoekjes teruggetrokken om het nieuwe jaar zoenend in te luiden. Sophie keek uit naar beroemdheden om ze Harper en Becca te kunnen aanwijzen. Haar vriendinnen waren waarschijnlijk in alle staten van opwinding, ook al deden ze hun best dat niet te laten merken. Tot haar grote opluchting was Trey nergens te bekennen.

De oude heer – Sophie was zijn naam meteen weer vergeten toen hij zich had voorgesteld – tikte op haar hand. 'Ga een keertje met me lunchen. Dan vertel ik je alles wat je moet weten over The Business onder het genot van een Cobb-salad bij The Ivy.'

Sophie dacht even over zijn voorstel na. Het kon ongetwijfeld geen kwaad om de oude heer dat pleziertje te gunnen. De rol van surrogaatkleindochter kon een goede investering zijn als het ging om haar karma. Bovendien wilde ze dolgraag naar The Ivy, al sinds ze in september naar LA was gekomen. The Ivy was dé plek om gezien te worden – de helft van alle foto's in 'Star Tracks' van *People magazine* was daar genomen. Ze had zelfs gehoord dat sommige sterren erlangs gingen, op weg naar huis van de afkickkliniek, louter en alleen om iedereen te laten weten dat ze weer op de markt waren. Sophie schreef haar telefoonnummer op een papiertje en gaf het hem. 'U kunt me altijd bellen.'

'Dat zal ik zeker doen, kindje.' Toen liep hij weg, waarschijnlijk op zoek naar een rustig plekje om te dutten tot de klok middernacht sloeg.

Sophie keek om zich heen, op zoek naar Harper en Becca. Ze waren inmiddels een halfuur op de party, en Sophie was hen al kwijtgeraakt terwijl ze met de oude heer stond te praten. Ze hoopte vurig dat ze geen gênante dingen deden, zoals beroemdheden om een handtekening vragen. Hoewel, als ze eerlijk was, moest Sophie toegeven dat haar vriendinnen niet zo opgewonden en onder de indruk leken als zij. Maar dat kon ook niet anders, hield ze zichzelf voor. Natuurlijk was ze opgewonden, en natuurlijk probeerde ze er hot uit te zien. Party's zoals deze waren voor een aankomende, jonge actrice een belangrijke gelegenheid om te netwerken. Deze avond was eigenlijk één reusachtige auditie.

Na vijf minuten doelloos rondzwerven ontdekte ze Becca, die zich te goed stond te doen aan een bord minuscule gegrilde kaasjes die ze zichzelf had opgeschept van het buitengewoon gevarieerde buffet.

'Dat je al die mensen kent! Ongelooflijk!' verklaarde Becca, en ze stopte opnieuw een eenhapssandwich in haar mond. Ze zag er beeldschoon uit in het zwarte jurkje dat ze in New York had gekocht. De strapless Marc Jacobs viel tot op de knie en deed haar gespierde armen en platte buik perfect tot hun recht komen. Haar weelderige kastanjebruine krullen waren getemd en opgestoken in een slanke wrong – als het die naam mocht hebben, maar Sophie complimenteerde zichzelf met haar prestatie – zodat Becca eruitzag als een atletische versie van Audrey Hepburn.

Sophie lachte. 'Ik ken echt niet iedereen.'

Plotseling werden Becca's ogen groot. 'Is dat wie ik denk dat het is?' Ze pakte Sophie bij de arm, zodat die bijna Cristal Champagne over haar geleende jurk morste. Sophie wist het nog net op tijd te voorkomen. Genevieve zou niet blij zijn met vlekken op de Stella.

Sophie volgde Becca's blik naar een lange blondine van ergens in de dertig die aan een martini nipte. 'Wie denk je dat het is?' In gedachten liep Sophie de rolbezetting langs van elke televisieserie, toneelproductie en recent uitgebrachte film.

'De *Downhill Destroyer*,' fluisterde Becca vervuld van ontzag, terwijl ze haar bord op tafel zette. 'Picabo Street.'

Sophie begon te lachen. Dat was typisch iets voor Becca. Op een feestje met *tout* Hollywood had zij alleen maar oog voor een collega-atleet. 'Ze heeft ik weet niet hóéveel gouden medailles gewonnen,' vervolgde Becca. 'Picabo is echt een van de groten.'

'Ga een praatje met haar maken.' Sophie gaf Becca een duwtje in de goede richting. 'Dan kunnen jullie ervaringen uitwisselen over... poedersneeuw... skiliften...'

Becca keek haar geschokt aan. 'Je denkt toch niet dat ik haar ga lastigvallen!' Ze zweeg even. 'Maar ik ga wel Stuart bellen. Die weet niet wat hij hoort!'

Sophie pakte Becca's zwartfluwelen enveloppetas, voordat haar vriendin haar mobiele telefoon eruit kon vissen. Ze was blij voor Becca dat ze de ware liefde had gevonden, maar die liefde dreigde wel een obsessie te worden. 'Je kunt later wel met je knuffelboy praten. Vanavond gaat het om ons! Dus als je geen zin hebt in een babbeltje met Kiekeboe, laten we dan op zoek gaan naar Harper.'

'Oké,' gaf Becca toe. 'Ik ben tenslotte niet zo'n meisje dat geen vijf minuten zonder haar vriendje kan.'

*Echt wel.* Maar dat zei Sophie niet. Becca was eindelijk... gelukkig. Dus ze zou haar niet te hard vallen. Tenminste, voorlopig.

Terwijl ze zich een weg baanden door de drukte, op zoek naar Harper, wees Sophie haar vriendin zo discreet mogelijk op de aanwezige beroemdheden. Het meisje met de knokige knieën dat met Tom Cruise in een film had gespeeld, om de nek van haar vriend, een Braziliaans topmodel. En de producer die erom bekend stond dat hij zijn assistenten met een grotere frequentie ontsloeg dan waarmee zijn dienstmeisje zijn bed verschoonde. Verder waren er een heleboel mensen die Sophie via de Meyers had ontmoet – voornamelijk advocaten, zoals Giff Meyer zelf, en anderen die aan de minder tot de verbeelding sprekende kant van de business werkten. Sophie hoopte echter Becca een superster te kunnen laten zien, of een jonge regisseur die helemaal hot was.

'Daar heb je Harper!' toeterde Becca in Sophies oor. Ze moest schreeuwen om boven het aanzwellende lawaai van de party uit te komen. 'Ze staat bij de bar, met een ontzettend schattige jongen te praten.'

Sophie baande zich een weg langs een groepje jongens die eruitzagen als figuranten in *Entourage* en keek in de richting die Becca aanwees. Harper stond inderdaad bij een van de twaalf bars die de cateraars hadden opgezet. En ze praatte inderdaad met een ontzettend schattige jongen.

'Gaat het wel goed met je?' vroeg Becca. 'Je ziet een beetje bleek.'

'Ik kán er niet bleek uitzien,' hielp Sophia haar herinneren. 'Dat is genetisch bepaald.'

'Nou ja, figuurlijk gesproken dan.' Becca snoof even. 'O... wauw! Dat is toch...'

*Sam.* Harper stond te praten met Sam. Of liever gezegd, ze stond te luisteren naar Sam. Een en al aandacht, grijnzend als een idioot. Anders dan die middag was er geen kast in de buurt waarin Sophie zich kon verstoppen.

Sam was de eerste die ze bij aankomst in Los Angeles had ontmoet. Toen ze op LAX landde, had ze geen idee wat ze kon verwachten. En daar stond Sam, bij de bagageband, met een stuk karton waarop hij met grote letters haar naam had geschreven. Op dat moment had Sophie niet geweten dat hij, net als zij, probeerde aan de bak te komen als acteur, noch dat hij de poolboy was van de Meyers. Ze had alleen maar geweten dat hij hot was. Maar toen de betovering van zijn aanbiddelijk warrige, blonde haar, zijn doordringende blauwe ogen en zijn verrukkelijke lichaam eenmaal was verbroken, was Sophie tot de conclusie gekomen dat hij een ontzettende zak was. Als hij al met haar wilde praten, maakte hij er geen geheim van dat ze het nooit verder zou schoppen dan shampoocommercials. Dat ze niet op een serieuze acteercarrière hoefde te rekenen, zoals hij.

Toch waren ze vrienden geworden. Of in elk geval iets wat daarop leek. Het klonk banaal, maar er was tussen hen onmiskenbaar sprake van chemie. Sam liet zich niet intimideren door Sophies schoonheid of door haar uitbundige persoonlijkheid. Integendeel, hij daagde haar uit. En andersom gebeurde precies hetzelfde. Maar telkens wanneer ze dacht dat er iets ging gebeuren, dan gebeurde er niets. Dat was een van de redenen waarom ze hem een zak vond, moest ze eerlijk toegeven: het feit dat hij altijd de regie in handen moest hebben. Toen had ze Trey leren kennen... en had het er allemaal niet meer toe gedaan.

Sophie had Sam niet meer gezien sinds vlak voor Kerstmis, toen ze cadeaus hadden uitgewisseld die op een cryptische manier veelbetekenend waren. Hij had haar een zelfgebrande cd ge-

34

geven met nummers die te maken hadden met LA. Zij had voor hem een affiche ingelijst van *De Kersentuin*, het stuk waarin hij net had gespeeld. Dat was voordat Trey Benson bij het gastenverblijf was verschenen – twee uur voordat ze in het vliegtuig zou stappen – en haar had weten te overtuigen met hem mee te gaan naar Aspen, ondanks het feit dat hij wekenlang niets van zich had laten horen.

Had ze maar nooit die boodschap ingesproken op Sams telefoon! Het gevolg van een kortstondige inzinking – die ze had geprobeerd zo snel mogelijk weer te vergeten. Ze was erachter gekomen dat Trey haar had bedrogen met Pasha DiMoni, zijn getrouwde tegenspeelster, en dat was haar even te veel geworden. In dat moment van zwakte, veroordeeld tot zes uur wachten op een busstation in Aspen, had ze Sam gebeld en hem in tranen verteld dat hij gelijk had gehad. Trey Benson was een klootzak. En zij was niet veel beter, door te denken dat hij oprecht om haar gaf.

Zodra ze de boodschap had ingesproken, had ze er spijt van gekregen. Helaas was de moderne technologie nog niet zo ver dat ze de boodschap kon wissen. Tenminste, niet zonder Sams pincode. En blijkbaar voelde Sam zich zo triomfantelijk over zijn gelijk, dat hij niet eens de moeite had genomen om haar terug te bellen. Waarschijnlijk wachtte hij tot ze terug was, om haar zo diep mogelijk te kunnen vernederen.

En nu stond hij achter de bar en praatte met Harper. Het vooruitzicht dat hij haar de les zou lezen over haar stompzinnigheid, dat hij haar recht in haar perfect opgemaakte gezicht de waarheid zou zeggen, was even onaantrekkelijk als onvermijdelijk.

Maar, vooruit! Ze kon maar beter zorgen dat ze het achter de rug had.

'Echt waar, het was shit. Er is geen ander woord voor.' Harper gebaarde roekeloos met haar glas Cristal Champagne om haar woorden kracht bij te zetten. 'Het was zo slecht dat ik het heb verbrand.'

'Je hebt je román verbrand?' riep Sam uit, terwijl hij een glas cabernet inschonk voor een heel klein vrouwtje met een hagedissennek. Harper herkende haar van een serie uit de jaren zeventig, die op Nick at Nite werd uitgezonden. 'Je bent hartstikke gek!'

'Het was het beste wat ik ooit heb gedaan,' verklaarde Harper met grote stelligheid. 'Brand stichten in je eigen plastic prullenbak – en dan wel zodanig dat het bijna uit de hand loopt – is een buitengewoon reinigende ervaring.'

Tot Harpers eigen verbazing amuseerde ze zich kostelijk. Toen ze met Sophie en Becca op de party was gearriveerd, had ze zich een indringer gevoeld – een loser die in een koffiebar werkte, in een kelder woonde en geleuter schreef dat niemand ooit zou willen lezen. Haar vriendinnen zetten reuzenstappen in de richting van het verwezenlijken van hun dromen, maar zij joeg alleen achter haar eigen haveloze staart aan. Het maakte niet uit dat Sophie haar bijna een uur had geholpen met haar make-up en haar haar, of dat ze op het laatste moment nog een poging had gedaan haar kont wat op te strakken door een paar rondjes om het gastenverblijf te rennen. Dit was een feestje voor rijke, succesvolle en mooie mensen, en daar hoorde Harper niet bij.

Ze had echter wel een scherp oog. En daardoor had ze Sam Piper ontdekt, verscholen achter een van de minder drukke bars. Ondanks het feit dat hij in smoking liep (gelukkig zonder bontmuts en dito laarzen) en ondanks het feit dat hij zijn haar korter droeg, had ze hem herkend van de foto die Sophie in oktober met haar mobiele telefoon had gestuurd. Volgens haar vriendin zou hij lomp en onhebbelijk zijn, om nog maar te zwijgen van irritant. Harper snapte niet helemaal waarom Sophie dan een foto van hem had genomen en waarom ze met hem meereed naar haar acteerlessen als hij Zó'n... Ontzéttende... Zák... was.

Harper was recht op hem af gelopen en had zich voorgesteld, vast van plan hem de les te lezen en te zeggen dat hij haar vriendin waardig en met respect hoorde te behandelen, omdat ze dat verdiende. Maar inmiddels vroeg ze zich af wat Sophie op hem tegen had. Anders dan iedereen die Harper op de party had ontmoet, leek Sam... écht.

In de tien minuten dat ze met hem had gepraat, had ze al een theorie ontwikkeld waarom Sophie problemen had met Sam. Haar beste vriendin leefde in haar eigen Sophie-centrische wereld. Ze tolereerde al nauwelijks opbouwende kritiek van Harper, Becca en Kate, nota bene haar beste vriendinnen, laat staan van een knappe vent die niet meteen onder de indruk was van haar charmes. Niet dat Harper in dat opzicht enig recht van spreken had. De afgelopen herfst had ze zich ontpopt als een absoluut secreet, toen meneer Finelli had geprobeerd haar het een en ander duidelijk te maken over haar schrijfcapaciteiten. Dingen waarvan ze achteraf moest toegeven dat hij daarin gelijk had gehad.

Natuurlijk was haar vroegere leraar Engels een ander verhaal. Een verhaal waar Harper op dat moment liever niet bij stil bleef staan. Tenminste, niet als ze de avond wilde doorkomen zonder in een afgrond van wanhoop en zelfhaat te vallen. Ze zou het tegenover haar vriendinnen nooit toegeven, maar ze zou deze oudejaarsavond veel liever met Adam Finelli hebben doorgebracht dan met de beau monde van Beverly Hills. Niet dat hij nog tijd met haar zou willen doorbrengen na de kinderachtige manier waarop ze zich had gedragen.

'Hmm.' Sam floot zacht, terwijl hij de kurk van de zoveelste fles Cristal liet knallen.

'Wat is er?' Maar het was een retorische vraag. Harper zag Sophie aankomen, met Becca in haar kielzog, en ze keek bepaald niet blij.

'Hallo Sam.' Sophie glimlachte overdreven en praatte op de

formele toon die ze reserveerde voor mensen op wie ze nijdig was. 'Ik zie dat je kennis hebt gemaakt met Harper.' Ze keerde zich naar links. 'Mag ik je voorstellen? Dit is Becca Winsberg.'

'Hallo. Leuk je te ontmoeten,' begroette Sam haar opgewekt. 'Je hebt zeker al gehoord dat Sophie een pesthekel aan me heeft?'

'Ik... eh... nee,' stamelde Becca. 'Tenminste, ze zei dat je de poolboy was... Niet dat daar iets mis mee is...' Een van Sophies valse wimpers kon elk moment loslaten, maar bij het zien van de ijzige uitdrukking op het gezicht van haar vriendin, besloot Harper dat ze daar beter niets van kon zeggen.

'Het geeft niet.' Sam grijnsde. 'Ik ben alleen blij dat ze niet heeft geprobeerd haar vriendinnen bij me weg te houden, want ik heb zo veel over jullie gehoord.'

'Dat heeft ze wel geprobeerd,' vertelde Harper. 'Maar ik heb je toch gevonden.'

Sophie schonk haar een vernietigende blik. 'Leuk, zoals jullie over me praten! Alsof ik er niet bij ben,' zei ze uit de hoogte. Toen keerde ze zich naar Sam. 'Toe maar. Zeg het maar.'

'Waar heb je het over?'

'Ik had je gewaarschuwd!'

'Ik weet niet waar je het over hebt.'

Ze keken elkaar doordringend aan. Harper voelde zich plotseling te veel, alsof ze ongewild getuige was van een intiem gesprek. Ze keek naar Becca, die ineens buitengewoon geïnteresseerd was in de voet van een champagneflûte.

'Wij gaan even... Stuart bellen!' Harper gaf Becca een por. 'Ik eh... ik weet een mop... en die móét ik hem vertellen.'

'Ja, dat is een geweldig idee!' riep Becca uit. 'Een mop, dat is altijd leuk. En grappig. Haha.'

'Geen sprake van,' zei Sophie op besliste toon. 'Wat Sam me ook te zeggen heeft, jullie mogen het horen.'

'Sam heeft geen idee waar je het over hebt,' merkte die op, nadrukkelijk het groepje gretige sterren van het een of andere realityprogramma negerend, dat zich met lege glazen bij de bar had verzameld.

Sophie stampte met haar hoge, rode Kenneth Cole-hakken op de namaaksneeuw. 'Kom op! De boodschap die ik had ingesproken!'

'Welke boodschap?' Sam keek net zo verward als Harper zich voelde.

'Ik geloof dat ik naar de wc moet,' kondigde Becca aan. 'Heel erg nodig.' Sophie keek haar woedend aan. 'Misschien ook niet. Nee, definitief niet. Het was vals alarm.'

'De boodschap die ik op je mobiele telefoon heb ingesproken, terwijl ik in Aspen op de bus zat te wachten,' vervolgde Sophie streng. 'Dat ik een foto van Trey had gezien, waarop hij iemand anders zoende? De boodschap waarin ik zei dat jij gelijk had, en dat ik me had vergist?'

'Ben je naar Aspen geweest?' Sam keek oprecht verbijsterd. 'Ik dacht dat je met Kerstmis naar Boulder ging.'

'Ze is met Trey Benson meegegaan,' verduidelijkte Harper. 'Want ze dacht dat ze verliefd op hem was. Maar het bleek dat ze gewoon een spreekwoordelijke kerf was in de riem van een narcistisch tieneridool dat zijn tong niet binnenboord kan houden.' Ze zweeg om haar glas leeg te drinken. 'In mijn hoofd klonk het stukken beter.'

'Ik heb mijn mobiele telefoon een week geleden in het zwembad laten vallen,' antwoordde Sam. Hij keek naar Sophie, niet naar Harper. 'En sindsdien doet hij het niet meer.'

Sophie kon wel door de grond zakken. 'O.' Ze boog haar hoofd en schoof wat namaaksneeuw heen en weer met de punt van haar schoen.

Becca begon nerveus te giechelen. 'Nou, gelukkig is dat nu tenminste opgehelderd!'

'We worden geacht vrienden te zijn.' Sam bleef Sophie aankijken. 'En vrienden laten elkaar niet in de stront zakken als het even klote gaat.'

'Dus je gaat het niet zeggen? *Ik had je gewaarschuwd*?' Sophie keek op.

'Gezien de manier waarop je over me denkt, heb ik me blijkbaar vergist, en zijn we geen vrienden.' Hij schudde zijn hoofd, alsof hij iets moest verwerken. 'Dus dat verandert de zaak. *Ik had je gewaarschuwd*!' Er viel een ongemakkelijke stilte. Het vuur was uit Sophies blik verdwenen; ze straalde niet langer haar gebruikelijke zelfverzekerdheid uit. Haar mooie gezicht was getekend door verdriet. Harper had oprecht met haar te doen.

'Moeten we Kate onderhand niet bellen?' Blijkbaar had Becca het ook gezien.

Harper knikte haastig. 'Ja, en ik kan nauwelijks meer op mijn benen staan in deze schoenen. Dat hou ik niet vol tot twaalf uur.'

'Kom mee.' Sophie wendde zich af, in een poging de blik van een zeker iemand te ontwijken. 'Ik vind het hier ineens wel erg druk.'

Vijf minuten later sjokten ze gedrieën het gastenverblijf binnen. Sophie had duidelijk gemaakt dat ze het niet meer over haar confrontatie met Sam wilde hebben, of over de boodschap die ze in tranen op zijn voicemail had ingesproken. Harper peinsde er niet over verder aan te dringen. Ze was maar al te vertrouwd met de behoefte om bepaalde ongemakkelijke onderwerpen te mijden.

'Ik heb een dringende behoefte aan ijs!' Becca schopte de zwarte Ferragama-sandaaltjes uit die ze van Sophie had geleend. 'En Cheetos.'

'Voor mij alleen water.' Harper liet zich op de bank ploffen. Na de parade van perfecte lichamen in huize Meyer had ze gezworen tot haar vijftigste alleen nog maar rijstwafels te eten.

'Ik dacht dat het er bij de bierfeesten op Middlebury wild aan toe ging,' zei Becca peinzend, terwijl ze uit de keuken kwam met Chunky Monkey-ijs, Cheetos en diverse andere, gekmakend verleidelijke snacks. 'Maar dit is echt te gek.'

'De vierkante centimeter lip per hoofd was werkelijk verbijsterend,' viel Harper haar bij, gretig naar de zak Twizzlers kijkend.
'Ik snap niet dat je het trekt.'

Sophie, die voor de spiegel stond en de laag uitgesneden rug
van haar jurk bewonderde, keerde zich naar haar toe. 'Wat? Waar
heb je het over?'

'De mensen hier. Ik bedoel, ze zien er perfect uit, maar ze lijken
me allemaal zo... zo onnozel... zo oppervlakkig...'

'Sorry, maar we kunnen niet allemaal van die intellectuele su-
permensen zijn die romans schrijven in onze vrije tijd,' snauwde
ze, en ze sloeg haar armen over elkaar.

Oeps.

'Ik weet zeker dat Harper niet iederéén bedoelde,' probeerde
Becca te schipperen. 'Sam vond ze aardig. Toch, Harper? Je vond
Sam toch aardig?'

'Ach, fuck Sam!' Sophie marcheerde naar het midden van de
kamer en keek dreigend op Harper neer. 'Hij vindt zichzelf geweldig, en hij is ongelooflijk arrogant – ongeveer net zo arrogant als
een zeker ander persoon die ik ken.'

'Sorry dat ik er een mening op nahoud!' viel Harper uit. 'Kan ik
het helpen dat er hier meer nepborsten dan hersens rondlopen?'

'Halloooo!' riep Becca. 'We zijn beste vriendinnen! En als we
door willen gaan met het droomjaar, dan is het van het grootste
belang dat we niet oordelen en veroordelen.'

'Dat kan jij makkelijk zeggen,' merkte Sophie op. 'Jij hebt je
droom al bereikt. Je bent verliefd.'

'En dat is geweldig,' voegde Harper eraan toe. 'Maar wel een
beetje irritant voor ons, want wij moeten naar dat babystemmetje van je luisteren als je met Stuart aan de telefoon zit.'

'Ja, dat moet afgelopen zijn,' viel Sophie haar bij, en ze sloeg
opnieuw haar armen over elkaar.

'Praat ik met een babystemmetje?' vroeg Becca, vervuld van afschuw. 'Nee toch, hè?'

41

Harper rolde met haar ogen. Hoe kon iemand zo doof en blind zijn? 'Nou en of. Elke keer dat je hem aan de telefoon hebt.'

'Het is erger dan ik dacht,' verklaarde Becca terwijl ze de zak Cheetos openmaakte. 'Ik heb hulp nodig.'

'We hebben nog een halfuur tot de uitzending vanuit New York begint en de bal op Times Square naar beneden komt. Dus die tijd zullen we gebruiken om je te heropvoeden.'

'En dan bellen we Kate,' stelde Harper voor.

'Dus we zijn het eens?' vroeg Becca. 'Het thema van dit jaar is dat we niet oordelen?'

'Absoluut. Het Jaar Zonder Oordelen.' Heimelijk wist Harper dat ze – constant en in gedachten – over iedereen een oordeel zou hebben. Maar dat kon ze vóór zich houden. Ze kon het in elk geval proberen.

Sophie liep naar de keuken. 'Ik haal een fles champagne uit de koelkast. Dan kunnen we erop drinken.'

Een stemmetje in haar hoofd vertelde Harper dat ze weliswaar geen ruzie hadden gekregen, maar dat de verhoudingen tussen haar en haar vriendinnen waren veranderd. Omdat zíj waren veranderd. En die veranderingen waren niet helemaal gelijk op gegaan. Sophie leek emotioneel minder stabiel, alsof de onzekerheden van het leven als aankomend actrice in Los Angeles haar te veel begonnen te worden. Becca was niet alleen naar de universiteit gegaan, ze had een heel nieuwe wereld betreden, een wereld met nieuwe vriendinnen, nieuwe prioriteiten en zelfs een nieuw (en irritant) babystemmetje in romantische situaties. Kate zat aan de andere kant van de wereld, inmiddels waarschijnlijk onherkenbaar, met een baret op haar hoofd terwijl ze buitenlandse, en misschien wel dodelijke, drankjes dronk, zoals absint. En Harper zelf was hun vrienschap heimelijk ontrouw, want ze droomde ervan dat ze in het saaie Boulder zat en in de ogen keek van de superintelligente meneer Finelli, in plaats van zich met haar beste vriendinnen onder de beau monde van LA te begeven. Zou dat de toekomst zijn? Dat ieder voor zich wenste dat ze ergens anders was, met andere mensen? Ze pakte de bak Chunky Monkey en een lepel van de belachelijk grote bamboesalontafel. Haar kelderponden moesten nog maar even blijven zitten. Nu ging het erom de band met haar vriendinnen te versterken, en daar hadden ze ijs bij nodig.

❤

Koffie. Als ze nog maar een kop koffie kon krijgen, dan zou het misschien lukken om haar ogen open te houden, dacht Kate. En dan zou de blauwe balpen niet als een stuk lood in haar hand liggen. Het kostte haar steeds meer moeite om bladzijde na bladzijde aantekeningen te maken met een blok lood tussen duim en wijsvinger.

Maar de koffiepot was ver weg – helemaal aan de andere kant van de enorme gelambriseerde conferentiezaal van het Hilton Hotel in Addis Abeba, waar Kate en negentien andere jonge mensen hun officiële oriëntatie ontvingen van Simenen, een onberispelijk uitziende, kleine Ethiopiër met een rond gezicht en een zwaar accent, die de Ethiopische afdeling van Le Project D'Eau (of The Water Project, zoals het aan de andere kant van de oceaan heette) leidde. Gelukkig deed hij zijn presentatie in het Engels, dacht Kate vermoeid. Hoewel ze de afgelopen maanden vloeiend Frans had leren spreken, was ze na de amper twee uur slaap sinds haar aankomst in Addis Abeba die ochtend niet zo fit dat het denken daarin haar vlot zou zijn afgegaan.

Dorothé daarentegen, die links van Kate zat, leek klaarwakker. Ze was zesentwintig, maar zag er veel jonger uit, terwijl ze bedrijvig tekeningetjes krabbelde op een geel blocnote en nonchalant mineraalwater dronk uit een grote fles. Maar Dorothé was dan ook al diverse malen in Ethiopië geweest. Waarschijnlijk had ze deze hele oriëntatiebijeenkomst niet eens nodig. Ze wist alles van

43

het slaan van putten, van filter- en stijgbuizen, en van de hygië-
nevoorschriften die op plekken zonder stromend water in acht
moesten worden genomen. Het was alsof er een elastiekje knapte, ergens in Kates hoofd.
Had ze het goed verstaan? *Zonder stromend water?* Had Simenen
dat zojuist gezegd? Hoe moest ze douchen zonder stromend
water? Of haar gezicht wassen? Ze was niet naar Ethiopië gekomen om een gezicht vol puistjes te krijgen. Trouwens, hoe was
het mogelijk dat dit voor de hand liggende feit – dat er *geen stromend water* zou zijn in het dorp waar ze naartoe ging – niet eerder bij haar was opgekomen? Waar was ze aan begonnen? Wat
had ze gedaan? Of liever gezegd, wat had Hárper gedaan? Want
dit was uiteindelijk allemaal Harpers schuld. Als die niet niet had
gelogen over het feit dat ze niet was toegelaten op NYU en vervolgens (weliswaar onbedoeld) Sophie had overgehaald om niet
naar de Universiteit van Colarado in Boulder te gaan, maar naar
Los Angeles, om haar droom om de Halle Berry van haar generatie te worden te verwezenlijken, dan had Kate nooit... Dan had ze
nooit beseft dat ze blindelings de weg had gevolgd die haar ouders voor haar haden uitgestippeld, zonder zich af te vragen wat
ze zelf eigenlijk van het leven verwachtte. Dan was ze naar Harvard gegaan met haar – inmiddels ex- – vriendje Jared, ze had
schitterende cijfers gehaald en zou uiteindelijk cum laude zijn af-
gestudeerd, maar dan had ze nooit geweten... wat er nog meer in
de wereld te koop was.

Ze wist nog niet precies wat dat *meer* inhield, maar ze wist dat
het er was. En het was dat ongrijpbare *meer* – een droom die ze
nog moest ontdekken – waarvoor ze Harvard in de steek had gelaten, waarvoor ze zich de woede van haar ouders op de hals had
gehaald en afscheid had genomen van haar zusje en haar drie
beste vriendinnen, om helemaal alleen naar de andere kant van
de wereld te vertrekken. Niet dat het verkéérd zou zijn geweest
om de dromen te verwezenlijken die haar ouders voor haar had-

den. Ze zou waarschijnlijk hebben uitgeblonken op Harvard, daarna op Yale Law, en ze zou er geen moeite mee hebben gehad om vervolgens werkweken van negentig uur te maken bij een advocatenkantoor met een geweldige reputatie. En misschien was dat wel wat ze wilde.

Maar misschien ook niet. En Kate had lang genoeg gewacht om daar uiteindelijk achter te komen. Achttien jaar was een lange tijd om andermans dromen te leven, ook al waren die dromen nog zo ambitieus. Nu was het haar beurt. Het enige probleem was dat ze nog altijd niet precies wist wat haar droom was – ook al voelde ze dat het besef naderde. De laatste vier maanden waren de uitdagendste, de meest bijzondere periode van haar leven geweest. Rondreizend door Europa, met een minimum aan geld en bagage, had ze ontdekt dat Kate Foster meer in huis had dan haar buitenkant – die van een achttienjarige, hardwerkende blondine. Zelfs meer dan de schitterende cijfers en het harde werken waarmee ze een plaatsje op Harvard had weten te veroveren.

Haar vriendinnen hadden haar bij die ontdekking geholpen, door haar te dwingen bij haar reizen niet de geijkte toeristische attracties langs te gaan. Aan het eind van haar tweede week in Parijs – ze had niet geweten waar anders heen te gaan, en het was ondenkbaar dat ze terugging naar het continent waar ze haar ouders in alle staten van woede had achtergelaten – had Harper haar een lijst met uitdagingen gestuurd, bedoeld om haar te helpen haar droom te vinden. Sophie, Becca en Kates zuster, Habiba, hadden allemaal een bijdrage geleverd. Er stonden gekke dingen op, zoals 'Ga druiven stampen', maar ook serieuze, zoals 'Raak de Berlijnse Muur aan'.

Het was nummer zeven op de lijst geweest ('Praat met de lelijke jongen') waardoor Kate in contact was gekomen met Magnus. Hopeloos verdwaald was ze een Parijse bar binnengelopen om een taxi te bellen, maar voordat ze bij de telefoon was, had de lange Zweed haar aangesproken. Ze was geboeid geweest door zijn vriendelijke uitstraling, zijn openheid, en nadat ze had geconcludeerd dat Magnus weliswaar een opvallende verschijning was, maar beslist niet lelijk, had Kate een gelukzalige nacht in zijn armen doorgebracht. De volgende morgen had ze hem – bang om van haar doel te worden afgeleid – in alle vroegte een verontschuldigend briefje geschreven en was ze verdwenen, Parijs in, ervan overtuigd dat ze hem nooit meer zou zien.

Door een afschuwelijk incident in Athene was het anders gelopen. Tijdens een wandeling door de stad, op weg naar de Akropolis, was ze door drie jeugdige overvallers een donkere steeg ingesleurd, waar de mannen haar in elkaar hadden geslagen en haar rugzak hadden gestolen. Een behulpzaam ouder echtpaar had haar belagers weggejaagd, maar Kate was totaal in paniek geraakt door de ervaring. Het had veel erger kunnen zijn – goddank was ze niet verkracht – en daarvoor was ze dankbaar, maar de wonden waren dieper dan de gehechte jaap in haar voorhoofd, haar dikke knie en haar gekneusde ellebogen en ribben. Plotseling had ze zich kwetsbaar gevoeld. Zwak. Maar vooral – en dat was het ergst van alles – bang. Zodra ze uit het ziekenhuis was ontslagen, was ze op de trein gestapt, terug naar Parijs. Ze had niet geweten waar ze anders heen moest. Op hun ene avond samen had Magnus haar voorgesteld aan een bijzondere, al wat oudere vrouw, Chantal, die doceerde aan de universiteit. Bij Kates terugkeer bood Chantal haar de logeerkamer aan, om daar in alle rust weer op krachten te komen.

Chantal had voor haar gezorgd, een baan voor haar gevonden in een nabijgelegen café en haar aangemoedigd de wereld weer onder ogen te zien. Bovendien had ze Magnus gebeld. Kate zou nooit het moment vergeten dat ze opkeek van de kassa en hem in de deuropening zag staan. Ze had verwacht dat hij haar zou haten. Maar hij had haar opgepakt en weer op haar benen gezet – of liever gezegd, op zijn motor. En toen had hij haar meegenomen, weg van Parijs, weg van de oppervlakkige veiligheid waaraan ze zich had vastgeklampt – haar reislust beperkt tot de korte wandeling van de gezellige logeerkamer bij Chantal naar het café en terug – en haar geholpen haar gevoel van veiligheid in zichzelf te vinden.

Samen hadden ze zich de meeste punten op Harpers lijst weten te herinneren, die in haar gestolen rugzak had gezeten. Magnus had diverse onderdelen daarvan met haar afgewerkt, zoals druiven stampen bij een wijngaard in Italië en een van de Zwitserse Alpen beklimmen. Bijna als een personal coach had hij haar geholpen weer op krachten te komen, tot ze sterk genoeg was om haar reis alleen voort te zetten. Toen had ze hem vergezeld naar de zuidkust van Zweden, had ze hem vaarwel gekust en was opnieuw naar Athene gereisd, om haar angsten onder ogen te zien. Tegen die tijd was het bijna Kerstmis, dus was ze teruggegaan naar Chantal voor de feestdagen. Daarna was ze van plan geweest opnieuw naar het zuiden te reizen en via Turkije en het Midden-Oosten naar China te trekken.

Tot ze Harvard liet vallen, was ze een groot voorstander van het maken van plannen geweest. Het favoriete mantra van haar ouders was dat je altijd een plan moest hebben en dat je je daar vervolgens ook aan moest houden. Maar tijdens haar maanden in Europa had Kate geleerd dat het weliswaar geen kwaad kon om althans iets van een plan te hebben, maar dat het niet altijd mogelijk was – en ook niet altijd het beste – om je daaraan te houden. Dus toen ze Dorothé en Mira in het café over Ethiopië hoorde praten, over het project om het ene na het andere dorp aan water te helpen... toen had ze het gevoel gehad dat daar haar bestemming lag. Plotseling was alles duidelijk. Punt 31 op Harpers lijst, 'neem het water', dat haar maanden had achtervolgd, was niet alleen een manier om haar droom te vinden, het was ook een manier om een zinvolle bijdrage te leveren aan de wereld.

En het was een manier om dichter bij haar zusje te komen.

Het was inmiddels vier jaar geleden dat de Fosters Habiba hadden geadopteerd uit Ethiopië. Habiba was toen twaalf geweest, Kate veertien. Als enig kind had Kate het geweldig gevonden dat haar ouders een baby'tje wilden adopteren. Maar toen was Habiba gearriveerd, een prille tiener met lange, slungelachtige benen en stralende, gitzwarte ogen, gefascineerd door alles wat met Amerika te maken had, en met een onuitgesproken verlangen naar de genegenheid en de goedkeuring van haar nieuwe grote zus. Het had even geduurd voordat Kate zich van dat laatste bewust werd, en voor het eerst had ze niet aan de aan haar gestelde verwachtingen kunnen voldoen. Het was allemaal te veel – Habiba was te veel. Ze week te zeer af van het kleine baby'tje waarop Kate had gehoopt. Een van de vele schaduwzijden van de neiging van haar ouders tot het maken van plannen, was dat Kate de grootste moeite had zich aan te passen aan onverwachte situaties. Ze had haar best gedaan, maar pas toen ze het ouderlijk huis had verlaten, was ze gaan beseffen hoeveel ze van haar kleine zusje hield. En hoe Habiba ernaar verlangde – en dat ook nodig had – dat ze echte zusjes waren en niet alleen maar twee tieners die toevallig een badkamer deelden.

En zo was Kate duizenden kilometers van huis aan een conferentietafel in Addis Abeba terechtgekomen, snakkend naar koffie na een college van twee uur waarop iedere Harvard-professor trots zou zijn geweest. De sessie was begonnen met een korte inleiding over de geschiedenis van Ethiopië – zowel indrukwekkend als, toen de meer recente geschiedenis aan de orde kwam, deprimerend. Daarna had Simenen verteld over het ontstaan van The Water Project. Het bestond inmiddels zeven jaar en was een initiatief van een groep internationale zakenmensen die begrepen dat het zorgen voor stromend water in de Afrikaanse boerengemeenschappen niet alleen heilzaam was voor de volksgezondheid; stromend water betekende ook dat meisjes en vrouwen naar school konden of nieuwe vaardigheden konden leren, omdat ze niet langer acht uur per dag bezig waren met het halen van vervuild water uit rivieren en bronnen op kilometers lopen van hun dorp. Daarnaast was er het politieke voordeel dat dorpen en families niet meer hoefden te vechten om het water dat ze nodig hadden om te overleven.

Kate voelde zich gelukkig dat ze hier was. Daar was geen twijfel over mogelijk. Gelukkig omdat ze de kans had iets zinvols te doen. En ze was opgewonden bij het vooruitzicht van alles wat ze zou meemaken, alles wat ze zou leren – niet alleen over het geboorteland van haar zusje, ook over zichzelf. Maar geen stromend water? *Echt niet?*

Kate zuchtte. Ze kon het aan. Als ze de afgelopen vier maanden iets had geleerd, dan was het dat ze zich wel degelijk kon aanpassen. Maar als ze de komende twee uur oriëntatie niet in slaap wilde vallen, móést ze nog een kop koffie zien te scoren.

Ze schoof net haar stoel naar achteren toen...

'Kate Foster?'

Ze keerde zich naar de deur van de conferentiezaal. Daar stond een portier in een bruin uniform. Hij keek de zaal rond.

'Ja?' Ze probeerde er geen acht op te slaan dat alle ogen plotseling op haar waren gericht.

'Er is telefoon voor u uit Los Angeles.' De portier gebaarde naar de lobby.

Kate glimlachte toen ze op haar horloge keek. Het was middernacht in Los Angeles. Ze was bijna vergeten dat het daar nog nieuwjaar moest worden.

'Sorry,' mompelde ze. Ze konden kijken wat ze wilden, maar Harper, Becca en Sophie wachtten.

Ze schoof haar stoel naar achteren en volgde de portier naar de twee verdiepingen tellende lobby, die niet alleen een Aziatische uitstraling had, maar ook de sfeer van de jaren zeventig uitademde. De telefoon stond in een afgezonderde nis achter de langgerekte balie van bruin marmer, wees de portier.

'Katie!'

'Mis je ons een beetje?'

'Hoe gáát het met je?'

De stemmen van haar beste vriendinnen schalden uitbundig door de telefoon.

Zo te horen waren ze dronken. Of ze hadden te veel suiker gegeten. Of allebei.

'Natuurlijk mis ik jullie!'

Er zat wat ruis op de lijn, maar de afstand in aanmerking genomen, was de verbinding heel goed.

'Hoe is het in mijn vaderland?' In de tweede klas van de middelbare school had Sophie een Afrocentrische fase doorgemaakt, waarbij ze drie weken lang alleen maar Afrikaanse prints had gedragen met sandalen. Gelukkig had de dramatische vertoning haar geïnspireerd om zich ook daadwerkelijk in haar verre erfgoed te verdiepen.

'Lieverd, Afrika is het vaderland van iederéén. Het draait niet altijd alleen maar om jou,' verkondigde Harper onaangedaan.

Kate meende een zekere ondertoon van scherpte in het grapje te bespeuren. Tegelijkertijd besefte ze dat ze niet goed wist hoe ze de vraag moest beantwoorden. Ze had hier zo veel gezien dat... nou ja, ronduit sómber en ontmóédigend was. Dat gold niet voor het landschap, tenminste niet in Addis Abeba, dat in januari weelderig groen was, met overal paars bloeiende jacarandabomen, zelfs in de grimmigste wijken. Niet dat Kate al veel van de stad had gezien. Eigenlijk alleen het uitzicht vanuit het hotel. Ze was verbijsterd geweest toen ze, wachtend op de lift naar de zesde verdieping, uit een raam aan de achterkant had gekeken. Wat ze zag was extra schokkend omdat het uitzicht vanaf haar balkon aan de voorkant in niets verschilde van dat van elk willekeurig Amerikaans resort: rode tennisbanen, zeegroene zwembaden met water afkomstig uit natuurlijke, warme bronnen, een restaurant met rieten parasols boven de tafeltjes en overal bloembedden.

Aan de achterkant van het hotel strekte zich daarentegen een sloppenwijk uit, zo ver het oog reikte: hutjes met metalen daken en schuttingen van golfplaten. Kinderen in versleten T-shirts en korte broeken speelden op een veld van aangestampte aarde aan de andere kant van de hoge, grijze muur rond het Hilton Hotel. Er hing een geur van rook. Dorothé had haar verteld dat maar heel weinig bewoners van de sloppenwijk gas of elektriciteit hadden. Dus er werd gekookt op houtvuurtjes of in kleine oventjes waarin hout werd gestookt.

Hoe moest ze dat aan haar haar vriendinnen vertellen, omringd als ze werden door de glamour en de overdaad van LA? Dus veranderde ze van onderwerp.

'Wat is het laatste nieuws? Hoe gaat het met jullie?'

'Becca is verlie-iefd,' zong Sophie.

'Hou op.' Maar Becca klonk gelukkig. 'Sophie woont op een landgoed. Met een zwembad met een waterval. Niet te geloven, hè?'

'Nee.' Kate wist niet wat ze moest zeggen. Waar zij was, moesten miljoenen vrouwen en kinderen dagelijks kilometers lopen voor een emmer water. Dus bij zo'n verhaal over een privézwembad compleet met waterval in Beverly Hills wist ze niet of ze onder de indruk moest zijn of zich plaatsvervangend moest gêneren.

'Sophie gaat haar tieten laten doen,' meldde Harper nadrukkelijk.

'Schei nou toch... Jaaaaaa, het is 'm!' In LA stegen de achtergrondgeluiden met decibellen.

'Wat? Waar gaat het over?' Er was duidelijk iets belangwekkends aan de hand.

'Die vent van die film over dat vliegtuig dat neerstort in de woestijn. Hij kwam hier net langslopen, langs het gastenverblijf waar Sophie woont...'

'Welke film?' Kate had het shownieuws niet echt bijgehouden.

'Ooooo, hij praat met Scarlett Johanssen!' bracht Harper ademloos uit.

'Die trouwens níks aan haar tieten heeft laten doen. Dat is allemaal echt.'

Er zat duidelijk iets niet helemaal lekker tussen Harper en Sophie.

'Wie het ook is, ze ziet er f...ing fan...tisch uit.' Ondanks de statische ruis kreeg Kate moeiteloos mee wat er bedoeld werd.

'Nee! Het is niet waar! Jullie zijn op een feestje met Scarlett Johansson?!' Kate begon te lachen. Dit was te gek. Ze was niet alleen duizenden kilometers bij haar vriendinnen vandaan, ze was in een ander universum.

'Hé!' klonk een scherpe mannenstem achter haar.

Kate draaide zich om en keek recht in een paar lichtbruine, bijna gele ogen. Het waren de ogen van... Ze kon zich zijn naam niet meer herinneren. Zoiets als... O ja, Dárby. Aan het begin van de presentatie waren ze kort aan elkaar voorgesteld, dus ze wist dat de gebruinde, donkerblonde – of misschien was zijn haar lichtbruin – Amerikaan deel uitmaakte van haar vijfkoppige ploeg. Samen met Dorothé, een Fransman en nog een Amerikaans meisje zouden ze worden ingezet in een dorp in het noorden van Ethiopië, vlak bij... Ach, hoe heette die stad ook alweer? Kate wist het niet meer. Ze had echt dringend slaap nodig.

Waarom keek Darby haar zo aan? Was dat... minachting die ze in zijn ogen las?

'Wat is er?' Ze legde een hand op de hoorn.

'Ik wil niet beweren dat je gesprek niet belángrijk klinkt,' zei hij zacht. 'Maar oriëntatie is verplichte kost. En het kan je rijke vriendinnen ongetwijfeld niet schelen, maar dat gesprek kost ons zo'n drie dollar per minuut.'

Daarop draaide hij zich om en liep weg, de gang in, terug naar de conferentiezaal.

Kate voelde zich warm worden. De hitte kroop via haar hals omhoog tot aan haar haargrens.

'Kate... ben je er nog?' De stem van Becca deed haar opschrikken uit haar vernederende overpeinzingen.

'Ja,' zei Kate. 'Ja, ik ben er nog.' En ze zou er nog minstens vijf minuten zijn. Of drie. Misschien twee. 'Vertel eens wat over die lekkere quarterback van je.'

Terwijl Becca haar het laatste nieuws over Stuart vertelde, keek Kate de lange gang in, naar de deur van de conferentiezaal.

Wat een hufter! Hij mocht dan fascinerende lichtbruine ogen hebben, maar het feit dat zijn naam maar één lettertje verschilde van die van Mr. Darcy in *Pride and Prejudice*, kon Darby er niet aantrekkelijker op maken.

Lieve Kate,

Misschien dat je hier iets aan hebt...

Hallo ... selam (De e klinkt zo ongeveer als de eu in deur)
Meneer ... Ato
Mevrouw ... Weizero
Mejuffrouw ... Weizerit
Hoe gaat het? ... Dema nesh? (Als je het tegen een vrouw hebt) of
Dema neh? (voor een man)
Met mij gaat het goed ... Dema nemy (ny zoals in canyon)
Dank u wel ... Amese guhnando
Alstublieft ... Ebakuh(m) of ebakesh(v)
Het spijt me ... Aznallo
Oké ... Ishi (of misschien meer eshi - je herkent het wel als je
het hoort)
Hoe heet je? ... Semeh man no?(m); semesh man no?(v)
Ik heet Kate ... Semeh Kate no
Kunt u me alstublieft helpen? ... Ebakeh er dany?(m); Ebakesh er-
jiny?(v)
Ik kom uit Amerika ... Ke Amerika nemy
Sorry ... Yikerta
Waar is het dichtstbijzijnde vliegveld? ... Yemikerbo airoplan yet no?

Dat laatste voor het geval dat je naar huis wilt. Ik heb er nog
een paar velletjes met nuttige woorden bijgedaan en Amhaarse gram-
matica in het kort. Lekker om in het vliegtuig te lezen. Ik hoop
dat het je door de eerste dagen heen helpt.
We missen je.

X, Habiba

# TWEE

ZONDER HAAR OGEN OPEN TE DOEN, wist Becca dat hij naar haar keek. Ze glimlachte.

'Wat is er?' fluisterde Stuart.

Hij keek inderdaad!

'Je kijkt naar me.'

'Je bent mooi als je slaapt.'

Becca deed haar ogen open en keek langs Stuarts blote borst omhoog naar zijn lachende, diepbruine ogen. 'Wanneer ik slaap, hè?'

De eerste stralen van de zon schenen door het raam naar binnen en hulden zijn kamer in een gouden gloed.

'En elk ander moment van de dag.' Hij streek teder over haar lange, kastanjebruine haar en haar rug, slechts gehinderd door het bandje van de beha die ze op aandrang van Sophie had gekocht bij een van de lingerieboetiekjes aan Melrose. Zulke sexy lingerie had ze nog nooit gehad.

'Oké, zo mag ik het horen.' Becca kroop weer tegen hem aan en legde haar hoofd op haar favoriete plekje op zijn borst.

Ze kon nog nauwelijks bevatten dat ze hier lag, dicht tegen hem aan, met een hand op zijn borst, de andere losjes op zijn slanke middel. Alsof het de gewoonste zaak van de wereld was om in bed te liggen met bijna naakte mannen. Ze streek met haar been langs het zijne, zich ervan verzekerend dat zijn boxershort er nog tussen zat. En natuurlijk haar hoog opgesneden, zwart kanten slipje. Ze mocht dan verliefd zijn, maar er waren grenzen.

'Ik heb van je gedroomd,' fluisterde hij in haar oor.

'Het verbaast me dat je lang genoeg hebt geslapen om te dromen.' Ze waren het grootste deel van de nacht wakker geweest, en hadden gepraat... en andere dingen gedaan. Onder haar wang voelde ze zijn borst op en neer gaan. 'Je maakt me zo gelukkig,' fluisterde hij. 'Dat meen ik echt.' Zijn stem klonk bijna nerveus.

Plotseling dreigde de adem te stokken in Becca's keel. Ze dwong zichzelf diep in te ademen en maande haar heftig bonzende hart tot kalmte. Het duurde even voordat ze voldoende moed had verzameld en haar stem onder controle had. 'Jij mij ook.'

Geruime tijd bleef het stil tussen hen, terwijl ze luisterde naar zijn ademhaling en de warme, geruststellende, cederachtige geur van zijn huid rook.

Niet voor het eerst in de afgelopen uren bedankte Becca het universum, dat de voorzienigheid had gehad om Lee, Stuarts kamergenoot, voor het semester naar het buitenland te sturen, namelijk Australië, zodat Stuart beschikte over een royale kamer, waar bovendien – en dat was het belangrijkste – niemand hen kwam storen. Helaas had Lee het merendeel van zijn spullen achtergelaten, inclusief diverse Metallica-posters en psychedelische wandkleden. De andere kant van de kamer, Stuarts domein, zag er aanzienlijk rustiger uit. Zijn bureau van donker eiken was een rampgebied – stapels boeken en papieren met daartussen zijn laptop. Maar de muren waren kaal, op een grote Gustav Klimt-reproductie na. Zijn standaardmodel twijfelaar, met daarop een zware, marineblauwe donsdeken, was opgemaakt met donkere geruite flanellen lakens. En omdat de temperatuur buiten vermoedelijk ver onder nul was, had Becca die flanellen lakens meteen erg kunnen waarderen.

Ze kon zich nu nauwelijks meer voorstellen dat ze nerveus was geweest over het weerzien. De zenuwen waren begonnen op de vlucht van LA naar Boston en waren erger geworden toen ze was overgestapt op een kleiner toestel voor de vlucht naar Middlebury State Airport. En terwijl ze wachtte op haar bagage, en in de shuttlebus naar de campus, en terwijl ze – zoals beloofd – rechtstreeks naar Stuarts kamer liep, was ze bijna misselijk van de zenuwen geweest. Ze had geprobeerd zichzelf moed in te praten – *Hij vindt je leuk. Maak je geen zorgen. Hij vindt je echt leuk. Het komt allemaal goed* – toen ze over het bakstenen pad naar het grijze, bijna middeleeuws ogende studentenhuis liep, de donkere trap op en ten slotte de met tapijt beklede gang door naar de deur van zijn kamer. Ze had naar de namaakkoperen negen gestaard, tot er iemand kwam aanlopen en ze besefte dat ze wel een erg zonderlinge indruk moest maken.

Toen ze had geklopt, deed Stuart vrijwel onmiddellijk open. En op het moment dat ze in zijn ogen keek, waren de zenuwen verdwenen, als sneeuw voor de zon. Hij had haar in zijn armen genomen, en sindsdien was ze niet meer van zijn zijde geweken. Alleen om te plassen.

Stuart begroef loom zijn vingers in haar haren. Rillingen van genot liepen over Becca's rug.

'Wat is je favoriete herinnering?' vroeg hij zacht.

Hoe kwam het toch dat zijn stem haar telkens weer deed huiveren van geluk?

'Anders dan dit moment?'

'Van toen je klein was.'

Dat viel niet mee. In de meeste herinneringen aan haar jeugd stonden haar ruziënde ouders centraal – de hoogoplopende meningsverschillen hadden haar naar haar kamer verdreven, terwijl ze probeerde niet te luisteren naar de beschuldigingen die onontkoombaar escaleerden en er uiteindelijk toe leidden dat een van de twee het huis uit stormde. Wat dat betreft was de onvermijdelijke scheiding een opluchting geweest. Het was inmiddels zeven jaar geleden dat ze haar intrek had genomen in de kamer onder het puntdak van haar stiefvaders huis – zeven jaar met een stiefbroer en stiefzus met wie ze nooit een band had gekregen, maar ook zeven jaar met een moeder die intens verbitterd was over het huwelijk van haar vader met een jongere vrouw, met wie hij al twee jaar een verhouding had gehad, aldus Becca's moeder. Martin, Becca's stiefvader, was niet onaardig gebleken. Hij was accountant. Becca's moeder had hem leren kennen toen ze probeerde een uitweg te vinden uit de financiële chaos na haar scheiding. Hij was in bijna alle opzichten heel gewoon – qua lengte, bouw en haarverlies. Het meest waardeerde Becca hem om zijn zwijgzaamheid, en om het feit dat hij zich door haar moeder nooit tot ruzie liet verleiden. Dankzij het simpele feit dat hij door zijn aanwezigheid de dagelijkse stormen van haar moeder terugbracht tot aanzienlijk zeldzamere gelegenheidsuitbarstingen, had Becca althans enige genegenheid voor hem opgevat.

Haar stiefbroer en -zus waren een heel ander verhaal. Hun moeder, Martins eerste vrouw, was toen de kinderen nog klein waren naar Oregon vertrokken, waar ze zich had aangesloten bij een soort religieuze sekte van boeren. Martin had zijn best gedaan om vader én moeder voor zijn kinderen te zijn, maar door zijn lange werkdagen had dat ertoe geleid dat hij hen zowel had verwaarloosd als te veel had toegegeven. Met Carter, Becca's stiefbroer van twaalf die zich zowel thuis als op school misdroeg in een vergeefse poging om aandacht te krijgen van zijn vader, had Becca tot op zekere hoogte medelijden. Bij de zestienjarige Mia viel het haar aanzienlijk moeilijker om haar aardig te vinden. Becca had geprobeerd vriendschap met haar te sluiten, maar Mia was gewoon een kreng. En ze leed aan boulimie. Vanaf het moment dat Becca een voet over de drempel had gezet, had Mia er alles aan gedaan om haar het leven zuur te maken. Jaloers als ze was, beschouwde ze Becca als een rivaal als het ging om de liefde van haar vader – ook al was Becca dat overduidelijk niet. Martin was niet méér geïnteresseerd in Becca dan in de laatste ontwikkelingen van reality-tv – hij keek af en toe, maar raakte nooit echt betrokken bij de verhaallijn.

Nee, alle goede herinneringen die Becca had, waren verbonden met haar vriendinnen. Harper, Kate en Sophie hadden over de beschermende muur heen gekeken die de verlegen Becca zorgvuldig en doelbewust om zich heen had opgetrokken. Ze gaven haar de kans zichzelf te zijn – niet de spraakzaamste van het stel, maar grappig en soms met waardevolle inzichten. Ze hadden haar dapper gevonden, en daardoor voelde ze zich ook dapper. Bij haar vriendinnen had Becca een toevluchtsoord gevonden. En – voor het eerst – onvoorwaardelijke acceptatie en liefde. Daar hoefde ze bij haar vader en haar stiefmoeder niet om te komen. Die zagen haar als een soort accessoire voor de tuin, iets wat ze af en toe neerzetten wanneer het paste in de pijnlijk nauwkeurig verzorgde plantenkas van hun leven.

'Ben je er nog?' Stuart drukte een kus op haar haren.

'Ja, ik probeer te bedenken wat mijn favoriete herinnering is.' Becca had Stuart wel iets over haar familie verteld, maar een moment als dit wilde ze daar verder niet mee bederven. 'Misschien wel toen we voor het eerst gingen kamperen, aan het eind van de tweede klas. Sophie weigerde zonder luchtbed te gaan, Harper kreeg uitslag toen ze in de struiken ging plassen, en Kate had haar laptop bij zich om aan een paper te werken voor Engelse literatuur.'

'Klinkt geweldig.' Hij grijnsde.

'Dat wás het ook.' Becca gaf hem een por in zijn ribben. 'Ik weet dat het raar klinkt, maar ik heb nog nooit zo gelachen. Het was gewoon... leuk! Ik weet zeker dat je mijn vriendinnen aardig vindt.'

'Over vriendinnen gesproken...' Stuart drukte haar hand. 'Misschien kunnen we gaan lunchen met Isabelle.'

Shit. Isabelle. Becca was haar helemaal vergeten. Ze had de vorige avond vanuit Stuarts kamer willen bellen, om te zeggen dat ze terug was. Maar zodra ze Stuarts lachende gezicht had gezien, en zodra hij haar in zijn armen had genomen...

Ach, Isabelle zou het wel begrijpen. Toch zou ze haar eigenlijk moeten bellen, om te vragen hoe haar vakantie was geweest. Maar toen drukte Stuart een kus in haar hals, en Becca besloot dat haar kamergenote – en de rest van de wereld – kon wachten tot later.

❤

'Het is meneer Finelli.'

'Nee, die is het niet!' Harper gaf Habiba Foster de smoothie die ze, in haar eerste week als barista/schrijfster na haar besluit om niet te gaan studeren, de bijnaam het Groene Monster had gegeven. 'Om redenen waarover ik het verder niet wil hebben.'

Harper had zonder meneer Finelli al genoeg aan haar hoofd. Ze moest een roman schrijven, haar essay voor NYU was een literair gedrocht, en ze werd geacht die dag aan een nieuw dieet te beginnen, gekoppeld aan een trainingsschema – een combinatie van wortels, sit-ups en het intensief gebruiken van de trap die het souterrain verbond met de rest van het huis. Dat alles boven op de werkmarathon van zestien uur, waarmee ze in een vlaag van krankzinnigheid had ingestemd.

Ze zou haar dienst in het café niet samen met Judd Wright draaien, haar oude schoolvriend – of liever gezegd ex-vriend – want die had ervoor gezorgd dat ze niet meer tegelijk werkten, omdat hij Harper nooit meer wilde zien. Dat had hij bijna met zoveel woorden gezegd. Toen Judd had geprobeerd haar goedbedoeld advies te geven, had ze een van haar woedeaanvallen gekregen en hem uitgemaakt voor een jaloerse loser die haar liet barsten wanneer ze hem nodig had. Het tripje naar Los Angeles was een aangenaam respijt geweest van de ellende thuis – op de belachelijke, maar buitengewoon heftige confrontatie met Sophie na, over de vraag of alles en iedereen in LA nep was – maar nu ze weer terug was in Boulder, stond Harper stijf van de angst en de zenuwen. En dat kon iedereen zien.

Maar wanneer Habiba eenmaal iets in haar hoofd had, gaf ze niet op. Het was een van de eigenschappen van Kates veertienjarige zusje die Harper het meest ergerlijk vond. Vooral omdat Habiba doorgaans gelijk had. 'Waarom is hij het niet? Omdat jullie hebben gezoend?' Harper verslikte zich bijna in haar vetarme, cafeïnevrije latte. Na vier maanden in het café had ze koffie eindelijk leren waarderen. 'Hoe wéét je dat?' Kate ging eraan! Ze zou haar wurgen! Langzaam, pijnlijk, tot ze smeekte om genade. Harper was met stomheid geslagen dat een van haar beste vriendinnen zulke intieme details over haar privéleven te grabbel had gegooid. Ook al was Habiba dan volstrekt betrouwbaar.

'Dat wist ik niet. Maar nu wel. Dankzij jouw reactie.' Habiba trommelde hoofdschuddend met haar vingers op de bar. 'Dat je erin bent getrapt! Ongelooflijk!'

Nee, dat vond Harper ook. Oké. Dan zou ze zichzelf van kant moeten maken. Langzaam, pijnlijk, tot ze smeekte om genade. Alleen al bij de gedachte aan meneer Finelli – Adam – kreeg ze de neiging om haar vetarme, cafeïnevrije latte over het ontbijtgebak te spugen.

Harper was al verliefd op meneer Finelli sinds de eerste les Engelse literatuur, in haar laatste jaar van de middelbare school, toen hij hardop gedichten van Yeats had voorgelezen. Hij was een inspirerende leraar, die haar had aangemoedigd in haar droom om schrijver te worden. Bovendien was hij ongelooflijk hot. Jong, hot, intelligent, literair – kortom, de man van haar dromen. Ze was ervan uitgegaan dat die liefde altijd onbeantwoord zou blijven, tot er een paar maanden eerder iets zo onwezenlijks was gebeurd, dat Harper zich nog steeds afvroeg of ze op een nacht door buitenaardse schepselen was ontvoerd en was meegenomen naar een parallel universum. Want het bleek dat meneer Finelli haar leuk vond. Echt leuk. Dat had hij gezegd.

Met zoveel woorden. 'Je bent grappig en intelligent en lief,' had hij gezegd – woorden die Harper sindsdien dwangmatig bleef herhalen.

Hij had haar gekust, waarop Harper dapper had verklaard dat ze hem niet meer wilde zien tot ze de eerste vijftig bladzijden van haar roman af had. Ze was krankzinnig trots op zichzelf geweest, omdat ze haar Droom vóór haar verlangen liet gaan. Dat alles had zich natuurlijk afgespeeld vóórdat ze de eerste vijftig bladzijden had voltooid en aan meneer Finelli had gegeven, met het verzoek om kritiek. Vóórdat hij voorzichtig wat opbouwende suggesties had gedaan, waarop ze had gereageerd met de beschuldiging dat hij jaloers was op haar talent. Vóórdat ze als een idioot zijn appartement uit was gestormd.

'Kunnen we alsjeblieft doen alsof ik je niet net heb verteld dat ik met meneer Finelli heb gezoend?' vroeg Harper. 'Ik ben niet echt in de stemming voor geanalyseer.'

Was het maar druk in Café Hemingway, dacht ze somber. Dan had ze een excuus om niet langer met Habiba te praten. Maar dit was de rustige tijd halverwege de ochtend. Er stond niemand te wachten voor de toonbank. Waar waren al die ergerlijke klanten met hun ingewikkelde bestellingen als je ze nodig had?

'Waar het om gaat, is dat je een nieuwe aanbevelingsbrief moet hebben om te gaan studeren,' vervolgde Habiba, zonder nog langer bij het kusincident te blijven stilstaan. 'En daarvoor moet je naar meneer Finelli. Je was een van zijn beste leerlingen, hij is weg van wat je schrijft, en hij weet hoeveel het voor je betekent om naar NYU te gaan.'

Harper schoof de ruit open die het gebak beschermde tegen genies, en pakte de chocolademuffin waarvan ze die ochtend had gezworen dat ze hem niet zou opeten. 'Laat ik volstaan met te zeggen dat ik me heb gedragen op een manier die wat jij voorstelt, onmogelijk maakt.'

'Bang zijn is geen excuus.' Met haar donkere ogen keek Habiba haar ernstig aan. 'NYU is te belangrijk om je te laten leiden door je angst.'

Met die woorden pakte ze haar Hello Kitty-rugzak en liep ze naar de deur. Terwijl Harper haar nakeek, besefte ze dat Bibi haar steeds meer aan iemand deed denken... Aan Kate! Hoe blij ze ook voor hen was dat de band tussen de zusjes steeds hechter werd, er kleefden ook nadelen aan. Nu Kate en Bibi zo veel contact hadden, had Harper het gevoel alsof Kate naar haar keek door de ogen van haar Ethiopische zusje. En het mocht dan het Jaar Zonder Oordelen zijn, Kate had altijd een oordeel. Over alles.

Harper scheurde de bovenkant van de muffin en snoof de zoete geur op terwijl ze een hap nam. Het hele idee om zichzelf uit te hongeren was krankzinnig. Wanneer je leven zo overhoop lag als het hare, was suiker niet alleen een troost, maar pure noodzaak. Nu haar kwelgeest was vertrokken, was ze blij dat er geen klanten waren. Als er nog één toerist om extra schuim vroeg, kreeg hij een espressomachine naar z'n hoofd.

'We hebben geen uienbagels meer,' zei Harper tegen een ongelooflijk bekakte studente met een hoofdband van UC tien uur en achtenzeventig klanten later. *Omdat ik ze allemaal opgegeten heb*, voegde ze er in stilte aan toe. *Samen met het grootste deel van de roomkaas.*

'Jullie moeten echt beter inkopen,' zei de Hoofdband op de zeurderige, aangeboren-krengerige toon van alle bekakte studentes die het café bezochten. 'Ik ga naar Starbucks.'

'Oké, dag!' Harper glimlachte minzaam, niet echt rouwig om het verlies van een potentiële klant. Studenten gaven toch nooit een fatsoenlijke fooi.

Bovendien zat haar dienst er bijna op, en ze had al besloten dat er vandaag niets meer zou komen van haar studieaanvraag, haar roman, haar dieet en haar trainingsprogramma. Dus ze zou naar huis gaan, op haar matras neerploffen en zich verdiepen in oude exemplaren van *The New Yorker* tot ze geen letter meer kon lezen. Het enige wat nog tussen haar en Malcolm Gladwells inzichten over de moderne maatschappij stond, was het bijvullen van de zoetjes en het vegen van de vloer achter de bar, die altijd bezaaid lag met koffiegruis. Ze zakte door haar knieën om handenvol van de kleine gele pakjes met zoetjes uit een reusachtige kartonnen doos onder de kassa te pakken.

'Ben je nog open?'

Harpers maag dook naar haar knieën. Ze kende die stem. En ze was er op dit moment niet klaar voor. Want óf ze zou een toespraak moeten afsteken, óf ze zou een vermomming moeten aannemen, óf ze zou een mes in haar borst moeten steken.

'Eh... nee!' Ze sloot haar ogen, in de vurige hoop dat de stem met eigenaar en al op magische wijze zou verdwijnen. *Dit gebeurt niet echt. Dit gebeurt niet echt. Dit gebeurt niet echt.*

'Harper? Ben jij dat?'

*Shit*! Ze kwam overeind, maar vergat dat ze met haar hoofd onder de kassa zat.

*BAF*! Een scherpe, venijnige pijn schoot door haar hele lichaam toen haar hoofd in contact kwam met de onderkant van de eikenhouten toonbank.

'Au...' O, wat was ze ineens duizelig. En slap. Of misschien was dat hetzelfde. Hoe dan ook, flauwvallen behoorde absoluut tot de mogelijkheden. En gezien de omstandigheden zou het bepaald geen verkeerde optie zijn.

'Is alles goed met je?' De stem klonk dichterbij. Een stuk dichterbij.

Harper probeerde zich zo elegant mogelijk op te richten, maar de lus van haar riem bleef haken aan een hoek van de kartonnen doos, en bij haar pogingen om zichzelf te bevrijden stootte ze haar hoofd bijna opnieuw. Meneer Finelli – Adam – keek op haar neer. Achter de glazen van zijn dunne, metalen bril stonden zijn zeegroene ogen bezorgd. Ze wist een flauwe glimlach te produ-

ceren. 'O! Meneer Finelli. Ik had niet in de gaten dat u het was.'
'Aha.'

Hij was nog net zo knap als een paar weken eerder, op de avond dat ze voorgóéd haar leven had geruïneerd door zich als een volstrekte, totale idioot te gedragen. Zijn korte, donkere haar zat op een aanbiddelijke manier in de war, hij droeg een gebleekte spijkerbroek en een heidegroene trui waardoor zijn ogen nog sprekender waren dan anders. Alleen al zijn aanblik haalde alle pijn weer naar boven – een andere, diepere pijn dan het bonzen van haar hoofd.

'Sorry. Ik heb mijn hoofd gestoten.' Alsof dat niet duidelijk was. En alsof dat hem ook maar iets kon schelen.

'Dat zie ik.'

Hij stond er nog steeds. Hij had zich niet omgedraaid, was niet op de vlucht geslagen. Dat moest iets betekenen. Toch? *Zeg dat het je spijt. Zeg dat je al van hem houdt sinds dat gedicht van Yeats dat hij hardop voorlas – 'When You Are Old'. Zeg dat je een nieuwe aanbevelingsbrief nodig hebt om je aan te melden bij* NYU.

Zo kon ze eindeloos doorgaan. Er was zo veel wat ze hem wilde vertellen. Dat hij gelijk had gehad over de vijftig pagina's rotzooi die ze hem ter beoordeling had gegeven. Dat ze er eindelijk achter was gekomen waarover haar roman moest gaan. Dat ze de volle drieëneenhalve dag in LA aan hem had gedacht, al had ze gedaan – ook tegenover zichzelf – alsof dat niet zo was.

Het probleem was dat ze niet wist waar ze moest beginnen. Soms ontbraken je gewoon de woorden om te zeggen wat je voelde.

Dus stond ze daar maar. En zei niets. Enkele ogenblikken verstreken. De frase 'ongemakkelijke stilte' kwam bij haar op. Ten slotte...

'Ik... ik...' Het was het enige wat ze kon uitbrengen. Een gênante vertoning, dat was het.

Meneer Finelli verplaatste zijn gewicht ongemakkelijk naar

zijn andere voet. 'Dan kan ik waarschijnlijk maar beter naar Starbucks gaan.'

Harper knikte. Natuurlijk. Hij zou naar Starbucks gaan, waar hij in de rij achter Miss Hoofdband kwam te staan, en ze zouden in gesprek raken over calorierijke koffievariaties en welke roman ze las voor de leesclub van haar studentenvereniging – waarschijnlijk iets over de triomf van de menselijke geest. Uiteindelijk zou hij over haar zeurderige stem en haar verslaving aan pasteltinten heen stappen, en ze zouden trouwen en voor de huwelijksreis naar Ierland vliegen, waar hij Yeats zou declameren en ze Bono en The Edge tegen het lijf zouden lopen, en hoe die andere twee kerels van U2 ook mochten heten. En Harper zou de rest van haar leven schrijfster/barista zijn, gedoemd om elke avond koffiegruis op te vegen en haar hoofd te stoten aan de onderkant van de toonbank. Moederziel alleen. Ze moest iets zeggen.

'Het schijnt dat Starbucks geweldige uienbagels verkoopt.' Ze probeerde te glimlachen... tevergeefs.

Hij deed ook een poging, enigszins weemoedig. 'Weet je, Harper? Ik snap jou niet.'

*Ik ook niet*, antwoordde ze zwijgend terwijl hij langzaam naar de deur liep. Toen hij weg was, voelde ze voorzichtig aan haar hoofd. Er zat al een bult. Maar die stelde niets voor vergeleken bij de buil op haar hart.

❤

'Welk bed wil jij?'

Kate stond in de deuropening van de ronde hut, gemaakt van modder en stro, die de komende maanden haar huis zou zijn.

*Bed*? Ze staarde Dorothé aan.

Voor zover ze kon zien waren er helemaal geen bedden, alleen een soort stretchers, bespannen met geitenhuid. En aan welke ze de voorkeur gaf... Dat was moeilijk te zeggen. Er stond er een naast de lage, ronde oven van klei. En een naast de kippenren. Die trokken haar geen van beide aan. Dus ze wees hoopvol naar de stretcher onder het enige raam – scheef en zonder glas.

'Volgens mij heeft Jessica dat bed al gekozen.' Dorothé zuchtte.

Inderdaad, dat was de rugzak van de twintigjarige Jessica, op de grond onder de doorgezakte geitenhuid. Dus dáárom was het derde vrouwelijke lid van hun vijfkoppige ploeg zo vroeg weggegaan van de uitvoerige welkomstceremonie waarmee de dorpsoudsten hen hadden ontvangen. Terwijl Kates voeten werden gewassen door een allerschattigst klein meisje, had ze gezien dat Jessica stilletjes was vertrokken. Ze had zich van een van de lage, houten krukken laten glijden waarop ze hadden moeten plaatsnemen, zoals hun met een reeks gebaren en wat gebroken Engels was duidelijk gemaakt, en zich een weg gebaand door de menigte naar de kraal die hun chauffeur, Isaac, hun had aangewezen. Als Kate niet zo de pest in had gehad, zou ze onder de indruk zijn geweest – ook al had ze de welkomstceremonie voor geen goud willen missen. Het hele dorp Mekebe was tot de laatste inwoner – mannen, vrouwen en kinderen, zo'n tweehonderd mensen in totaal – uitgelopen voor hun komst en had hen onder trompetgeschal – of beter gezegd, gejuich – geëscorteerd naar een grote ceremoniële hut met een vloer van aangestampte aarde.

Vrouwen dansten joelend om hen heen, mannen sloegen op trommels, kinderen namen hen zonder een spoor van verlegenheid bij de hand, lachend en luid roepend in het Amhaars.

'We worden beschouwd als hooggeëerde gasten,' had Darby de groep uitgelegd. Hoewel het een redelijk onschuldige verklaring was, had Kate zich er toch aan geërgerd.

In de ceremoniële hut, waar het doordringend naar wierookhars rook, had een lachende oude vrouw hun gezegd hun rugzakken op de grond te zetten. Toen was ze hun voorgegaan door een menigte Ethiopische mannen en vrouwen, van wie velen sierlijke omslagdoeken – *natala's* – losjes om hun schouders hadden gedrapeerd. Een groot deel van de natala's was wit, maar ze waren er ook in stralende tinten rood, paars en groen, en ze hadden zonder uitzondering een schitterend geweven rand aan beide uiteinden. Kate nam zich voor er een mee te nemen voor Habiba.

Aangekomen in het belangrijkste deel van de hut, werden ze voorgesteld aan Tafesse, de dorpsoudste. Zijn rode natala was enigszins verschoten. Hij gooide een van de met geel afgezette einden stijfjes over zijn schouder, terwijl hij moeizaam opstond uit een stoel versierd met houtsnijwerk. Isaac stelde eerst Darby en Jean-Pierre voor, waardoor Kate de kans kreeg Tafesse te bestuderen. Met zijn gerimpelde wangen en gebogen rug leek hij minstens tachtig, maar ze had al ontdekt dat het in Afrika bijna onmogelijk was iemands leeftijd nauwkeurig te schatten. Er waren zo veel factoren waardoor de mensen hier vroeg oud werden – ziekte, ondervoeding, zwaar lichamelijk werk onder een brandend hete zon. Maar het leed geen twijfel dat Tafesse al heel wat jaartjes meeging.

Toen het haar beurt was om hem te begroeten, legde Kate – zoals ze was geïnstrueerd – haar rechterhand onder haar linkerelleboog om zijn eeltige, benige hand te schudden. Hij drukte de hare, die veel zachter was, en keek haar aan, met een oprechte glimlach in zijn oude, zwarte ogen.

'Wel-kom,' zei hij langzaam, met een diepe, rommelende stem.

'*Amese gendando.*' Kate glimlachte. Dank u wel.

Nog altijd met haar hand in de zijne, draaide Tafesse zich om naar de groep dorpsoudsten en sprak haastig enkele woorden in het Amhaars. Ze knikten bij wijze van antwoord en glimlachten naar Kate.

'Hij zegt dat je erg knap bent.'

Darby, die achter haar stond, vertaalde het compliment met duidelijke tegenzin. Kate werd plotseling verlegen.

Ze negeerde Darby, knikte Tafesse toe bij wijze van dank en

stapte opzij toen Isaac begon met het voorstellen van Dorothé en Jessica. Toen de introductie achter de rug was, ging Isaac hen voor over de met gras belegde aarden vloer naar een rij krukken, stuk voor stuk met drie poten en gemaakt van zwaar, donker hout. Daarop kwamen er diverse kinderen naar voren, gewapend met felgekleurde plastic emmers gevuld met kostbaar water, om de voeten van de gasten te wassen. Dankzij de oriëntatiebijeenkomst wist Kate dat de meisjes en vrouwen van het dorp bijna vijf kilometer moesten lopen naar de dichtstbijzijnde waterbron – een rivier die buiten het regenseizoen zo goed als droogviel. Dus de voetwassing was een grote eer die hun werd bewezen.

Een buitengewoon rank meisje met een heel donkere huid en een glimlach zo breed als de Blauwe Nijl trok Kate haar tennisschoenen en sokken uit, waarbij ze stralend naar haar opkeek.

'Welkom, jij,' zei het meisje verlegen. Kate, die het meisje op een jaar of tien schatte, herkende de donkerpaarse jurk die ze droeg als een schooluniform. Hij had korte mouwen, hing losjes over de benige schoudertjes van het meisje en was bedekt met een dunne laag stof, dat op eigen kracht in de lucht leek op te stijgen.

'Ik heet Kate,' zei ze in het Amhaars, niet voor het eerst dankbaar voor de beknopte talencursus die Habiba haar had gestuurd.

De glimlach van het kleine meisje werd zo mogelijk nog breder, terwijl ze een natte lap over de bovenkant van Kates voeten haalde. Het gebeurde maar zelden dat *faranji* Amhaars spraken, en het gebaar werd dan ook zeer gewaardeerd, niet alleen door het kleine meisje. Om Kate heen werd goedkeurend geknikt, en de dorpelingen herhaalden haar naam. Kate grijnsde, blij dat haar uitspraak blijkbaar niet al te dramatisch slecht was. Het meisje deed de natte lap zorgvuldig in de emmer met water en reikte naar een droge doek. Ze had een lang, smal gezicht, met een hoog, breed voorhoofd. Maar het waren haar ogen die Kate betoverden. Ronde, stralende, waakzame ogen – alsof ze verwachtten dat er elk moment iets heerlijks, iets ongelooflijk opwindends kon gebeuren.

Toen ze klaar was en Kates voeten had afgedroogd, keek het meisje schuchter op en wees op zichzelf. 'Angatu.'

Daarop knikte ze haastig en verdween in de menigte. *Angatu.* Kate had de naam in gedachten diverse malen herhaald. *Angatu, Angatu, Angatu.* Niet dat ze hem daardoor zou onthouden. Ze zou nog wel even tijd nodig hebben om aan de Ethiopische namen te wennen.

Toen de voeten van hen vieren waren gewassen – Jessica was inmiddels verdwenen – werd er koffie opgediend. Hoewel, geen echte koffie. Of liever gezegd, andere koffie dan Kate ooit had geproefd. De bonen werden voor hun neus gebrand op een laag vuur. Ze keken toe terwijl een jonge vrouw met een witte natala de bleekgroene koffiebonen roosterde tot ze bruin waren en met een stamper vermaalde in een kleine houten kom. Toen schonk ze het maalsel in een pot van aardewerk en hield ze de koffie scherp in de gaten terwijl die aan de kook werd gebracht boven het kleine vuur. Ten slotte schonk ze de hete, donkerbruine vloeistof in kleine, wit porseleinen kopjes. Ondertussen was een groep mannen en vrouwen uit het dorp blijven dansen. Ze rolden met hun hoofd en hun schouders op de maat van diverse trommels en hieven ritmisch hun knieën als onderbreking van hun ingewikkelde voetenwerk. Bij de eerste slok van de traditionele Ethiopische koffie wist Kate dat ze nog nooit zoiets lekkers had geproefd. Blijkbaar had er al suiker in de kopjes gezeten, want de dikke, donkere koffie gleed zoet en weelderig over haar tong. Ze kon niet wachten om de smaak aan Harper te beschrijven.

Terwijl ze in de deuropening van haar nieuwe huis stond en probeerde te kiezen tussen twee verre van aantrekkelijke opties, proefde ze die smaak nog steeds. Gezien het feit dat ze niet echt dol was op kippen...

'Ik neem die.' Ze wees naar de stretcher naast het oventje.

Dorothé grijnsde. 'Dan kom ik er het beste af, volgens mij. Had ik je al verteld dat we hier bij het koken voornamelijk mestkoeken als brandstof gebruiken?' Op de een of andere manier klonk met een Frans accent zelfs een woord als 'mestkoeken' allercharmantst.

'Bof ik even. Want ik ben dol op de geur van mest als ik 's morgens uit bed kom.'

Toen ze ongeveer een uur op weg waren, volledig door elkaar geschud op de hobbelige zandwegen die hen van Bahar Dar naar Mekebe zouden brengen – een rit van twee uur – had Kate beseft dat ze een keus moest maken. Ze kon een beroep doen op haar gevoel voor humor en dat alle ruimte geven, of ze kon de komende tijd diep ongelukkig zijn. De keuze was niet moeilijk geweest. Zolang als het duurde.

Alles bij elkaar zag de kraal er aantrekkelijk uit. Binnen een omheining van zo'n twee meter hoog, gemaakt van bijna rechte eucalyptustakken, stonden twee *tukuls* (ronde hutten van modder met een rieten dak) omringd door een groot erf van aarde en stenen. Kate, Dorothé en Jessica deelden de ene tukul, Darby en Jean-Pierre, het laatste lid van de ploeg, de andere. Een stuk of zes, zeven kippen en een grote kalkoen met een indrukwekkend verenpak scharrelden vrij rond op het erf. Iemand had de moeite genomen struiken te planten (waarschijnlijk *enset*, besloot Kate) langs de binnenkant van de omheining. In een hoek wierp een jacarandaboom met paarse bloemen zijn schaduw over een driehoekige voorraadschuur gemaakt van modder en stro. In de schuur lagen enorme witte zakken met *teff*, een gangbare Ethiopische graansoort, en met gerst en tarwe. De zakken met graan waren een gift van het dorp. Omdat de aankomst van de ploeg samenviel met het eind van een goed oogstseizoen, hadden alle boeren in het gebied – en bijna iedereen was boer – een bijdrage geleverd.

'Een hut van stro en modder! Daar heb ik altijd al van gedroomd!' Jessica verscheen in de deuropening, met haar handen op haar iets te mollige heupen. Ze droeg een korte kakibroek met een getailleerd smaragdgroen poloshirt. Haar korte rode haar was aanbiddelijk warrig. Haar ogen – even stralend groen als haar shirt – schitterden ondeugend. Alles aan haar straalde *schattigheid* uit.

Kate haatte *schattig*, net zoals Harper de pest had aan *parmantig*. Vanaf het moment dat ze haar had ontmoet, had Jessica antipathie bij haar opgeroepen. Ze leek een bijna paternalistische houding te hebben ten aanzien van Ethiopië en de Ethiopiërs. Wanneer ze haar mond opendeed, was het om iets neerbuigends of lomps te zeggen – tenzij een van de mannen erbij was. En dat gold vooral ten aanzien van Darby. Tegen hem deed Jessica altijd extra schattig, en ze liet geen gelegenheid voorbijgaan om haar diepgewortelde liefde voor het Afrikaanse continent te belijden.

De avond tevoren had de vijfkoppige ploeg op voorstel van Darby afgesproken in de bar van het Hilton Hotel om elkaar een beetje te leren kennen. Over het geheel genomen was het een geweldige avond geweest. Ze hadden het ene glas *tej*, de Ethiopische honingwijn, na het andere gedronken en verteld waarom ze voor Water Partners hadden gekozen. Op haar gebruikelijke kordate manier had Dorothé, met haar zwaar Franse accent, in mondiale, geopolitieke termen uitgelegd waarom ze zich bezighield met ontwikkelingswerk. Jean-Pierre vertelde kalm over zijn recent afgeronde proefschrift, dat handelde over de gruwelijke repercussies van de Europese kolonisatie van Afrika. Pas toen hij zijn proefschrift had afgerond, had hij beseft dat theorie en praktijk twee niet te vergelijken grootheden waren. Toen het zijn beurt was, vertelde Darby dat hij als het ware gedeformeerd was geraakt door de elitaire sfeer op Princeton en dat hij een semester had uitgetrokken om het contact met 'de echte wereld' te herstellen.

'En nu jij, Kate,' had Dorothé aangedrongen, terwijl ze haar derde glas tej hief. 'Vertel ze over het Droomjaar.'

Dus Kate begon over Harpers verrassende besluit, en hoe zij daardoor geïnspireerd was geraakt om tegen haar ouders te zeggen dat ze een jaar vrij nam. Op dat moment viel Darby haar in de rede. 'Dus het komt er eigenlijk op neer dat je hier bent omdat je niet wilde onderdoen voor je vriendinnen en om je ouders op de kast te jagen.'

Kate verstijfde. Een slechtere omschrijving van de redenen waarom ze hier was, leek nauwelijks denkbaar. Hij had haar niet eens de kans gegeven om te vertellen over Habiba, of over de Lijst, en het lot. Maar Darby had zich al naar Jessica gekeerd.

'En jij, Jess? Wat is jouw verhaal?'

'Ach, volgens mij hetzelfde als het jouwe.' Ze keek hem dweepziek aan. 'Op UCSB leek het allemaal zo onecht. Je weet wel, al die studentenverenigingen en iedereen die zijn bevoorrechte leven maar heel gewoon vindt. Ik trok het gewoon niet meer.'

Darby knikte alsof hij het helemaal begreep. Kate daarentegen kreeg braakneigingen, en die werden alleen maar erger toen Darby even later opstond van hun tafeltje om met een andere teamleider te gaan praten en Jessica samenzweerderig naar voren leunde.

'Dat is dus helemaal niet waar,' fluisterde ze. 'Ik werd geweigerd voor een studiebeurs in Monte Carlo, en verder was alles vol. Wat een ellende!'

Op dat moment liet Jessica zich op haar slaapplaats bij het raam vallen, over Darby pratend alsof ze elkaar al jaren kenden en zielsverwanten waren.

'Wist je dat zijn ouders bij het Vredeskorps hebben gezeten? Hij is in Afrika opgegroeid en echt overal geweest,' babbelde ze door. 'Ethiopië, Zuid-Afrika en nog een stel landen die me nu even ontschieten. Dus Afrika is als het ware zijn thuis.'

Kate keek naar Dorothé, die al even geschokt leek bij de ge-

73

dachte maanden een hut te moeten delen met iemand als Jessica. Ze haalde een pakje wc-papier uit haar rugzak en liep ermee naar de deur.

'Waar is de...' vroeg ze aan Dorothé, nadrukkelijk niet naar Jessica kijkend.

Dorothé wees naar een klein hutje tegen de omheining dat dienstdeed als wc. Het dak was van golfplaat en zag eruit alsof het elk moment los kon raken en op de grond vallen.

'Het is een kuil, een latrine,' aldus Dorothé. 'De beste in het dorp.'

Geweldig. Een latrine.

Terwijl Kate koers zette naar haar nieuwe wc zonder doorspoelmogelijkheid, dacht ze aan haar pogingen om Magnus te schrijven sinds haar aankomst in Ethiopië.

Er was zo veel te vertellen dat ze niet goed wist waar ze moest beginnen. De reis tot dusverre kon voornamelijk worden samengevat in beelden: de grote aantallen vrouwen die ze op de hellingen van Mount Entoto had gezien, buiten Addis Abeba, gebukt onder twee keer hun eigen gewicht aan eucalyptustakken die ze voor een paar stuivers op de markt hoopten te verkopen; de kleine kinderen die langs de zandwegen ossen hoedden; de bedelende wezen in de straten van Bahar Dar, hun uitgemergelde gezichten onder het stof, hun ogen even hongerig als hun lege magen.

Er dreigden tranen bij haar op te komen, maar Kate verdrong ze. Denk aan je gevoel voor humor, hield ze zichzelf voor. Niet dat ook maar iets van dit alles grappig was. Misschien was dat een van de redenen waarom ze niet wist wat ze Magnus moest schrijven. Ze was altijd eerlijk tegen hem geweest – zelfs als ze dat niet wilde zijn. Maar ze kon niet eerlijk zijn tegenover zichzelf over het bestaan hier dat zo gevaarlijk leek, zo kwetsbaar... Ze kon er gewoon niet echt bij blijven stilstaan. Nog niet. Misschien zou het gemakkelijker worden naarmate ze hier langer was. Ondertussen kon ze Magnus misschien vertellen over Angatu, met haar stralende ogen en haar lieve glimlach.

Ja, dat zou ze doen.

❤

'Camera!'

'Geluid!'

'Actie!' De diepe stem van de regisseur klonk van ergens achter de camera. Hij heette Eli Berg en hij was drie straten ver te horen. Sophies hart bonsde in haar keel. Het was zover. Dit was haar moment. *Vooruit*, riep ze zichzelf in gedachten toe. En toen...

'Het is niet waar!' riep ze uit, starend naar de weelderige bruine krullen van Devon Riggs, de ster van de film. Sophie had nog nooit van hem gehoord, maar volgens de castingdirector zou hij dankzij deze film de nieuwe Vince Vaughn worden. Devon was niet zo lang, niet zo grappig, niet zo charismatisch als Vince Vaughn. Eigenlijk was hij vrij klein, met nogal vreemde ogen. Maar hij was best schattig, dacht Sophie, en de laatste *cult comedy* waarin hij had gespeeld, was naar verluidt de grote verrassing van het Sundance Film Festival.

*Stud* ging over een kale jonge vent, gespeeld door Devon, die geen geluk had bij de meisjes tot hij op een ochtend wakker werd met een weelderige bos krullen. Sophie speelde Morning, zijn prettig gestoorde buurvrouw die hem voortdurend in het trappenhuis tegen het lijf liep. In deze scène werd ze geacht zich begrijpelijk geschokt te tonen bij de aanblik van al dat haar, op een hoofd dat eerst zo kaal was als een biljartbal.

'Cut!' bulderde Eli. Zijn haar was zo mogelijk nog krankzinniger dan Devons pruik, en zijn borstelige wenkbrauwen groeiden in een rechte lijn over zijn voorhoofd. 'Reset!'

Sophies hart kwam iets tot bedaren. Het was kwart over zeven 's ochtends en ze had de eerste take achter de rug van haar eerste

regel in haar eerste film (ze had om voor de hand liggende redenen besloten de regel die Trey haar had gegeven in *Bringing Down
Jones*, niet mee te tellen.) Hè hè! Ze trok zich terug op haar canvas stoel – haar naam stond er niet op, maar wat gaf het? Ze had
*een sprekende rol in een film.* Devon liet zich in de stoel naast haar
ploffen.

'Je reageerde geweldig,' zei hij. 'Maar het mag wel wat groter.
Het is tenslotte comedy.'

'Groter. Oké.' Als hij had gezegd dat ze er een radslag bij moest
maken, had ze het ook gedaan. Tweehonderd mensen op het
Sundance Film Festival konden het tenslotte niet bij het verkeerde eind hebben!

Dit was de grootste kans van haar leven. Miljoenen mensen in
heel Amerika zouden de film te zien krijgen. Ze kon zich de kri-
tieken al voorstellen. *Met slechts drie regels steelt Sophie Bushell de
show in* Stud. *Sophie Bushell geeft* Stud *iets magisch.* Stud *betekent
de geboorte van een nieuwe ster in de persoon van Sophie Bush-ell.*

Haar telefoon zou roodgloeiend staan. Misschien zou ze een
film mogen maken met Angelina, of beter nog, met Meryl. Iedereen die iets voorstelde, had een film gedaan met Meryl. Of misschien zou ze de ster worden van haar eigen tv-show. Bijvoorbeeld een ondeugende serie, waar iedereen het over had, over
vier vriendinnen die hun studie eraan gaven om hun dromen te
verwezenlijken.

Tegen die tijd zou Trey Benson allang passé zijn. Hij zou bij
haar komen aankloppen, op de deur van haar lichte, supermo-
derne vrijgezellenbungalow – met een smaakvolle, verstilde Aziatische sfeer en dito meubels, en natuurlijk een zwembad dat
vloeiend versmolt met het omringende landschap – genesteld in
de heuvels van Hollywood, smekend om een baan. Natuurlijk zou
Sophie er zelf niet zijn om de enorme voordeur open te doen. Ze
was op locatie in Parijs. Haar assistent, Kimberlee of Ashlee, zou
het incident melden wanneer ze Sophie belde met een lijst van

ontwerpers die dolgraag haar jurk wilden ontwerpen voor de uit-reiking van de Oscars.

Tegen Sam zou ze wel aardig zijn. Ze wilde nu eenmaal graag dat hij slaagde, ook al gedroeg hij zich het grootste deel van de tijd als een regelrechte zak. En ook al spraken ze op dit moment niet met elkaar. Tenslotte was hij ooit haar eerste vriend in LA ge-weest. Haar enige échte vriend.

Sophie was blij dat de dertigjarige Devon te oud was – en te klein – om haar type te zijn. Het laatste waar ze behoefte aan had, was dat haar grote doorbraak op een drama uitliep als gevolg van een romance op de set. Trouwens, ze had het helemaal gehad met acteurs.

'Jammer dat dit stuk shit rechtstreeks op dvd gaat,' merkte Devon op terwijl hij in het spiegelende lcd-schermpje van zijn mobiele telefoon keek om zijn bruine krullen te schikken. 'Het script is waardeloos, maar volgens mij wordt het resultaat best grappig.'

'Wat?' Het kon niet anders of ze had hem verkeerd verstaan. Gewoon een kwestie van zenuwen.

'We worden in de vs niet op de markt gebracht. *Stud* gaat rechtstreeks naar de videotheek.' Hij zweeg even. 'In Duitsland.'

In Duitsland? Waar kwam dit ineens vandaan? Sophie had het gevoel alsof ze van een afstand naar zichzelf keek terwijl haar stralende zeepbel uit elkaar spatte.

'Heeft je agent je dat niet verteld?' Devon was nog altijd druk met zijn pijpenkrullen. 'We zijn de studioback-up kwijtgeraakt die we nodig hadden om de film levensvatbaar te maken.' Hij grijnsde wrang. 'Daar gaat mijn grote doorbraak! Nou ja, volgen-de keer beter.'

'Maar de castingdirector zei...'

'De castingdirector?' Devon snoof. 'Die zeggen alles om te zor-gen dat je meedoet. Daarom moet je ervoor zorgen dat je agent de boel scherp in de gaten blijft houden.'

'Mijn agent was met vakantie,' loog Sophie vlot. 'Dus ik neem aan dat ik daarom niets gehoord heb.'

Ze peinsde er niet over om Devon Riggs te vertellen dat ze helemaal geen agent hád. Ze werd geacht een advocaat te hebben. Gifford Meyer had er tijdens een lunch mee ingestemd op te treden als haar advocaat – met een handdruk hadden ze de afspraak beklonken dat hij vijf procent zou krijgen van alles wat ze verdiende, voor de rest van haar leven. Tot dusverre had hij echter niet veel gedaan, alleen twee vrienden gebeld om haar een paar audities te bezorgen en een vluchtige blik geworpen op haar standaardcontract voor dit kleine rolletje, voordat ze het had getekend.

'Man, ik smelt onder die pruik!' Devon had duidelijk genoeg van het onderwerp. 'Wat ik niet allemaal doe voor de kunst! Het is ongelooflijk!'

'Hallo, dit is *Gone with the Wind* niet!' riep Eli, daarmee Sophie een reactie besparend. 'Kom op! In de benen. Tegen de lunch wil ik de scènes in de slaapkamer draaien.'

Vijf minuten later waren de camera's gereset en waren ze eindelijk klaar voor de volgende take. Devon stapte uit de zogenaamde deur van zijn appartement en kwam Sophie/Morning tegen die met een uitpuilende zak vuilnis op weg was naar de afvalcontainer. Ze wierp een blik op zijn weelderige bruine krullen, en dacht aan haar doorbraak die al bij voorbaat op een grote desillusie was uitgelopen.

'HET IS NIET WAAR!' schreeuwde ze, en ze liet de vuilniszak vallen. Ze had het groter gebracht, zoals Devon had gevraagd, maar deze keer acteerde ze niet.

Dertien uur later reed Sophie in de zilveren BMW die ze van de Meyers had geleend, de voorname, ronde oprijlaan op van de terracotta villa. Ze was uitgeput, alles deed haar zeer, en ze had honger. Maar ze voelde zich ook uitgelaten. Ze was weliswaar een paar uur verongelijkt geweest door Devons nieuws dat *Stud* rechtstreeks naar de videotheken in Duitsland ging. Maar uiteindelijk was de kick van het filmen op locatie, van het acteren in een echte film – ook al zou hij nooit op het witte doek te zien zijn – sterker dan haar teleurstelling. Duitsland was een groot en belangrijk land. En miljoenen mensen huurden dvd's. Ook Duitsers. Bovendien, als ze goed genoeg was voor deze rol, kwam er ook wel een volgende. Verder woonde ze nog altijd geweldig, ze had de drie beste vriendinnen van de hele wereld (ook al zaten ze op dit moment duizenden kilometers ver weg), en een baan als gastvrouw bij Mojito die weliswaar hectisch was, maar ook leuk, zolang de bedrijfsleidster, Celeste, in een goeie bui was. Dus het leven was helemáál niet verkeerd.

Terwijl ze wachtte op haar vólgende grote doorbraak, had ze besloten Duits te leren. Het kon geen kwaad voorbereid te zijn op toekomstig sterrendom in Midden-Europa. Gewapend met het gloednieuwe Engels-Duitse woordenboek dat ze op weg naar huis bij Barnes & Noble had gekocht, liep ze het pad van geglazuurde tegels op dat leidde naar haar *casita*, diep verscholen in de schitterend aangelegde tuin.

Even schrok ze, want de voordeur stond open, en alle lichten brandden. Ze had gehoord dat het aantal inbraken in Los Angeles de afgelopen maanden sterk was gestegen. Waarom had ze nooit Harpers raad opgevolgd en pepperspray gekocht voor in haar tas? Net toen ze zich wilde omdraaien om naar het grote huis te rennen en daar in alle veiligheid 911 te bellen, hoorde ze een stem.

'Van deze hele muur maken we een spiegelwand. Het wordt schitterend.' De stem behoorde onmiskenbaar, onbetwistbaar toe aan Genevieve Meyer. En het klonk alsof ze bezig was... het huis opnieuw in te richten.

Aarzelend ging Sophie het gastenverblijf binnen, waar ze inderdaad Genevieve aantrof, die samen met een boomlange, gebruinde jongeman in een zwart T-shirt en dito broek midden in de woonkamer stond. Háár woonkamer, dacht Sophie. Genevieve, gekleed in een lavendelblauwe badstoffen trainingsbroek die waarschijnlijk zo'n slordige zeshonderd dollar had gekost, gesticuleerde opgewonden.

'En dan zetten we hier een leren bank,' dweepte ze. 'Dit huis heeft echt behoefte aan een goede kwaliteit leer.' Genevieve zweeg lang genoeg om Sophie op te merken die in de deuropening was blijven staan, met haar Engels-Duitse woordenboek in haar hand. 'Ach, daar ben je!'

'Dag mevrouw Meyer.' Hoe vaak haar gastvrouw haar ook op het hart had gedrukt haar bij haar voornaam aan te spreken, Sophie kon zich er niet toe brengen. Ze nam het Zonnebanktype van wie ze veronderstelde dat hij binnenhuisarchitect was, aandachtig op. Genevieve was royaal, dat wist ze. Maar om haar gastenverbijf nou helemaal opnieuw in te richten? Dat was echt te gek. 'U hoeft toch niet...'

'Sophie, dit is Marco,' viel Genevieve haar in de rede. 'Hij is mijn voedingsdeskundige en personal trainer. En absoluut een genie.'

'Aangenaam kennis te maken,' antwoordde ze.

Marco glimlachte zijn professioneel gebleekte tanden bloot. Hij zag eruit alsof hij rechtstreeks was weggelopen uit een informercial – perfecte tanden, perfect haar, kleren die strak om zijn gespierde gestalte sloten. Sophie wist niet goed wat ze ervan moest denken. Was dit als een hint bedoeld? Vond Genevieve dat ze een paar pond moest afvallen? Oké, ze had vrij veel chocolade gegeten tijdens de feestdagen. Maar eigenlijk vond ze dat haar achterwerk er met een paar pond extra juist béter uitzag.

'Nu je het zo goed doet, dacht ik dat het misschien tijd werd.' Genevieve schonk haar een stralende glimlach. Haar lippenstift paste perfect bij haar lavendelblauwe broek, maar ze zag eruit alsof ze op een ijslolly met druivensmaak had gezogen.

'Eh... tijd waarvoor?'

'Om op zoek te gaan naar een eigen huis. Je bent een jonge vrouw, dus je hebt behoefte aan een eigen stek. Giff en ik beperken je, waardoor je geen eigen stijl kunt ontwikkelen.'

*Nee, dat doen jullie helemaal niet,* dacht Sophie wanhopig. *Dit ís mijn eigen plek. Ik vind het hier heerlijk.* Maar Genevieve was doof voor haar inwendige monoloog.

'Ik heb het je moeder al laten weten. Marco komt hier wonen, zodra ik de boel volgens zijn wensen heb verbouwd. Zijn laatste appartement had zulke slechte *vibes*, de arme schat. En als ik mijn figuur op peil wil houden, moet ik hem voortdúrend in de buurt hebben.'

Maar Sophie hoorde nauwelijks meer wat haar weldoenster – correctie, ex-weldoenster – zei. Haar semiperfecte wereld was zojuist ingestort, en er was niets wat ze ertegen kon doen.

Genevieve legde een fraai gemanicuurde hand op haar schouder. 'Natuurlijk alleen als jij het ermee eens bent, lieverd. Je weet dat je kunt blijven zolang je wilt.'

Sophie zou Genevieve het liefst zeggen dat ze het er natúúrlijk niet mee eens was. Dat ze nergens anders heen wilde. Maar het enige wat haar met het echtpaar Meyer verbond, was de vriendschap van tientallen jaren geleden tussen Genevieve en Angela, Sophies moeder. Dus ze kon nauwelijks ergens aanspraak op maken.

'Nee, het is in orde,' zei ze mak, zichzelf dwingend tot een glimlach. 'Ik zorg dat ik er tegen het eind van de week uit ben.'

En zo was Sophie Bushell, eens woonachtig in Beverly Hills, plotseling, van het ene op het andere moment dakloos.

# Woonruimte te Huur

## Centrum/Omgeving
## Inclusief Hollywood

### MID WILSH – MIRACLE MILE
Roy. vak. won. veel sfeer
Nutsvoorz. bet.
$650

*sfeer = schimmel in de keuken*

### HLYWOD HLS
Kam. te huur $400
Sfeerv. kam. m. open hrd + plafondvent.
Zicht op Hlywd-ltrs.
Geen Scientology-haters

### HLYWOD
*20.000 extra om te worden "gezuiverd"*

1 slpk. 1 bdk. Nwe. keuk.
Geen huisd.
$1600 plus nutsvoorz.

### WLA STUDIO
$800 +
Hoge plaf. Cntrl A/C
Vlak bij winkels

*Al weg.*

### WLA
Help! Zoek kamergen. in 2 k. +2 bdk.
Bed aanw. Snurken g. bezw.
$350

*ZO wanhopig ben ik nou ook weer niet*

### FAIRFAX
1 + 1 verb. keuk. en badk.
Id. wonen id stad $700
Wees er snel bij. Unieke kans

*Laatste huurder dood door overdosis*

### NORTHRIDGE
$575 Log. kam.
Incl. nutsv.
Lfst. vrl. huurder
Geen roker

*Northridge = geen sociaal leven*

# DRIE

'MADDIX HEEFT WEER EENS DE PEST AAN ME.'

Becca liet zich naast Isabelle in de sneeuw vallen en frunnikte aan de manchet van het spierwitte Spyder-jack dat ze van haar vader had gekregen met Kerstmis.

'Welnee,' stelde Isabelle haar gerust. 'Je hebt gewoon één afdaling verknald.'

In haar grijze kasjmier coltrui en strakke, zwarte skibroek kon Isabelle zo uit een wintersportmagazine zijn weggelopen. Ze had haar halflange, bruine haar hoog op haar hoofd bij elkaar gebonden. Een zwarte oorwarmer en bijpassende wollen handschoenen completeerden haar outfit.

Beneden hen, ver in de diepte, lag Middlebury, het charmante stadje in New England, onder een vers pak sneeuw. Met zijn witte kerktoren en bochtige rivier zag het eruit als de volmaakte kerstkaart. Meestal genoot Becca van dit uitzicht, maar vandaag wilde dat niet lukken. Op de eerste echte training van het nieuwe semester had ze haar eerste afdaling inderdaad totaal verknald. Terwijl ze zo haar best had gedaan. Ze had geprobeerd volkomen geconcentreerd te zijn toen de zoemer ging. Maar zelfs het feit dat coach Maddix – haar ski-idool en de reden waarom ze voor Middlebury had gekozen – pal naast haar stond, was niet voldoende geweest om hém naar de achtergrond te dringen.

'Ik dacht aan Stuart,' bekende Becca.

'Nee!' Isabelle keek haar quasigeschokt aan.

'Hij gaat het zeggen.' Becca's hart bonsde alleen al bij de gedachte. Ze was zich nauwelijks bewust van het sarcasme in Isabelles reactie. 'Ik weet het zeker. Het kan nu niet lang meer duren, dan zegt hij het.'

Isabelle zuchtte. 'Weet je, jij zou het ook als eerste kunnen zeggen.'

'Nee, dat kan echt niet. Dat moet hij doen.'

'De liefde is niet seksistisch. Er bestaan geen régels voor wie het als eerste moet zeggen.'

'Natuurlijk wel. De hij-zegt-het-als-eerste-regel. Trouwens, ik zou het niet kunnen!'

'Oké...'

Becca keek opzij, getroffen door de klank in Isabelles stem. Praatte ze te veel over Stuart? Nee, absoluut niet. Trouwens, in de week sinds ze terug waren, had ze Isabelle amper gezíen. Ze had elke nacht bij Stuart geslapen, en door hun nieuwe collegerooster konden Isabelle en zij niet eens samen lunchen. Ze waren elkaar een paar keer in hun kamer tegengekomen, maar daarnaast alleen bij de skitraining. Wat betekende dat ze het maar drie keer over Stuart kon hebben gehad. En dat was beslist niet te vaak.

Isabelle was waarschijnlijk gewoon gestrest vanwege het eerste skitoernooi met Amherst, een van hun grote rivalen, dat weekend. Ja, dat moest het zijn. Haar kamergenootje had zelf ook niet haar beste prestatie neergezet.

'En hoe zit het met de seks?' Isabelle kwam overeind en sloeg de sneeuw van haar achterwerk.

Becca volgde haar voorbeeld. Voornamelijk omdat ze niet wilde dat de hele ploeg meegenoot van hun gesprek, ook al wist ze dat ze terug moest naar de top van de berg, als ze niet wilde dat Maddix haar voor het oog van iedereen de mantel uitveegde – zoals hij dat het vorige semester al veel te vaak had gedaan.

'Daar doen we nog niet aan...'

Isabelle keek haar aan alsof ze gek was.

'Oké, het klinkt misschien raar. Maar... ik wil gewoon nog even wachten.'

'Dus waar het op neerkomt, is dat jij het niet als eerste gaat zeggen. Dat moet hij doen. En tot hij het zegt, ga je niet met hem naar bed.'

Becca knipperde met haar ogen. Wat mankeerde Isabelle? Zo was het helemaal niet. Of eigenlijk wel. Maar was dat zo verkeerd? Misschien hield ze er te romantische ideeën op na, of misschien kreeg ze het Spaans benauwd bij de gedachte aan seks – haar eerste en enige keer tot op dat moment was niet bepaald een ervaring die ze graag zou herhalen – maar hoe dan ook, zo dacht ze erover. En daar was niks mis mee. Toch?

Het lukte haar niet haar twijfels van zich af te zetten terwijl ze omhoogklom naar de top van de Snow Bowl, het skigebied waar de Panthers trainden, de skiploeg van Middlebury. Maar terwijl ze van de lift sprong en naar de start – en de confrontatie met Maddix – liep, verdrong ze haar gevoelens naar de achtergrond. *Concentreer je*, zei ze tegen zichzelf. *Hou je hoofd erbij.*

Coach Maddix nam haar ijzig op toen ze op haar ski's kwam aanstampen. Alle energie in zijn boomlange lijf was op haar gefocust. Geen enkel detail in haar houding, in de verdeling van haar gewicht, in de buiging van haar knieën ontging zijn kille blauwe ogen. Als hij haar ook maar op de kleinste onvolkomenheid kon betrappen, zou hij dat doen.

'Ga je nou weer zo belazerd naar beneden?'

'Nee, dat zal niet meer gebeuren, coach.'

Becca klemde haar vingers om haar stokken en keek naar de helling. Het felle zonlicht wees haar de riskante plekken – de plekken die ze bij haar eerste afdaling niet had gezien en die ze nu uit de weg zou gaan. Als ze beter had opgelet, zou het haar nooit zijn overkomen. *Dus maak die fout niet nog eens.* Ze zette haar skibril goed, verstrakte haar greep om haar stokken en ging in de houding staan. Deze keer ging het lukken.

Becca knikte.

'Nu!' riep Maddix.

En daar ging ze. Stuart was vergeten. Isabelle bestond even niet. Haar vriendinnen, haar familie, haar colleges – niets deed ertoe. Het enige waar het om ging, was de berg, waren haar ski's. Niets was zo heerlijk als wanneer alles klopte – haar ski's vormden de schakels, de boodschappers tussen haar lichaam en de sneeuw. Ze zoefde van poortje naar poortje, blauwe en rode vlaggen waren niet meer dan vage vlekken terwijl ze haar knieën boog en strekte, haar stokken optilde en in de sneeuw boorde, haar heupen soepel van links naar rechts bewoog. Het was koud, net boven het vriespunt, en haar wangen gloeiden terwijl ze snelheid meerderde. Geen moment was ze bang dat ze zou vallen. Dat kon gebeuren, maar niet vandaag. Vandaag was ze als een machine. Ze stond in brand. Ze was...

*Ja!* Ze schoot over de rode eindstreep aan de voet van de afdaling en joeg rechtstreeks door naar Carey, de assistent-coach, die met zijn mobiele telefoon tegen zijn oor gedrukt stond.

'Tijd?' bracht ze hijgend uit.

'Zes seconden korter,' meldde hij, de verbinding verbrekend. '"Je zout meer dan waard", zegt Maddix.'

Coach Maddix waardeerde prestaties op een zoutschaal die niemand precies begreep, anders dan dat zout iets positiefs was. Geen zout... dan kon je de skiploeg wel vergeten.

Becca grijnsde opgelucht. Haar zout meer dan waard. Reken maar! Dat zou hem leren. Eén slechte afdaling betekende nog niet dat ze het niet meer kon. En met de tijd die ze net had neergezet, zou ze dat weekend definitief tot de beste skiërs behoren, ook al had Maddix haar vorig semester na een enkelblessure overgeplaatst naar de Super G, het zwaarste parcours dat ze nog nooit eerder in competitieverband had geskied. Maar dat was geen probleem. Ze kon het aan. Zolang ze haar hoofd er maar bij hield en gefocust bleef op de wedstrijd. Onder geen voorwaarde mocht ze zich laten afleiden door Stuart. Ach, Stuart...

Hij had zoiets grappigs gezegd de vorige avond. Ze zaten midden in een heel spannende *Grand Theft Auto: Vice City Stories*, en ze had zijn rode mustang met haar surveillancewagen net van de weg gedrukt. 'Daar kom je niet mee weg! Ik heb het op video!' had hij geroepen. 'Je gaat eraan!'

Daarop had hij haar overladen met kussen. Kussen die geleidelijk aan steeds trager, steeds langduriger, steeds hartstochtelijker waren geworden. Als ze eraan terugdacht, voelde Becca haar tepels hard worden, haar ademhaling werd oppervlakkig. Wanneer ze eindelijk seks met Stuart had, twijfelde ze er niet aan of het zou goed zijn. Hartstikke goed. Waarschijnlijk geweldig.

Isabelle was bijna beneden, de zwarte skibril voor haar ogen.

'Zet 'm op, Is!' riep Becca toen haar kamergenootje over de eindstreep schoot.

'Twee seconden langer,' riep Carey hoofdschuddend.

Isabelle was die dag niet echt in topvorm. Gelukkig skiede ze voornamelijk omdat ze het leuk vond. Ze gaf niet echt om het competitie-aspect. Anderzijds, misschien was er iets aan de hand met Abe, dacht Becca. Abe was een vriend van Isabelle van de middelbare school, en ze was al heel lang smoorverliefd op hem. Ze was dan ook dolgelukkig geweest toen het met Thanksgiving eindelijk aan was geraakt. Maar vervolgens was Abe teruggegaan naar Harvard, en Isabelle naar Middlebury, dus ze hadden elkaar alleen nog maar telefonisch gesproken. Met Kerstmis was de vonk opnieuw overgeslagen. Maar was de relatie bekoeld nu ze allebei weer op hun eigen stek zaten?

'Niet slecht.' Becca grijnsde terwijl Isabelle haar ski's afdeed.

Die schudde haar hoofd. 'Ik was waardeloos.'

Becca deed haar ski's ook af, en samen liepen ze naar de lange, blauwe bus die hen zou terugbrengen naar de campus. Er waren een paar leden van de ploeg die hun laatste afdaling nog moesten maken, en dan zou Maddix eerst nog een van zijn vurige peptalks houden en hen aanmoedigen ervoor te zorgen dat ze dat weekend tegen Amherst hun zout meer dan waard waren. Het had geen zin om in de kou te wachten, als ze ook in de verwarmde bus konden gaan zitten.

'Hoe is het met Abe?'

Isabelle zweeg even, haar gezicht stond ondoorgrondelijk.

'Prima. Alles goed.'

'Zie je hem binnenkort weer?'

'Misschien over een paar weken.'

'Heb ik je verteld dat Stuart...' begon Becca, maar Isabelle draaide zich om naar de skilift.

'Ik denk dat ik nog een keer ga,' zei ze over haar schouder. 'Om te proberen mijn tijd nog wat verder naar beneden te krijgen.'

Becca knikte. Er was absoluut iets niet in de haak met haar vriendin. Ze was niet half zo spraakzaam als anders. Zodra Isabelle weer beneden was, zou ze het haar vragen.

Er zaten al andere skiërs in de bus. Twee van haar lunchmaatjes – Luke, een gedrongen tweedejaars uit Baltimore, en Taymar uit Detroit, net als Becca eerstejaars – feliciteerden haar met haar laatste afdaling.

'Je gaat die lui van Amherst wat laten zien dit weekend!' Luke schoof dichter naar Taymar om ruimte te maken voor Becca en om – dat ontging haar niet – zijn been tegen dat van de zelfverklaarde 'donkere godin' te kunnen zetten. Met elke week die verstreek, werd duidelijker dat Luke smoorverliefd op haar was.

'Reken maar. Ze zullen niet weten wat hun overkomt,' viel Taymar hem bij, en ze schudde met haar lange, donkere vlechten.

'Bedankt.' Becca grijnsde.

'Wat trek jij aan naar het feestje?' Taymar was, samen met Isabelle, een van de weinige echte kledinggekken op de campus.

Becca verbleekte. Shit, wat moest ze in 's hemelsnaam aan?

Taymar begon te lachen. 'Je mag wel iets van mij lenen. Welke maat heb je? 36?'

Becca knikte. Liever iets van Taymar lenen dan uren bij Neiman Marcus in de paskamer te moeten staan. Niet dat er een Neiman Marcus wás in Middlebury, Vermont.

'Kom maar even langs. Dan zoeken we iets voor je uit. Stuart zal niet weten wat hij ziet.'

'Die loopt toch al met zijn hoofd in de wolken,' voegde Luke er honend aan toe. 'Dus maak het hem niet te moeilijk.'

Becca bloosde. Stuart liep met zijn hoofd in de wolken? *Echt waar?*

Ze merkte nauwelijks dat de rest van de ploeg in de bus klom. En eenmaal terug op de campus, was Isabelle er al uitgesprongen en op weg naar hun kamer, voordat Becca zelfs maar bij de schuifdeur van de bus was.

Wat er ook aan schortte, de volgende keer dat ze Isabelle zag, zou ze ernaar vragen. Maar nu wachtte Stuart op haar. Ze zouden naar de kantine bij zijn studentenhuis gaan en de avond doorbrengen met Schopenhauer.

Was er iets romantischers denkbaar voor iemand die 'met zijn hoofd in de wolken' liep?

❤

'Openslaande deuren, bakstenen muren, hardhouten vloeren...' Sophie had haar moeder aan de telefoon, en terwijl ze haar blik door het appartement liet gaan, loog ze er vrolijk op los. 'Het is geweldig, Angie.'

En dat was het zeker. Tenminste, als je onder 'geweldig' beschimmelde muren verstond, kakkerlakken en vloerbedekking uit de jaren vijftig. Volgens de advertentie ging het om een 'charmante' studio. Een 'verloederd krot' zou een juistere typering zijn geweest. Dit was het zesde appartement waar ze Celeste die dag mee naartoe had gesleept, en het ene was nog erger – en in nog een ergere buurt – dan het andere. Sophie verlangde met de mi-

89

nuut hartstochtelijker terug naar haar hoogtijdagen in het verre Beverly Hills.

'O, lieverd. Het klinkt inderdaad geweldig.' Haar moeder zweeg even. 'Toen ik Genny's boodschap kreeg, ben ik toch wel geschrokken.'

'Ik kan wel voor mezelf zorgen, mam.' *Ook al ga ik dat waarschijnlijk doen in een achterbuurt.*

Angela snotterde wat aan de andere kant van de lijn. 'Ik ben zo trots op je.'

*Hè nee!* Nu kreeg Sophie ook een brok in haar keel. 'Dankjewel. Ik ook.'

'Je maakt echt een proces van zelfverwezenlijking door,' vervolgde haar moeder in haar therapeutenjargon. 'Vergeet niet om papa te bellen en hem het goede nieuws te vertellen.'

Sophies ouders waren al zolang als ze zich kon heugen gescheiden, maar daar gingen ze aanzienlijk beschaafder mee om dan Becca's disfunctionele ouders: in het belang van hun dochter waren ze 'goede vrienden' gebleven. Wat erg fijn was, alleen maakte het feit dat ze voortdurend over alles communiceerden het erg moeilijk voor Sophie om iets voor elkaar te krijgen. Ze kon haar ouders nooit tegen elkaar uitspelen, of verschillende verhalen ophangen als ze laat op een feestje wilde blijven of ergens naartoe wilde waarvoor haar moeder haar nog te jong vond. Soms wenste Sophie dat ze minder beschaafd waren – dan zou ze heel wat meer vrijheid hebben gehad.

Tegen de tijd dat ze ophing, had ze aan de denkbeeldige details van haar denkbeeldige appartement nog lofwerk aan het plafond toegevoegd, een ruim terras en een schitterend uitzicht op de letters van Hollywood. Een klein beetje last van schuldgevoel had ze wel. Maar Angie zei altijd dat visualisatie de sleutel was tot succes. Dus als ze zich het ideale appartement maar lang genoeg voorstelde, zou ze het misschien vinden.

Celeste – haar blauw gespoelde haar in een volmaakt warrignonchalante coupe – kwam met een vreemde uitdrukking op haar gezicht uit de braakselkleurige badkamer. 'Ik geloof dat er iets leeft in de wc,' meldde ze. 'Iets wat me... Ik zou haast zeggen dat het me beet.'

Sophie was niet zozeer geschokt door de ontdekking dat er ongedierte in de wc zat, als wel door het feit dat Celeste de wc had gebrúíkt. Blijkbaar hadden de jaren in Los Angeles haar gehard.

'Er staat een appartement te huur aan Sunset, hier vlakbij.' Celeste hield het advertentiekatern van de L.A. Times omhoog. 'Vijfhonderd dollar in de maand!' las ze opgewekt. 'Een koopje! En volgens de advertentie is het knus en schilderachtig!'

'Met andere woorden, piepklein met de wc buiten,' bromde Sophie. 'Ik kan net zo goed in een koelbox gaan wonen.'

Celeste sloeg troostend een arm om de schouders van haar collega. 'Ik weet dat het niet meevalt. Maar niets gebeurt zomaar. Alles heeft een reden.'

Daar kon Celeste dan wel gelijk in hebben, maar dat wilde nog niet zeggen dat het om een góéde reden gebeurde. De cheque voor Sophies dvd-debuut kon nu elke dag binnenkomen. Dan kon ze zich misschien iets veroorloven wat niet als overheersende reactie *getver* opriep.

Officieel had Sophie aan Genevieve beloofd dat ze het gastenhuis de volgende morgen zou hebben verlaten. Maar wat haar betreft kon Marco met zijn professioneel gebleekte tanden nog wel even wachten.

❤

Het deksel van de wc was keihard en ongemakkelijk, als een kerkbank. Maar voor Harper was het heilig. Want hier, op dit gebarsten, armoedige, roze wc-deksel schreef ze haar roman. Ze schreef écht.

Elke dag. Vaste prik.

Ondanks een gevoelloos achterwerk en een zere rug vlogen haar vingers over het toetsenbord. Ze was een week eerder met het ritueel begonnen, gedreven door een gruwelijke angst. De angst dat er nu ze wist wat ze wilde schrijven, iets tussen zou komen. Dat ze last zou krijgen van twijfels. Van fantasieën over meneer Finelli. Dat ze zou worden gekweld door de behoefte om Judd haar verontschuldigingen aan te bieden omdat ze hem zo afschuwelijk had behandeld, net voor Kerstmis, terwijl hij alleen maar had geprobeerd een goede vriend voor haar te zijn. Maar wáár ze ook bang voor was, ze was vastbesloten zich door niets uit haar concentratie te laten brengen, vastbesloten dat niets haar voornemen, haar inzet om dat vervloekte boek te schrijven kon torpederen.

Dus trok ze elke dag, hetzij vóór hetzij ná haar werk bij Café Hemingway, haar favoriete verwassen zwarte joggingpak aan (The Gap, collectie 2002) en sloot ze zich met haar laptop op in de wc. Pas wanneer ze op de wc-bril zat, zette ze de computer aan en riep ze het Word-document op met wat ze hoopte dat ooit de nieuwe Grote Amerikaanse Roman zou zijn. Zolang de accu het volhield, schreef ze. En wanneer het scherm liet zien dat ze nog maar vijf procent stroom had, sloeg ze haar werk op en sloot ze haar Vaio af tot de volgende dag.

In de veilige beslotenheid van haar cel, schrijlings op de wc gezeten, lukte het Harper de rest van de wereld buiten te sluiten. Net zoals het haar ook lukte om geen Spider Solitaire te spelen, wat misschien wel haar grootste prestatie van allemaal was. Wanneer ze dacht aan de uren die ze had verspild met het leggen van de ene kaart op de andere op het kleine groene scherm, kon ze zichzelf wel voor haar kop slaan.

Bovendien was er nóg een sleutelelement aan haar nieuwe werkwijze. Misschien was het een beetje bijgelovig. Oké, het was érg bijgelovig. Maar ze was ervan overtuigd dat ze alles zou bederven als ze buiten haar heilige wc-tijd aan haar boek dacht. Dus bracht ze elk wakend moment dat ze níét schreef door met obsessief níét denken aan wat ze had geschreven of wat ze nog ging schrijven. Tot dusverre werkte het.

*Lieverd, is alles goed met je?*, tikte ze vlot, de woorden verschenen als vanzelf op het scherm. Toen nam ze verbaasd haar handen van het toetsenbord. Waar kwam dat ineens vandaan? Het antwoord kwam in de vorm van een klop op de wc-deur. 'Lieverd? Is alles goed met je?' Het was haar moeder, en ze klonk een beetje bezorgd. Alsof ze al een hele tijd op de deur stond te kloppen en herhaaldelijk naar het welzijn van haar dochter had geïnformeerd. *Oeps.*

'Ja, alles gaat prima!' riep Harper terug. 'Ik zit te schrijven!' *Met andere woorden: ga weg.*

Het bleef even stil aan de andere kant van de deur. 'Zit je te schrijven op de wc?' vroeg mevrouw Waddle toen.

'Lang verhaal.' *Dat vertel ik je later wel een keer. Als ik mijn boek af heb.*

'Is dat wel gezond?'

Harper kwam zuchtend overeind, de zwarte laptop zorgvuldig in haar handen balancerend. Ze kon haar moeder maar beter laten zien dat ze niet volledig haar verstand had verloren. Dus ze deed de deur open en stak haar hoofd naar buiten.

'Ik zit midden in een belangrijke passage. Kunnen we het er misschien later over hebben?'

Mevrouw Waddle wees naar haar schort met pastasausvlekken. 'Ik ben ook met iets belangrijks bezig. Lasagne voor zestig man.' Haar moeder caterde feestjes in heel Boulder, en voor haar waren haar uren in de keuken even heilig als die van Harper in de wc. 'Maar ik wilde je even een boodschap doorgeven van je leraar Engels.'

Harper liet haar computer bijna uit haar handen vallen. 'Mijn... wat? Wie?'

'Meneer Finelli,' verduidelijkte haar moeder, die blijkbaar niet in de gaten had dat haar oudste dochter leed aan een hartaanval. Of aan iets wat bedrieglijk veel leek op een hartaanval. 'Hij belde net terwijl ik de saus over de pasta goot.'

'O. Oké.' Harper begon de deur al dicht te doen, vurig wensend dat het gesprek hiermee afgelopen was. Dit was informatie die ze onmiddellijk moest verwerken, en dat moest ze in alle beslotenheid doen. Alleen al bij het noemen van meneer Finelli's naam bonsde haar hart in haar keel. Daar ging haar creatieve concentratie!

Haar moeder pakte de deur om te voorkomen dat Harper hem dichttrok. 'Wil je niet weten wat hij zei?'

*Nee.* 'Eh... Oké.'

Mevrouw Waddle glimlachte, haar blauwe ogen begonnen te stralen. Ze veegde haar handen af aan haar schort, blijkbaar niet beseffend dat de mouwen van haar gele trui ook onder de saus zaten. 'Hij heeft een nieuwe aanbevelingsbrief voor je geschreven, voor NYU. En die heeft hij verstuurd, net als de brieven voor de andere universiteiten op je lijstje.'

'Maar hoe wist hij... Ik bedoel... Dat is geweldig! Bedankt, mam.' Deze keer hield haar moeder haar niet tegen toen Harper de deur dichtdeed.

Zorgvuldig zette Harper haar computer op het fonteintje. Toen leunde ze tegen de muur. De koude, witte tegels boden een heerlijke verkoeling voor haar klamme voorhoofd. Had meneer Finelli uit zichzelf besloten een nieuwe aanbevelingsbrief voor haar te schrijven? Was het een gebaar om duidelijk te maken dat hij haar nog een kans wilde geven? Een vonk van hoop laaide op.

Maar doofde meteen weer.

Hij had tegen haar moeder gezegd dat hij brieven naar álle universiteiten op haar lijstje had gestuurd. Maar het bestond niet dat hij die lijst kende, want de vorige keer had ze zich maar bij één universiteit aangemeld. Er was verder niemand die wist waar ze zich eventueel nog meer wilde inschrijven. Tenminste...

Habiba! Die had dit achter haar rug bekokstoofd. Harper ging haar de nek omdraaien. Nadat ze haar voor de rest van haar leven gratis Groene Monsters had aangeboden.

♥

Ik ben een pennenlikker, dacht Kate nijdig en vermoeid. Vijfduizend kilometer van huis was het enige wat ze kon doen, vanaf de zijlijn toekijken, gewapend met een klembord. Om haar heen waren mannen, vrouwen en kinderen hard aan het werk. Er werden eucalyptustakken aangedragen en gehakt, er werden kruiwagens vol zand aangevoerd, er werd *injera* gekookt, gereedschap geordend. En wat deed zij? Op een pen kluiven. En waarom? Omdat Darby Miller een ellendeling was.

De ochtend was wel goed begonnen. Ze was opgewonden wakker geworden, zich amper bewust van haar pijnlijke rug na een nacht op het lage veldbed. Ze had haar malariapil geslikt met een slok van het gejodeerde rivierwater waar ze inmiddels aan begon te wennen, en haar schoenen aangetrokken. Dorothé, die de hanen van het dorp altijd ruim vóór Jessica en haar leek te horen, was al aangekleed. Het gebruikelijke ontbijt – roerei, injera en *berbere* stond al te wachten. Zelfs Jessica was klaar toen Darby en Jean-Pierre op de deur klopten.

Vandaag zou de put worden geslagen. Of tenminste, er zou een begin worden gemaakt met de werkzaamheden. Rome was niet in één dag gebouwd, en voor waterputten gold blijkbaar hetzelfde. Er moesten ploegen worden geïnstrueerd, er moest grond worden vrijgemaakt, machinerie geïnstalleerd, er moesten dieren worden verwijderd, kinderen verzameld... Iedereen was druk in de weer, behalve Kate. En hoe kwam dat? Door Darby. Blijkbaar dacht hij dat haar enige spierkracht in haar hoofd zat, en hij wekte de indruk ook daar geen hoge pet van op te hebben.

'Denk je dat je het aankunt?' had hij die ochtend gevraagd,

toen hij haar het klembord en een blauwe balpen had gegeven.

'Ik worstel me er wel doorheen,' had ze koeltjes geantwoord. Ze wist toch verdorie wel hoe een balpen werkte! En een velletje papier op een klembord – een schema met wie wat moest doen, en waar, en hoelang – was niet bepaald neurochirurgie. Al was het maar omdat iedereen die in of rond het dorp woonde, buitengewoon gemotiveerd was. De dorpsraad had het hele project op gang gebracht door zelf contact te zoeken met Water Partners. Er waren zo veel mogelijk voorraden ter beschikking gesteld, er was geld bij elkaar gebracht voor het onderhoud wanneer de put eenmaal was geslagen, en een van de dorpelingen was ingehuurd als bewaker van de put. Dus het ging om een project dat door de hele gemeenschap werd gedragen en iedereen wilde zijn steentje bijdragen. Zelfs de kinderen waren een en al opwinding.

Kate had het grootste deel van de ochtend rondgelopen over het dorre, voormalige grasveldje net buiten de westelijke rand van het dorp, om de vorderingen van de anderen te controleren. Niet echt een uitdaging. Jean-Pierre en zijn ploeg werkten keihard en lagen dan ook voor op het schema bij het in elkaar zetten van de onderdelen van de put. Dorothé en haar mensen maakten, gewapend met spaden en schoffels, goede vorderingen met het vrijmaken en nivelleren van de grond. Darby had het op zich genomen om Tesfaye te instrueren, de jongeman die de dorpelingen als bewaker hadden aangewezen. Jessica was door Darby aangewezen om de kinderen te helpen de koeien en ossen weg te houden bij het werk tot er een omheining was gebouwd. Geen al te moeilijke taak, in aanmerking genomen dat alle kinderen ouder dan vier ervaren veehoeders waren.

Sterker nog, dacht Kate, misschien had Darby de gemakkelijkste klus wel aan Jessica gegeven. Misschien zou ze niet zo diep beledigd moeten zijn door het feit dat ze was aangewezen als Klembord Kate. Het was tenslotte belangrijk om op schema te blijven, en hij vertrouwde erop dat zij iedereen in de gaten zou houden. Toen hij die ochtend de taken had verdeeld, had hij niet geweten dat iedereen zo competent was. Dus misschien had hij gedacht dat hij haar nodig zou hebben als probleemoplosser, als zijn rechterhand. Misschien was het toch wel belangrijk wat hij haar te doen had gegeven.

Kate besloot dan ook Darby het voordeel van de twijfel te geven. Hoe irritant en kwetsend hij soms kon zijn, hij had ook zijn goede kanten. Hij was slim. En hij was bepaald niet onaantrekkelijk – niet dat dat ertoe deed. Hij kon uitstekend organiseren. Hij sprak bijna vloeiend Amhaars. Hij had enorm veel respect voor de mannen en vrouwen van het dorp. En hij was dol op kinderen. Sinds hun aankomst had hij elke avond geïmproviseerde voetbalwedstrijden georganiseerd bij hen in de kraal. Op het veld van aangestampte aarde hadden jongens en meisjes, van peuters tot tieners, tot het avondeten urenlang lachend achter een haveloze oude voetbal aan gerend. Daardoor had Kate de kans gekregen een band op te bouwen met Angatu.

Door de avondlijke gesprekken tussen haar en het kleine meisje met de stralende ogen was haar Amhaars enorm verbeterd. Ze kon inmiddels een simpele conversatie voeren, en doorgaans begreep ze in elk geval de strekking van wat er om haar heen werd gezegd.

Dus toen er een broodmagere jonge vrouw kwam aanlopen, die beleefd om hulp vroeg in het Amhaars, verstond Kate alles wat ze zei. De vrouw had een baby in een dikke, geweven, kanariegele doek op haar rug gebonden. Op haar hoofd droeg ze een kruik van rood aardewerk. De beentjes van het kindje, die uit de doek staken, waren erg dun – maar, zag Kate, nauwelijks dunner dan de armen van zijn moeder.

'Wat kan ik voor u doen?' vroeg ze.

De vrouw nam de kruik van haar hoofd en antwoordde gejaagd. Kate verstond er genoeg van om te begrijpen dat ze uit een ander dorp kwam en op zoek was naar water.

'Ach, dat hebben we hier nog niet.' Nu pas zag Kate dat de

vrouw op blote voeten liep. Hoe ver had ze gelopen om hier te komen? 'De put is nog niet klaar.'

Er gleed een zorgelijke blik over het ingevallen gezicht van de vrouw. Het was hartverscheurend om aan te zien. Kate wees naar een schaduwrijk plekje onder een groepje eucalyptusbomen. 'Kom even bij me zitten.' Ze glimlachte. 'Ik ben Kate.'

'Rebekkah.' De vrouw knikte terwijl ze op de grond onder de bomen gingen zitten.

Rebekkah maakte de doek om haar rug los en legde haar kindje aan de borst. Haar dorp lag diverse kilometers ten oosten van Mekebe, vertelde ze, en had geen put. De rivier was drooggevallen, dus ze was het hele eind komen lopen met haar zoontje. Het kindje was ziek en had water nodig, maar...

Ze zweeg. Kate keek naar de slapende baby in Rebekkahs armen. Zijn armpjes waren erg mager, maar zijn buikje was dik. Te dik.

Kate moest haar tanden op elkaar zetten om niet te huilen. *Nee.* Dit mocht niet. Het was onaanvaardbaar dat ze met deze vrouw en haar zieke kind onder een boom zat, en dat het kindje alleen maar zoiets simpels als water nodig had. Het was onaanvaardbaar dat ze deze vrouw zou moeten teleurstellen. Het was onaanvaardbaar dat er niet eens een ziekenhuis was waar Rebekkah met haar zoontje naartoe kon om het kindje te laten behandelen. Het was onaanvaardbaar dat de rivier was drooggevallen. Het was allemaal volstrekt onaanvaardbaar.

'Wacht even!' Ze stond op en haastte zich naar hun kraal.

Amper vijf minuten later was ze terug met twee grote flessen vers bronwater, die ze in het busje hadden meegenomen uit Bahar Dar. Rebekkah zette grote ogen op.

'*Amese genando*,' fluisterde ze zacht. '*Amese genando*.' Dank u wel.

'Neem ze maar mee.' Kate wees op de flessen. 'En als je over een paar weken terugkomt, hebben we water uit de put.'

Rebekkah bedankte haar nog diverse keren terwijl ze haar baby weer op haar rug bond. Toen schudde ze Kate de hand. Ze hield hem lang vast, en haar diepbruine ogen vertelden duidelijker hoe dankbaar ze was dan woorden dat hadden gekund. Ten slotte wendde ze zich af en liep ze terug naar de weg die het dorp uit leidde.

Kate moest een paar keer slikken om de brok in haar keel kwijt te raken. Gewapend met het klembord haastte ze zich naar de *tukul*, waar Darby aan het werk was met Tesfaye. Ze was naar Ethiopië gekomen om water te brengen, en dat zou ze doen ook! Overal waar dat nodig was.

'Ik moet je spreken,' zei ze al voordat ze goed en wel binnen was.

Darby kwam overeind. In de kleine hut van modder, met als enig meubilair een paar gammele houten stoelen, aan weerskanten van het kookoventje, leek hij een ongelooflijk imponerende aanwezigheid. 'Wat is er? Is er iemand gewond geraakt?'

'We moeten nóg een put slaan.'

'Waar heb je het over?'

'Er was hier net een vrouw uit Teje. Dat ligt acht kilometer naar het oosten. Daar hebben ze ook een put nodig.'

'Dat geldt voor zoveel dorpen,' zei Darby, meer uit de hoogte dan ooit. 'Maar zo simpel is het niet.'

Dit was wel het laatste wat Kate had verwacht. Dit totale gebrek aan betrokkenheid, de onmiskenbare ergernis op zijn gezicht.

'Kan het je soms niet schelen?' beet ze hem toe, en ze duwde wat losse pieken haar uit haar verhitte gezicht. 'Ze had een ziek kind bij zich...'

'Het verbaast me dat het jóú kan schelen,' snauwde Darby terug. 'Want voor zover ik weet, wonen er in dat dorp geen beroemdheden. En is dat niet het enige waar je in geïnteresseerd bent?'

Kate staarde hem aan, met stomheid geslagen. Ze kwam bij hem met een oprechte noodsituatie, en hij slingerde haar het telefoongesprek over een meisje dat op Scarlett Johansson leek in haar gezicht – een gesprek dat niet voor zijn oren bestemd was geweest, over iets wat haar hoegenaamd niet interesseerde. Ze had gewoon plezier gehad, grapjes gemaakt met haar vriendinnen. Was hij soms van plan haar daarvoor de rest van haar leven te laten boeten? Of in elk geval de rest van haar tijd in Ethiopië, want daarna zou ze hem nooit, maar dan ook nooit meer zien. Daar zou ze wel voor zorgen.

'Laat maar,' wist ze ten slotte uit te brengen. Ze schudde haar hoofd, vervuld van afschuw.

Kate herinnerde zich niet dat ze was teruggelopen naar de put. Noch de serie controlevinkjes die ze het daaropvolgende uur op haar klembord zette. Het enige waaraan ze kon denken, was Darby. Zou hij anders over haar gaan denken als hij wist dat ze was toegelaten op Harvard? Als hij wist waarom ze hierheen was gekomen, zo ver van huis, en tegelijkertijd zo dicht bij haar zusje?

Misschien zou het iets uitmaken als hij het wist. Maar... het deed er niet toe. Om te beginnen wist ze niet eens of Harvard haar het volgende jaar opnieuw zou toelaten. En bovendien zou ze het hoe dan ook nooit aan Darby vertellen. Hij moest maar denken wat hij wilde.

Net zoals hij kon denken wat hij wilde over Jessica, over Coca-Cola versus Pepsi, over de Red Sox, over de opwarming van de aarde.

Wat Darby Miller dacht – over wie of wat dan ook – kon haar niets schelen.

Dat deed haar niets, helemaal niets.

❤

Sophie had grote spijt van haar schoenenkeuze. De Cole Haan-pumps van zwart lakleer, die ze vorige maand in de uitverkoop bij Loehmann's had gekocht, waren twee maten te klein. Hoe had ze ooit kunnen besluiten die aan te trekken wanneer ze op apparte-mentenjacht ging? Haar voeten zaten onder de blaren, haar kui-ten voelden alsof ze in brand stonden. Bovendien had ze barsten-de koppijn. Dat was ergens begonnen tussen de bezichtiging van een vrijgezellenflat zonder keuken aan Vine Street en een appar-tement met één slaapkamer aan Hollywood Boulevard waar het wemelde van de kakkerlakken. *Een warm bad*, dacht ze terwijl ze de deur naar het gastenverblijf opendeed. *Ik heb dringend behoef-te aan een warm bad! En aan een hoofdpijnpil.*

'Zeg, schat, waar zijn je dozen?' Marco Zonnebank keek haar grijnzend aan vanachter een reusachtig vloerkussen, bekleed met zebravel, dat hij tegen zijn borstkas hield.

*Shit!* Sophie was zo opgegaan in haar zere voeten, haar hoofd-pijn en haar psychische stress dat ze Marco's sportwagen – een Mustang-oldtimer – niet op de oprijlaan had zien staan, ten teken dat hij was gearriveerd. En zijn intrek had genomen in háár gas-tenverblijf.

'Dozen?' Sophie was niet van plan geweest te verhuizen na de rampzalige zoektocht van die dag naar een énigszins bewoon-baar appartement.

'Geeft niet. Je kunt de mijne gebruiken als ik klaar ben met uit-pakken.' Marco gebaarde naar de keuken, die stampvol stond met kartonnen dozen, stuk voor stuk zorgvuldig van etiketten voor-zien waarop met zwarte viltstift dingen stonden als 'energie-drankjes' en '*mood music*'.

*Officieel* werd ze geacht de volgende dag weg te zijn. Sophie had echter niet beseft dat een dergelijke afspraak betekende dat Marco die avond met al zijn aardse bezittingen op de stoep zou staan.

Als verlamd en met stomheid geslagen staarde ze voor zich uit.

Pas toen ze een veelbetekenende geur rook, een zweem van Gucci-eau de parfum, besefte ze dat Marco en zij niet alleen waren.

'Sophie, schat, wat is er?' Genevieve kwam de slaapkamer uit, gekleed in een Marni-spijkerbroek met een nauwsluitend, zwart T-shirt. Marco droeg een soortgelijke strakke outfit – hij zou Genevieves kwaadaardige tweelingbroer kunnen zijn, dacht Sophie, als haar voormalige weldoenster niet zo klein en blond was geweest, en waarschijnlijk even oud als zijn moeder. Genevieve keek Sophie een beetje bezorgd aan. 'Je kijkt alsof je net van de weegschaal bent gestapt en twintig pond bent aangekomen.'

'O, er is niets... Ik heb alleen...' *Ik heb alleen geen huis meer.* 'Ik weet dat ik word geacht morgen te vertrekken...'

'Als je meer tijd nodig hebt, dan hoef je het maar te zeggen.' Genevieve schudde meisjesachtig haar bijna lichtgevende haar. Elke keer dat Sophie haar zag, leek het blonder. 'Dan moeten Marco en jij het maar samen regelen.' Ze keerde zich weer naar de slaapkamer. 'Ik ga verder met de plannen voor nieuwe gordijnen.'

Sophie voelde een overweldigende opluchting. Ze zou niet dakloos zijn. Tenminste, niet die avond. Genevieve mocht dan oppervlakkig, materialistisch, en soms zelf enigszins belachelijk zijn, ze zou de dochter van een oude studievriendin nooit zomaar op straat zetten, zelfs niet op de lommerrijke straten van Beverly Hills.

'Genevieve is een schat.' Marco kwam zelfverzekerd met zijn vloerkussen op Sophie af. 'Zo ontzettend gul.'

'Hm...' Ze wilde niets liever dan dat ze allebei weggingen, zodat ze in bad kon. Dus ze keurde hem amper een blik waardig.

'Ik wil dat je vertrekt.' Hij stond inmiddels vlak voor haar, zijn stem klonk niet langer zangerig, maar diep en dreigend. Hij omklemde het kussen alsof het een stormram was, en Sophie vroeg zich vluchtig af of hij soms van plan was het op haar gezicht te drukken en haar te smoren. De manier waarop hij sprak was ronduit angstaanjagend.

'Pardon?' Ze was niet van plan zich zonder slag of stoot gewonnen te geven.

'Ik wil dat je vanavond nog vertrekt. Het kan me niet schelen waarheen, als je maar weggaat.' Marco keek op haar neer, zijn ogen stonden doodernstig.

Wie dacht hij wel dat hij was? Ze was in de verleiding om hem recht op zijn lichtgevend witte tanden te stompen.

'Sorry, Marco,' zei ze, toen het haar duidelijk was dat ze hem niet verkeerd had verstaan. 'Dat zal niet gaan, maar je kunt je spullen hier laten tot ik iets anders heb gevonden.' Ferm maar beleefd. Dat was altijd de beste aanpak.

Hij kwam nog dichter bij haar staan. Zijn adem rook naar een gezond tarwegrassapje. 'Je snapt het nog steeds niet, hè. Ik wil dat je vertrekt. Vanavond nog.'

Sophies neusvleugels trilden. Figuurlijk gesproken. 'Je kunt toch niet zomaar...'

'Je wilt toch actrice worden? Nou, ik ben personal trainer van iedere agent en castingdirector hier in de stad.' Hij gooide het kussen van zich af. 'Als je hier niet binnen een uur weg bent, zorg ik dat je nooit meer aan de slag komt. En als je denkt dat me dat niet lukt, moet je het maar eens aan Eloise Drummond vragen.'

'Wie is Eloise Drummond?'

Hij grijnsde kwaadaardig. 'Dat bedoel ik.'

Genevieve kwam opnieuw de slaapkamer uit, zwaaiend met een lap stof met luipaardprint. 'Dit is de perfecte stof voor de gordijnen!' Ze hield hem Marco voor alsof ze hem kleedde voor een goedkope remake van *Tarzan*.

Sophie haalde diep adem. Ze was bang om dakloos te worden. Maar ze was nog banger voor Marco's dreigement om haar carrière te ruïneren.

'Goed nieuws!' Ze deed haar best opgewekt te klinken. 'Ik krijg net een telefoontje. Het is allemaal rond met mijn nieuwe appartement. Ik vertrek vanavond.'

'O, ik weet zeker dat je er heel gelukkig wordt!' Genevieve straalde. 'En denk erom dat je geen taxi neemt. Dat wil ik niet hebben. Ik regel een auto met chauffeur om je naar je nieuwe adres te brengen.'

Op dat moment besefte Sophie dat de zilvergrijze BMW 3-serie waarin ze de afgelopen vier maanden had rondgereden, onderdeel was geweest van een pakket. Het gastenverblijf en de auto. De auto en het gastenverblijf. De twee hoorden bij elkaar. Hetgeen betekende dat Sophie nu ook geen auto meer had in een stad waar niemand – helemaal níémand – ook maar ergens lopend naartoe ging.

Nog geen uur later keek Sophie toe terwijl een verveeld ogende chauffeur de laatste van haar haastig ingepakte plunjezakken in de kofferbak van zijn zwarte Cadillac deponeerde. Ze klom achter in de grote auto, sloot haar ogen en snoof genietend de geur van leer en luxe op. Misschien wel voor de allerlaatste keer.

'Waar gaat de reis naartoe?' vroeg de chauffeur, zonder zelfs maar de moeite te nemen zijn hoofd om te draaien.

Sophie aarzelde en dacht koortsachtig na. Naar het Farmer's Daughter Hotel, beroemd om de naïeve meisjes uit het Midwesten die er strandden? Naar Muscle Beach, waar mannen die stijf stonden van de steroïden, aanpapten met rondborstige weggelopen tieners? Naar het vliegveld, voor een enkele reis naar huis? 'Hoek Melrose en Vine,' zei ze ten slotte.

De rit van Beverly Hills naar Hollywood duurde minder lang dan ze had verwacht. De wijken lagen vijfentwintig minuten en een wereld uit elkaar. Sophie gaf de chauffeur vijf dollar extra omdat hij haar bagage de twee smalle houten trappen op sjouwde naar haar bestemming. Pas toen hij was verdwenen, raapte ze al haar moed bij elkaar en klopte ze aan. Het duurde niet lang of er werd opengedaan.

'Hallo, Sam,' zei Sophie opgewekt. 'Kan ik bij je komen inwonen?'

# Engels 234 – Moderne Afrikaans-Amerikaanse Literatuur

Professor Anita Smith
College-uren: ma, wo, vr 11.00 – 12.15 uur
Kantooruren: do 15.00 – 17.00 uur
Telefoonnr.: (802) 555-4320

*Becca Pendergrass*

*Stuart en Becca*

Beoordeling: 1/4 presentie bij colleges
1/4 examen
1/2 papers

*I ♥ Stuart Pendergrass*

**Belangrijk:** Werkstukken die worden gedownload van het internet scoren geen punten. Hetzelfde geldt voor papers waarin stukken zijn overgenomen uit uittrekselboeken of – nog ernstiger – van andere studenten. Tegen de student die zich hieraan schuldig maakt, zullen disciplinaire maatregelen worden genomen. Ik zal er persoonlijk voor zorgen dat iedereen die welbewust gebruikmaakt van andermans werk, naar huis wordt gestuurd. Duidelijk? Mooi zo.

Veel plezier met lezen.

*S ♥ B*

**Syllabus:**

**Week 1**: Their Eyes Were Watching God (Zora Neale Hurston)

**Week 2**: Invisible Man (Ralph Ellison)

**Week 3**: Paper nr. 1 (Onderwerp nog te bepalen)

*Becca Pendergrass*

**Week 4**: The Color Purple (Alice Walker)

**Week 5**: Native Son (Richard Wright)

*Becca ♥ Stuart*

*＊ Mrs. Stuart Pendergrass ＊*

# VIER

EEN PRETJE IN EEN KADETJE? Ze had nog nooit zo'n kaarsrechte pony gezien, dacht Harper, terwijl ze minihamburgers presenteerde aan een meisje met MAGGIE op haar naambordje in stralendblauwe, ronde letters. Met haar strenge kapsel en bekakte bloes zag Maggie er niet uit als het soort meisje dat verstand had van pretjes, al dan niet met kadetjes.

Harper voelde hoofdpijn opkomen achter haar rechteroog. Dat was óf een teken dat het einde der tijden nabij was óf dat het geen goed idee was geweest om de vorige dag achttien uur non-stop door te werken. Gezien de situatie hoopte ze dat het Optie A was. Haar moeders aanbod om wat extra's te verdienen door bij te springen bij de catering van een feestje op de campus van UC Boulder had op het moment volmaakt onschuldig geleken. Maar Harper was dan ook half in slaap geweest. En haar moeder had er niet bij verteld dat het ging om een feestje voor de eerstejaars die in hun eerste semester de meeste studiepunten hadden gescoord. Het presenteren van lekkere hapjes aan academisch uitblinkende leeftijdgenoten was niet bepaald Harpers favoriete bezigheid. Ook al verdiende ze er twintig dollar per uur mee.

'O, ze zijn aanbiddelijk!' kirde Maggie met de ronde letters. *En ik maar denken dat ik mensen zo goed doorheb*, dacht Harper. Ze deed haar best dienstbaar te blijven glimlachen terwijl Maggie haar keuze maakte. 'En wat zeg je dat leuk! Ik ben kampioen debatteren, dus je begrijpt, taal, woorden, dat is echt mijn ding.'

Op dat moment besefte Harper dat Maggie-met-de-ronde-letters Maggie Hendricks was, het meisje met wie Sophie in haar eerste jaar op UC een kamer had zullen delen. Sophies enige ontmoeting met Maggie – voor een kop koffie bij Starbucks – had erin geresulteerd dat ze haar studieplannen had opgegeven en naar LA was verhuisd. Harper had plotseling het gevoel alsof ze in zo'n rare scifi-film zat, waarin ze kon zien hoe haar leven zich in een parallel universum zou hebben ontwikkeld. Een universum waarin Sophie haar bijna dagelijks belde op haar studentenkamer in New York, om te klagen over Maggie met haar obsessieve neiging tot debatteren. Over álles. Een universum waarin Harper een van de gasten was bij een studentenfeestje, in plaats van personeel.

*Maar ik ben blij dat de dingen zijn gelopen zoáls ze zijn gelopen.* Tenslotte was geen van deze zorgeloze studenten bezig met het schrijven van zijn of haar eerste roman. En dat was zij, Harper, wel.

'Ik kom in een wipje langs met de Kaassurprises,' beloofde ze Maggie Hendricks, doelend op de gegrilde kaasjes die haar moeder die ochtend had gemaakt. Bij terugkeer uit Los Angeles was Harper zo stom geweest in geuren en kleuren te vertellen over de minihapjes die het echtpaar Meyer op oudejaarsavond aan zijn gasten had geserveerd. Mevrouw Waddle, die haar keuken met gepaste trots als innovatief beschouwde, had onmiddellijk een nieuwe kaart gemaakt voor haar cateringbedrijfje, compleet met een 'pakkende' naam voor elk gerecht. Harper zag nu al op tegen het dessert, bestaande uit kleine stukjes gevulde chocoladecake die haar moeder 'Hapgraagjes' had gedoopt.

*Ik schrijf een roman. Ik schrijf een roman. Ik schrijf een roman.* Harper bleef het mantra herhalen terwijl ze zich een weg baande door de drukte. De royale feestruimte zag er smaakvol uit, met hoge plafonds, zware gordijnen voor de hoge ramen, en olieverfportretten van sponsors of grondleggers – allemaal oude, rijke mannen – aan de muren. Kortom, aanzienlijk voornamer dan Café Hemingway, waar de vloer was bedekt met koffiegruis en waar de gasten zich niet zelden achter hun laptop verscholen. Maar tegen de tijd dat ze terugkwam in de keuken, waar haar moeder piepkleine Franse frietjes ('Malle Piepers') in piepkleine papieren bakjes deed, was Harper zover dat ze medelijden had met dit gezelschap van bierdrinkende losers die in zoiets treurigs als een studentenhuis woonden. Ze hadden het veel te druk met hun colleges, met zich inlikken bij de juiste studentenverenigingen, met vrijen op sneue feestjes, om de nieuwe Grote Amerikaanse Roman te kunnen schrijven.

'Het gaat geweldig!' juichte haar moeder. 'Ik krijg het niet aangesleept!' Met een manische grijns op haar gezicht gaf ze Harper een blad met Malle Piepers. 'Die vriend van je, met die zwarte krullen, heeft wel vier Kaassurprises gegeten voordat hij me liet gaan.'

'Mijn vriend?' Harpers maag verkrampte. 'Bedoel je...'

'Die altijd door het kelderraam naar binnen gaat, in plaats van door de voordeur. Ik heb hem gezegd dat jij er ook bent.'

Harper duwde de keukendeur op een kiertje open en tuurde naar het gedrang. Haar blik gleed langs bekakte studentes met lipgloss, langs onverbeterlijke nerds, ongetwijfeld in geanimeerd gesprek over hun technische hoogstandjes, langs drie in het zwart gehulde, geslachtsloze gothic types die deden alsof ze overal boven stonden en ondertussen zo veel mogelijk hapjes naar binnen werkten... en toen zag ze hem.

Judd Wright, de raamklimmer met zwarte krullen die de rol van Harpers beste vriend op zich had genomen, terwijl haar vriendinnen aan de andere kant van de wereld zaten om hun dromen te verwezenlijken. *Shit!* Hoe was het mogelijk dat ze hem niet eerder had gezien? Blijkbaar was ze beneveld geweest door de geur van de miniburgers. In plaats van een van zijn gebruikelijke gescheurde – en hartverscheurende – Phish T-shirts, droeg hij een marineblauwe polo die eruitzag alsof hij hem had gestreken! En er was geen spoor van verdwaald koffiegruis te bekennen.

Ze hadden elkaar niet meer gesproken sinds die onzalige avond bij Danny's Kerstbomen, toen ze zich schandalig had gedragen bij het uitzoeken van een boom uit de talloze varianten die daarvan bleken te bestaan. Bij de herinnering aan haar onredelijkheid begon haar gezicht te gloeien van schaamte. Ze was een kreng geweest, en dat was nog veel te mild uitgedrukt. Voordat hij haar thuis had afgezet, had Judd gezegd dat ze onmogelijk was en dat hij niets meer met haar te maken wilde hebben.

Ze wist dat ze haar verontschuldigingen hoorde aan te bieden. En dat was ze ook van plan geweest. Want ze had meteen beseft dat hij volkomen gelijk had. In de aanloop naar Kerstmis was ze door de stress over het feit dat ze tegen haar vriendinnen had gelogen, plus de ontdekking dat meneer Finelli de eerste vijftig pagina's van haar poging tot een roman niet het niveau van een meesterwerk toekende, zo onhandelbaar geworden dat ze het gezelschap van haar medemens inderdaad niet verdiende.

Het was inmiddels al weken geleden dat ze haar verontschuldigingstoespraak had geschreven. Ze had hem tot het uiterste geperfectioneerd, en het was beslist een hoogtepunt. Helaas was ze een ster in het vermijden van onaangename gesprekken. Vooral gesprekken waarin nederigheid van haar werd verlangd. Daarom had ze het probleem Judd 'opgelost' door Café Hemingway zo veel mogelijk te mijden, in de hoop hem niet tegen het lijf te lopen.

'Wat heb je gedaan?' Haar moeder zette de Malle Piepers opzij en keek Harper doordringend aan.

'Ik? Niks.' Ze probeerde onschuldig te glimlachen, maar het was tevergeefs.

Mevrouw Waddle schudde haar hoofd. 'Wat het ook is, zeg gewoon dat het je spijt. Dan voel je je meteen een stuk beter. Echt waar.' Met die woorden duwde ze Harper en haar blad met frietjes met zachte drang de keuken uit.

Vluchtig overwoog Harper haar opties. 1. Ze kon het blad met frietjes en al de lucht in gooien en van de daardoor ontstane commotie gebruikmaken door ertussenuit te knijpen. 2. Ze kon teruggaan naar de keuken en zich daar verstoppen tot ook de laatste eerstejaars was vertrokken naar een bierfuif. 3. Of ze kon zich op haar knieën laten vallen en Judd in alle nederigheid om vergiffenis vragen.

Haar moeder vergiste zich. Wat er ook gebeurde, ze zou zich níét beter voelen. Toch haalde Harper diep adem en raapte al haar moed bij elkaar. Enig masochisme kon haar niet worden ontzegd. Bovendien zou het goed zijn voor haar schrijven om te worden vernederd ten overstaan van een zaal met achttienjarige topstudenten. Helemáál in haar cateringuniform – een slecht zittende zwarte rok en een synthetische witte bloes.

Ze marcheerde richting Judd en ging tussen hem en Maggie Hendricks in staan, de laatste blijkbaar in het vuur van een monoloog over het onderwerp bij haar laatste debatingtoernooi. 'Malle Piepers?' Harper hield hem haar zilveren blad voor. 'Dé grote rage aan de westkust?'

Judd keek haar aan. Toen ging zijn blik dwars door haar heen. 'Zo heb ik de vlaktaks nog nooit bekeken,' zei hij tegen Maggie, alsof Harper niet bestond. Alsof ze lúcht was.

Maggie begon te stralen. 'Precies! Fascinerend, hè? Om je de globale gevolgen voor te stellen!'

Harper keerde zich naar haar toe. 'Sorry. Het is vast en zeker heel erg belangrijk voor de aarde en haar bewoners, maar ik moet Judd even spreken.'

Maggies mond viel open. Toen deed ze een stap naar achteren. 'O... natuurlijk.'

'Judd, ik ben een asociale sukkel,' begon Harper, haar blik gericht op zijn neus – hem in zijn ogen kijken was te moeilijk. 'Ik ben een waardeloos schepsel zonder ruggengraat en ik verdien het niet jou als vriend te hebben. Wat heet, ik zit nog onder de laagst denkbare wezens. Onder de larven en de maden. Ik ben in de voedselketen lager dan een made, en dat wil wat zeggen. Ik ben een kreng geweest, erger dan een kreng, en je had groot gelijk toen je...'

'Hou op!' viel Judd haar in de rede.

'Maar ik ben nog niet klaar. Ik moet mezelf nog vergelijken met een strontvlieg, die op een hete zomermiddag rond een hondendrol zoemt...' Het was een vergelijking die haarzelf erg aansprak. Zo beeldend.

'Waarom zeg je niet gewoon dat het je spijt? Zoals ieder normaal mens?'

Harper glimlachte lusteloos. 'Dat is zo saai!'

Hij schudde zijn hoofd. 'Je bent echt uniek, weet je dat?'

Een straaltje hoop! Met haar vrije hand schoof ze haar bril hoger op haar neus, terwijl ze hem aankeek met haar aandoenlijkste puppyblik. 'Dus je vergeeft het me?'

Hij trok een wenkbrauw op. 'Ik zal wel moeten. Anders moet ik constant het rooster van Hemingway in de gaten houden, om te zorgen dat ik geen minuut met je hoef samen te werken.'

Plotseling had ze het gevoel alsof er een last van haar schouders was genomen. Een last zo zwaar als de hele lijst met beste studenten – nee, zo zwaar als álle eerstejaarsstudenten op UC. Judd had haar vergeven. Ze waren weer vrienden. Ze zou niet elke vrijdagavond alleen voor de televisie hoeven te hangen, om naar slechte films te kijken op TNT. Als het andersom was geweest, wist ze niet of zij zo gemakkelijk met de hand over het hart zou hebben gestreken. Sterker nog, ze wist vrij zeker dat ze dat níét zou hebben gedaan.

Maggie schraapte haar keel. Harper was haar totaal vergeten, wat geen geringe prestatie was, als je in overweging nam dat Maggie een roze ribfluwelen broek droeg, bedrukt met groene walvisjes. '*Ik* zou de rest dolgraag willen horen,' zei ze. 'Want ik ben dol op toespraken.'

'Sorry, ik ben hem al vergeten.' Harper haalde haar schouders op en keek weer naar Judd. Hij had er recht op te horen waar hij om had gevraagd. Niets meer en niets minder. 'Sorry dat ik me zo idioot heb aangesteld,' zei ze eenvoudig. 'Ik hoop dat je mijn verontschuldigingen wilt aanvaarden.'

'Ik ben het alweer vergeten,' verklaarde Judd.

Ze keken elkaar grijnzend aan. Vrienden. Als vanouds. En voor de tigduizendste keer moest Harper toegeven dat haar moeder gelijk had gehad. Ze voelde zich stukken beter.

❤

'Ach Jake, kun je me het brood even aangeven?'

'Natuurlijk, Sandra. Alsjeblieft.'

'Dankjewel, Jake.'

Becca verbeet een grijns. Haar ouders gedroegen zich zo... belééfd. Het was raar. En indrukwekkend. Ze keek naar Stuart, die naast haar zat en haar vader en moeder wantrouwend opnam. Ze had hem gewaarschuwd dat de sfeer bij het etentje plotseling zou kunnen omslaan, en Stuart zag eruit alsof hij verwachtte dat Sandra Howard en Jake Winsberg-Weldon elk moment van beheerste, ogenschijnlijk vredelievende wezens konden veranderen in een stel wilde dieren die elkaar naar de keel vlogen. Wat bepaald niet ondenkbaar was.

De laatste keer dat ze een soortgelijk 'familiedineetje' hadden gehad, hadden Becca's moeder, vader en stiefmoeder elkaar overladen met beledigingen, die als ballen uit een ballenkanon over de tafel waren gevlogen, elkaar amper een moment respijt gunnend. En de zeldzame, korte stiltes hadden ze gevuld met hatelijke opmerkingen en honende blikken. Uiteindelijk was Becca door het lint gegaan. Verlegen en rustig als ze was, had ze zich bij die gelegenheid laten meevoeren door een vloedgolf van woede. Zonder een blad voor de mond te nemen, had ze er in een enorme tirade alles uitgegooid wat ze jarenlang had opgekropt. Haar moeder had ze verweten dat de scheiding háár schuld was, haar vader had ze uitgemaakt voor vreemdganger, haar stiefvader had ze naar zijn hoofd geslingerd dat hij geen ruggengraat had, en haar stiefmoeder had ze een egocentrisch kreng genoemd. Daarop was ze woedend het restaurant uit gelopen, terug naar de campus, waar ze het op een zuipen had gezet en zo dronken was geworden dat ze er weinig meer van wist, anders dan dat ze haar reputatie een ernstige deuk had bezorgd.

Vanavond verliep het diner echter heel anders. Om te beginnen had ze Stuart bij zich in plaats van Isabelle. Bovendien was Martin, haar stiefvader, thuisgebleven in Boulder, om een oogje te houden op Mia en Carter, Becca's nare stiefbroer en -zus. Alleen haar moeder, haar vader en diens vrouw Melissa waren naar Vermont gekomen om de wedstrijd te zien. En, net als in de kerstvakantie, wekten ze de indruk Becca's weinig genuanceerde, maar volstrekt eerlijke tirade ter harte te hebben genomen. Misschien met uitzondering van haar stiefmoeder, Melissa, die de hele avond met een verbeten trek om haar mond zat, deden ze oprecht hun best het verleden achter zich te laten en een nieuwe start te maken, in het belang van hun dochter. Ze probeerden zich als volwassen mensen te gedragen. Becca had bewondering voor hun inspanningen. Ze vond ze zelfs een beetje vermakelijk. En ontroerend.

'Heeft je coach nog iets gezegd na de wedstrijd?' Becca's vader doopte een stuk brood in een schaaltje olijfolie en morste afwezig op het rode tafelkleed. Dankzij de perfectionistische Melissa zag hij er oogverblindend uit in zijn zwarte pak en sneeuwwitte overhemd. Becca's moeder had zich ook mooi gemaakt en droeg een donkergroene, soepel vallende jurk. Becca was er vrij zeker van dat haar moeders decolleté op z'n minst gedeeltelijk verantwoordelijk was voor de verbeten trek om Melissa's mond.

'Hij knikte naar me.' Becca trok een gezicht. In haar zwarte broek en rode trui met capuchon voelde ze zich bijna te sportief gekleed. Het restaurant, met zijn Toscaanse fresco's en kaarsen op de tafels, was een van de leukste eetgelegenheden in Middlebury. 'En dat is voor hem al heel wat. Hij doet niet aan complimenten.'

'Ik keek naar hem, op het moment dat je tijd op het bord kwam.' Stuart sloeg zijn arm om haar heen. 'Hij ging uit zijn dak!'

Becca's moeder speelde met de hanger om haar nek, misschien om nog wat extra aandacht op haar decolleté te vestigen. 'Waarschijnlijk had hij niet verwacht dat je het zo goed zou doen. Je bent tenslotte eerstejaars, het is allemaal nieuw voor je...'

'Ik wilde niet verliezen. Zeker niet nu jullie ervoor waren overgekomen,' bekende Becca.

'Ook al had je verloren, dan nog zou het de reis waard zijn geweest.' Becca's moeder glimlachte.

'Absoluut,' viel haar vader zijn ex-vrouw bij.

Zelfs Melissa wist een zuinige glimlach te produceren. Becca voelde dat haar hart sneller begon te slaan. En dat kwam niet alleen doordat Stuart eruitzag om op te vreten in zijn zwarte trui met kakibroek. En ook niet doordat hij haar stralend zat aan te kijken. Het kwam zelfs niet door de goedkeurende blik waarmee haar moeder van Stuart naar haar keek en weer terug. Nee, haar hart bonsde omdat ze eindelijk, voor het eerst van haar leven, het gevoel had deel uit te maken van een gewoon gezin. Of in elk geval, zo gewoon mogelijk.

'Sorry, jullie moeten me even verontschuldigen.' Melissa schoof haar stoel naar achteren en liep haastig naar de wc's, helemaal aan het eind van het restaurant. Becca's moeder keek haar na en boog zich toen naar haar voormalige echtgenoot.

'Weet je waar dit restaurant me aan doet denken?'

Becca's vader keek haar even niet-begrijpend aan, toen begon hij te lachen. 'Aan die tent in Denver! Hoe heette die ook alweer?'

'Iets Italiaans... Castellis?'

'Castellianos!'

Becca zag tot haar verbazing dat haar moeder haar hand op die van haar vader legde. En ze was zelfs nog verbaasder toen haar vader zijn hand niet wegtrok. Ze kon zich niet herinneren ooit te hebben gezien dat haar ouders elkaar áánraakten.

Haar moeder keerde zich naar haar toe. 'Daar hadden we ons eerste afspraakje.'

Hun eerste afspraakje? Op de een of andere manier had Becca dat nooit als onderdeel van de relatie van haar ouders gezien. Maar natuurlijk was het bij hen net zo gegaan als bij alle andere stellen – het eerste afspraakje, de eerste kus, de ontmoeting met de wederzijdse ouders, de eerste keer dat ze met elkaar naar bed gingen en zeiden dat ze van elkaar hielden.

'En sindsdien gingen we daar elke zeventiende van de maand eten, om die eerste keer te vieren,' voegde haar vader eraan toe.

*Wat kregen we nou?* Haar ouders waren bezig oude herinneringen op te halen! Alsof ze elkaar niet haatten als de pest! Onder de tafel reikte Becca naar Stuarts hand. Het was niet zozeer een romantisch gebaar als wel een poging om vaste grond onder de voeten te houden. Ze had behoefte aan stabiliteit, veiligheid, aan iemand die normaal, evenwichtig was... en aan deze tafel was Stuart verreweg de normaalste. Ze zuchtte toen hij zacht haar hand drukte en die liefkoosde met zijn duim.

'Je moeder nam altijd de penne met wodka.'

'En je vader probeerde elke keer iets nieuws.'

Het bleef geruime tijd stil. Becca's ouders keken elkaar in de ogen, met een ondeugende glimlach om hun lippen. Het was een van de vreemdste dingen die Becca ooit had gezien.

'Ach, dat waren nog eens tijden.' Haar moeder keerde zich naar Becca. 'Weet je, lieverd, we hebben niet altijd een hekel aan elkaar gehad. Ook al denk jij dat ongetwijfeld.'

'Ja,' moest Becca verward toegeven. 'Ja, dat dacht ik inderdaad.'

'Nee.' Haar vader schudde zijn hoofd. 'Ooit hebben we van elkaar gehouden.'

'Ooit.' Becca's moeder glimlachte weemoedig. 'Maar dat hebben we kapotgemaakt.'

'We waren jong en onnozel.' Becca's vader keek van haar naar Stuart. 'Zorg dat jullie die fout niet maken,' luidde zijn plechtige advies. 'Je moet elkaar vertrouwen.'

Becca had plotseling het gevoel alsof alle aandacht op haar en Stuart was gericht, en ze hoopte dat hij zich niet net zo ongemakkelijk voelde als zij.

'We zullen ons best doen.' Stuart knikte eerbiedig.

Op dat moment kwam Melissa terug en was de betovering verbroken. Becca's vader trok zijn hand weg. De lippen van haar moeder vormden een rechte lijn, en ze nam een grote slok van haar pinot grigio.

'Heb ik iets gemist?' vroeg Melissa, met een doordringende blik op haar echtgenoot.

'Nee hoor. Niks.' Becca's ouders ontweken elkaars blik. Alles was weer gewoon – of liever gezegd, de nieuwe en verbeterde versie van gewoon.

Maar voor Becca was ineens alles veranderd. Haar ouders hadden van elkaar gehouden! Toen ze elkaar aankeken, had ze de bijna vervaagde sporen van hun liefde op hun gezicht gezien. Voor het eerst. En waarschijnlijk ook voor het laatst. Maar ze hád ze gezien.

Ze keerde zich naar Stuart, die naar haar knipoogde.

'Laat je niet gek maken,' fluisterde hij met een glimlach. Becca moest er bijna om lachen. Hoe wist hij toch altijd precies wat hij moest zeggen?

De ober kwam met het eten, en terwijl Becca haar vork in de vegetarische lasagne stak, kwam er plotseling een angstaanjagende gedachte bij haar op. Haar gevoelens voor Stuart waren dezelfde als de gevoelens die haar ouders ooit voor elkaar hadden gehad. Ooit waren haar ouders ervan overtuigd geweest dat ze altijd bij elkaar zouden blijven. Niet dat zij dat over haar en Stuart dacht. Toch? Daarvoor was het nog veel te vroeg en waren ze nog veel te jong. Maar wat moest ze hieruit afleiden? Dat de liefde tussen Stuart en haar ook ooit over zou gaan? Hoelang zou hun relatie duren? Zouden ze elkaar uiteindelijk ook de verschrikkelijkste dingen aandoen, elkaar bezeren, met alle boosheid en verbittering die daarbij hoorden?

Het leek haast onvermijdelijk.

*Je moet elkaar vertrouwen*, had haar vader gezegd. Maar zo gemakkelijk was het niet. Becca had genoeg gezien en meegemaakt om te weten dat vertrouwen even ongrijpbaar was als rook. Ze besefte dat haar angst om Stuart te vertrouwen een van de redenen was waarom ze nog niet met hem naar bed was geweest. Dat ze daarom wilde dat hij haar eerst zijn liefde zou verklaren. Als dat eenmaal goed zat, dan zou ze hem haar lichaam wel durven toevertrouwen. En haar hart.

Maar zelfs als ze hem vertrouwde... dan was dat nog geen garantie voor geluk. Haar ouders hadden elkaar ook ooit vertrouwd, en het had hun niets dan ellende gebracht. Hoe graag ze ook wilde geloven dat niets ooit afbreuk zou kunnen doen aan haar liefde voor Stuart... ineens besefte ze dat haar vader en moeder dat ook ooit hadden geloofd.

En – haar maag verkrampte bij de gedachte – de liefde van haar vader was als eerste verflauwd. Zelfs als haar gevoelens voor Stuart nooit veranderden, zelfs als ze tot haar laatste snik van hem bleef houden... dan kon hij daar wel heel anders over denken.

Becca hoefde maar naar Melissa te kijken, die tegenover haar zat, om te weten dat haar vader daarvan voldoende bewijs was.

❤

'Wat vind je? Zie ik er goed uit zo?' Sophie liep voor Sam heen en weer en blokkeerde zijn zicht op *Halo*, waardoor hij al sinds drie uur die middag volledig werd opgeslokt. Hij zat vlak voor de televisie, op de doorgezakte rode bank, gestut door kussens.

'Geweldig.' Hij rekte zijn hals om de televisie te kunnen blijven zien.

'Je kijkt niet eens!' Ze deed een stap opzij, zodat hij geen andere keus had dan naar háár te kijken, in haar conservatieve mantelpakje van zachtgroene tweed.

Toen ze – inmiddels enkele weken geleden – bij hem had aangeklopt, had Sophie half en half verwacht dat Sam haar en haar royale hoeveelheid bagage de trap af zou schoppen. Maar hoewel hij niet bepaald enthousiast had gereageerd, had hij het goedgevonden dat ze de logeerkamer gebruikte, officieel het domein van Sams huisgenoot, de ongrijpbare J.D.

Gelukkig voor haar was J.D. personal assistant van de een of andere duizelingwekkende beroemdheid (wiens identiteit strikt geheim was) en bracht hij negentig procent van zijn nachten door in een van de sterrenvilla's van zijn werkgever. Sam en hij hadden Sophie als huisgenote geaccepteerd, op voorwaarde dat ze tweehonderd dollar per maand betaalde en op een luchtbed in de woonkamer sliep wanneer J.D. thuis was. Het driekamerappartement was niet te vergelijken met het gastenverblijf van de Meyers: het grenen meubilair was van het type IKEA-bouwpakket, de bank zag eruit alsof hij als trampoline was gebruikt, en in plaats van glazen waren er alleen plastic bekers in huis. De enige vorm van decoratie bestond uit een oude filmaffiche van *Rebel Without a Cause*, boven de televisie, en een snoer kerstlichtjes in de vorm van rode pepers dat boven de doorgang naar de keuken was gedrapeerd. Maar het was er alleen rommelig, niet smerig, en Sophie was weg van de binnenplaats compleet met zwembad, die haar aan *Melrose Place* deed denken.

Zij noch Sam was ooit teruggekomen op hun aanvaring tijdens

het oudejaarsfeest van de Meyers, en Sophie hoopte dat het zo zou blijven. Ze kon het gevoel niet van zich afzetten dat zij fout had gezeten, en het aanbieden van verontschuldigingen was niet haar sterkste kant.

'Heb je een pánty aan?' Sam rukte zich eindelijk los van het scherm van de hd-tv, en van de zwerm buitenaardse indringers die hij bezig was uit te roeien met granaten. 'In LA draagt niemand een panty.'

'Voor deze gelegenheid is een panty toevallig heel gepast,' zei Sophie nuffig. De lunch bij The Ivy met de bejaarde heer die haar op oudejaarsavond had uitgenodigd was een diner geworden, in de beroemde Polo Lounge van het Beverly Hills Hotel.

'Als het je niet kan schelen wat ik vind, moet je het me ook niet vragen.' Sam boog zich naar voren, duwde Sophie opzij en verdiepte zich weer in zijn spel.

Sommige meisjes zouden de hint hebben begrepen en zijn teruggegaan naar de badkamer om hun make-up bij te werken, maar Sophie besloot zijn uitzicht opnieuw te blokkeren. 'We hebben het over de Polo Lounge. Dat is iets anders dan de Sky Bar of de Lotus,' zei ze uit de hoogte. 'De Polo Lounge heeft niveau.'

Sam streek een warrige blonde lok uit zijn gezicht en haalde zijn schouders op. Hij droeg een wijde driekwart combatbroek en een T-shirt met de kreet LIEVER BLOOT DAN BONT. 'Oké. Dan moet je het zelf weten. En wie was die gozer ook alweer?'

'Peter Alterman. Niet echt wat je een gozer zou noemen. Volgens mij is hij dik in de zeventig. Dus ik verricht een goede daad.' *En ik krijg gratis te eten in een fantastische tent!*

Sam fronste zijn voorhoofd. 'Waarom zou Peter Alterman met jou uit eten willen?'

'Omdat ik hem aan zijn kleindochter doe denken.' Blijkbaar kende Sam zijn naam. Het liefst zou ze vragen waarvan, maar ze wilde geen onnozele indruk maken.

'Misschien is die panty toch wel een goed idee.' Sam zweeg

even, alsof hij zorgvuldig over zijn volgende woorden nadacht. 'Hoe dan ook, je ziet er geweldig uit.'

Met een diepe zucht liep Sophie de kamer uit. Jongens konden zo frustrerend zijn. Vooral deze jongen. Wat bedoelde hij nou weer met die opmerking dat een panty misschien toch een goed idee was? Vond hij echt dat ze er goed uitzag, of bedoelde hij dat sarcastisch? En was hij opgelucht dat het bij haar 'afspraakje' bleek te gaan om een hoogbejaarde? *Dat zou me koud moeten laten. En dat doet het ook! Siberisch!* Het leven met Sam was al ingewikkeld genoeg zónder romantische spanning.

Drie kwartier en twee bussen later meldde Sophie zich bij de gastvrouw in de Polo Lounge, een van de beroemdste restaurants van LA. Ze was nog nooit in het Beverly Hills Hotel geweest – het 'Roze Paleis', opgetrokken in missionstijl, omringd door een weelderige tuin met hoge palmbomen – laat staan dat ze de legendarische Polo Lounge ooit had betreden. Dit was de plek waar sterren als Humphrey Bogart, Marlene Dietrich en Marilyn Monroe – om nog maar te zwijgen van Frank Sinatra en de Rat Pack – aan de bar hadden gehangen. Waar The Beatles zich hadden vermaakt in het zwembad! Waar Elton John zijn verjaardagsfeestjes had gegeven! En nu ging zij, Sophie Bushell, dineren in een van de klassieke, groene zitjes. Ooit, hoopte ze, zou haar naam ook deel uitmaken van de met sterren bezaaide geschiedenis van de Polo Lounge.

Sophie gaf haar naam aan de gastvrouw en liet ondertussen haar blik door de weelderig ingerichte eetzaal gaan, op zoek naar haar date-op-leeftijd. Behalve de banken van de zitjes was verder alles zacht perzikroze – de kleden op de tafels, de vazen, de gordijnen, de bloemen. Het was allemaal zo voornaam, zo echt het klassieke Hollywood.

De jonge, witblonde gastvrouw, buitengewoon luchtig gekleed in een halterjurkje waaronder geen panty te ontdekken viel, schonk haar een stralende glimlach. 'Meneer Alterman voelt zich niet zo goed. Dus hij heeft gevraagd of u naar zijn suite wilt komen.'

'Woont hij hier?' Was hij zo eenzaam dat hij permanent piccolo's tot zijn beschikking moest hebben?

'Tot de verbouwing van zijn huis in The Colony klaar is,' antwoordde de gastvrouw. Sophie moest zich beheersen om niet waarderend te fluiten. Zelfs zij had gehoord van The Colony, een exclusieve wijk in Malibu waar de prijs van de meeste huizen ver boven de tien miljoen lag. 'Als u naar de lobby gaat, brengt een van de portiers u naar boven.'

De lobby in art-nouveaustijl, met zijn reusachtige flonkerende kroonluchter, was overweldigend. Daarbij vergeleken was huize Meyer niet meer dan een bescheiden bungalow. Een beleefde portier bracht Sophie met de lift naar de derde verdieping, waar hij in de richting van de suite van meneer Alterman gebaarde. Even verkeerde Sophie in de verleiding op zoek te gaan naar de brandtrap en ertussenuit te knijpen. Ze had gerekend op een chic diner in een duur restaurant en ze was niet van plan opa zijn kippensoep te voeren. Maar aan het eind van de gang ging een zware deur open, en daar stond meneer Alterman, in een zwartzijden smokingjasje – het soort dat Sophie alleen in oude Britse films had gezien, en bij *E! True Hollywood Story* over Hugh Hefner – met aan zijn voeten bordeauxrode pantoffels.

'Sophie, kindje! Wat leuk dat je er bent!'

*Denk aan je karma*, hield ze zichzelf voor, terwijl ze met een stralende glimlach naar hem toe liep. Zijn huid leek nog altijd van perkament, merkte ze op, zoals oude mensen dat wel vaker hadden, maar hij zag er niet zíék uit. Zijn schaarse zilvergrijze haar was glad naar achteren gekamd over zijn schedel, alsof hij rechtstreeks van de kapper kwam, en zijn lichtgrijze ogen stonden helder. 'Dag, meneer Alterman. Nogmaals dank voor uw uitnodiging.'

'Dat spreekt toch vanzelf, kindje. Dat spreekt toch vanzelf. Ik vind het altijd leuk om met jonge mensen te praten.' Hij deed een stap opzij om haar binnen te laten.

Roomwit was de hoofdkleur in de reusachtige woonkamer van de hotelsuite, weelderig ingericht met antieke kisten en rijk versierde, vergulde spiegels. Ze ving een glimp op van een enorme, aangrenzende badkamer en vermoedde dat twee andere paneeldeuren toegang gaven tot slaapkamers. Meneer Alterman wees naar een tafel met een uitgebreide verzameling borden onder zilveren cloches. In een zilveren ijsemmer stond een fles Cristal Champagne, en Sophie zou kunnen zweren dat ze in chocolade gedoopte aardbeien rook. Kippensoep stond duidelijk niet op het menu.

'Ik wist niet waar je van hield, dus ik ben maar zo vrij geweest de hele kaart te bestellen. Het spijt me echt enorm dat we hierboven moeten eten. Dat zul je wel erg saai vinden.'

'Welnee. Dat geeft niet.' Sophie keek naar de uitstalling op het marmeren tafelblad en liet zich wegzakken in een weelderige fauteuil bekleed met beige fluweel, klaar om toe te tasten. De cheque voor haar filmrol van drie regels was nog altijd niet binnen, dus ze was zo blut dat ze al dagenlang niets anders had gegeten dan instantnoedels en af en toe een portie kippenvleugeltjes of handgesneden friet, als ze de kok bij Mojito wist te vermurwen. 'Ik ben alleen bang dat ik wel een knoop van mijn rok los moet doen, tegen de tijd dat ik dit allemaal op heb,' grapte ze.

Ze spreidde een wit linnen servet uit op haar schoot en besefte dat ze zich niet meer zo ontspannen had gevoeld sinds Genevieve haar min of meer op straat had gezet. Een gezellig avondje in gezelschap van een oude heer die haar adoreerde, was precies wat ze nodig had om haar zelfvertrouwen op te krikken. En als Peter Alterman wat in de melk te brokkelen had in Hollywood, zoals deze suite en Sams reactie op zijn naam deden vermoeden, kon hij haar misschien inderdaad helpen met haar carrière. Want

ze kon alle hulp gebruiken! Sinds ze niet meer in het gastenverblijf woonde, leek Gifford Meyer – haar enige connectie in Hollywood nu Trey van het toneel was verdwenen – haar te zijn vergeten.

'Voordat we beginnen... heb ik een verzoek.'

Sophie keek op van het ongelooflijk mals ogende stuk rund-
vlees waarmee ze wilde beginnen. 'Natuurlijk. U zegt het maar.'
Voor zo veel lekkers zou ze desnoods haar eerstgeborene afstaan.

'Ik had bij onze eerste ontmoeting meteen een bepaald gevoel
over je.' Hij glimlachte. 'En ik ben blij dat ik me niet heb vergist.'

Meneer Alterman trok aan de zwartzijden ceintuur van zijn
smokingjasje. Het viel op de grond, gevolgd door de bijpassende
zijden pyjama die hij eronder droeg. Daar stond hij... spiernaakt.

In haar geschoktheid deed Sophie twee observaties. Om te beginnen dat het haar over zijn héle lichaam zilvergrijs was. En verder dat hij – ondanks zijn gevorderde leeftijd – óf geen erectiepro-
blemen had, óf een geweldige ambassadeur zou zijn voor de
wonderen van Viagra.

Voordat ze de suite uit rende, greep ze de fles Cristal en een
handvol in chocolade gedoopte aardbeien. Die had ze meer dan
verdiend, vond ze.

❤

Kate stond in de deuropening van de hut en bestudeerde de klo-
ven in haar vingers. De ondiepe rimpels waren gevuld met het
fijne, roodbruine zand waaruit de bodem in Ethiopië bestond.
Het zat tussen haar tanden, in haar ogen, in haar neus, in de po-
riën op haar gezicht. En het voelde gewéldig. Na een week met
het klembord te hebben gelopen, had ze vandaag eindelijk aan de
slag gekund met een schoffel en een kruiwagen! Ze vond het
heerlijk om met haar handen te werken! Of misschien vond ze het
gewoon heerlijk om iets te doen waarvan een zeker iemand dacht

dat ze het niet kón. Hoe dan ook, het was een geweldige dag geweest. En dat had ze allemaal te danken aan Jessica. Want als die niet zo lui en zo volstrekt incompetent was geweest, zou Kate niet de kans hebben gekregen te laten zien wat ze kon.

Nu de schutting klaar was, had Darby een nieuwe taak voor Jessica moeten bedenken en besloten dat ze toezicht zou houden op de aanleg van het terrein voor de afwatering. De eerste dag was het allemaal vrij soepel verlopen. Maar telkens wanneer Kate langskwam met haar klembord, bleek dat de ploeg van Jessica verder achterop was geraakt op het schema. De excuses waren legio. De mannen wilden niet werken... De vrouwen gingen ervandoor... De gereedschappen waren niet degelijk genoeg...

Kate was voor het eerst van haar leven in Ethiopië, maar toch was er al een aantal dingen waar ze vrij zeker van was. Namelijk dat de mannen niet te beroerd waren om te werken, en dat de vrouwen er niet zomaar vandoor gingen (of het moest zijn om water te halen). Verder viel er op het gereedschap niets aan te merken. Het werd al honderden jaren gebruikt om de grotendeels vulkanische grond om te ploegen, dus het was sterk genoeg.

Toen de nivelleringswerkzaamheden dagen achterlagen op het schema en toen alle bemoedigende woorden, alle ideeën die Kate had geopperd, bij Jessica aan dovemansoren gericht bleken te zijn, was Kate uiteindelijk naar Darby gestapt. Ze had hem niets gevraagd, maar simpelweg aangekondigd dat ze de leiding van de nivelleringsploeg overnam en het klembord aan Jessica gaf. 'Prima,' was alles wat Darby had gezegd, en daarmee was de zaak beklonken.

Jessica was dolgelukkig. Ze was verdwenen met het klembord, en daarna had Kate haar niet meer gezien. De zeskoppige nivelleringsploeg had breed grijnzend gereageerd op de mededeling dat zij, Kate, de leiding overnam. Kate was ervan overtuigd dat ze op ieder ander net zo opgelucht zouden hebben gereageerd. Het bleek dat Jessica iedereen op de zenuwen had gewerkt met haar voortdurende geklets. Zo erg, dat de vrouwen inderdaad af en toe de benen hadden genomen. Net als de mannen, die zelfs af en toe met opzet een stuk gereedschap hadden vernield, om een excuus te hebben even weg te kunnen om het te laten repareren. Bovendien riep de stelligheid die Jessica uitstraalde, de rotsvaste overtuiging dat alleen zij wist hoe het karwei moest worden aangepakt, ook de nodige irritatie op. Terwijl het Kate al snel duidelijk werd, dat Jessica's aanpak juist de verkéérde was geweest.

Gelukkig toonde de ploeg zich erg gemotiveerd toen Jessica eenmaal was verdwenen. Kruiwagen na kruiwagen gevuld met vulkanisch gesteente werd afgevoerd, waarna de grond moest worden genivelleerd en belegd met een laag kleinere stenen om de grenzen van het afwateringsterrein aan te geven.

Tegen het eind van de dag had Kate nauwelijks meer gevoel of kracht in haar spieren. Dus het briefje dat ze op haar bed aantrof, was een welkome verrassing. 'We gaan uit eten!' stond er in Dorothés schuine, Europese handschrift. 'We zien je om zeven uur daar.'

'Daar' was het enige restaurant in Mekebe, dat simpelweg 'Abebechs keuken' werd genoemd. Het was weinig meer dan een vierkant gebouwtje in het hart van de stad, opgetrokken uit betonblokken en met een patio omringd door een schutting van ijzeren golfplaten. Er stond een allegaartje van tafels en stoelen, waarboven feestelijk gekleurde lappen het afbladderende plafond aan het oog onttrokken. Het eten was niet duur, erg lekker en werd dagelijks vers bereid door de kok en eigenaar. Ook al zou het restaurant nooit een Michelin-ster krijgen, Kate kon zich er in haar huidige staat niet vertonen. Haar grijze T-shirt was doorweekt van het zweet, haar spijkerbroek vlekkerig bruin van het stof, en ze wist bijna zeker dat ze rook alsof ze een week lang door de mest had liggen rollen.

Dus voordat ze op weg ging naar Abebech, trok ze andere kleren aan en waste ze zich uitgebreid bij de waterbak op het erf. De anderen zaten er al, aan een grote ronde tafel in de achterste hoek van de omheinde patio.

'Je hebt de eerste ronde gemist!' Dorothé gebaarde naar de rij lege bierflessen. De enige nog beschikbare stoel, zag Kate tot haar onaangename verrassing, was die naast Darby.

'We hebben allemaal verslag uitgebracht,' zei Jean-Pierre grijnzend toen ze eenmaal zat. 'Hoe gaat het met het afwaterings-terrein?'

'We liggen nog steeds achter op schema,' antwoordde Kate op vlakke toon, met een blik op Jessica. 'Maar we redden het wel. Het is ons vandaag gelukt het grootste deel van de grond vrij te maken.'

'Blijkbaar beschik jij over geheimzinnige talenten.' Jessica keek even open en onschuldig als altijd. 'Ik kreeg die ploeg gewoon-weg niet in beweging.'

'Nou, daar is anders niks geheimzinnigs aan.' Kate keek naar Dorothé. 'Heb je al iets gezegd over een put voor Teje?'

'Nog niet,' antwoordde Dorothé. 'Ik heb gewacht tot jij er was.'

Kate had haar alles verteld over Rebekkah en over het daarop-volgende gesprek met Darby. Dorothé was het met haar eens dat ze de dorpelingen in Teje in elk geval zouden moeten benaderen over een put. De behoefte was duidelijk, en ze waren nu toch in het gebied.

Voordat Kate haar zaak kon bepleiten kwam er een klein meisje naar hen toe, dat een fles met het vertrouwde heldergele etiket van het plaatselijke St. George-bier voor haar op tafel zette. Het lichte brouwsel had de vreemde geur van gekookte maïs, maar na een lange dag hard werken in de brandende zon was elk bier welkom.

'Dankjewel.' Kate glimlachte, verrast Angatu te zien. Hoorde het kleine meisje niet thuis te zijn? Het was toch bijna bedtijd voor haar. 'Is Abebech je oma?' vroeg ze in het Amhaars.

Angatu schudde haar hoofd, zodat haar dikke, lange vlechten

op haar schouders dansten. 'Ik heb geen oma. Ik werk voor Abebech en ik mag in de achterkamer slapen.'

'O.' Kate wist niet wat ze moest zeggen. Angatu schonk haar een vluchtige glimlach en liep terug naar de keuken.

'Ik begrijp er niks van,' zei Kate in het Engels. Ze keek de tafel rond. 'Ze woont in de achterkamer? Alléén?'

'Ze is wees.' Darby klonk, zoals gebruikelijk, alsof hij alles wist. 'Haar ouders zijn gestorven, en na wat onaangenaamheden heeft Abebech haar in huis genomen.'

'Wat voor onaangenaamheden?' Jean-Pierre wilde er ook meer van weten.

'Na de dood van hun ouders waren Angatu en haar zusje voor een plaatselijke boer gaan werken. Maar die wilde met het zusje trouwen...'

'Hoe oud was ze?'

'Twaalf, geloof ik. Het is inmiddels al een paar jaar geleden. Angatu was pas vier...'

'Hij wilde trouwen met een kind van twáálf?' Met tegenzin keerde Kate zich naar hem toe, vervuld van afschuw. Ze vond het niet prettig zo dicht naast hem te zitten, en te oordelen naar Darby's lichaamstaal gold omgekeerd hetzelfde. 'En kom nou niet met het argument dat de cultuur hier nu eenmaal anders is.'

'Dat is wel zo.' Hij knikte. 'Hoe dan ook, het zusje is weggelopen, en toen heeft Abebech Angatu in huis genomen.'

Het bleef even stil. 'En hoe moet het nu verder?' vroeg Kate toen, zonder te beseffen dat ze hardop haar gedachten had uitgesproken.

'Wat bedoel je?' Jessica nam een grote slok van haar bier.

'Met Angatu. Tenslotte is Abebech niet zo jong meer. Hoe moet het met Angatu als er iets met Abebech gebeurt?'

Darby schudde zijn hoofd.

'Wat bedoel je?' Kate kon er niets aan doen dat ze snauwde.

Hij haalde zijn schouders op. Tot haar woede. Wat mankeerde hem? Gaf hij dan helemaal nérgens om? Wat dééd hij hier eigenlijk?

'Ik heb geen trek.' Ze stond op. 'Ik ga een eindje lopen.'

Enkele ogenblikken later liep ze op de zandweg, terug naar de kraal. Haar vermoeide benen bewogen werktuiglijk en bleven bewegen toen ze de poort naderde. Ze kon zich er nog niet toe zetten naar binnen te gaan. Ze moest in beweging blijven, dus ze liep door.

Natuurlijk had ze altijd wel geweten dat er mensen op de wereld waren die het minder goed hadden dan zij. Ze had ze op televisie gezien, ze had over hen gelezen in de krant. Ze had ze in de straten van Boulder gezien, en op haar omzwervingen door Europa. Mensen die dakloos waren of ziek, mensen zonder geld of familie of ondersteuning, die wanhopig probeerden de eindjes aan elkaar te knopen. Toch voelde ze zich nu geraakt tot in het diepst van haar wezen, tot in het diepst van haar ziel, en ze werd overweldigd door een intens besef van machteloosheid. Misschien had het nooit helemaal echt geleken, omdat ze nooit iemand had gekend die in een uitzichtsloze situatie verkeerde. Maar Rebekkah en haar zieke kindje waren echt. Angatu was echt. Dit waren echte mensen met een stem waarmee ze Kate hadden aangesproken, met een glimlach die ze haar gul en open hadden geschonken. De onrechtvaardigheid was verpletterend, en het was allemaal slechts een kwestie van geografie. Kate was geboren in Colorado, Angatu in Mekebe.

En dat maakte alle verschil van de wereld.

Dat zij, Kate, in Colorado was geboren, betekende dat ze een huis had met stromend water, dat er drie keer per dag eten op tafel stond, met daartussendoor ook nog allerlei lekkers. Het betekende medische zorg, onderwijs, mogelijkheden voor ontspanning. Het betekende dat haar ouders zeer waarschijnlijk niet zouden sterven aan aids, en dat ze geen malaria zou krijgen. Dat ze dieren kon houden voor haar plezier, zonder er uren per dag voor te moeten zorgen, waardoor ze niet naar school kon, en zonder ze uiteindelijk te moeten opeten. Dat ze als klein meisje na school met haar vriendinnetjes had kunnen spelen in plaats van water te moeten halen voor haar moeder.

Het betekende... alles.

Waarom was zij uitverkoren om op het ene halfrond te zijn geboren en niet op het andere? Waarom had ze zoveel... geluk gehad? En was geluk wel het goede woord?

De kinderen hier waren gelukkig, er werd van ze gehouden, maar het was allemaal zo zwáár. Kate had haar eigen leven nooit als gemakkelijk beschouwd. Ook al had ze natuurlijk wel geweten dat het dat was. Maar het was iets waar ze nooit over had hoeven nadenken. Tenminste, tot de komst van Habiba. Toen was het besef gekomen. Maar ze had nooit echt geweten hoe Habiba's leven eruit had gezien vóór haar adoptie. En dat riep onvermijdelijk de vraag op: Hoe zou het haar zijn vergaan als het allemaal anders was gelopen?

Hoe zou Habiba's leven eruit hebben gezien als Kates vader en moeder haar niet hadden geadopteerd? Zou ze dan op haar twaalfde zijn uitgehuwelijkt, of zou ze net als Angatu halve dagen naar school zijn gegaan, zodat ze kon werken voor kost en inwoning? Het was een onverdraaglijke gedachte. Kate voelde het gewicht ervan als een loden last, haar vermoeide armen beefden.

'O God...' Ze keek omhoog naar de nachtelijke hemel, bezaaid met miljoenen sterren. Ze was nooit gelovig geweest, maar op dit moment kon ze niet bedenken tot wie ze haar vraag anders moest richten. 'Hoe moet ik hiermee in het reine komen?'

'Door het gewoon te accepteren,' klonk het zacht, zakelijk.

Kate draaide zich met een ruk om. Darby liep amper tien stappen achter haar, met een fakkel in zijn hand.

'Heb jij overál een antwoord op?'

Hij keek haar aan, toen haalde hij zijn schouders op. 'Als jij in de maag van een stelletje hyena's wilt belanden, dan moet je dat zelf weten.'

'Waar heb je het over?'

Kate keek om zich heen. Ze was zo in gedachten verdiept geweest dat ze de laatste kraal van het dorp inmiddels een heel eind achter zich had gelaten. Haar maag verkrampte toen ze in de verte gehuil hoorde. *Shit!* Ze had écht in de maag van een stelletje hyena's kunnen belanden.

'Doe niet zo idioot,' zei ze, in een poging nonchalant te klinken. 'Ik stond op het punt rechtsomkeert te maken.'

Dat deed ze dan ook. Tijdens de terugweg naar de kraal werd er geen woord gesproken. Darby liep achter haar, met de fakkel hoog geheven. Bij de poort van de kraal draaide Kate zich met tegenzin naar hem om. Hoezeer het haar ook tegenstond, ze hoorde hem te bedanken voor het feit dat hij achter haar aan was gekomen. Want er bestond een kans – misschien klein, maar toch – dat hij haar leven had gered, of op z'n minst had voorkomen dat ze ernstig gewond was geraakt. Hij mocht dan een betweterige hufter zijn, daarom hoefde zij zich nog niet tot zijn niveau te verlagen. Ze kon op z'n minst beleefd blijven.

Maar toen ze bij het licht van de fakkel zijn ogen zag... en de vurige gloed die daarin brandde... vroeg ze zich af of ze soms toch gewond was geraakt. Want er gebeurde iets heel onaangenaams diep binnen in haar. Een sensatie als van een zwerm overmaatse vlinders die wild door elkaar begonnen te fladderen. Wat mankeerde haar? Ze veráfschuwde deze man!

'Wat is er?' Darby nam haar ongeduldig op.

Kate haalde diep adem. Natuurlijk. Niks aan de hand. Ze verafschuwde hem!

'Niks.' Ze schudde haar hoofd en liep nijdig weg.

Terwijl ze in haar bed van geitenvel kroop en de broze klamboe om zich heen trok, bedacht ze dat ze nog zo goed als niets wist van de wereld of van haar plaats daarin. Maar er was één ding dat ze zeker wist: als ze ooit nog eens door een troep hyena's werd bedreigd, dan liet ze zich nog liever opvreten dan dat ze zich door Darby Miller liet redden.

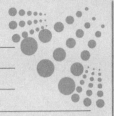

Lieve Magnus,

Hejsan! Puss på dej. Voor mijn gevoel is het een eeuwigheid geleden
dat we afscheid namen. Ik zou bijna denken dat je me niet meer
herkent als ik je hier in Mekebe op straat zou tegenkomen. Shit! Ik
weet gewoon niet wat ik je moet schrijven. Misschien zie ik je wel
nooit meer. Die mogelijkheid bestaat. Maar je betekent zo veel voor
me, dat ik die gedachte niet kan verdragen.

Oké, dit gooi ik weg, en ik begin opnieuw. Er is trouwens veel te veel
wat ik je zou moeten vertellen. Vooral hoe afschuwelijk ik Darby
vind. Hij is het tegenovergestelde van jou. Grof, zelfingenomen,
onverdraagzaam. Dat ik jou heb ontmoet, was het beste wat me had
kunnen overkomen, ook al besefte ik dat niet meteen. Maar hier
ben ik gedwongen samen te werken met zo'n hufterig type... Ach,
waarschijnlijk zou ik hetzelfde type op Harvard zijn tegengekomen
als ik was gaan studeren. Weer iets waar ik nu niet aan wil
denken.

Sorry dat het allemaal zo vaag is. Ik schrijf je zodra me duidelijk is
wat ik je wil vertellen. Wat ik wel weet, is dat ik je mis. Dus dat
zou ik je waarschijnlijk kunnen schrijven. Oké, ik begin nog een keer
opnieuw. Op een ansichtkaart.

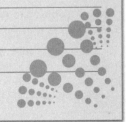

# VIJF

Becca staarde naar de weerzinwekkende, ongerijmde verzameling etenswaren op de met kruimels bedekte tafel. Een snee bruinbrood met pindakaas, vissoep, suiker, peper, Rice Krispies, met daaroverheen een kleurige rangschikking van repen groene paprika. Alleen al de aanblik maakte haar misselijk.

'Ik leg vijf dollar in.' Ze haalde een stapeltje bankbiljetten uit haar North Face-rugzak. 'Maar je mag niet overgeven.'

'Dat zal ook niet gebeuren.' Mason schudde zijn hoofd. 'Mijn maag is van beton.'

Stuart, die achter Becca stond, legde zijn handen voor haar ogen. 'Dit wil je niet zien,' zei hij lachend.

Ze leunde tegen hem aan en pakte zijn vingers. *I am woman. I am strong.*

De afgelopen weken had Becca bijna dagelijks met Stuart en zijn vrienden geluncht. Gezien hun collegerooster was het gemakkelijker om dat in de kantine bij hem in het studentenhuis te doen dan om helemaal naar de andere kant van de campus te lopen. En Becca had tot haar verrassing ontdekt dat ze ervan genoot. Niet alle footballspelers waren zulke lompe horken als ze altijd had gedacht. Afgezien van de puberale weddenschap van vandaag, waren het eigenlijk bepaald geen domme jongens. Becca had nooit echt de kans gehad om met jongens om te gaan in hun natuurlijke omgeving. Inmiddels had ze kunnen constateren dat vrienden anders met elkaar omgingen dan vriendinnen. Om te beginnen waren ze altijd aan het dollen en knokken, en ze hadden niet de neiging in allerlei emotionele onderwerpen te wroeten. Niet dat ze niet diep gingen – ze praatten over oorlog, politiek, de aidsepidemie, alleen niet vanuit een emotionele invalshoek, maar vanuit een intellectuele. En ze spraken niet over gevoelens – in elk geval niet in een groep, en niet als er meisjes bij waren.

Wanneer Stuart en zij samen waren, had hij er echter geen enkele moeite mee om over zijn gevoelens te praten. Hij had nog steeds niet gezegd dat hij van haar hield, maar hij zei wel voortdurend hoe slim ze was, en hoe grappig, en hoe mooi. Niemand had ooit naar haar gekeken zoals hij dat deed, en daar was ze aan verslaafd geraakt. Becca wist niet zeker of ze nog wel een dag zonder haar shot Stuart kon.

Van zijn vrienden vond ze vooral Mason erg aardig. Net als Stuart was Mason tweedejaars, en hij stond op een verdedigende positie in het footballteam. Hij was lang, breedgeschouderd en blond, met een ontwapenend, nogal bizar gevoel voor humor waarbij Becca zich aanvankelijk niet helemaal op haar gemak had gevoeld. Zoals die keer dat Stuart en zij in Stuarts kamer lagen te vrijen en Mason, die boven hem woonde, samen met een ploegje van hun footballmakkers diverse stukken mannen- en vrouwenondergoed aan een hengel voor het raam had laten bengelen. Ze was echter al snel tot de conclusie gekomen dat Mason geen vlieg kwaad deed. Hij vond het gewoon leuk om in het middelpunt van de aandacht te staan, en wat hij vooral heerlijk vond, was mensen aan het lachen maken.

In dit geval viel dat laatste echter samen met mensen misselijk maken.

'Daar gaan we.' Hij pakte de dik belegde boterham, en het groepje rond de tafel begon hem aan te moedigen. Behalve Becca en Stuart waren er vier andere footballspelers en het vriendinnetje van een van hen. Delia was een tengere brunette, en ze hoorde bij Pete, de grote stopper van de ploeg. De jongens begonnen met hun vuisten op tafel te slaan, en Stuart sloot zich lachend bij hen aan. Becca grijnsde. Het was zo... zulke echte *studentenlol*. Het had iets merkwaardig bevrijdends om met een groepje te zijn en iets volslagen onnozels te doen. Wanneer had ze besloten dat ze in alles perfect moest zijn en altijd beheerst en ingetogen? Werd het geen tijd om alle remmen los te gooien? Zonder de hulp van alcohol?

'May-son!' Ze sloot zich aan bij het donderende spreekkoor.

Aangevuurd door alle aandacht propte Mason de hele smerige stapel in twee reusachtige happen in zijn mond. Hij werd vuurrood... hij kokhalsde... maar hij gaf niet over.

'En bedankt!' Hij schepte de stapel gekreukte bankbiljetten van de tafel.

Becca keek Stuart aan. 'Het was het waard. Tot en met de laatste cent.'

'Het was ongelooflijk, weerzinwekkend.' Stuart grijnsde en zei toen met een stalen gezicht: 'Ik begrijp niet wat je in deze mensen ziet.'

'Waar ik jou niet allemaal aan blootstel.' Becca schudde in gespeelde wanhoop haar hoofd. 'Het spijt me.'

Stuart pakte haar blad en legde het op het zijne. 'Laten we gaan. Om tien uur hebben we Studiegroep.'

*Shit*! 'Oké, dan zie ik je daar.' Becca gaf hem een snelle kus. 'Ik ben mijn aantekeningenschrift vergeten. Dus ik ga het even halen.'

Toen ze na een snelle wandeling over de campus vijf minuten later de deur opendeed van haar kamer, trof ze daar Isabelle, in pyjamabroek en haar wijdvallende, grijze Middlebury-sweatshirt. Ze zat midden in de kamer op de grond. De tranen liepen over haar wangen, haar gezicht was opgezet, haar ogen zagen rood en gezwollen. Zelfs haar wangen huilden mee en zaten onder de vurige rode vlekken.

'Wat doe jij hier?' vroeg ze beschuldigend, tussen twee snikken door. *Ho*! Waar kwam dat vandaan? Oké, ze hadden elkaar de laatste tijd niet veel gezien, maar dat wilde nog niet zeggen dat Isabelle haar kon behandelen als een vreemde.

'Wat is er gebeurd?' Becca knielde naast haar kamergenootje op de grond en wreef Isabelle over haar rug. 'Lieverd, wat is er?'

'Abe h-h-heeft het uitgemaakt!' jammerde Isabelle. Snot sijpelde uit haar neus, maar ze merkte het niet eens. Becca reikte naar een doos met tissues en drukte Isabelle een zakdoekje in de hand. 'Hij lijkt wel gek! Zo'n topwijf als jij...'

'Hou op!' Daar was die vijandige klank weer.

'Ben je boos op me?'

Isabelles gezwollen ogen werden groot. 'Hoe zou ik boos op je kunnen zijn?' snauwde ze. 'Ik zie je nooit!'

Becca leunde geschrokken naar achteren. 'Ik... eh... het spijt me,' stamelde ze. 'Ik... ik weet dat ik veel met Stuart heb opgetrokken...'

'Laat maar,' viel Isabelle haar in de rede, starend naar de tissue in haar hand. 'Het maakt niet uit.' Ze slaakte een diepe zucht, opnieuw vulden haar ogen zich met tranen, en ze begon weer te snikken. Becca voelde zich schuldig, maar tegelijkertijd onredelijk aangevallen. Ze begon opnieuw over Isabelles rug te wrijven.

'Wanneer... wanneer is het gebeurd?' begon ze, en ze probeerde te bedenken wat ze kon zeggen.

'Vorige... week!'

Becca trok haar hand terug van Isabelles rug. *Vorige week*? Abe had het een volle week geleden uitgemaakt, en zij, Becca, wist van niets. Hoe had dat kunnen gebeuren? Ze wist zeker dat ze Isabelle de afgelopen week had gezien. Een paar keer zelfs. Ze hadden zaterdag samen geluncht en ze waren elkaar een paar keer tegengekomen op hun kamer. Isabelle had wat down geleken, maar op Becca's bezorgde vragen had ze telkens opnieuw gezegd dat er niks aan de hand was.

'Waarom heb je me dat niet verteld?'

'Hoe had ik dat moeten doen?' schamperde Isabelle. 'Je hebt het veel te druk met... gelúkkig zijn. Je praat over niets anders dan over Stuart. Hoe geweldig Stúart is. Hoe Stúart je aan het lachen maakt, en...' Ze rukte nog een tissue uit de doos en snoot haar neus.

Wauw. Dat deed pijn. Vooral omdat Isabelle gelijk had. Ze wás heel erg gelukkig. En ze praatte veel over Stuart. Maar hoe had ze kunnen weten dat Isabelle dat pijnlijk vond als ze niet wist dat haar vriendin zo ongelukkig was?

'Het spijt me. Het spijt me echt. Wil je erover praten?'

Isabelle schudde haar hoofd en veegde haar neus af aan de mouw van haar sweatshirt. 'Je begrijpt het toch niet.'

'Natuurlijk wel. Ik heb ook verdriet gehad.'

'O ja. Dat gedoe met Jared.' Isabelle wist een vluchtige glimlach te produceren.

'Precies. Dus vertel op.'

Isabelle zuchtte en keek Becca verdrietig aan. 'Hij zei dat hij iemand anders had leren kennen.' Haar gezicht verschrompelde, en ze begon weer te snikken.

'Ach, lieverd...' Becca streek haar over haar haren.

'Ze is derdejaars op Harvard. En ze doen samen onderzoek of zoiets. Ze is grappig, zei hij. Alsof ík niet grappig ben!'

'Natuurlijk ben je grappig. Ontzettend grappig!'

'Ik ben grappiger dan zij!'

'Absoluut!'

'En ik ben knapper. Dat heeft hij gezegd! Ik heb het hem gevraagd!'

'Daar heb je het al.'

Isabelles gezicht werd weer ernstig. 'Maar dat betekent dus dat hij haar leuk vindt vanwege haar persoonlijkheid. Ze heeft een leukere persoonlijkheid dan ik.'

'Als Abe dat vindt, dan heeft hij gewoon geen goede smaak, geen mensenkennis.'

'Het ergste wat hij zei... Ik krijg het niet uit mijn strot.'

'Vertel!'

Becca's blik schoot naar de wekker achter Isabelle. Het was al over tweeën. Ze was te laat voor haar Studiegroep. Nou ja, dat moest dan maar een keer.

'Je moet weg,' zei Isabelle vlak.

'Nee... Of eerlijk gezegd, ja. We hebben Studiegroep voor een psychologie-examen van morgen. Maar dat maakt niet uit.'

Er lag opnieuw een vijandige uitdrukking in Isabelles ogen. 'Ga maar.'

'Nee, dat hoeft niet...'

'Natúúrlijk wel,' snauwde Isabelle. 'Stúart wacht.'

'Isabelle...'

'Weet je, je kunt me niet een maand lang negeren, en dan komen binnenstappen en doen alsof je mijn vriendin bent...'

'Ik bén je vriendin...'

'Nee, je bent zíjn vriendin. En dat is tegenwoordig zo ongeveer het enige wat telt. Dus laat me nou maar met rust, oké?' Isabelle stond abrupt op en liep driftig naar haar kast.

Becca was even met stomheid geslagen, toen krabbelde ze overeind. 'Ik... ik kom straks terug. Dan kunnen we erover praten.'

'Doe geen moeite.' Isabelle keerde Becca de rug toe en haalde een schone blauwe sweater uit de kast. 'Ik red me uitstekend. Ook zonder jou.'

Becca was al halverwege de gang toen ze besefte dat ze haar aantekeningenschrift was vergeten. Er was echter geen denken aan dat ze terugging. Ze had voor één dag genoeg verwijten naar haar hoofd gekregen. Haar eerste impuls was onmiddellijk Sophie en Harper bellen om haar verhaal kwijt te kunnen. Ook al besefte ze dat ze waarschijnlijk op niet veel sympathie hoefde te rekenen. Tenslotte had ze hun telefoontjes de laatste tijd amper beantwoord, dus ze waren waarschijnlijk nog nijdiger op haar dan Isabelle. Een reden te meer om te bellen, concludeerde ze.

En dat zou ze doen ook. Meteen na de Studiegroep. Maar terwijl ze het zich voornam, wist ze al dat het niet zou meevallen zich aan haar voornemen te houden. Niet omdat ze niet van haar vriendinnen hield. Ze was dol op ze! Maar wanneer ze bij Stuart was... dan dacht ze simpelweg niet zoveel aan haar vriendinnen.

Sterker nog, als ze eerlijk was moest ze toegeven... dat ze dan helemaal niet aan ze dacht.

❤

*Niet vergeten! Pepperspray kopen!* Sophie was nog altijd buiten adem toen ze haar sleutel in het onwrikbare nachtslot stak dat Sam op de deur van zijn appartement had gezet. Ze had de drie straten van de bushalte naar huis gerend, de hele weg schreeuwend als een idioot om mogelijke belagers af te schrikken. Want deze buurt was bepaald geen Beverly Hills.

Het appartement was in duisternis gehuld toen ze binnenkwam, en er heerste doodse stilte. Sams grijze Honda Civic stond voor de deur, dus hij was thuis. Maar blijkbaar lukte het hem om vóór twee uur 's nachts in bed te liggen, zoals ieder normaal mens. Sophie had al weken late dienst bij Mojito, omdat ze moest zorgen dat ze overdag vrij was om audities te kunnen doen. Hetgeen betekende dat ze doorgaans al om zeven uur 's ochtends de deur uit moest, om de bus te nemen naar een of andere van god verlaten plek in de Valley, voor een open auditie om negen uur. Als ze geluk had, waren er in de loop van de dag nog meer open audities. Dan was ze tegen vijven bij Mojito, waar ze haar gastvrouwenoutfit aantrok, die ze in haar zwarte Gap-tas had gepropt, en zich met een dienstbare glimlach door het diner worstelde. Tegen de tijd dat ze na haar nachtelijke sprint bij Sam naar binnen rolde, was ze zo moe dat ze amper nog wist dat ze leefde.

Op haar tenen liep ze de woonkamer door, zorgvuldig het meubilair ontwijkend, terwijl ze koers zette naar 'haar' kamer. Ze was halverwege toen de stilte werd verbroken door een luid gesnurk. Ze schrok. Sam snurkte niet. Was ze misschien zo uitgeput dat ze lopend in slaap was gevallen? Nee. Daar was het weer, nu luider.

*Shit.* J.D. was thuis. Ze had hem nog nooit ontmoet, maar ze verwenste hem om het feit dat hij het lef had om in zijn eigen slaapkamer te willen slapen. Nou ja, ze was zo moe dat ze desnoods staande tegen de koelkast zou kunnen slapen. Ze veranderde van koers en liep richting badkamer. De muffe smaak in haar mond bewees dat ze dringend haar tanden moest poetsen, maar de rest van haar verzorgingsritueel zou ze voor een avond achterwege laten. Dan maar pukkels, ook al zou ze er dan niet op haar best uitzien volgende week, als ze auditie moest doen voor een rol in *Ugly Betty*. Maar vanavond was slaap belangrijker dan haar teint. Terwijl ze naar de deur van de badkamer liep, zag ze dat een van de jongens het licht voor haar had aangelaten. Wat aardig, dacht ze slaperig, en ze deed de deur open.

'O!'

'O!'

Ineens was ze klaarwakker. Een lang, broodmager, beeldschoon meisje met weelderig blond haar dat haar deed denken aan Kate, kroop bijna ín de wastafel. De angst op haar gezicht riep associaties op met de douchescène uit *Psycho*. 'Ik wist niet...'

'Ik ook niet...' stamelde Sophie, haar blik afwendend van de minuscule rode, kanten beha met bijpassende slip van het meisje. 'Sorry. Ik zal even...'

Het meisje leek te ontspannen nu ze besefte dat Sophie niet Norman Bates was. De blik van doodsangst werd vervangen door een brede glimlach om haar volle lippen. 'Jij bent natuurlijk Sams huisgenote. Ik ben zó weg.'

'O. Oké. Haast je niet.' *Jij bent natuurlijk Sams huisgenote.* De implicatie van die opmerking was duidelijk. Het meisje hoorde bij Sam, niet bij J.D. Toen Sophie zich haastig omdraaide om te vertrekken, schopte ze met haar voet tegen iets wat op de grond lag, zodat het over de gebarsten tegels vloog.

'Oeps. Dat is van mij.' Het meisje giechelde zacht. 'Ik schrok zo toen je binnenkwam dat ik het heb laten vallen.'

Pas toen het meisje het had opgeraapt, besefte Sophie dat het een pessarium was. Ze had ze gezien in de spreekkamer van haar dokter in Boulder, samen met posters waarop werd gewaarschuwd voor geslachtsziekten.

'Ach ja, kleine rotdingen, dat zijn het. Niet gemakkelijk te pakken,' zei Sophie luchtig, in een poging de indruk te wekken dat ze alles wist van Het Pessarium.

Ze kon het beeld niet uit haar gedachten zetten terwijl ze in de gangkast op zoek ging naar het luchtbed. Het was duidelijk dat het meisje in de badkamer op het punt stond seks te hebben met Sam. Tenslotte bracht je een pessarium niet in voor een potje Scrabble. Tenzij... Misschien wilde zíj seks met hem, maar híj niet met háár. Het zou kunnen. Misschien wíst Sam niet dat ze naar de badkamer was gegaan om zich te wapenen tegen zijn sperma. Het kon zijn dat hij dacht dat ze ging plassen, of haar lipgloss bijwerken. Anderzijds, ze liep wel in haar ondergoed...

*Hou op*, commandeerde Sophie zichzelf. Wat het ook was, voor haar was het volstrekt onbelangrijk. Sam kon doen wat hij wilde, met wie hij wilde, en wanneer hij het wilde. Daar had zij niets mee te maken. Wel belangrijk was echter dat het luchtbed uit de kast was verdwenen. Natuurlijk! Dat kon er ook nog wel bij!

Toen ze zich op de doorgezakte bank liet ploffen en probeerde te voorkomen dat de losse veer in het middelste kussen in haar achterwerk prikte, kon ze niet helpen dat ze zich bewust werd van zwakke geluiden die zich bij het ritmische snurken van

J.D. hadden gevoegd. Het waren onmiskenbaar geluiden in de kreuncategorie, dus het viel nauwelijks meer te betwijfelen dat haar pessarium het meisje uit de badkamer goede diensten bewees.

Sophie staarde naar het plafond. Sam was een gewone jongen met gewone behoeften. Maar moest hij die zo nodig híér bevredigen? Had hij niet naar háár huis kunnen gaan?

'Ja! Ja!' De kreten van het meisje klonken gesmoord, maar ondanks dat schalden ze door het kleine appartement, en waarschijnlijk – door het open raam – over de binnenplaats.

Sophie draaide zich om en stompte uit alle macht een van de futloze kussens in model. Ze moest ineens denken aan een regel uit een oude Bette Davis-film. 'Veiligheidsriemen vast! We krijgen last van turbulentie!'

❤

Kate probeerde het gesprek te volgen. Maar Darby en Mulugeta, de dorpsoudste van Teje, spraken te snel, en Kates Amhaars was nog verre van perfect. Ze keek Dorothé aan, die vluchtig en verward haar hoofd schudde. Ook zij had blijkbaar geen idee wat er werd besproken. Jean-Pierre en Jessica waren in Mekebe gebleven, om de voortgang van de werkzaamheden aan de put te bewaken. Niet dat ze ook maar iets aan Jessica gehad zouden hebben. Ze had niet de moeite genomen meer dan drie woorden Amhaars te leren. *Ik, mij* en *mijzelf*, vermoedde Kate.

Dus ze had geen andere keus dan afwachten. Darby had de leiding – iets wat hij die ochtend bij hun aankomst in het dorp maar al te duidelijk had gemaakt. Ze waren amper uit de geleende, meer dan dertig jaar oude Land Rover gestapt, of hij had haar op het hart gedrukt dat hij het woord zou doen. Alleen hij. En toen ze begon te protesteren, had hij haar afgekapt.

'Eén woord van jou, en we vertrekken,' had hij gezegd, met een

143

beschuldigende vinger naar haar wijzend. 'Is dat duidelijk?'

'Ben ik zo bedreigend voor je?' had ze ijzig gevraagd.

'Ik wil gewoon niet dat je het verpest.' Zijn antwoord was even ijzig geweest.

'Waar zie je me voor aan? Britney Spears? De meeste dingen die ik aanpak, doe ik vrij goed...'

'Ik wil gewoon dat je je mond houdt. Oké? Jij hebt ervoor gezorgd dat we hierheen gingen, maar verder moet je mij de zaken laten afhandelen. Of we gaan terug en vergeten de hele zaak.'

Kate zette haar kiezen op elkaar. Het liefst zou ze Darby met een boomtak op zijn hersens timmeren. Nee, dat was niet waar. Het liefst wilde ze dat er een put werd geslagen in Teje. Dat was oneindig veel belangrijker dan de machtsstrijd tussen Darby en haar. 'Mij zul je niet horen,' zei ze dan ook.

Darby had zich geen zorgen hoeven maken, besefte ze nu. Mulugeta sprak een ander dialect dan dat van Mekebe, en hij deed geen enkele poging om langzamer te praten zodat zij, of iemand anders, hem kon verstaan. Hij zat op een houten leunstoel net buiten de voordeur van zijn tukul. Zijn grijzende slapen vormden een scherp contrast met zijn gladde bruine huid. Hij had ronde wangen, een smalle kin en een kleine mond. Zelfs tijdens het praten tuitte hij op een onaangename manier zijn lippen.

Hij zag eruit alsof hij rijk genoeg was om bij te dragen aan een put, dacht Kate, terwijl ze haar blik door de kraal liet gaan. Er scharrelden wat varkens, net als de gebruikelijke kippen, ossen, geiten en koeien. Er stond zelfs een huis, opgetrokken uit modder en stro, met een echt glazen raam aan de voorkant. Vrouwen en kinderen liepen ijverig af en aan. Ze waren bezig met de dieren, er werd *teff* gemalen en *wot* gekookt, een Ethiopische stoofpot.

Op zich zou het haar allemaal buitengewoon optimistisch hebben gestemd, ware het niet dat er één woord was dat Mulugeta bleef herhalen. *Geld*. Het was alsof elke zin ermee begon. Kon ze maar verstaan wat er verder kwam! Te oordelen naar Darby's gezicht verliepen de onderhandelingen niet gunstig. Hij leek in toenemende mate gefrustreerd, en dat was hij nóóit. Of liever gezegd, dat was hij alleen als het om haar ging. In alle andere situaties bleef hij kalm en vriendelijk en pakte hij de zaken soepel aan. Maar Mulugeta werkte hem op de zenuwen, en Kate was razend nieuwsgierig te horen hoe dat kwam.

Ze hoefde niet lang te wachten. Darby stond op, schudde Mulugeta de hand en liep naar de poort van de kraal.

'We gaan,' kondigde hij aan.

Kate keek Dorothé aan. Dacht hij nu werkelijk dat hij geen verslag hoefde uit te brengen?

'Wat is er gebeurd?'

'Nog niet.'

'Waarom niet...'

Plotseling schonk hij haar een warme glimlach, en hij sloeg een arm om haar schouder. Kate keek hem aan alsof hij zijn verstand had verloren, waarop Darby haar nog dichter naar zich toe trok. 'Hou je mond!' commandeerde hij liefjes. 'Tot we uit het zicht zijn. Denk je dat je dat kunt?'

Kate had geen idee wat er aan de hand was, maar ze besloot het spelletje mee te spelen. Als ze daarmee bijdroeg aan het slaan van een put in Teje, vond ze het prima om Darby's arm even om haar schouders te hebben. Het enige probleem was dat die arm haar een zekere mate van onpasselijkheid bezorgde. Ze had zo'n afschuw van hem dat ze er letterlijk misselijk van werd. Want iets anders kon het gevoel in haar maag niet zijn.

Zodra ze de poort uit waren, trok ze zich terug.

'En?'

'Al het land hier is van hem. En hij wil niet dat erin wordt gegraven.'

'Waarom niet?' Dorothé keek net zo gefrustreerd als Kate.

'Hij wil dat we ervoor betalen.'

'Wat?' The Water Project betaalde niet voor land, wist Kate. Omdat elke put die werd geslagen, ten goede kwam aan de hele gemeenschap, werd het land geschonken, soms door individuen, soms door het dorp zelf. In beide gevallen was er geen geld in het budget voor het land.

Darby haalde zijn schouders op. 'Hij beweert dat hij een afstammeling is van Haile Selassie. Dus hij lijdt aan grootheidswaanzin.'

Onder het bewind van Haile Selassi, de voormalige leider/keizer/dictator van Ethiopië, was de ecologie van het platteland zo goed als verwoest en daarmee de boerenstand, maar desondanks werd hij nog altijd op handen gedragen. Niemand zou het wagen te spotten met iemand die van hem afstamde. Maar... misschien was er een manier om Mulugeta te doen inzien dat hij ook persoonlijk zou profiteren van een put. Als ze hem ervan konden overtuigen dat hij zo mogelijk nóg machtiger zou lijken door toe te staan dat er een put werd geslagen op zijn land...

Aan de andere kant van de straat ontdekte Kate een bekend gezicht op het erf van een kleine hut. Het was Rebekkah.

'Rebekkah!' Ze zwaaide lachend. Rebekkah keek op en hief haar smalle hand.

'Ik ben zo terug.' Kate drukte Dorothés arm en haastte zich naar de andere kant van de zandweg. Rebekkah kwam naar het hek.

'Hallo!' begroette Kate haar in het Amhaars. 'Hoe gaat het met je zoontje? Is hij weer beter?'

Even verstarde Rebekkah, toen keek ze naar de grond.

Kate had het gevoel dat er een knoop in haar maag werd gelegd. Een knoop die zich langzaam omhoogwerkte, door haar borst naar haar keel. Ze wilde haar armen uitstrekken naar Rebekkah, maar het was alsof ze zich niet kon bewegen.

'Mijn zoontje is dood,' zei Rebekkah schor.

'O, wat spijt me dat,' fluisterde Kate.

'Er was niets wat je had kunnen doen.' Rebekkah schonk haar een zwakke glimlach, toen wendde ze zich af.

Kate bleef nog even staan. Ten slotte draaide ze zich om naar Darby en Dorothé. Haar keel was dichtgesnoerd. Er was niets wat ze had kunnen doen. Dat viel niet te ontkennen. En toch had ze het gevoel alsof Rebekkahs verlies haar schuld was. Haar schuld, en die van Darby, en van iedereen. Er gingen mensen dóód. Er gingen kínderen dood. Omdat ze geen schoon water hadden! Een put was betrekkelijk goedkoop en redelijk simpel te slaan. Het was eigenlijk alleen een kwestie van willen, wist Kate.

'Fuck Mulugeta,' zei Kate ijzig, toen ze bij Darby en Dorothé terugkwam. 'We doen het gewoon.'

'Doe niet zo stom...' begon Darby te protesteren.

'Weet je wat stom is?' Ze slikte krampachtig, in een poging de knoop in haar keel kwijt te raken. 'Kinderen die doodgaan. Dat is stom. Als we geen put slaan...'

'Ook met een put blijven er kinderen doodgaan.'

'Hoe kan je dat nou zéggen?' Kate keek hem aan, vervuld van afschuw.

Darby hief zijn handen en liet ze weer langs zijn lichaam vallen. 'Ik vertel je alleen maar hoe het is. Er bestaat geen snelle oplossing voor de problemen. We doen wat we kunnen, en dat is één ding tegelijk. Op de lange termijn bereiken we iets. Maar tot het zover is, blijven er kinderen doodgaan. En vrouwen. En mannen.'

Kate staarde hem aan. Hoe kon hij dat zomaar zeggen? Alsof het er niet toe deed. Alsof het niet in elk opzicht verkeerd was, gruwelijk, onvergeeflijk?

Dorothé legde een hand op Kates arm en drukte die zachtjes. 'We blijven het proberen.'

'Maar verwacht er niet te veel van.' Darby haalde de sleutels van de Land Rover uit zijn zak, deed het bijrijdersportier open en hield het open voor Dorothé. Toen ze eenmaal zat en hij het portier weer had dichtgegooid, keerde hij zich naar Kate.

'Weet je wat het is, sommige mensen zijn hier gewoon niet geschikt voor. Het gaat aan ze vreten. Ze trekken het zich te veel aan.'

Ze trekken het zich te véél aan? In haar ogen kon het nooit te veel zijn.

'Dat zal wel,' fluisterde ze. 'En volgens mij zijn er ook mensen die het zich totaal niet aantrekken.'

'Ik ben gewoon realistisch...'

'Dat is niet realistisch. Dat is je er te gemakkelijk vanaf maken...'

'Luister nou eens naar me. Ik probeer je iets duidelijk te maken. Als het je te veel is, wil ik niet dat je denkt dat je moet blijven.'

Er klonk geen enkele vijandigheid in zijn stem, maar dat maakte het bijna nog erger. Blijkbaar vond hij haar niet alleen onnozel, maar ook overdreven emotioneel en niet in staat haar toezeggingen waar te maken.

Kate deed het achterportier van de Land Rover open en klom in de auto.

'Zelfs een troep hyena's zou me niet kunnen wegjagen.' Ze keek strak voor zich uit, met een vernietigende blik in haar ogen.

Darby knikte een keer, toen sloot hij het portier.

Terwijl ze door de vallende avond terugreden naar Mekebe, dacht Kate aan iedereen die haar dierbaar was, iedereen die op haar moest kunnen rekenen. Haar familie, haar vrienden en vriendinnen, Magnus. Ze kon beter. Ze zou meer moeten schrijven, ze zou een manier moeten zien te vinden om naar Bahar Dar te gaan, zodat ze misschien zelfs zou kunnen bellen of e-mailen. Want wat Darby ook zei, ze ging niet naar huis. Na bijna twee maanden Ethiopië was haar wereldbeeld volledig op z'n kop gezet, binnenstebuiten gedraaid. Maar op de een of andere manier had ze het gevoel dat ze steeds dichter bij de kern van haar eigen wezen kwam. En er mocht dan nog heel veel zijn wat ze niét wist, één ding wist ze zeker. Wat er ook gebeurde, ze kon het aan.

♥

'1972 Cutlass. In perfecte staat. Vierduizend. Graag of niet.' J.D. deed een stap bij de grote, hoekige, gele cabriolet vandaan en keek Sophie aan over de rand van zijn Persol-zonnebril met schildpadmontuur.

Sophie en Sam stonden op een winderige met bomen omzoomde straat in Holmby Hills, waar J.D. hun had gezegd hem te ontmoeten. Door de telefoon had hij heel geheimzinnig gedaan over de reden voor de ontmoeting, maar hij had met grote stelligheid beweerd dat hij Sophie een unieke kans te bieden had. Omdat het haar eerste vrije dag was in twee weken, was ze ernstig in de verleiding geweest zich nog eens om te draaien en door te slapen. Maar het vooruitzicht eindelijk de geheimzinnige J.D. te ontmoeten – wiens bed ze leende – was onweerstaanbaar geweest. Na de nacht dat ze hem had horen snurken, was hij alweer weg geweest toen ze de volgende morgen – een halfuur te laat – wakker werd.

Sophie beet op haar lip en keek verlangend naar de auto. De filmcheque was eindelijk binnengekomen, maar na aftrek van de belasting was er een stuk minder overgebleven dan waarop ze had gehoopt. Vierduizend dollar zou betekenen dat ze nauwelijks nog iets op de bank had staan.

'Ze neemt 'm,' zei Sam.

'Mooi zo.' Hoewel het tweeëndertig graden was in de schaduw, zag J.D. er in zijn modieus gescheurde True Religion-spijkerbroek en helderoranje Izod-poloshirt uit alsof de hitte hem niets deed. Sophie schatte hem begin twintig. Hij was behoorlijk gespierd, zijn piekerige, zwarte haar kortgeknipt, en zijn witte tanden deden haar denken aan die van Marco, ook al was J.D. gelukkig niet zo zonnebankbruin. 'Ze mag contant betalen, maar ik neem ook een cheque aan.'

'Wacht eens even! Heb ik hier niks over te zeggen?' reageerde Sophie verontwaardigd. Onder haar roze topje voelde ze het zweet over haar huid sijpelen, en haar korte spijkerrokje voelde als een zware deken om haar billen.

Sam sloeg zijn ogen ten hemel en stak zijn handen in de zakken van zijn legergroene, driekwart combatbroek. 'We zijn hier in Los Angeles! Daar is het een... een misdaad om geen auto te hebben.'

'Hij is bovendien veel meer waard,' viel J.D. hem bij. 'De enige reden dat ik je zo'n goeie deal geef, is dat mijn baas ruimte nodig heeft in de hangar voor zijn nieuwe, babyblauwe Aston Martin. En wel *pronto*.'

In het kwartier dat ze J.D. nu officieel kende, had hij Sophie verteld dat acteurs 'brokken vlees' en 'softies' waren ('dat bedoel ik niet beledigend') en dat de ware macht in Hollywood berustte bij de producers. Tegen zijn dertigste wilde hij daarbij horen. Het minderwaardige baantje als personal assistant van een beroemdheid was slechts een noodzakelijke sport op de ladder.

'Zijn hangar? Zo'n ding waar je vliegtuigen in stalt?'

J.D. haalde zijn schouders op. 'Hij is nou eenmaal gek van auto's.'

'Wie ís die vent?' vroeg Sophie. 'John Travolta? Ben Stiller?'

J.D.'s gezicht bleef irritant uitdrukkingsloos. 'Ik mag contractueel niets ontkennen of bevestigen over mijn werkgever.'

'Doe geen moeite,' zei Sam. 'Ik heb alles geprobeerd – cadeaus, drank, huurvermindering, je kunt het zo gek niet verzinnen. Maar hij heeft niks losgelaten.'

Terwijl Sophie haar aandacht weer op de Cutlass richtte en zich voorstelde hoe ze met open dak over de 101 zoefde, ging Sams mobiele telefoon. Inmiddels herkende ze zijn ringtone. Sam zonderde zich iets af om alle registers open te trekken tegen

Ellie Volkhauser, de prachtige blondine met het voortvluchtige pessarium, zodat Sophie alleen achterbleef met J.D.

'Als je het niet doet, heb je er de rest van je leven spijt van. Geloof me.' J.D. leunde als een echte autoverkoper tegen het vintagemodel. 'Stel je eens voor met hoeveel zelfvertrouwen je in deze schoonheid het terrein van de studio's op rijdt voor een auditie.'

'Ach, audities!' verzuchtte Sophie. 'Zonder agent heb ik geen schijn van kans.'

Sinds een paar weken besefte ze dat Gifford Meyer, die met zijn enorme netwerk zou optreden als haar advocaat, het type was van uit-het-oog-uit-het-hart. En haar drie regels in een film op dvd die rechtstreeks naar Duitsland zou worden geëxporteerd, had er ook niet voor gezorgd dat de castingdirectors voor haar in de rij stonden.

J.D. zette zijn zonnebril af en nam Sophie van top tot teen taxerend op. Ze moest denken aan de blik waarmee de oude Alterman – spiernaakt in zijn hotelsuite – naar haar had gekeken. Dat was iets wat ze Sam nóóit zou vertellen. Een geheim dat ze zou meenemen in haar graf! In het geval van J.D. staarde ze terug, hem uitdagend haar te versieren.

'Ik ken een vent bij CTI. Hij is net een paar weken geleden van een administratieve functie gepromoveerd tot agent. Ik zal hem een sms sturen, om te zeggen dat hij gek is als hij niet met je aan het werk gaat.'

CTI, Creative Talent International, was een van de Grote Drie onder de impresariaten van Hollywood. Als ze daar een voet tussen de deur kreeg, kon dat het verschil betekenen tussen de rest van haar leven gastvrouw spelen en een Academy Award. Door haar ervaring met de Perkamenten Bejaarde was Sophie echter wantrouwend geworden, dus ze trapte er niet in.

'Als je maar weet dat ik mannen heb afgezworen,' zei ze uit de hoogte. En dat was ook zo. Na wat er gebeurd was met Trey en met de Perkamenten Bejaarde, en na wat er niét was gebeurd met

Sam, had ze het gehad met mannen. Ze leidden haar alleen maar af van haar carrière, ze lieten haar vette In-N-Out Burgers eten, en reusachtige milkshakes bestrooid met chocolate chips. 'Je kunt zeggen wat je wilt, ik ga niet met je uit.' Met een ijzige glimlach sloeg ze haar armen over elkaar. 'Dus als je denkt dat je me in bed kunt krijgen door me lekker te maken met een of andere zogenaamde connectie van je, dan kun je het vergeten.'

J.D. trok een onberispelijke wenkbrauw op. 'Het is maar dat je het weet, ik ben homo.'

'W-wat?' Sophie voelde zich plotseling erg onnozel. Verschrikkelijk onnozel.

'Ik hou van mannen. Dus ik wíl niet eens met je naar bed.' Hij haalde zijn schouders op. 'Alles in deze stad draait om gunsten. Je de auto aanbieden is er een. Net als mijn vriendje de agent sms'en. Dus geneer je niet en laat je gerust op je knieën zakken om me te bedanken.'

Sophie was niet van plan nog meer stomme fouten te maken, dus ze liet zich op haar knieën vallen, de hitte van het asfalt – en de mogelijkheid van ontvellingen en brandwonden – negerend.

'Ik neem de auto. En de agent.'

♥

'Wat ik nooit heb gedaan... is mijn beha als mitella gebruiken toen ik mijn elleboog had verstuikt,' verklaarde Harper. Ze hief haar cola light en nam een reusachtige slok.

'Wat ik nooit heb gedaan... is me verstoppen in de meisjeskleedkamer voor Brad Jorgowski,' verklaarde Judd, en hij hief zijn Red Bull.

Harper vertrok haar gezicht van afschuw. 'Wat was dat een bullebak!' Harper nam ook een slok. Judd was niet de enige die toevlucht had gezocht voor B.J. (zoals Harper hem sinds hun vijftiende achter zijn rug had genoemd) in de kleedkamer van de meisjes.

'Nog iets wat we gemeen hebben,' zei Judd lachend. 'We delen een geschiedenis van angst.'

Ze zaten bij de open haard in het Hardrive Café, een van de populairste ontmoetingsplaatsen voor de studenten van UC, met twee van Judds studievrienden. De hippe koffietent beschikte over rijen computers met internetverbinding, maar er was ook een biljarttafel voor wie zich kon losrukken van het lezen van blogs of het updaten van zijn profiel op Facebook.

Na de rampzalige Fiji Island Party die UC Boulder vorige herfst had georganiseerd, had Harper gezworen dat ze nooit meer uitging op de campus. Maar Judd had met grote stelligheid verklaard dat ze Poppy en George leuk zou vinden. En Harper was hem zo dankbaar dat hij haar had vergeven nadat ze zich had gedragen als het ultieme kreng, dat ze desnoods met hem naar een tandartsenpraktijk in Lincoln, Nebraska, zou zijn gegaan.

Op dit moment deden ze het spelletje 'Wat Ik Nooit Heb Gedaan', hetgeen inhield dat ze om beurten gênante onthullingen deden over zichzelf door die vooraf te laten gaan door: 'Wat ik nooit heb gedaan'. Als iemand van de anderen zich aan hetzelfde had bezondigd, moest hij ook een slok van zijn borrel nemen. In dit geval hadden ze de alcohol vervangen door frisdrank of koffie. En dat was maar goed ook. Want Harper achtte het bepaald niet denkbeeldig dat ze – dronken en zwelgend in zelfmedelijden – zou onthullen dat ze niet was aangenomen op de universiteit van haar keuze. Ze zou zich achteraf dóódschamen.

'Wat ik nooit heb gedaan, is flauwvallen als ik bloed zag,' verklaarde George. Hij dronk niet, maar Poppy, die naast hem zat, wel.

'Je had beloofd dat je dat nooit zou vertellen! Aan niemand!' tierde ze toen ze haar witte koffiemok weer op tafel zette. 'Dat is niet eerlijk.'

'Tja, het leven is hard, hè?' George grijnsde. Hij had warrig, rosblond haar, sproeten en grote groene ogen die altijd leken te lachen. 'Je moet mij niet verwijten dat het bij dit spel om eerlijkheid draait.'

Poppy schudde haar hoofd, duidelijk geërgerd. Met haar lange, sluike, zwart geverfde haar en ovale, lichtblauwe ogen bezat ze het soort strenge schoonheid die Harper doorgaans nogal ontmoedigend vond. Maar in het uur dat ze haar inmiddels kende, had Harper beseft dat Judd er goed aan had gedaan hen aan elkaar voor te stellen. Ze hielden allebei van spannende boeken, slechte datingshows en zo ongeveer alle junkfood. Poppy had haar zelfs gevraagd wat van de gedichten te lezen die ze naar de *Freestone* wilde sturen, een plaatselijk literair tijdschrift.

Volgens Judd waren Poppy en George al beste vrienden vanaf de eerste dag van hun oriëntatie als eerstejaars, toen ze elkaar hadden gevonden in hun gedeelde minachting voor alles wat met 'oriëntatie' te maken had. Ze deden Harper een beetje aan Judd en haarzelf denken, ook al leek de relatie tussen Poppy en George aanzienlijk hechter. En Harper kon zich niet voorstellen dat Poppy ooit tierend over een terrein met kerstbomen had gelopen. Ze leek simpelweg niet het type om te tieren.

Voor een deel voelde Harper zich schuldig omdat ze op dat moment niet thuiszat, opgesloten op de wc met haar laptop. Maar een schrijver moest contact houden met de wereld om daar iets over te kunnen zeggen. Bovendien was dit haar eerste uitje sinds ze terug was uit LA.

'O, dus het moet allemaal volstrekt eerlijk?' vroeg Poppy uitdagend, en ze gaf George een speelse tik op zijn arm. 'Nou, dan weet ik er ook nog wel een.'

George hield zijn mineraalwater omhoog, klaar om te drinken. Het was duidelijk dat hij verwachtte dat ze een of andere vernederende ervaring uit zijn verleden zou onthullen. 'Ga je gang. Ik heb niets te verbergen.'

Poppy laste een dramatische pauze in. 'Wat ik nooit heb gedaan, is George zoenen.' Er verscheen een charmante blos op haar wangen terwijl ze een slok van haar chai latte nam.

George zette zijn water neer. 'Nou, daar kan ik niet op drinken. Want ik heb mezelf ook nog nooit gezoend.'

Harper had begrepen dat Poppy en George géén stel waren, en dat verklaarde ook de geschokte uitdrukking op het gezicht van Judd. 'Hè? Hebben jullie gezoend? Wanneer? Waar? Hoe? Heb ik iets gemist?'

'We zijn vriénden,' benadrukte Poppy. 'Geen stel.'

Ze keken elkaar grijnzend aan, alsof ze een privégrapje deelden. Harper nam zwijgend een slok van haar cola light. De schrijver in haar was geïnteresseerd in de dynamiek tussen deze twee, die toch min of meer vreemden voor haar waren. Misschien kon ze er iets van gebruiken in haar boek.

'Maar eh... wat is er dan gebeurd? Jullie zijn ooit dronken geworden op een feestje, toen hebben jullie gezoend, maar uiteindelijk ben je tot de conclusie gekomen dat je beter af bent als vrienden?' Judd was duidelijk in verwarring gebracht.

'Nee, zo is het niet gegaan.' George hief zijn water. Het was duidelijk dat hij er niet verder op in wilde gaan. 'Wat ik nooit heb gedaan, is rotzooien met mijn toelatingstest.' Hij nam een slok, net als Judd. Harper schonk Judd een veelbetekenende blik.

'Ik heb één vraag overgeschreven van Gina Percy,' verklaarde hij, met de hand op zijn hart. 'En daar voel ik me nog steeds schuldig over.'

Terwijl het spel verderging, stelde George voor er een weddenschap aan toe te voegen. De eerste die naar de wc moest, zou de anderen de rest van de avond vrijhouden. Gezien de enorme hoeveelheden die ze dronken, was het nogal een uitdaging. Harper had het gevoel alsof haar blaas op knappen stond toen Poppy zich eindelijk gewonnen gaf en naar de wc rende. Dankbaar dat ze niet al haar fooiengeld van de vorige dag aan drankjes hoefde uit te geven, ging Harper al snel achter haar aan.

Toen ze allebei geplast hadden, stonden ze naast elkaar voor de spiegel. Poppy – een ranke verschijning in haar strakke, zwarte spijkerbroek met een pauwblauwe sjaal als riem en haar lange, grijze sweater – werkte haar transparante lipgloss bij. Terwijl Harper een poging deed haar chaotische paardenstaart althans enigszins te fatsoeneren, voelde ze een steek van pijn. Dit was het soort moment waarvan ze er met Becca, Sophie en Kate miljoenen had gehad, en plotseling miste ze haar vriendinnen zoals een ex-verslaafde zijn drugs. Zich op haar korte staartje concentrerend, probeerde ze de knagende pijn vanbinnen te negeren.

'Voel je je wel goed?' Poppy keek haar aan in de spiegel, met de lipgloss nog in haar hand. 'Je kijkt ineens zo... verdrietig.'

'Ach, je doet me denken aan mijn beste vriendinnen.' Ze slaagde erin te glimlachen. 'Dus dat is positief, neem ik aan.'

Poppy knikte, ze snapte het. 'Mijn vriendinnen zitten allemaal aan de oostkust. Ze zien elkaar voortdurend. Daarvoor hoeven ze maar op de trein te stappen naar hartje Boston. Zonder George zou ik er hopeloos aan toe zijn.'

Harper knikte ook. Ze kon zich niet voorstellen om een jongen – welke jongen dan ook – als beste vriend te hebben. Er was zo veel dat ze met een jongen niet zou kunnen bepraten. Tampons... okselhaar... meneer Finelli. Maar als Poppy er gelukkig van werd, dan was dat natuurlijk alleen maar prima.

'Ik vind het wel stoer dat jullie zo open met elkaar omgaan,' zei ze. 'Zeker omdat... Nou ja, je weet wel... Wat er ook ooit is gebeurd.'

Poppy wreef haar lippen over elkaar om de gloss uit te smeren. 'Het gebeurt nog steeds.'

'Maar je zei...'

'We hebben gezegd dat we geen stel zijn, en dat zijn we ook niet. Maar we hebben niet gezegd dat we niet samen rotzooiden.' Ze wond een lok van haar lange haar om een vinger. 'George en ik zijn "vrienden met extra's".'

'Wat houdt dat in?' Harper gaf een laatste, kordate ruk aan haar paardenstaart.

'Dat betekent dat we overdag gewoon vrienden zijn. En 's avonds... dan hebben we wat extra's.'

Harper was zowel geschokt als onder de indruk. Het klonk zo... wereldwijs. En ingewikkeld.

'Maar hoe moet het dan als een van jullie... nou ja, je weet wel...' Harpers stem stierf weg. Dit gesprek werd veel te persoonlijk. Ze kende Poppy tenslotte amper.

'Als een van de twee besluit echt met iemand te gaan daten?' Poppy zocht iets in haar zachtbruine, leren schoudertas, duidelijk volstrekt niet in verlegenheid gebracht. 'Dat is nog niet gebeurd. Maar zo ja, dan worden we gewoon weer goede vrienden. Zonder de extra's. Vrijheid blijheid, toch?' Ze hield triomfantelijk een rolletje pepermuntjes omhoog.

'Ja, dat zal wel.' Harper dacht aan meneer Finelli. Het was ondenkbaar dat ze met hem bevriend zou zijn, en niet omdat hij vroeger haar leraar was geweest. Nee, het was ondenkbaar door de herinnering aan zijn zachte-maar-tegelijkertijd-stevige lippen. En omdat ze zich herhaaldelijk als een volstrekte idioot had gedragen.

'Jij en Judd zouden het ook moeten proberen.' Poppy ritste haar tas dicht en smakte met haar volmaakte lippen. 'Dan ben je nooit meer een nacht eenzaam. Echt waar.'

'Judd? En ik? Nee, ik denk niet...' Harper smoorde een nerveuze giechel. De gedachte aan vrijen met Judd was meer dan absurd. Alleen al zijn voorliefde voor Phish T-shirts maakte dat volstrekt onmogelijk.

'Rustig maar.' Poppy klopte haar op haar schouder. 'Het was maar een idee.'

Maar toen ze weer bij de jongens aan tafel gingen zitten, wenste Harper dat ze thuis was, opgesloten op de wc. Ze vermeed het om Judd aan te kijken, en elke keer dat Poppy haar kant uitkeek, voelde ze dat ze bloosde.

Ze had vanavond in elk geval iets geleerd over het schrijven van een roman – fictieve personages waren een stuk minder gecompliceerd dan mensen van vlees en bloed.

ELLIOT

De kraan openzetten werkt misschien bij A.C. maar
daar hoef je bij mij niet mee aan te komen. Zoek
maar iemand anders om tegen aan te snotteren.

Trina begint nog harder te snikken, maar het lukt haar toch te reageren.

TRINA

Dat doe ik helemaal niet.

ELLIOT

Je bent het al zo gewend om te liegen dat je het
volgens mij zelf begint te geloven.
(en na een korte stilte)
Dat is niet alleen angstaanjagend, het is zielig.

AF Trina, nog altijd huilend, kijkt Elliot na terwijl hij afgaat —

OVERDAG. IN HET HUIS VAN PAIGE — DE SLAAPKAMER

Paige maakt huiswerk op bed. A.C. loopt te ijsberen.

A.C.

Ik snap het niet. Ik zie er goed uit. Tenminste, ik
heb een fatsoenlijk gezicht, zonder ontsierende littekens. Iedereen lacht altijd om mijn grappen. Ik
ben een heer...

PAIGE

Trina is verliefd op Elliot. Het wordt tijd dat je
dat accepteert. Dan kun je verder met je leven.

A.C. doet een van de laden van de ladekast open en rommelt door de spullen van Paige.

A.C.

En toegeven dat ik verslagen ben? Dat nooit!

A.C. haalt een kanten beha tevoorschijn en houdt die omhoog.

A.C. (VERVOLG)

Waarom heb je die nooit gedragen toen wij met elkaar
uit gingen?

PAIGE

Toen wij met elkaar uit gingen, was ik acht. Daarom!

# ZES

In de uitgestrekte ondergrondse parkeergarage van Creative Talent Internationals parkeerde Sophie zorgvuldig op plek nummer 345, zoals de wit geüniformeerde parkeerwacht haar had geïnstrueerd. Omdat ze nog steeds niet vertrouwd was met de afmetingen van de Cutlass (hij was twee keer zo groot als de zilverkleurige bmw die ze van de Meyers had mogen gebruiken), miste ze op een haar na een betonnen paal. Toen het haar was gelukt om – met ingehouden adem – de auto in de parkeerstand te zetten, leunde ze achterover tegen de zwarte vinylbekleding en slaakte ze een zucht van verlichting. Ze had een afspraak met Matthew Feldman, haar potentiële agent, en om wat ze hoopte dat een lange en vruchtbare relatie zou worden, te beginnen met een ongeluk in de parkeergarage zou een erg verkeerde start zijn.

Ze had een halfuur gedaan over de tien kilometer van Hollywood naar Century City – langer dan ze had verwacht. Tijdens de rit had ze het dak van de cabriolet dicht gelaten, om te voorkomen dat haar kapsel uit model woei. Maar omdat de airco niet half zo goed werkte als j.d. had beloofd, was elk stukje huid waar de blazer niet rechtstreeks op stond, bedekt met een laagje zweet. Van onder de bijrijdersstoel viste ze de rol papieren handdoeken tevoorschijn die ze altijd bij zich had voor noodgevallen.

Ze keek in de achteruitkijkspiegel om zich ervan te overtuigen dat de parkeerwachter, de Heer van het Ondergrondse, nergens te zien was. Met het gevoel alsof ze een soort impresariaatsregel overtrad, rukte ze snel een vierkant velletje van de rol en reikte ze in haar bloes, om de druppels transpiratie op te deppen die uit haar oksels langs haar zij sijpelden, ondertussen vurig wensend dat ze geen vlekken maakte in haar goudkleurige, zijden Donna Karen-bloes. De bloes was een cadeautje van Angela, inmiddels twee Kerstmissen geleden, en Sophie had gezworen dat ze hem alleen bij een heel bijzondere gelegenheid zou dragen. Vervolgens viste ze de hooggehakte, superslanke Manolo Blahnik-laarzen van de achterbank, die ze van Celeste had geleend. Ze waren het kostbaarste bezit van haar bazin, en als een van de hakken afbrak of als er zelfs maar een minuscuul krasje op het prachtige, boterzachte, zwarte leer kwam, kon Sophie rekenen op een schadeclaim van een vette negenhonderd dollar.

Tien minuten later, met de laarzen aan en haar haren en haar make-up perfect bijgewerkt, stapte ze uit de lift en stortte ze zich in de bedrijvigheid van CTI. Overal waar ze keek, zag ze louter glas en staal, gecombineerd met een ontzagwekkend uitzicht op LA in al zijn weidsheid, van de Hollywood Hills tot de hoog oprijzende wolkenkrabbers in het centrum. De auto's in de diepte deden haar denken aan een mierenleger dat langzaam door de stad kroop. De kantoren van het impresariaat waren bijna absurd modern, maar de combinatie van uitzicht en vormgeving bereikte het gewenste effect.

Sophie was doodsbang.

Ze stelde zich heel bewust voor dat ze al bij het roemruchte impresariaat stond ingeschreven en even langskwam van een fotoshoot voor de cover van *Vogue*, om haar agent te bedanken voor het schitterende boeket dat hij haar had gestuurd ter ere van de ongelooflijk succesvolle première de vorige avond. *Iedereen kent me en vindt me geweldig. Ik hoor erbij.* Doorgaans werkte de visualisatietechniek. Maar nadat ze dertig seconden de tijd had genomen om zichzelf te visualiseren als CTI's steractrice, had ze nog steeds knikkende knieën.

'Kan ik u helpen?' De jonge vrouw met koptelefoon die achter de balie zat schonk Sophie een ijzige blik. Haar zwarte haar was geknipt in een scherpe, asymmetrische boblijn, net als het haar van Victoria Beckham. In haar haltertopje van parelmoer glanzend satijn was ze zo dun en straalde ze zo veel glamour uit dat ze een fotomodel had kunnen zijn. Ze nam Sophie op met onverholen weerzin. 'Of komt u iets afgeven?'

'Ik ben Sophie Bushell en ik heb een afspraak met Matthew Feldman.' Sophie hoopte dat haar stem niet net zo wankel was als haar knieën. Wat een afschuwelijk begin! Als ze zich al liet intimideren door de receptioniste, hoe zou ze zich dan ooit kunnen handhaven tegenover een agent, strak in het pak en waarschijnlijk met een handdruk zo krachtig dat hij haar vingers kon breken? Ze tuurde door de muur van glas die de receptie scheidde van de agenten, zich afvragend in welk van de vele kantoren de man zetelde voor wie ze kwam.

De receptioniste drukte op een van de duizend knopjes op haar centrale, mompelde iets in haar koptelefoon en keerde zich weer naar Sophie. 'Die deuren door, dan links bij de conferentiezaal, rechts bij de waterkoeler. Dan loop je langs de kopieerruimte tot je bij de Lichtenstein komt. Daar sla je rechts af, en dan scherp naar links, en je bent er.'

*Wat*? 'O... eh... bedankt.'

Sophie liep met grote passen door de enorme dubbele glazen deuren, krampachtig het gevoel van naderend onheil verdringend dat de ingewikkelde aanwijzingen van de receptioniste haar hadden bezorgd. Ze zou gewoon naar de namen op de deuren kijken, net zolang tot ze de deur had gevonden met Matthew Feldman erop. Dat kon toch niet zo moeilijk zijn.

Het bleek zo goed als onmogelijk. Sophie liep door de ene gang na de andere, maar ze leken allemaal op elkaar. Ze was er vrij zeker van dat ze al vier keer langs de waterkoeler was gekomen. Er stonden geen namen op de deuren, en elke keer dat ze stopte om een assistentachtig type te vragen naar Matthew Feldman, begon hij of zij nadrukkelijk in zijn of haar koptelefoon te praten.

De boodschap was duidelijk: zelfs in haar Manolo Blahnik-laarzen van negenhonderd dollar was Sophie zo ver beneden hun stand dat ze zich niet konden verwaardigen met haar te praten. Ze begon zich te voelen als een personage in een van de boeken van Franz Kafka, waar Harper in hun laatste schooljaar mee had gedweept – een en al monotone, doolhoofachtige gangen en kwaadaardige, gezichtsloze bureaucratieën die samenspanden om de held tot waanzin te drijven.

En toen zag ze het. Een overmaats stuk popart. Dat moest de Roy Lichtenstein zijn waarover de arrogante receptioniste het had gehad. In gedachten bedankte ze haar vader voor de kunstboeken die hij in zijn ecovriendelijke huis overal in stapels had liggen. Sophie sloeg rechts af, toen scherp naar links, en ze stond voor de eerste niet-glazen deur die ze op haar omzwervingen was tegengekomen. Ze aarzelde, uit alle macht proberend een ernstige aanval van de bibbers terug te dringen. *Hij verwacht me. Ik heb alle recht om hier te zijn.*

Na een keer diep ademhalen duwde ze de deur open. Om een reusachtige vergadertafel, met daarop een nog onaangeroerd feestmaal van bagels, gerookte zalm en vers fruit, zaten een stuk of vijf, zes mannen. Ai. Blijkbaar de verkeerde deur. Ze wilde simpelweg achteruit teruglopen, maar de mannen hadden zich al naar haar toegekeerd en keken haar vol verwachting aan.

'Ik... eh... ik ben op zoek naar Matthew Feldman?' Ze glimlachte, maar haar stem trilde verraderlijk. 'Hij werkt hier als agent.'

'Dus Feldman is eindelijk weggehaald van Overtons afdeling? Nee maar, de wonderen zijn de wereld nog niet uit.' De opmerking werd gemaakt door een man van ergens in de twintig met glad achterovergekamd haar. Hij zat op een metalen kruk aan het eind van de ruimte, met een computer op schoot.

'Sorry. Ik neem aan dat ik de verkeerde...' Sophie zweeg abrupt toen haar blik viel op de man aan het eind van de tafel, die haar vanuit zijn enorme fauteuil doordringend aankeek. Hij was onberispelijk gekleed, zijn zilvergrijze haar was strak naar achteren gekamd. En hij deed haar denken aan...

*O nee! O nee! O nee! Ik weet hoe zijn penis eruitziet.*

'Dit is een vergadering van de partners.' Het was niemand minder dan de Perkamenten Bejaarde, ook wel bekend als Peter Alterman, die haar deze mededeling deed. 'Dat zijn wij dus, de partners. Feldman vind je ongetwijfeld bij de groentjes; de jonge agenten die proberen een poot aan de grond te krijgen. De meesten houden het hier niet lang vol.'

Ze knikte vluchtig, liep haastig achterwaarts het kantoor uit en trok de deur ferm achter zich dicht. Eenmaal terug in de betrekkelijke veiligheid van de glazen gang, kon ze haar geforceerde glimlach loslaten en door het lint gaan. Waarom had Sam haar niet gewaarschuwd? Waarom had hij haar niet verteld dat Peter Alterman een van de partners was bij CTI? Haar carrière kon ze wel schudden. Ze had zijn seksuele toenaderingspogingen afgewezen, om nog maar te zwijgen van de gestolen champagne en aardbeien. Dus het was buitengewoon onwaarschijnlijk dat hij een van zijn jonge agenten zou toestaan haar aan te nemen. Ze moest de feiten onder ogen zien: zelfs als ze erin slaagde de ongrijpbare Matthew Feldman vandaag nog op te sporen, dan was de beveiliging ongetwijfeld al gewaarschuwd om haar naar de bedrijfspoort te escorteren. Voor zover dat mogelijk was onder de vernederende omstandigheden, raapte ze al haar waardigheid bij elkaar, en ze haastte zich naar de uitgang. Of tenminste, in de richting waar ze de uitgang vermoedde.

Helaas bleek het aanzienlijk moeilijker zich de doolhof van CTI úít te slingeren dan erín. Alle hoeken, alle afdelingen, alle deuren zagen er hetzelfde uit. Misschien moest ze het maar opgeven. Misschien moest ze zich in foetushouding opkrullen op de koude, marmeren vloer en wachten tot de dood haar kwam halen. Zó lang kon dat niet duren.

'Sophie Bushell?' Van de andere kant van de gang naderde een extreem klein mannetje van ergens in de twintig, met bruine krullen die aan zijn hoofd geplakt leken. Trouwens, alles aan hem was bruin: zijn overhemd met opgerolde mouwen, zijn broek, zijn bronskleurige das.

'Misschien.' Na wat er in de vergaderzaal met de Perkamenten Bejaarde was gebeurd, wist ze niet meer zo zeker of het verstandig was ook maar iets toe te geven. Dus dat gold ook voor haar naam.

'Ik ben Matthew Feldman. J.D. heeft me een foto gestuurd van je gezicht.' Hij grijnsde breed. 'En je hebt die blik van doodsangst in je ogen, kenmerkend voor de nog oningewijden bij CTI.'

Kon het waar zijn? Was Matthew Feldman gewoon... aardig? Als dat zo was, dan mocht deze agent-actricerelatie er helemaal nooit van komen. Want zodra de Perkamenten Bejaarde erachter kwam dat Sophie op het lijstje van Matthew Feldman stond, zou hij zonder pardon op straat worden gezet.

'Dit kunnen we beter niet doen,' flapte ze eruit. 'Hoe kom ik hier weg?'

Hij pakte haar voorzichtig bij haar elleboog en begon haar door het labyrint te loodsen. 'Ik dacht al dat je was verdwaald. Dat gebeurt voortdurend. Die receptioniste is zo'n kreng. Mislukt als actrice. Daarom gunt ze anderen de kans niet. Dus ze doet er alles aan om potentiële cliënten te ontmoedigen en schrik aan te jagen.'

Matthew Feldman praatte in een soort staccato, elk woord benadrukkend alsof hij het zojuist had ontdekt in zijn vocabulaire. In plaats van haar de weg te wijzen naar de uitgang, nam hij haar mee, dieper de buik van het beest in, tot ze uiteindelijk in een enorme ruimte kwamen, onderverdeeld in kleine hokjes. Bij een ervan bleef hij staan, en hij gebaarde haar op de ergonomisch verantwoorde stoel voor het kleine bureau te gaan zitten.

'Ik heb nog geen eigen kantoor. Maar dat komt eraan! In de lente is het zover. Het gaat nu echt gebeuren.'

'Het is erg aardig van je dat je met me wilt praten en zo... maar als je dat kantoor niet wilt verspelen, kun je me beter de uitgang wijzen.'

'Toe maar. Wat een zelfvertrouwen! Ik vind je erg grappig.'

'Ik meen het serieus.'

Sophie vertelde het hele verhaal – van haar ontmoeting met Peter Alterman op oudejaarsavond, toen ze geen idee had gehad wie hij was. Van haar gang naar zijn suite, in de veronderstelling dat ze een goede daad verrichtte door een eenzame opa een gezellige avond te bezorgen. En ten slotte vertelde ze dat ze er met een fles champagne en een handvol in chocolade gedipte aardbeien vandoor was gegaan, toen hij ineens in zijn blootje stond. Eenmaal aan het eind van haar verhaal, verwachtte ze dat Matthew Feldman haar vol afschuw zou aankijken en haar de deur zou wijzen. In plaats daarvan maakte de aandachtige uitdrukking op zijn gezicht plaats voor een brede grijns.

'Als we iedere aankomende actrice bij wie Alterman iets heeft geprobeerd, zouden afwijzen, dan hadden we geen klanten. Trek het je niet aan.'

'Meen je dat?' Sophie zag een klein straaltje licht aan het eind van de lange, koude tunnel van glas en staal.

Hij reikte over haar heen en haalde een script uit een wankele stapel op zijn metaalgrijze bureau. De cover had de kenmerkende, groene kleur van CTI en was voorzien van het logo van het impresariaat. 'Een pilot. Het gaat om een vervanging halverwege het seizoen. Ze zoeken een nieuwe actrice voor de rol van Paige. Lees het door. Zorg dat je het leuk vindt. En leer de tekst van Paige uit je hoofd.'

'Eh... waarom?' Ze staarde naar het script in haar handen alsof het een geheimzinnig kunstvoorwerp was uit een ver land.

'Omdat je er auditie voor gaat doen. Ik bel je morgen met de bijzonderheden.'

Sterren. Ze zag sterren. Geen sterren zoals J-Lo, maar sterren in de zin van kleine zwarte stipjes die voor haar ogen dansten. Nog even, en ze viel flauw.

'Betekent dat... Wil je daarmee zeggen dat je me gaat vertegenwoordigen?'

Hij haalde zijn schouders op. Ondanks de inspanningen van zijn kleermaker, hingen zijn broekspijpen in plooien op zijn schoenen, registreerde Sophie. 'Voor alle duidelijkheid. Ik ben hier net begonnen als agent. Wat betekent dat ik een van de kleine jongens ben en niks voorstel. Maar dan ook echt niks. En dat betekent weer dat ik wanhopig ben. Voor jou geldt hetzelfde, voor zover ik het begrijp.'

'Ik heb tweeënvijftig dollar op mijn bankrekening,' moest ze met een spijtige glimlach bekennen. Matthew Feldman had iets waardoor ze niet anders dan eerlijk tegen hem kon zijn.

'Dus we passen perfect bij elkaar.' Hij stak zijn hand naar haar uit. 'Kom op, Bushell! Laten we samen rijk en beroemd worden.'

Terwijl Sophie hem stevig de hand schudde, had ze het gevoel alsof ze uit haar lichaam trad. Maar ze glimlachte. Sterker nog, ze grijnsde zo breed dat haar wangen pijn deden. Matthew Feldman stelde niks voor in het wereldje van de agenten. Hetzelfde gold voor haar in de wereld van de actrices.

Hij had gelijk. Ze pasten perfect bij elkaar.

❤

Harper begreep best dat haar vriendinnen stuk voor stuk een druk, productief leven leidden. Ze moesten putten slaan, audities doen, vrijen met hun vriendje. Maar was er dan niet één die de telefoon kon opnemen? Aan de andere kant van de lijn schakelde Becca's telefoon rechtstreeks over naar de voicemail.

'Hallo, met Becca. Spreek een boodschap in.' *Piep*.

'Hallo, Bec. Met Harper. Misschien ken je me nog. Melkboerenhondenblond, bril, een reet van hier naar Tokio? We spraken elkaar regelmatig, totdat jij ophield met terugbellen. Ik heb nieuws! Dus bel me!'

Harper verbrak de verbinding en gooide haar mobiele telefoon op de bultige tweepersoonsmatras die ze als bed gebruikte. Twintig minuten eerder was ze nog euforisch geweest. Na honderden uren met haar laptop in de wc te hebben gezeten, had ze de eerste vijf hoofdstukken van haar roman af. En het waren góéde hoofdstukken. Grappig, boeiend, vanuit het hart geschreven... Na diverse aanvallen van writer's block, na de ene valse start na de andere, na de martelende worsteling vol zelfhaat van de afgelopen maanden, had ze eindelijk haar stem gevonden. De stem waarvan meneer Finelli zo hardnekkig had volgehouden dat ze die had, diep weggestopt, verborgen onder alle onzin die ze bij eerdere schrijfpogingen bij elkaar had verzonnen.

Maar wat had ze aan euforie als ze die met niemand kon delen? Ze was wat haar vader een 'sneue sukkel' noemde. *Maar wel een productieve sukkel*. Ze wachtte tot die gedachte ervoor zorgde dat ze zich wat beter voelde. Maar dat gebeurde niet.

Ze was zo uitgelaten geweest, toen de accu van haar laptop aan het eind van Hoofdstuk vijf het had begeven, dat ze het smoezelige joggingpak waarin ze schreef, had verruild voor haar beste spijkerbroek (een veel te dure Paper Denim, gekocht in LA op aandringen van Sophie) en een strakke bruine kasjmier trui die ze met Kerstmis had gekregen. Wat een verspilling! Terwijl Harper haar verschoten roze joggingpak van de grond viste, om haar slonzige schrijversuitmonstering weer aan te trekken, werd er op het smalle raam getikt, hoog tegen het plafond van de kelder.

Ze keek op en zag dat Judd zijn gezicht, half verborgen onder een oranje skimuts, tegen het smerige glas drukte. Toen hij zag dat ze keek, verdween zijn gezicht en hield hij een grote pizzadoos en een sixpack Miller Lite voor het raampje.

'Wat doe jij hier?' vroeg ze toen ze hem had binnengelaten. 'Ik wilde me net gaan wentelen in zelfbeklag, en dan gooi jij roet in het eten.'

Hij gaf haar het sixpack. 'Je bent toch klaar met je eerste vijf hoofdstukken? Dat moeten we vieren.'

Met stomheid geslagen staarde ze naar het bier. Nu hij haar niet langer haatte, deden Judd en zij weer samen dienst in Café Hemingway. Een paar dagen eerder had ze hem verteld dat ze zich ten doel had gesteld de eerste vijf hoofdstukken vandaag af te ronden, maar omdat hij op dat moment druk bezig was geweest een knoflookbagel uit de toaster te halen, had ze niet gedacht dat hij naar haar luisterde.

'Harper? Blijf je naar dat bier staren of ga je het opdrinken?' Hij zette de verrukkelijk geurende pizzadoos op de salontafel van namaakhout die ze bij het Leger des Heils had gekocht.

Door de brok in haar keel kon ze bijna geen woord uitbrengen. 'Bedankt, Judd,' zei ze ten slotte. 'Echt hartstikke bedankt.'

Hij wuifde haar dankbaarheid weg en haalde zijn schouders op. 'Ik kom alleen voor de pizza. Dat snap je.'

❤

'Bedankt dat ik kon meerijden.'

'Graag gedaan.'

'Het is een mooie dag voor een rit.'

'Hmm.'

Sinds een uur deed Kate haar best een luchtig, beleefd gesprek met Darby op gang te houden. Het was in meer dan één opzicht een uitdaging. Om te beginnen zat de onverharde weg naar Bahar Dar zo vol kuilen en bulten, dat regelmatig ademhalen al amper mogelijk was, laat staan een normaal gesprek voeren. Verder zat de slecht functionerende veiligheidsgordel van de bijrijdersstoel zo strak tegen haar keel dat ze oprecht geloofde dat haar ademhaling er al een paar keer mee op was gehouden. En ten slotte, maar

dat was zeker niet het minst ontmoedigende, leek Darby vastbesloten om niet op haar pogingen tot converseren in te gaan.

Persoonlijk liet dat haar volmaakt onverschillig. Wat haar betreft hadden ze tíén uur in de oververhitte, stokoude, geleende
Land Rover kunnen zitten zonder één woord te wisselen. Het was
tenslotte niet zo dat ze ernaar snakte hem beter te leren kennen.
Integendeel. Maar het ging om het grotere geheel. Om een hoger
doel. En dat doel was de reden dat ze die ochtend al belachelijk
vroeg was opgestaan om hem te vragen of ze mee kon rijden naar
de stad als hij nieuwe voorraden ging halen. Ze had hem aangesproken op het zogenaamde erf. Hij had, even ontoeschietelijk als
altijd, in zijn verschoten Levi's met daarop een verbleekt oranje T-
shirt, geluisterd terwijl ze uitlegde dat ze ze haar vriendinnen en
haar familie graag wilde mailen vanuit het internetcafé in Bahar
Dar. Het was maar al te duidelijk dat hij haar niet vertrouwde.
Toch was het waar wat ze zei. Ze had al veel te lang geen contact
meer gezocht – in het bijzonder met Magnus.

Maar heimelijk hoopte ze vooral – en in dat opzicht bedroog
zijn Spiderman-intuïtie hem niet – van de twee uur durende rit
gebruik te maken om hem op andere gedachten te brengen over
het slaan van een put in Teje. Dus ze had haar strakste spijkerbroek en haar schoonste zwarte mouwloze T-shirt aangetrokken,
vastbesloten om er aantrekkelijk uit te zien en haar charmes in de
strijd te gooien.

'Jessica zegt dat je het grootste deel van je leven in Afrika hebt
gewoond.' Ze deed opnieuw een poging, starend uit het raampje,
hoewel er weinig anders te zien was dan stoffige velden en een
kapotte omheining. Ze wilde niet dat Darby zich te zeer in een
hoek gedreven zou voelen.

'Hm-m.'

'Waar heb je gezeten?'

'In Ethiopië, Zuid-Afrika, Mali, Soedan... en nog een paar landen.'

'Dat moet een ongelooflijke ervaring zijn geweest.'

'Hm-m.'

Was het zo moeilijk om een normaal gesprek te voeren? Om antwoord te geven in volledige zinnen? Om op z'n minst zijn mond open te doen? Hij leek er verder bij niemand moeite mee te hebben, alleen bij haar. Kate werd wel vaker verkeerd beoordeeld. Omdat ze lang en blond was – en knap, zoals de meeste mensen beweerden – was haar intelligentie doorgaans niet het eerste wat werd opgemerkt. Maar een verkeerde beoordeling had nog nooit zo lang stand gehouden! Ze had zichzelf inmiddels toch bewezen? Ze had hem toch laten zien dat ze geen dom blondje was dat Ethiopië als een lolletje zag?

Blijkbaar niet. Maar daar zou ze zich niet door laten weerhouden.

'Wat die put in Teje betreft...'

'Er is geen put in Teje. En die komt er ook niet.'

'Waarom niet?' Kate was opnieuw verbijsterd – en razend – door zijn reactie. 'De gemeenschap wil niets liever. Dorothé en ik hebben met diverse mensen gesproken die het voortouw zouden kunnen nemen om de zaak rond te krijgen...'

'Daar kunnen we niets mee, want we hebben geen land.'

'Dat snap ik.' Ze probeerde geduldig te blijven. 'Maar we mogen het niet zomaar opgeven. Hoeveel zou Mulugeta voor een stukje grond kunnen vragen? In dollars zal het al helemaal een overzichtelijk bedrag zijn. We zouden donaties kunnen werven...'

'Zoals gebruikelijk,' begon Darby traag, 'zie je alleen de microkosmos.' Zijn armspieren spanden zich toen hij een bijzonder groot gat ontweek.

De *microkosmos*? Meende hij dat serieus?

'Wat ik zie, zijn mensen met een heel duidelijke behoefte,' verklaarde Kate, zorgvuldig formulerend. Ze dempte haar stem, zodat die bijna dreigend klonk. 'We beschikken over de middelen om in die behoefte te voorzien. Maar om de een of andere reden die ik niet begrijp, wil jij het niet eens proberen.'

Blijkbaar had Darby er genoeg van. Hij stuurde de auto met een ruk naar de kant van de weg, zette hem met zo'n kracht in de parkeerstand dat Kate ervan schrok, en keerde zich naar haar toe. Zijn ogen leken vuur te spuwen.

'Oké. Stel, we kopen een stuk land van Mulugeta. Wat dan?'

'Dan slaan we een put.' Ze kon er niets aan doen dat er een zweem van sarcasme doorklonk in het voor de hand liggende antwoord.

'En hoe gaat het dan in het volgende dorp? En het dorp daarna? Als we Mulugeta voor het land betalen, gaan de machthebbers in de volgende dorpen dat ook eisen. Met als gevolg dat uiteindelijk al het geld dat we hebben om mensen op te leiden, om werkkrachten te betalen, om uitrusting te kopen... naar de aankoop van het land gaat. En dat heeft weer tot gevolg dat we minder putten kunnen slaan. Misschien nog maar de helft van het aantal dat we oorspronkelijk hadden kunnen bereiken. Is dat wat je wilt? Geld betalen aan de enigen hier die het niet nodig hebben, zodat we minder putten kunnen slaan voor de mensen voor wie een put een eerste levensbehoefte is?'

Kate wist niet wat ze moest zeggen. Ze keek hem aan, woedend om zijn kille, harteloze logica. Tegelijkertijd probeerde ze niet te erkennen dat ze de trekkende spier in zijn kaak wel sexy vond. *Hou op te denken dat hij sexy is*! Wat bezielde haar? Het ene moment beklaagde ze zich omdat Darby haar een onnozele sukkel vond, het volgende gedroeg ze zich als zodanig. Sexy of niet, hij had geen gelijk. Tenminste, niet helemaal. Hij was cynisch. Dat was duidelijk. En cynisme was niet de meest effectieve benadering voor het vinden van creatieve oplossingen voor moeilijke problemen. Daar was ze van overtuigd.

Ze haalde diep adem, leunde naar achteren in haar stoel en keek uit het raampje. Het stoffige landschap met hier en daar een boom strekte zich eindeloos ver uit, grimmig, eentonig, kilo-meterslang. Toen ontdekte ze in de verte een wazige bergketen.

Ze had eerder een berg beklommen. Met Magnus – een man die haar waardeerde en in haar geloofde. Darby had er geen idee van wat ze kon. Zelf wist ze dat echter maar al te goed. Zij, Kate Foster, kon alles. En dat besef was het enige wat ertoe deed.

Want wat Darby Miller ook mocht denken, deze strijd was nog lang niet gestreden.

❤

'Ik zou meer moeten drinken.' Judd trok nog een Miller Lite open. 'Het is erg ontspannend.'

Harper knikte. De afgelopen paar uur hadden Judd en zij niet alleen het sixpack opgedronken, maar bovendien de geheime voorraad van haar vader in de garage geplunderd. Ze waren geen van beiden dronken, maar door de combinatie van alcohol en de vette pizza-met-extra-kaas waren ze allebei sloom en verrukke-lijk relaxed.

'Het is heel raar om het gevoel te hebben alsof mijn droom wer-kelijkheid wordt,' mompelde Harper zonder inleiding. Die ge-dachte speelde al de hele avond door haar hoofd. 'Alsof ik alles kan doen wat ik wil, als ik me er maar echt toe zet.'

Judd lag naast haar op de matras, de lege pizzadoos stond tus-sen hen in. Op het T-shirt dat hij op zijn oudste spijkerbroek droeg, stond BETER EEN BLAUWTJE LOPEN DAN EEN GROENTJE BLIJ-VEN. Omdat hij zijn schoenen had uitgetrokken, kon ze zien dat hij twee verschillende – en erg armoedige – sokken aanhad. 'Dus uiteindelijk is het helemaal niet zo erg dat je niet bent toegelaten op NYU?' Hij werkte zich overeind op een elleboog.

'Niet als ik mijn boek afmaak. En ik gá het afmaken.' Dat wist ze heel zeker, zoals ze zeker wist dat ze de rest van haar leven een bril zou moeten dragen, of dat Amy, haar zusje, altijd slanker zou zijn dan zij. 'Heb jij een droom?' vroeg ze. 'Iets wat totaal onbereikbaar lijkt maar dat misschien niet is?'

Hij dacht even na. Zijn zwarte krullen waren nog warriger dan anders, zijn T-shirt zat onder de pizzavlekken. 'Ik vind het gênant om te zeggen.'

'Doe alsof we "Wat Ik Nooit Heb Gedaan" spelen,' zei ze. 'Dan moet je absoluut eerlijk zijn.'

'Ikbennogmaagdendaarwilikvanaf.' Hij zei het snel, maar ondanks al het bier dat ze ophad, verstond ze hem meteen.

Harper had verwacht dat hij zou zeggen dat hij de Mount Everest wilde beklimmen, of een eigen koffietent beginnen, of lid worden van de volgende incarnatie van Phish. Anderzijds, Judd was achttien. Volgens elke studie die ze ooit in een van de vrouwenbladen had gelezen, was seks het onderwerp waar jongens het vaakst aan dachten. Toch wist ze niet goed hoe ze moest reageren. Iets in de trant van *Nou, succes dan maar*! leek niet afdoende.

'Als het een troost is, kan ik je vertellen dat ik ook nog maagd ben.' Ze was helemaal niet van plán geweest dat te zeggen. Het was eruit voordat ze er erg in had. Hij keerde zich naar haar toe.

'Hebben meneer Finelli en jij nooit...' Hij maakte de vraag niet af, maar keek haar doordringend aan. Harper voelde dat ze rood werd.

'Nee!' riep ze. 'Doe me een lol zeg! We hebben zelfs nooit...' Ze wist niet wat ze verder moest zeggen. Nooit écht gevrijd? In elk geval nooit langer dan een minuut? Om de een of andere reden moest ze denken aan het gesprek met Poppy, in de wc's van het Hardrive Café. Ze verdrong de herinnering. *Misschien ben ik toch wel dronken.*

'Niet dat het me ook maar iets aangaat,' voegde Judd er haastig aan toe. 'Je bent aan mij geen verantwoording schuldig.'

'Dank je.' Diep vanbinnen had ze geweten dat Judd wel vermoedde wat er de vorige herfst gaande was geweest tussen haar

en haar vroegere leraar Engels. Nu had ze het min of meer toegegeven, maar verder wilde ze het er niet over hebben. Judd was
een goede vriend, maar geen vriendin. En anders dan Poppy, betekende dat voor Harper dat er nog altijd onderwerpen waren die
ze niet met hem kon bespreken. Zoals haar fantasieën over meneer Finelli.

'Amelia Dorf.'

'Huh?' Harper vroeg zich af of ze was ingedommeld en een
deel van het gesprek had gemist.

Judd wendde zijn blik af en staarde naar een punt achter haar.
'Ik zou graag willen dat het met haar gebeurde. Maar dat is een
droom. Ze weet niet eens dat ik besta.'

'Dat weet je niet. Ik wist niet dat meneer Finelli me zelfs maar
zag staan – anders dan dat hij vond dat ik zulke goede opstellen
schreef – tot hij me zoende.' Oké, misschien was het onderwerp
niet helemáál taboe. Het voelde eigenlijk wel goed om het er met
Judd over te hebben. Voor een jongen was hij verrassend gemakkelijk om mee te praten.

Het bleef geruime tijd stil. Ze lagen voor zich uit te staren, bier
te drinken en aan hun liefdesleven te denken. Het was geen ongemakkelijke stilte. Er werd gewoon niets gezegd. Harper was
vergeten hoe goed het voelde om stil te zijn met iemand.

'Ik vind Poppy en George erg aardig,' zei ze ten slotte. 'Dus ik
ben blij dat je me uit mijn hol had gesleurd om ze te leren kennen.'

'Ja, ze zijn echt te gek.' Judd ging rechtop zitten, schikte het
kussen in zijn rug. 'George had een behoorlijk heftig verhaal toen
jij en Poppy naar de wc waren.'

'Kwam het woord "extra's" erin voor?' Ze kon het niet laten
hem vóór te zijn.

'Heeft ze het je vertéld?'

'Ja. En ze zei ook dat jij en ik het zouden moeten proberen.'
Had ze dat gezegd? Hardop? Wat mankéérde haar?

Er verscheen een geschokte uitdrukking op zijn gezicht, en hij verbleekte. 'Ach, dat is gewoon...'

'Krankzinnig,' maakte ze zijn zin af. 'We zijn niet eens...'

'Precies.' Hij speelde met de randen van de pizzadoos, scheurde het karton in smalle repen.

*Dit is wél een ongemakkelijke stilte*, dacht ze, en ze nam zich voor de rest van de avond haar mond te houden. De rest van haar léven.

'Tenzij het dat niet is,' zei Judd zacht. 'Krankzinnig, bedoel ik.'

Harper voelde dat de kleine haartjes in haar nek overeind gingen staan. Het was ongeveer hetzelfde gevoel als wat ze had gehad toen ze 's nachts om vier uur, alleen, naar de *Silence of the Lambs* had gekeken. Alleen... dit was niet alleen maar onaangenaam. Het was eigenlijk wel opwindend. Op een rare, surrealistische manier. *Zeg iets. Je moet reageren.*

'Hm...' was het enige wat ze kon uitbrengen.

'We hebben geen van beiden iemand... We kunnen het goed vinden samen...' Hij zweeg even. 'En ik vind je toevallig erg knap.'

Harper besefte dat ze opnieuw bloosde. Haar gezicht gloeide zo, dat het de sneeuw buiten had kunnen doen smelten. En ook al wist ze dat ze Judd met een kussen om zijn oren zou moeten slaan en zou moeten zeggen dat hij niet zulke idiote dingen moest uitkramen, ze kon het niet.

Want als ze eerlijk was, moest ze bekennen dat ze de afgelopen vier dagen, sinds Poppy haar onthulling had gedaan, voortdurend aan 'vrienden met extra's' had moeten denken. Ze had zich erop betrapt dat ze regelmatig naar Judd stond te kijken, bijvoorbeeld wanneer hij de vloer dweilde in het café, of wanneer hij koffiebonen maalde. Niet dat ze zich tot hem áángetrokken voelde. Ze voelde zich vooral niet níét tot hem aangetrokken.

'Ik hou mijn mond verder,' verklaarde Judd. 'Trouwens, ik denk dat ik maar eens moet gaan. Het is al laat...'

'Nee, ga nou nog niet weg,' hoorde Harper zichzelf zeggen.

'Misschien is het niet... krankzinnig.'

'Echt niet?' Hij vroeg het fluisterend, maar ze verstond duidelijk wat hij zei. 'Dus je zou het overwegen?'

Ze had niet beseft dat ze dichter naar elkaar toe waren geschoven, maar inmiddels hadden ze allebei hun hoofd op het kussen gelegd, zodat hun gezichten zich nog slechts centimeters van elkaar bevonden. 'We zouden wel regels moeten hebben,' verklaarde ze ferm. 'En grenzen moeten stellen.'

Judd knikte, zijn hoofd bewoog op het kussen. 'Geen "extra's" in het openbaar,' stelde hij voor.

'En geen seks.' Harper wilde niet dat hij zich in dat opzicht illusies maakte. 'In dat opzicht kun je op Amelia Dorf blijven wachten.'

'En we kunnen er allebei een eind aan maken wanneer we dat willen,' voegde hij eraan toe.

'Precies. Vrijheid blijheid.'

Het was eruit. Hun intentieverklaring en de regels die zouden gelden. Haar hart bonsde pijnlijk in haar borst, ze had moeite met ademhalen. Het was een van die momenten waarop ze wist dat er fundamenteel iets ging veranderen, maar of het een verandering ten goede of ten kwade zou blijken te zijn, dat wist ze nog niet.

'Ik neem aan dat we elkaar dan nu moeten zoenen,' zei hij langzaam. 'Om het officieel te maken.'

Harper knikte, maar ze verroerden zich geen van beiden. Hun lichamen raakten elkaar bijna, maar geestelijk gaapte er nog een enorme afstand tussen hen. Hoe gingen twee mensen van wat ze waren, naar wat ze op het punt stonden te worden? Ook al zouden ze gewoon vrienden blijven, het was een reusachtige, psychische barrière. Judd verzamelde als eerste moed. Hij deed zijn ogen dicht en duwde zijn gezicht naar haar toe.

Hun hoofden raakten elkaar, Harpers bril gleed van haar neus, maar uiteindelijk vonden hun lippen elkaar. Ze waren allebei zo verlegen dat het aanvankelijk bijna pijnlijk was. Maar uiteindelijk voelde ze dat ze begon te ontspannen – langzaam, aarzelend. Judds lippen waren warm en zacht en geruststellend. Ze voelde diep vanbinnen iets bewegen.

'Mag ik je haar aanraken?' fluisterde hij toen ze elkaar minuten later loslieten.

'Ja, dat mag,' fluisterde ze terug.

Plotseling waren ze opnieuw aan het zoenen, nu niet langer aarzelend. Ze voelde hoe zijn vingers verstrikt raakten in haar haar, en op haar beurt begroef ze haar handen in zijn krullen. Ze voelden ruw tegen haar huid en roken naar appels. *Ik lig te vrijen met Judd Wright*. Het was een verbijsterend besef.

Maar ze liet zich gaan. Ze gaf zich over aan de sensaties die bezit van haar namen, steeds sterker naarmate hun kussen hartstochtelijker werden en hun lichamen elkaar steeds meer vonden. Ze dacht niet aan meneer Finelli. Ze dacht niet aan haar vriendinnen, die zo ver weg waren dat ze soms het gevoel had hen voorgoed kwijt te zijn. Ze dacht er niet aan of ze met dit hele gedoe misschien een enorme fout begingen. Ze dacht helemaal nergens aan.

Toen ze zich eindelijk weer bewust werd van iets anders dan Judds lippen, was het drie uur 's nachts. Ze keken geschokt naar de digitale wekker op het omgekeerde melkkrat naast haar bed. Er waren tweeënhalf uur verstreken, maar het voelde als een minuut.

'Ik moet naar huis,' zei Judd zonder overtuiging. 'Ik heb over zeven uur een geschiedenistentamen.'

'Ik moet over drie uur in het café zijn,' antwoordde Harper zo luchtig mogelijk, alsof ze zich niet druk kon maken over wat er was gebeurd. 'En vandaag komt de leverancier.'

'Ja, je krijgt het zwaar.' Judd kwam grijnzend overeind. De dag dat de leverancier kwam, was verschrikkelijk, want dan moest je in de ijzige kou een reusachtige vrachtwagen helpen uitladen en enorme hoeveelheden – van koffie tot zeep – naar binnen sjouwen. 'Misschien heb je geluk en komt er vannacht een sneeuw-storm.'

Van het ene op het andere moment was het zoenen voorbij en waren ze weer gewoon vrienden. Vrienden met extra's. Maar desalniettemin vrienden. *Het komt goed. Het gaat lukken.* Ze liep met hem naar het raam, waar ze even bleven staan, niet goed wetend hoe ze afscheid moesten nemen. Met een omhelzing? Een kus? Moesten ze zwaaien?

Uiteindelijk schudden ze elkaar de hand. Dat leek gepast, alsof ze een overeenkomst bezegelden. En in zekere zin deden ze dat ook. 'Bedankt voor de geweldige avond,' mompelde Judd, zonder haar aan te kijken, voordat hij door het raam naar buiten kroop, de nacht in.

Harper keek hem na terwijl hij over de sneeuw naar zijn have-loze blauwgroene Saturn rende. Geen van haar vriendinnen had teruggebeld om te horen wat voor nieuws ze had. Maar merkwaardig genoeg kon het haar ineens niet meer schelen.

❤

Kate staarde naar het scherm van de oude computer – ze schatte dat hij uit 2000 stamde – en wenste dat ze kon teruggaan in de tijd. Niet naar het jaar 2000. Dat herínnerde ze zich amper. Maar naar een paar maanden geleden, toen ze altijd precies had geweten wat ze tegen Magnus moest zeggen. Toen ze hem alleen maar hoefde aan te kijken, om het gevoel te krijgen dat alles wat haar in verwarring bracht of angst aanjoeg, simpelweg het volgende zou zijn waar ze om zou leren lachen.

Waarom vond ze het nu ineens zo moeilijk om hem te schrij-ven? Ze zette haar ellebogen op het smoezelige werkblad. Hoe de drie computers in deze kleine ruimte van betonblokken met de weidse betiteling 'internetcafé' aan de praat wisten te blijven, on-danks het stof en het vuil, was haar een raadsel. Maar op de een of andere manier lukte dat, in elk geval lang genoeg om Kate in staat te stellen e-mails van Harper, Sophie, Habiba en haar ouders te lezen en te beantwoorden. Becca had haar – niet verrassend – drie weken eerder voor het laatst geschreven, een gelukzalige e-mail waarin ze het bijna alleen over Stuart had. Volgens Harper en Sophie kwam het er bijna op neer dat ze van de aardbodem was verdwenen. Dat verbaasde niemand, maar het was duidelijk dat ze daarmee toch enig kwaad bloed had gezet. Habiba had nog meer zinnetjes in het Amhaars gestuurd, waarvan Kate tot haar aangename verrassing ontdekte dat ze er al een heleboel kende. Haar ouders hadden verslag uitgebracht over het proces om opnieuw te worden toegelaten tot Harvard. Blijkbaar was dat helemaal niet zo moeilijk. Ze moest gewoon wat papieren ondertekenen, en haar ouders moesten opnieuw geld overmaken. Ze wist nog altijd niet zeker of Harvard was wat ze wilde, maar ze wilde de optie in elk geval openhouden.

En dan Sophie. Kate durfde het nauwelijks toe te geven, maar haar e-mails leken zo... oppervlakkig. Dat was tot op zekere hoogte te begrijpen. Ze zat tenslotte in LA omringd door beroemdheden en andere mensen met neptieten, om een droom te verwezenlijken die... Nee, Kate wilde niet oordelen. Sophie had onmiskenbaar talent. En daarmee kon ze iets doen voor de wereld, mits ze dat talent op de juiste manier gebruikte. Kate hoopte alleen dat ze niet verstrikt zou raken in het oppervlakkige deel van haar droom om carrière te maken in LA. Het deel waar de buitenkant van een mens het enige was wat telde. Waar de binnenkant niet belangrijk werd gevonden. Want Sophie had altijd een beetje geneigd naar het oppervlakkige, en dit jaar ging het er juist om de diepte in te gaan. Ze was echter slim genoeg, en Kate vertrouwde erop dat ze daar op eigen kracht achter zou komen.

En ten slotte Magnus. Hij had haar zes e-mails gestuurd, telkens charmanter en liever dan de vorige. Ze was vijftien keer aan een antwoord begonnen, wetend dat haar tijd begon op te raken en dat Darby elk moment terug kon zijn van het boodschappen doen. Magnus schreef uit Stockholm dat hij haar miste. Omgekeerd gold hetzelfde, ook al had ze de laatste tijd nauwelijks de kans gehad om aan hem te denken. Misschien moest ze daar gewoon mee beginnen.

'Ik mis je,' tikte ze, en ze voelde zich als Carrie Bradshaw die mailde naar de aanbiddelijke Aidan nadat ze hem had gezien bij de opening van Steve's bar. Maar dan een stuk sjofeler.

'Ben je klaar?' Darby wenkte haar vanuit de deuropening. Op de straat achter hem heerste een levendige drukte – vrouwen en kinderen die naar huis gingen om het avondeten klaar te maken, mannen met groepjes geiten, ezels beladen met teff en andere granen. Kate zou tegen Darby willen zeggen dat ze niét klaar was. Ze zou haar hart willen luchten bij Magnus, hem al haar verwarrende emoties, al haar angsten willen opbiechten, zodat hij haar kon troosten. Want hij wist haar altijd weer op te beuren.

Maar het zou letterlijk uren duren om dat allemaal op te schrijven. Zo lang zou Darby niet willen wachten, ook niet als hij geen gloeiende hekel aan haar had gehad.

Ze drukte zuchtend op 'Send'. 'Ik mis je' was voorlopig genoeg. Ze logde uit, schoof haar stoel aan en kromp ineen toen de metalen poten krijsend over de betonnen vloer schuurden.

'Wat mij betreft kunnen we gaan.' Ze nam niet de moeite om te glimlachen.

Eenmaal terug in de Land Rover, op weg naar Mekebe, deed ze opnieuw een poging tot een gesprek.

'Mijn vriend zal wel blij zijn dat hij iets van me hoort. Hij woont in Zweden.' Ze wist niet zeker waarom ze wilde dat Darby wist dat ze een vriend had. 'Ik heb hem leren kennen in Parijs. Daarna hebben we samen rondgetrokken op zijn motor. Zuid-Frankrijk, Italië, Zwitserland...' Haar stem stierf weg. Wat bezielde haar? Ze ratelde als een kip zonder kop. Dat was niets voor haar!

Darby leek haar niet eens te horen. Alsof de Land Rover wist dat de zon net onder was en dat ze mijlenver van elke vorm van beschaving waren, klonk er op dat moment een luid gerammel onder de motorkap, en de auto hield ermee op.

'Shit!' Darby stuurde de auto naar de kant van de weg en sprong eruit.

'Wat is er aan de hand?' Kate wilde het portier al opendoen.

'Blijf in de auto!' zei hij op een toon die geen tegenspraak duldde. 'Doe de portieren op slot!'

De portieren op slot? Probeerde hij haar soms bang te maken? Maar ze deed wat hij vroeg en keek hoe hij de motorkap omhoogdeed. Daarna leek het een eeuwigheid te duren voordat hij terugkwam. Toen zijn gezicht eindelijk voor het raampje aan de bestuurderskant verscheen, boog ze zich ernaartoe en deed ze het portier open.

'Wat is er aan de hand?' vroeg ze toen hij in de auto klom. 'En waarom moest ik de portieren op slot doen?'

Darby gebaarde met zijn hoofd naar de achterbak. 'Ik wil niet dat de voorraden worden gestolen. Water, entstof, nieuwe gereedschappen...'

Natuurlijk! Hoe had ze kunnen denken dat hij zich zorgen maakte over haar persoonlijke veiligheid?

'Bovendien zitten hier nog altijd rebellen,' vervolgde hij met een wantrouwende blik naar buiten. 'Ze noemen zich een burgerleger, maar het verschil is lastig te zien.'

Rebellen. Net waar ze op zat te wachten.

'Kun je... kun je de auto repareren?'

Hij schudde zijn hoofd.

'Dus we moeten lopen?'

'Daarvoor is het te ver. En er zitten hier hyena's.'

'Dus... er komt wel iemand langs, toch? Iemand die niet tot de rebellen of de militie behoort?' Terwijl ze het vroeg, wist Kate het antwoord al. Ze hadden de hele dag twee andere auto's gezien.

Het grootste deel van het vervoer ging per ezelwagen, en alle ezels stonden inmiddels veilig op stal.

Darby deed de koplampen uit. Op slag werd Kate in totale, absolute duisternis gedompeld. Een duisternis die zwarter was dan wanneer ze haar ogen had gesloten. Er was géén licht. Nergens. Zelfs de maan en de sterren gingen schuil achter een dicht wolkendek. De hele aarde was plotseling veranderd in een uitgestrekte, zwarte leegte.

Haar adem stokte in haar keel.

'Maak je geen zorgen,' zei Darby zacht. 'Je ogen wennen er wel aan.'

Het was voor het eerst dat hij iets aardigs tegen haar zei, en hij bleek gelijk te hebben. Na enkele minuten, waarin ze zwijgend probeerde haar paniekerige ademhaling onder controle te krijgen, kon ze in de verte de schimmen van de bergen onderscheiden. Ze kon zelfs Darby min of meer zien. Of in elk geval zijn contouren. En de contouren van iets wat hij in zijn handen hield...

'Is dat een... pistool?'

'Een geweer. Ik heb het altijd onder de bank liggen. Maak je geen zorgen. Ik denk niet dat we het nodig hebben.'

'Je hebt me twee maanden lang afschuwelijk behandeld.' Haar stem werd luider. 'Dus als je me binnen een uur tot twee keer toe zegt dat ik me geen zorgen hoef te maken... dan ga ik me zorgen maken! Snap je dat? Bovendien zit je niet voor niets met dat geweer.'

'Oké. Sorry. Nou, tob dan maar raak.'

'Dat zal ik zeker doen.'

'Ga je gang.'

Kate gunde hem het laatste woord. Als dit nog lang duurde, stond ze niet voor zichzelf in. Dan sloot ze niet uit dat ze het geweer uit zijn handen zou trekken en hem de tanden ermee uit zijn mond zou slaan. Of dat ze hem uit de auto zou gooien, zodat de rebellen – of de milities – met hem konden afrekenen. Het was ongetwijfeld zijn schuld dat ze gestrand waren. Hij had natuurlijk vergeten de benzinetank bij te vullen, of de radiator, of wat er aan een auto verder moest worden bijgevuld.

Na een stilte die een eeuwigheid leek te duren, verbrak hij het zwijgen.

'Vertel me eens over je vriend.'

'Waarom zou ik?' Kate mokte nooit, maar nu was ze er dichtbij.

'We zitten hier de hele nacht. Dus waarom niet?'

Ach, wat kon het haar ook schelen? Dus ze vertelde over Magnus. Hoe grappig hij was, en hoe zorgzaam, en dat hij haar te hulp was gekomen toen ze hem het hardst nodig had gehad. Dat hij uiteindelijk was teruggegaan naar Stockholm, om zijn studie filosofie af te maken. Ze besloot met het verhaal over het Droomjaar, en hoe Magnus dat volkomen begreep en haar daarin steunde.

Toen ze was uitgesproken, bleef het geruime tijd stil. Ten slotte knikte Darby langzaam. 'Hij klinkt als een watje.'

Kate balde haar vuisten. Ze ging hem echt vermoorden. En daarvoor zou ze dat geweer niet eens nodig hebben. Ze zou het prima met haar blote handen af kunnen. 'Pardon?' Haar ademhaling ging gejaagd.

'Iedereen kan op een motor rondrijden en bergen beklimmen. Houdt hij zich ook nog met serieuze dingen bezig?'

'Wat ben jij toch een arrogante, gewichtigdoenerige, egoïstische, verwaande, zelfingenomen...'

'Oké.' Darby kapte haar af. 'De boodschap is duidelijk.' Hij klonk bijna... gekwétst.

Kate keerde zich naar hem toe, maar ze zei niets. Ze keek hem alleen maar aan in het donker. En ze bleef geruime tijd naar hem kijken. Aan zijn profiel kon ze zien dat hij niet naar haar keek. Blijkbaar wílde hij haar niet aankijken. En dat gaf haar het gevoel alsof ze had gewonnen.

Ergens, niet zo heel ver weg, klonk het gelach van een troep hyena's. Kate dacht dat haar hart stilstond.

'Rustig maar,' zei Darby zacht. Kate betrapte zich erop dat ze naar de contouren van het geweer op zijn schoot staarde. En hoe het haar ook tegenstond, ze moest toegeven dat het geweer haar een gevoel van veiligheid gaf. Of meer nog het feit dat híj het geweer in zijn handen hield. Want als er iets gebeurde, dan zou hij niet aarzelen het te gebruiken. Dat wist ze zeker. Ook al mocht hij haar niet en ook al vond hij haar vriend een watje.

Ze kon het niet laten nog één steek uit te delen. 'Trouwens, meneer Princeton,' begon ze, en ze klonk nu zelf een beetje arrogant. 'Ik had op dit moment op *Harvard* kunnen zitten.'

Hoewel het te donker was om zijn gezicht te zien, was Kate er vrij zeker van dat het haar eindelijk was gelukt hem te verrassen.

# Fracturen (gebroken botten) Eerste hulp

**Hoe te handelen tijdens het nerveus wachten in het ziekenhuis:**

Q **Ga op een ongemakkelijke oranje plastic stoel zitten.** Maak het je zo gemakkelijk mogelijk. Haal koffie uit de automaat. Lees een tijdschrift van een halfjaar oud met een gescheurde voorkant. Reken erop dat je er nog wel even zit.

Q **Haal de band aan met je familieleden.** Ze mogen je dan normaliter tot waanzin drijven, dit is geen normale situatie. Maak je geen zorgen als je jezelf betrapt op huilen en het hand in hand zitten met familie.

Q **Probeer gevoelens van wrok en/of vijandigheid jegens leden van de medische stand te beheersen.** Ze doen hun best. Echt waar. Echte ziekenhuizen zijn anders dan de ziekenhuizen op televisie: alles duurt uren en niemand – en al helemaal niet jóúw dokter – is jong en knap.

# ZEVEN

'Vooruit. Zeg me na! *Ik zal ze eens wat laten zien!*'

'Ik zal ze eens wat laten zien.'

'Harder! *Ik zal ze eens wat laten zien!*' Matthew Feldman schreeuwde zo hard dat Sophie zich gedwongen zag de telefoon een eindje van haar oor te houden.

Ze keek om zich heen op het parkeerterrein van de studio. Het lag er verlaten bij. 'ik zal ze eens wat laten zien!'

Terwijl ze naar Far Flung Productions liep, waar ze auditie zou doen voor de rol van Paige Dalloway in *Heartland*, was ze vastberaden een geweldige prestatie neer te zetten. De serie waarvoor halverwege het seizoen een – gedeeltelijk – nieuwe bezetting werd gecast, ging over een groep mooie maar door angst beheerste tieners in het Midwesten die 'elkaar vinden tijdens hun ontdekkingstocht naar zichzelf'. Twee dagen eerder had Matthew Feldman haar de scènes gestuurd die bij de auditie zouden worden gespeeld, en Sophie had uren voor de kleine, met tandpasta bevlekte spiegel in Sams badkamer gestaan, om elke regel eindeloos te repeteren.

'ik zal ze eens wat laten zien!' De stem van haar agent werd nog een paar decibellen luider.

'ik zal ze eens wat laten zien!' Sophie kon zich nog net beheersen, voordat ze triomfantelijk haar vuist in de lucht stak. Ze zag een beveiligingsfunctionaris haar kant uit komen.

'Heel goed. Zo wil ik het horen,' bracht Matthew Feldman ademloos uit.

Ze kon zich hem voorstellen zoals hij door zijn kale hokje ijs-

beerde, tot het snoer aan zijn koptelefoon strakgespannen stond.
'Bel me zodrá je uit die auditie komt.'

'Oké. Dat zal ik doen.'

'Beloof het me!'

'Goed, ik beloof het.' Dus zo voelde het om een agent te hebben. Iemand die om haar gaf. Om haar carrière. Bijna net zoveel als zij. Ze vond het een opwindende gedachte.

'Er hangt voor mij ook veel vanaf, Bushell. Dus zorg dat je het niet verknalt.' Hij zweeg even. 'Maar voel je niet onder druk gezet, oké?' Anderzijds, er was ook wel iets voor te zeggen om het alleen te doen.

Ze stopte haar mobieltje terug in haar zwarte Gap-tas en haalde diep adem. Getob over Matthew Feldmans teleurstelling als ze er niet in slaagde indruk te maken op de producers, zou alleen maar leiden tot paniek. Ze moest hem simpelweg uit haar hoofd zetten, doen alsof dit de zoveelste auditie was waar ze naartoe ging, niets bijzonders, dagelijkse kost. Ze zou haar tekst zeggen en haar werk voor zichzelf laten spreken. Met een beetje hulp van het strakke, gele topje en de voorgebleekte True Religion-spijkerbroek die ze voor de gelegenheid had gekocht.

Ze duwde de deur open van de kleine, bleekgroene bungalow waarin Far Flung Productions was gevestigd, en betrad het kantoor waar de airco op volle toeren draaide. Doorgaans zaten er in een dergelijke situatie nog meer actrices te wachten, of ze liepen rusteloos te ijsberen, zachtjes dezelfde regels mompelend waardoor ook zij al dagen werd beheerst. Vandaag was het kantoor echter leeg. Ze meldde zich bij de balie en schreef haar naam in krachtige, donkere letters op het formulier. Ze grijnsde bij het zien van het vakje met NAAM AGENT. Hoe vaak had ze dat inmiddels al leeg moeten laten, als overduidelijk bewijs van het feit dat ze in deze stad nog niets had bereikt?

*Ik zal ze eens wat laten zien,* bleef ze in gedachten herhalen, als een mantra, terwijl ze Matthew Feldman – CTI in het vakje schreef. En ze wist dat het haar ging lukken. Het was zover. Haar tijd was gekomen. Ze had er hard genoeg voor moeten knokken. Nu volgde eindelijk de beloning. Dat besef bezorgde haar tintelingen over haar hele lichaam.

'Hé, Sophie! Hallo!'

Ze kende die stem. Was het een van de serveersters bij Mojito? Iemand van haar dramaklas? Toen ze zich omdraaide, stond ze oog in oog met Ellie Volkhauser, oftewel de Pessarium Prutser, die haar stralend aankeek vanachter een reusachtige Chanel-zonnebril. Haar schoonheid was even overweldigend als deprimerend.

'Ellie... hé! Wat doe jij hier?' Als ze op dit moment érgens geen zin en geen tijd voor had, was het voor Sams halfgare vriendinnetje.

'Ik kom auditie doen voor *Heartland*.' Ze kwam dichterbij en dempte haar stem. Haar lange, glanzend blonde haar streek langs Sophies schouder. 'Het schijnt dat ze de actrice die Paige Dalloway zou spelen, de zak hebben gegeven omdat ze weigerde iets aan haar tieten te laten doen. Ik heb het gisteravond pas gehoord. Wat een mazzel, hè?'

*Ze laten er maar een paar auditie doen. Je behoort tot een select gezelschap. Ze waren weg van die shampoocommercial.* Sophie balde haar vuisten. Ellie deed auditie voor *Heartland*. En ze had de *vorige avond* toevallig gehoord dat ze iemand zochten?

Matthew Feldman had haar met zoveel woorden gezegd dat bijna niemand wist dat *Heartland* op zoek was naar een nieuwe actrice. Er was geen ruchtbaarheid aan gegeven, omdat de oorspronkelijke actrice nog niet wist dat ze ontslagen werd. Blijkbaar bestond er enige ongerustheid dat ze zelfmoord zou plegen – of erger nog, dat ze naar de rechter zou stappen. De enige reden dat Matthew Feldman ervan wist, was dat de schrijver van de show een jaargenoot van hem was geweest op de Universiteit van Michigan. Sophie twijfelde er echter niet aan hoe Ellie haar kont hierin had gedraaid.

Ze wist niet beter, of behalve zij en Matthew Feldman was Sam de enige die op de hoogte was van deze auditie. Sophie had hem in geuren en kleuren verslag gedaan na haar ontmoeting met de piepjonge agent. Hij had oprecht blij voor haar geleken. Het was een van die momenten geweest, waarop ze weer had geweten waarom ze van meet af aan vrienden waren geweest.

Een korte, gedrongen vrouw in een wijdvallende, veelkleurige, lange jurk kwam uit een van de deuren achter de receptiebalie. 'Aha. Jullie zijn er allebei. Mooi zo. Ellie, we beginnen met jou.'

'Wens me succes!' fluisterde Ellie. Dacht ze nou echt dat Sophie dat zou doen? Terwijl ze hier schaamteloos was komen binnenstappen, om de rol te stelen waar Sophie récht op had!

Zodra de Pessarium Prutser en de castingdirector waren verdwenen, rukte Sophie haar mobiele telefoon uit haar tas. Met trillende vingers koos ze woedend een nummer.

Sam nam op nadat de telefoon twee keer was overgegaan. 'Hé, Bushell! Hoe ging de aud...'

'Je raadt nooit wie hier is!' viel ze hem in de rede. 'Je vriendin!'

'Ellie? O ja?' Hij klonk oprecht verrast. Anderzijds, hij was tenslotte acteur. Nog zonder carrière, maar toch.

'Blijkbaar heeft íemand haar verteld dat *Heartland* op zoek is naar een nieuwe Paige Dalloway. Iets wat angstvallig geheim is gehouden. Dus ik vraag me af wie die iemand zou kunnen zijn.'

'Denk je dat ik iets heb gez...'

'Dit is míjn rol, Sam. Míjn rol.' Sophies ademhaling ging oppervlakkig, het zweet stond in haar handen. Ze dacht dat ze elk moment door het lint kon gaan. Zo had ze zich niet meer gevoeld sinds Aspen, toen ze op kerstavond, in de rij bij de kassa van de supermarkt, het roddelblad had gezien met de foto van Trey die Pasha DiMoni zoende.

'Als dat zo is, dan zou je niet bang moeten zijn voor een beetje concurrentie,' luidde zijn weerwoord. 'Want dan laat je je wel erg kennen.'

'Ik ben niet bang voor concurrentie!' schreeuwde ze in de telefoon. Maar dat was niet waar, wist ze, en hij wist het ook.

'Voordat je jezelf totaal voor gek zet, net als op oudejaarsavond, kan ik je vertellen dat ik niets tegen Ellie heb gezegd over je auditie voor *Heartland*. Dus ze heeft het níet van mij. Oké?'

'O.' Ondanks alle overtuigende bewijzen van het tegendeel, geloofde ze hem.

'Dus in plaats van jezelf op te winden over het feit dat je concurrentie hebt, stel ik voor dat je die producers gewoon laat zien wat je kunt.' Sam zweeg even, de stilte was geladen met zijn boosheid. 'En mocht je me ooit weer willen beschuldigen van het een of andere smerige spelletje, dan heb ik nog een suggestie voor je. Niet doen!'

De verbinding werd verbroken. In gedachten zag ze hem zijn telefoon dichtklappen en misschien wel in het zwembad gooien als er toevallig een in de buurt was. En hij had gelijk. Dat was nog het ergste. Ze zou zich inderdaad geen zorgen moeten maken over de concurrentie. Zelfs niet als het ging om de Pessarium Prutser.

Tien minuten later kwam Ellie weer tevoorschijn. Door de geopende deur kon Sophie de producers hartelijk horen lachen. 'Ze zijn allemaal hartstikke aardig,' verzekerde Ellie haar, met een zelfvoldane grijns op haar gezicht. Op haar onuitstaanbaar beeldschone gezicht. 'Er is niks om je zorgen over te maken. Ik weet zeker dat je het geweldig vindt.'

De castingdirector verscheen in de deuropening. 'Sophie Bushell?'

Ze volgde de vrouw in de lange wijde jurk naar een grote, bijna lege ruimte waar diverse producers zaten, gewapend met notitieblokken en flesjes water. Sophie probeerde uit alle macht niet meer aan Sam te denken, noch aan Ellies stralende, woest makende glimlach.

De castingdirector knikte haar toe. 'Ga je gang.'

Sophie knikte terug. Dit was haar kans. Ze moest ervoor gaan! *Voordat je jezelf totaal voor gek zet, net als op oudejaarsavond... ik heb niks tegen Ellie gezegd...*

'Ik snap het niet. Ik zie er goed uit. Tenminste, ik heb een fatsoenlijk gezicht, zonder ontsierende littekens,' begon de castingdirector, die de rol las van het personage A.C. 'Iedereen lacht altijd om mijn grappen. Ik ben een heer...'

*Ze zijn allemaal hartstikke aardig. Er is niks om je zorgen over te maken. Ik weet zeker dat je het geweldig vindt.* Er viel een stilte. Een stilte waarvan Sophie besefte dat zij geacht werd die te vullen met de reactie van Paige Dalloway. 'Trina is verliefd op Elliot. Het wordt tijd dat je dat accepteert. Dan kun je leven met je verder.' Ze haperde, geschokt. 'Eh... ik bedoel... dan kun je verder met je leven.'

Ze wist onmiddellijk dat het niet bij die ene fout zou blijven. Dat ze de auditie ging verknallen. Behalve de stemmen van Sam en Ellie hoorde ze nu ook die van Matthew Feldman in haar hoofd. *Er hangt voor mij ook veel vanaf, Bushell. Dus zorg dat je het niet verknalt. Maar voel je niet onder druk gezet, oké?*

Ze verkeerde in de verleiding om gillend de deur uit te rennen, maar ze hield stand en worstelde zich door de rest van de scènes. Niet omdat haar trots haar verplichtte vol te houden, hoezeer het ook voor alle aanwezigen een marteling was, maar omdat ze had beloofd meteen na de auditie haar agent te bellen.

En dat moment wilde ze zo lang mogelijk uitstellen.

❤

'Je beseft toch wel dat hier alleen maar ellende van kan komen, hè?'

Harper wilde het niet horen. Al helemaal niet omdat Sophie, die belde vanuit haar overmaatse tweedehands cabriolet waarin ze door de multibaanswaanzin scheurde die het wegennet van LA was, klonk alsof ze in een windtunnel reed.

Met haar Motorola in de ene hand, goot ze met de andere deskundig een lading Guatemalteekse koffiebonen in de molen. 'Als ik wist dat er alleen maar ellende van kwam, deed ik het niet.'

Ze liet haar blik door Café Hemingway gaan, waar Judd gemorste koffie van een tafeltje depte. Sophie had de vorige avond ook al gebeld, wanhopig over het feit dat ze een auditie voor een pilot had verknald door te veel 'overacting' wat ze daar ook mee bedoelde. Om Sophie af te leiden van dit obstakel op weg naar een Oscar, had Harper haar het verhaal verteld hoe Judd en zij een paar avonden eerder 'vrienden met extra's' waren geworden. Daarmee was het haar inderdaad gelukt Sophie de pilot wel een uur te doen vergeten, terwijl ze Harper onderwierp aan een spervuur van vragen – zelfs hoe Judds tong voelde. Helaas belde ze nu echter elk kwartier met een nieuwe overweging over het onderwerp.

'Uiteindelijk raakt er iemand bezeerd,' verklaarde ze met gevoel voor drama. 'Dat kan gewoon niet anders.'

'Was dit niet het Jaar Zonder Oordelen?' Harper gooide de lege zak koffiebonen in de al overvolle vuilnisbak.

'Dat is geen oordeel. Dat is een feit.'

Harper zuchtte. Ze had er al bijna spijt van dat ze Sophie het hele verhaal had verteld. Misschien kon je je privéleven maar beter laten wat het was... privé. 'We kunnen er allebei elk moment mee stoppen als we dat willen. Vrijheid blijheid.'

'Het zal wel. Nou ja, je zou haar eens moeten zien, Ellie. Ze is... hoe moet ik het noemen, niet ménselijk meer.' Sophie kon duidelijk niet langer wachten om terug te keren naar haar favoriete onderwerp – haarzelf. Wat Harper op dit moment prima vond. 'Ze ziet eruit alsof ze genetisch is gemanipuleerd.'

*Piep*. 'Wacht even, Sophie. Ik krijg nog een telefoontje binnen.' Dat was waarschijnlijk Amy, of ze een espresso voor haar wilde meebrengen als ze naar huis ging. Voor de zoveelste keer. Ze schakelde over, vast van plan haar zuster eraan te herinneren dat ze haar dijen had verbrand, de laatste keer dat ze koffie voor haar had meegenomen.

'Harper, met mama.' Haar moeder klonk raar. Niet leuk raar, maar akelig raar. 'Papa heeft een ongeluk gehad. We zijn in het ziekenhuis...'

*Ziekenhuis. Ongeluk. Papa.*

'We weten nog niet hoe...'

'Ik kom eraan,' viel Harper haar in de rede. Haar stem klonk dun, hard, ver weg. *Papa. Ziekenhuis. Ongeluk.*

Ze klapte haar telefoon dicht en greep de haveloze, rode rugzak die ze overal mee naartoe sjouwde, zonder acht te slaan op een moeder met een wandelwagen die voor de toonbank was komen staan en geduldig wachtte tot ze kon bestellen. *Mocha latte met sojamelk*, dacht Harper automatisch, bij het zien van het vriendelijke, vertrouwde gezicht. *Ongeluk. Pap. Ziekenhuis.* Met een gevoel alsof haar benen van lood waren, rende ze naar de deur van het café, ondertussen haar sleutels uit haar rugzak vissend.

'Harp, wat is er aan de hand...' riep Judd.

'Geen tijd...' Ze schudde slechts haar hoofd en holde de deur uit, in het besef dat Judd het zou begrijpen en haar zou steunen als hij wist wat er aan de hand was. Maar als ze het hem vertelde, zou ze moeten huilen. En ze had op dit moment geen tijd voor tranen. *Papa. Papa. Papa.*

Een kwartier later stormde ze de lobby van het ziekenhuis binnen, waar ze als eerste Amy ontdekte. Haar doorgaans parmantige zusje van zestien hing onderuitgezakt op een van de oranje plastic stoelen in de wachtruimte, met haar hoofd in haar handen. Mevrouw Waddle zat naast haar, kaarsrecht, alsof ze elk moment kon opspringen. En dat deed ze ook zodra ze haar oudste dochter in de gaten kreeg.

'Dag lieverd.' Haar moeder omhelsde Harper. Ze rook nog naar de zes appeltaarten die ze had staan bakken voor de vijftigste trouwdag van een of ander echtpaar.

'Hoe is het met pap?'

'Hij wordt geopereerd. Het is gebeurd toen hij op het dak van een huis in aanbouw het werk van zijn mensen inspecteerde. Toen is hij gevallen. Dat is alles wat we weten.'

Meneer Waddle was aannemer. Hij liep dagelijks op de daken van huizen. Daar stond Harper eigenlijk nooit bij stil. Hoe had ze zo onnozel kunnen zijn? Hoe was het mogelijk dat ze nooit had beseft welke gevaren hij trotseerde?

'Denk je dat hij...'

'Dat wéét ze nog niet, zegt ze toch?' snauwde Amy. 'Jezus!' Ze schudde haar hoofd. 'Sorry.'

Harper knikte en ging naast haar zusje zitten. Meestal gingen ze elkaar zo veel mogelijk uit de weg. Het gebeurde soms dat ze samen aan de keukentafel zaten met een bak cornflakes, of dat ze ruziemaakten wie de Honda Odyssey van hun moeder mocht lenen, maar een echte zusterlijke band hadden ze nooit opgebouwd. Nu echter reikte Amy naar Harpers hand. Net als naar de hand van hun moeder, die aan Amy's andere kant zat.

Terwijl ze zwijgend hand in hand zaten, probeerde Harper uit alle macht niet aan haar vader te denken. Als ze zich volkomen leegmaakte, als een schone lei, kon er niets ergs gebeuren. Ze slaagde er echter niet in te voorkomen dat er allerlei beelden door haar hoofd schoten. Haar vader die zijn hoofd om de hoek van haar kamer stak, om te waarschuwen dat haar moeder haar zou 'Ik citeer "vermoorden"' als ze niet binnen vijf minuten beneden was. Haar vader die haar leerde rijden en denkbeeldige pedalen intrapte aan de bijrijderskant van zijn Ford Super Duty, wanneer ze niet snel genoeg remde.

Schuldgevoelens overweldigden haar als ze eraan dacht dat ze er een paar maanden eerder nog heilig van overtuigd was geweest dat hij een verhouding had met een roodharige vrouw die Margo heette. Op de ochtend na Thanksgiving had Harper de vrouw voor haar eigen huis ter verantwoording geroepen. En was gebleken dat haar evenwichtige, betrouwbare vader helemaal niet vreemdging, maar een collega hielp met het huis dat zij en haar verloofde bezig waren te bouwen.

*Hij gaat dood. Mijn vader gaat dood.* Ze verdrong de gal die in haar keel naar boven kwam. Het was allemaal haar schuld. Ze wist niet goed waaróm, alleen dat het haar schuld was.

De uren sleepten zich voort. Harper zat het grootste deel van de tijd met haar ogen dicht, zichzelf verwijten makend. Soms kwam er ineens een willekeurige gedachte bij haar op – dat ze Sophie had opgehangen zonder verklaring, of dat ze hoopte dat Judd eraan dacht de inventaris van de opslagruimte op te maken voordat hij die avond afsloot.

Toen er na drie uur eindelijk een oudere dokter in operatiekleding naar hen toe kwam, had Harper het gevoel alsof alle lucht uit haar longen werd gezogen. De nagels van Amy boorden zich in haar huid, maar ze was dankbaar voor de pijn.

'Het komt allemaal goed,' stelde hun moeder hen zacht gerust. 'Dat voel ik.' Ze stond op om de man te begroeten die hun hele leven in zijn handen hield.

De dokter glimlachte, maar Harper wist niet of het een goed-nieuws-glimlach was, of een het-spijt-me-maar-uw-wereld-is-zo-juist-ingestort-glimlach. Het was om razend van te worden. Het liefst zou ze die vrijblijvende uitdrukking van zijn gezicht slaan. Besefte hij dan niet hoelang ze al zaten te wachten? 'Mevrouw Waddle? Ik ben dokter Emory. Uw man heeft een nare val gemaakt.' Een ongelovig gegiechel ontsnapte aan Harpers mond. Amy kneep nog harder.

'Maar het komt allemaal goed.' Haar moeder stelde geen vraag. Ze constateerde simpelweg een feit.

Dokter Emory knikte. 'Zijn rechterbeen is op drie plekken gebroken, en hij heeft een fractuur in de rechterarm en het sleutelbeen. Dus hij zal geruime tijd niet kunnen werken, maar uiteindelijk komt het allemaal goed.' Hij glimlachte weer – een echte glimlach deze keer. 'Uw man heeft een hard hoofd. Dus meer dan een lichte hersenschudding heeft hij verder niet opgelopen.'

*Hij gaat niet dood.* De opluchting was zo enorm dat Harper bang was dat ze zou flauwvallen.

Mevrouw Waddle had in de ruim drie uur dat Harper in het ziekenhuis was, niet gehuild. Trouwens, dat hadden ze geen van allen. Maar nu stortte ze in. Haar schouders schokten, de tranen stroomden over haar gezicht. Ze reikte blindelings naar Amy en Harper, sloeg haar armen om hen heen. Ze omhelsden haar en begroeven hun gezicht in haar haren. Harper was zich plotseling sterk bewust van de liefde van haar moeder voor haar vader. *Papa. Ongeluk. Ziekenhuis.* Het kwam allemaal goed. De dokter had het gezegd. Harper moest ook vechten tegen haar tranen. Ze wilde niet dat ze met rode, dikke ogen bij haar vader zou moeten komen.

Toen ze eindelijk naar hem toe mochten, was hij nog suffig van de verdoving en de pijnstillers. Het leek wel alsof zijn halve lichaam was bedekt met verband en pleisters, maar zijn gezicht zag er bijna net zo uit als anders. Zijn blauwe ogen lachten, zijn grijzende haar hing een beetje warrig over zijn voorhoofd.

'Mijn meisjes,' mompelde hij, en hij strekte zijn linkerhand uit, die niet in het verband zat. Ze gingen om hem heen staan, voorzichtig die stukjes van zijn lichaam aanrakend die het minst beschadigd leken.

Amy en haar moeder begonnen meteen druk door elkaar heen te praten, maar Harper zei niets. Ze wist simpelweg niet wat ze moest zeggen. Ten slotte keerde haar vader zich grijnzend naar haar.

'Je vraagt je zeker nu al af hoe je dit in je boek kunt verwerken, hè? En daarom heb je het te druk om iets tegen je ouweheer te zeggen.'

Ze keken elkaar aan, tot Harper besefte dat er een traan – haar traan – op het gips van haar vader viel. Maar ze wist een glimlach te produceren. Ondanks de steriele ziekenhuiskamer, het gips, het infuus dat op zijn hand zat geplakt, was hij het nog steeds helemaal!

Het zou allemaal goedkomen.

❤

'Wil je wat... eh...' Stuart hield een fles rode wijn omhoog. 'Ik heb wat... Ik dacht... Nou ja, je weet wel, omdat het Valentijnsdag is...'

Becca verbeet een glimlach. Stuart stond midden in zijn kamer en rommelde nerveus met de kurkentrekker.

'Nee, dank je,' zei ze zacht. Ze streek de rok glad van haar zwarte Marc Jacobs-jurkje. 'Maar ga jij gerust je gang.' Ze haalde diep adem, zich bewust van haar C-cup die daardoor geprononceerder zichtbaar werd in haar strapless topje. Stuart was zich er duidelijk ook van bewust. Met een snelle beweging zette hij de fles wijn hardhandig terug op zijn ladekast. 'Nee. Ik heb ook niet zo'n trek.'

Met zijn armen onbeholpen langs zijn lichaam keek hij haar aan, onzeker, niet goed wetend wat hij moest zeggen. Alsof ze de afgelopen drie maanden niet al honderd keer op de rand van zijn bed had gezeten, precies zoals nu. Alsof ze elkaar zelfs nog nooit hadden gezoend.

Becca kon het bijna niet verdragen. Het liefst zou ze haar armen om hem heen slaan en hem omhelzen. Bij wijze van uitzondering was híj een keer nerveuzer dan zij. En dat betekende dat ze alle tekenen juist had geïnterpreteerd – de rozen die hij die ochtend in haar kamer had laten bezorgen, het valentijnsetentje bij de chique Le Bistro Blanc in de stad, zijn onberispelijk gestreken, blauwe overhemd, en de nerveuze manier waarop hij zijn keel had geschraapt – iets wat hij anders nooit deed – in de auto op de terugweg naar de campus. Het was zover! Hij ging het zeggen. En daarna zouden ze met elkaar naar bed gaan. Of de liefde bedrijven. Of hoe je ook werd geacht het te noemen. Becca was ervan overtuigd dat er een verschil bestond, maar ze wist niet zeker of ze dat nu al onder woorden zou kunnen brengen. Daar was waarschijnlijk meer ervaring voor nodig. Ook al stelde ze zich voor dat het met Stuart heel anders zou zijn dan met Jared. Met Stuart zou ze de liefde bedrijven. Met Jared was het alleen maar seks geweest – en een ongemakkelijke, onbeholpen manier om haar maagdelijkheid te verliezen. Toen was er geen sprake geweest van liefde.

Becca glimlachte en klopte naast zich op het bed. 'Kom bij me zitten.'

Maar Stuart verroerde zich niet. 'Bec...' begon hij. Ai, nu begon zij ook zenuwachtig te worden. Hij zag bleek.

'Er is iets... er is iets wat ik je moet vertellen.'

O nee, hij hield níét van haar. En dat niet alleen, hij hield van iemand anders! Iemand die volmaakt was en grappig en mooi en niet zo'n neuroot als zij. *Shit*! Becca wenste dat ze toch een glas wijn had genomen.

'Wat is er dan?' Ze kon nauwelijks ademhalen.

Blijkbaar kon hij aan haar gezicht zien wat ze dacht. Met twee stappen was hij bij haar. Hij ging naast haar op het bed zitten en nam haar hand in de zijne. 'Stil maar. Het is niets ergs.' Hij glimlachte, ook al zag hij er in haar ogen nog altijd uit alsof hij een beetje misselijk was. 'Ik heb alleen nog nooit... Ik heb dit nog nooit eerder gezegd.'

Becca begon te beven. En ze had nog wel gedacht dat ze niet zenuwachtig was, dacht ze met een beverige zucht. Bij nader inzien, misschien was ze van meet af aan wel zenuwachtig geweest. Zo zenuwachtig dat ze de normale symptomen had overgeslagen en meteen in de bizarre kalmte was beland die haar al de hele dag in zijn greep had.

Ze keek Stuart aan. Wat hield ze van zijn gezicht! Van de lichte asymmetrie in zijn bovenlip wanneer hij lachte, van de rimpels rond zijn amandelvormige, bruine ogen wanneer hij zat te lezen, van het sproetje op de linkerkant van zijn neus. Ze hield van zijn handen – met het eelt van een footballspeler, de fijne donkere haartjes op zijn vingers, de kloppende ader aan de binnenkant van zijn pols.

'Ik hou van je,' fluisterde ze, niet in staat hem aan te kijken.

Stuart legde een vinger onder haar kin en hief haar gezicht naar zich op. Hij glimlachte. Becca vroeg zich vaag af of je van een man ook kon zeggen dat hij er stralend uitzag.

'Ik dacht dat je wilde dat ik het als eerste zou zeggen?'

Was ze zo doorzichtig geweest? 'Dat wilde ik ook. Maar... ik...' Ze wist niet hoe ze het moest uitleggen. Haar eigen regels leken haar ineens zo onnozel. Ze hield van hem. Ze wilde dat hij dat wist, en nu wist hij het. O nee, dit was niet het goede moment om over te geven.

Stuart kuste haar luchtig, en alle zenuwen die Becca de hele dag niet had gevoeld, deden zich nu gelden. Tegen haar vriendínnen zei ze amper ooit dat ze van hen hield. Laat staan tegen een jongen. Laat staan tegen déze jongen, van wie ze echt hield.

'Ik heb nog nooit iemand ontmoet zoals jij. Ik hou van je, Becca.'

Ze had geweten dat hij het zou zeggen, maar het feit dat ze hem de woorden hardop hoorde uitspreken, maakte het plotseling helemaal echt. Wat er gebeurde tussen Stuart en haar... dat was niet alleen maar samen optrekken en daten. Ze waren een stél. Ze híélden van elkaar.

'Ik ken niemand die kan lachen en huilen tegelijk. Alleen jij.' Hij grijnsde. 'Heb ik je al verteld dat het een van de dingen is waarom ik van je hou?'

Becca kon geen woord uitbrengen, dus kuste ze hem. En hoewel ze elkaar al ontelbare keren hadden gezoend, voelde het nu anders toen hij haar kus beantwoordde. Deze kus was langzamer, intenser, bevredigender. Het was het verschil tussen chocoladecake van de supermarkt, die echt erg lekker was, en de *triple cho-*

*colate fudge brownie cake* waaraan ze zich één keer per jaar te buiten ging in het beste restaurant van Boulder. Deze kus had alles, was het helemaal.

Hij hield van haar.

Die wetenschap gaf haar onverwachte moed. Zonder haar lippen van de zijne te nemen, reikte ze achter haar rug en maakte ze de rits van haar jurk los. Toen trok ze zich terug en ging ze rechtop staan. De nauwsluitende Marc Jacobs gleed met een zacht geritsel op de grond. Becca moest zich beheersen om zich niet te bedekken. Stuart had haar al eerder in haar ondergoed gezien, maar toen hadden ze in bed gelegen. Nu stond ze vóór hem, en bovendien in de sexy zwart kanten beha met bijpassend slipje die ze onder leiding van Sophie had aangeschaft.

Stuart keek naar een plek op haar sleutelbeen. Het leek alsof hij zijn adem inhield.

Becca stapte uit het hoopje stof van haar jurk en liep naar hem toe. Hij sloeg zijn armen om haar heen, terwijl hij overeind kwam om haar te kussen. Eerst haar mond, toen haar hals. Ze reikte naar de knopen van zijn perfect gestreken overhemd, maakte ze langzaam los, amper in staat te geloven dat haar vingers haar gehoorzaamden. Ze ging het doen. Ze ging seks hebben... de liefde bedrijven... met Stuart. En daarna zou alles anders zijn. Dan zou het afgelopen zijn met haar twijfels, haar angsten. Dan was hij van haar, en zij van hem.

'Becca,' fluisterde hij, en hij hield haar op armlengte terwijl zijn handen over haar naakte rug bewogen. 'Weet je het zeker?' Becca kon zweren dat ze zijn adem hoorde stokken. Ze knikte. Ze wist het zeker.

Twintig minuten later, met Stuart boven op haar – ín haar – wist ze het niet meer zo zeker. Hij was heel teder en zorgzaam. Zelfs voorzichtig. En ze had genoten van alles wat de inleiding had gevormd tot het moment waarop hij daadwerkelijk *in haar* was gekomen. Maar nu voelde ze zich ineens zo... ongecoördineerd? Was dat het goede woord? Hoe werd ze geacht te bewegen? Wat verwachtte hij dat ze deed? Waarom had ze toch geen glas wijn genomen? Waarom had ze zo nodig broodnuchter willen zijn, zich van alles bewust? Een beetje minder bewust zou misschien beter zijn geweest. Niet dat er iets mis was. Alleen... wat werd er van haar verwacht? Wat moest ze dóén? Het voelde allemaal zo... mechanisch. Gelukkig deed het geen pijn, zoals de eerste keer, dus dat was een verbetering. En natuurlijk hield ze van hem. Dus ook dat was anders. En beter. Dit betékende iets. Ze waren met elkaar verbonden, letterlijk. En dat was belangrijk. Maar toch was ze ervan overtuigd dat er meer was dat ze zou moeten doen. Ze wilde niet zo'n meisje zijn dat alles alleen maar over zich heen liet komen. Maar welke opties had ze?

*Shit*! Waarom had Sophie haar vandaag niet teruggebeld? Of Harper? Niet dat zij deskundig waren, maar een beetje goede raad had allicht geholpen. Zouden ze kwaad zijn, omdat zij de laatste tijd ook zo weinig van zich had laten horen? Ze had echt behoefte gehad aan de inbreng van haar vriendinnen. Isabelles hart was nog altijd gebroken, dus het had Becca wreed geleken om het er met haar over te hebben – nog wel op Valentijnsdag. Uiteindelijk had ze uit pure wanhoop haar moeder gebeld. Natuurlijk niet om het over seks te hebben; gewoon om te praten. Tot haar verrassing hadden ze een echt, goed gesprek gevoerd. Haar moeder had naar Stuart geïnformeerd – ze had zelfs gevraagd of Becca verliefd op hem was. Becca had het niet tegen haar moeder willen zeggen, voordat ze het tegen Stuart zelf zei. Dus ze had wat ontwijkend gereageerd, maar haar moeder had zich opmerkelijk bemoedigend opgesteld. 'Als het echte liefde is, dan weet je het,' had ze gezegd. 'Liefde overkomt je. Het is een overweldigende ervaring.'

Nou, Becca voelde zich inderdaad overweldigd. En niet alleen door de liefde, maar op dit moment vooral door de vraag wat ze met haar armen en benen moest beginnen. Sinds wanneer waren haar ledematen zulke ongemakkelijke uitsteeksels? Omdat ze niet goed wist wat ze anders moest doen, streek ze met haar handen over Stuarts rug en sloeg ze een been om zijn heupen. Dat had wel iets. Ze had het vrouwen op televisie ook zien doen, en ze ging ervan uit dat die wisten wat ze deden. Moest ze kreunen? Bij filmseks kwam er altijd een hoop gekreun aan te pas. Maar ze had nooit eerder gekreund, en ze was bang dat het raar zou klinken. Dat het Stuart zou afleiden. En dat wilde ze niet. Ze wilde dat hij... nou ja, dat het afgelopen was. Dan zou hij haar in zijn armen nemen, en dat was altijd heerlijk.

Maar toen gebeurde er iets, en ze kreunde écht! Heel zacht. Ze kon er niets aan doen. Er gebeurde iets wat zó lekker voelde. Dit was waar het allemaal om ging. Om dit goede gevoel, dit tintelen, deze spanning in haar maag. Lager dan haar maag. Ze hijgde in Stuarts nek, bewoog haar heupen tegen de zijne.

Misschien kreeg ze de slag te pakken. Alleen, nu begon Stúart te kreunen. Of te grommen. Het was een geluid dat ze niet goed kon omschrijven, maar dat niet bij hem leek te horen. Tot drie keer toe zei hij haar naam, toen kromde hij zijn rug. Becca keek op naar zijn gezicht. Hij hield zijn ogen dicht, het zweet stond op zijn voorhoofd. Zijn haar was in de war nadat zij erdoorheen had gestreken, zijn mond stond open en leek verkrampt. Hij bewoog steeds sneller. Ze wilde dat hij bleef bewegen – dat hij zo snel op en neer bleef gaan, precies op die manier. Maar dat kon ze niet zéggen. Seks hebben was één ding. Práten tijdens de seks was iets heel anders.

Toen zakte Stuart boven op haar. Hij slaakte een diepe zucht in haar hals en hield op met bewegen.

Oké. Dat was het dus.

Ze voelde zich gegeneerd en tegelijkertijd merkwaardig trots.

'Is... is alles in orde?' vroeg hij. Zijn blik was nog niet helder, zijn gezicht bevond zich vlak voor het hare. Hij drukte teder een kus op haar lippen.

Becca knikte. Alles was in orde. Maar ze had gewild dat ze góéd was geweest, dacht ze toen hij van haar af rolde. Ze had meer dan goed willen zijn – wild, ongeremd, uitzinnig. Ze had hem de beste seks willen geven die hij ooit had gehad of ooit zou hebben. Nou, daar was niets van terechtgekomen.

Stuart reikte onder de lakens. Ze hoorde een rubberachtig, knappend geluid. Het condoom. Hij wikkelde het in een tissue en reikte over haar heen om het in de witte plastic prullenbak naast zijn bed te gooien. Dat was echt. Heel erg echt. Toen sloeg hij zijn armen om Becca heen, en hij trok haar dicht tegen zich aan terwijl hij weer ging liggen.

'Ik hou van je,' zei hij voor de tweede keer. Hij streek met zijn vingers door haar haar.

Hij hield van haar. En zij hield van hem. Nu was het officieel. Bezegeld met seks. Ze streek met haar hand over zijn borst en luisterde hoe zijn ademhaling steeds trager en dieper werd. Ten slotte keek ze naar zijn slapende gezicht. Het feit dat ze naakt met hem in bed lag, bezegelde niets, besefte ze toen. Integendeel. Het was misschien het einde van het begin van hun relatie... maar ook het begin van de rest.

Ze miste Harper, Kate en Sophie wanhopig. Nee, het was nog sterker dan dat. Ze had hen nódig. Ze had het nodig om hun stemmen te horen, ze had haar vriendinnen nodig om haar eraan te herinneren dat ze dit kon. Dat ze dit waard was.

Houden van Stuart was het grootste, het belangrijkste wat ze ooit had gedaan, maar ze wist niet zeker of ze het wel alleen kon.

❤

'Ik doe het woord.'

Dorothé, die met Kate bij de deur van Abebechs bouwvallige restaurantje stond, knikte. 'Ja, dat kun jij beter doen dan ik.'

Ze keken naar de tafel achterin, waar Mulugeta zat. In zijn mooiste natala zag hij eruit als een keizer die wachtte op zijn middagmaal. Achter hem stonden twee jonge vrouwen – zijn vrouwen, veronderstelde Kate – gehuld in kleurige natala's. Ze kon maar niet wennen aan het idee dat Ethiopische mannen meer dan één vrouw hadden. Alsof vrouwen hier net zoiets waren als auto's in haar eigen land – hoe meer geld je had, des te meer kon je je er veroorloven.

In zijn linkerhand hield Mulugeta een lange, dikke *dula*, de houten staf die Ethiopische mannen droegen om vee mee te hoeden of om op te rusten tijdens lange godsdienstige plechtigheden – ook al betwijfelde Kate dat Mulugeta ooit vee had gehoed, en als hij naar de kerk ging, dan had hij niets van de basisprincipes van het geloof begrepen. Dat was duidelijk.

'Heb je gekeken waar Darby is?' vroeg Kate zacht. Ondertussen glimlachte ze naar Mulugeta, die haar vorstelijk toeknikte.

'Hij luncht bij de put.' Dorothé drapeerde voortvarend haar witte natala om haar mollige schouders. 'En daar blijft hij de rest van de middag.'

'Oké. Mooi.' Het laatste waar Kate op zat te wachten, was dat hij kwam binnenstormen en alles bedierf. Omdat ze niet bereid was zich bij Darby's besluit neer te leggen over een put in Teje, had ze Mulugeta twee dagen eerder een briefje gestuurd, waarin ze hem uitnodigde voor een lunch bij Abebech. Met de hulp van Dorothé had ze zorgvuldig elk detail gepland – de datum (de Afrivalv werd vandaag geïnstalleerd, waardoor ze hoopte dat Darby hun afwezigheid niet zou opmerken), wat Dorothé en zij droegen (traditionele Ethiopische natala's en lange witte rokken), waar ze zouden zitten (aan de privétafel op de kleine patio aan de achterkant van het restaurant), en wat Abebech zou serveren (geitenvlees, visballetjes, linzenwot, injera en bier).

'Kom op. Daar gaat-ie,' fluisterde Kate luid. 'En denk erom, we moeten hem naar de mond praten. Dat is de enige manier waarop we misschien iets bereiken.'

Kate plooide haar gezicht in haar meest gedienstige glimlach en ging Dorothé voor naar de tafel van Mulugeta. Ze schudde hem eerbiedig de hand en ging links van hem zitten. Voordat Dorothé aan zijn rechterhand plaatsnam, schonk ze bedreven versgebrande koffie in Mulugeta's aardewerken kop.

Meer dan vijf minuten van pure stroopsmeerderij kon Kate niet verdragen. Dus toen ze Mulugeta's superioriteit op elke denkbare manier uitbundig had geprezen – de schoonheid van zijn vrouwen, de gezondheid van zijn koeien, de indrukwekkende afmetingen van zijn kraal, de flonkerend schone groene Land Rover waarin hij rondreed – kwam ze eindelijk ter zake.

'Wijs als u bent, weet u natuurlijk hoe heilzaam een put zou zijn voor uw gemeenschap.'

Mulugeta sloot zijn ogen. Het kon niet anders of hij had geweten dat het onderwerp ter tafel zou komen, maar hij was niet van plan het hen gemakkelijk te maken.

'En u zou er zelf ook veel baat bij hebben.' Dorothé knikte heftig, zich vooroverbuigend in haar stoel. 'Want dan zou u desnoods elke dag uw Land Rover kunnen wassen.'

Kate verbeet een glimlach.

'Ik heb begrepen dat u afstamt van de grote Haile Selassie.' Ze deed haar best er eerbiedig uit te zien, alsof ze diep onder de indruk was. 'Is dat echt waar?'

'Haile Selassie was mijn oudoom,' verklaarde Mulugeta trots, vol aandacht voor het geitenvlees dat Angatu op tafel zette. Kate glimlachte naar het kleine meisje, dat haar een knipoog schonk voordat ze terugging naar de keuken om de rest van het maal op te dienen. Abebech en Angatu zaten in het komplot, en Abebech had zelfs een ceremoniële laag vers groen gras op de grond onder de tafel gelegd.

'Hij was een groot man. Een heel groot man.' Kate probeerde uit alle macht geen oordeel in haar stem te laten doorklinken. Haile Selassie was inderdaad een groot man geweest, maar geen goed leider. Onder zijn dictatoriale bewind was de boerenstand in Ethiopië zo goed als geruïneerd en was er enorme schade aan het landschap aangericht, waardoor het land, dat toch al gebukt ging onder droogte en hongersnood, zelfs nog dieper in de ellende was gedompeld. 'En denk eens aan het voorbeeld dat u zou zijn voor anderen in uw positie. Mannen die niet kunnen bogen op uw superieure intelligentie en aristocratische afkomst.' Angatu was de vorige avond een uur bezig geweest om haar de Amhaarse woorden te leren voor begrippen als 'aristocratisch' en 'afkomst'.

Kate kon zien dat Mulugeta begon te ontdooien. Zijn dunne lippen bewogen terwijl hij op een sappig stukje geitenvlees kauwde. Met zijn linkerhand brak hij een stuk injera af.

'Voor een meisje weet je de zaak uitstekend te beargumenteren,' zei hij peinzend.

Kate keek naar Dorothé en hield haar adem in. Ze hadden het voor elkaar! Hij ging door de knieën. Ze voelde het.

'Je hebt natuurlijk gelijk, als je zegt dat we een put zouden moeten hebben,' vervolgde hij. 'Tot die conclusie ben ik ook al geruime tijd geleden gekomen.'

Daar kwam het! Kate probeerde kalm te blijven.

'Er zijn diverse stappen die moeten worden genomen voordat we kunnen beginnen met graven,' antwoordde ze beheerst. 'We zouden graag een ontmoeting willen met de mensen van uw dorp, om duidelijk te maken wat er van hen wordt verwacht. Hebben we uw toestemming om een dergelijke bijeenkomst te beleggen?'

Kate hield haar adem in. Mulugeta doopte een stuk injera in de linzenwot, een dikke, kruidige, rode stoofpot. Hij stopte het in zijn mond, kauwde langzaam, slikte en nam een grote slok bier.

'U hebt mijn toestemming.'

'Dank u wel,' fluisterde Kate. 'U zult er geen spijt van krijgen...'

'Maar zoals ik al tegen die jongeman van u zei... Er is nog altijd de kwestie van de betaling voor het land.'

Moedeloosheid overviel Kate. De droom was uit. De zeepbel

was doorgeprikt. Ervoor in de plaats kwam een teleurgestelde woede, of misschien was het woedende teleurstelling. Het liefst zou ze hem de schaal met linzenwot in zijn gemene, arrogante gezicht slingeren. Hij wíst dat zijn dorp een put nodig had, maar dat liet hem koud. Hij weigerde mee te werken, tenzij hij werd betaald. Ongeacht het lijden dat zijn weigering veroorzaakte.

Onder de tafel pakte Dorothé haar hand. De jonge Française schudde grimmig haar hoofd. Rustig aan, zeiden haar ogen. Kate pakte met trillende vingers haar glas bier en dwong zichzelf zich te concentreren op de condens die tussen haar eeltige vingers door sijpelde.

'Het spijt me, maar zoals u weet betalen we niet voor het land. Ik hoop dat u nog van gedachten verandert. Wilt u me excuseren?'

Ze stond op en liep zonder formeel afscheid te nemen naar de deur. Mulugeta kon doodvallen! Ze weigerde aan tafel te blijven zitten met een man die niets minder was dan een moordenaar. Ze had het gehad met de vleierij. Maar ze was nog niet klaar. Er moest een andere manier zijn, en die zou ze vinden ook. Al moest ze... Al moest ze wat? Was er nog iets wat zij kon doen?

Abebech verscheen in de deuropening naar de keuken en trok Kates aandacht door met haar theedoek te zwaaien. 'Kom morgen bij me langs,' fluisterde ze. Haar kleine donkere ogen schitterden. 'Tegen het eind van de avond. Ik zal je helpen.' Toen trok ze de deur dicht.

Kate keek achterom. Dorothé was ook opgestaan en volgde haar naar buiten. Mulugeta, die nog altijd aan tafel zat, keek hen na met ogen die fonkelden van woede. Hij was het blijkbaar niet gewend dat mensen bij hem wegliepen – al helemaal niet wanneer het om twee méísjes ging. Nou, daar moest hij dan maar aan wennen. Gemeen en hebzuchtig was hij al, dus wat maakte het uit als hij ook nog pisnijdig was?

Halverwege de terugweg naar de hut had Kate zichzelf weer

voldoende in de hand om zich te verbazen over wat Abebech had gezegd. Hoe zou de oude vrouw hen kunnen helpen?

Op het antwoord zou ze tot de volgende avond moeten wachten.

**From:** rebeccawinsberg@middlebury.edu
**To:** waddlewords@aol.com, katherinef@ucb.edu, HerDivaNess@aol.com
**Subject:** News!

Lieve, lieve chicas,

Ik heb nieuws! Jullie hadden het waarschijnlijk al verwacht - of misschien ook niet, want we hebben elkaar de laatste tijd weinig gesproken - maar hét is gebeurd. Op Valentijnsdag. Ik weet het, dat maakt het extra goedkoop, maar het was heel romantisch en bijna alleen maar fijn (heel anders dan de vorige keer, met iemand wiens naam ik hier niet zal noemen).

Het voelt zo raar, maar hij houdt echt van me. Dat heeft hij gezegd. En ik hou van hem. Ik heb het ook gezegd. Dus... mijn droom is werkelijkheid geworden! Ik kan het nog steeds niet geloven.

Ik haal diep adem. En probeer niet in paniek te raken. Maar ik mis jullie verschrikkelijk.

x, Bec

Delete    Reply    Reply to All    Forward    Save    Print

# ACHT

'Vind je dat ik een tatoeage moet laten zetten?' vroeg Harper slaperig. 'Misschien een doodshoofd met knekels... of een roos...'

Judd en zij lagen op een van de twee bedden in zijn wel erg smalle studentenkamer. Soms overheerste het praten, soms het vrijen. Ze werden geacht samen een dienst te draaien in het café, maar dat was gesloten als gevolg van een zware sneeuwstorm waardoor de activiteiten aan heel Pearl Street lam waren komen te liggen. Harper had die ochtend aan haar boek gewerkt, maar toen de accu van haar laptop leeg was, had Judd haar overgehaald haar oude Uggs aan te trekken – waar ze ooit een pot inkt overheen had gegooid – en de vijfhonderd meter naar de uc campus te lopen.

Volgens de regels van hun overeenkomst werden ze niet geacht zich bezig te houden met de 'extra's' tot het buiten donker was, maar ze waren het erover eens dat die regels niet golden op dagen met extreme sneeuwval. De eerlijkheid gebood Harper toe te geven dat ze had gesnakt naar een excuus om de deur uit te kunnen.

Haar vader was inmiddels een paar dagen thuis uit het ziekenhuis, en om hem zo hulpeloos te zien... dat was erg heftig. Hij probeerde vrolijk en gezellig te blijven, maar ze kon aan hem merken dat hij voortdurend pijn had. En Amy had haar verteld dat ze hun ouders op gedempte toon over geld had horen praten. Wanneer hun vader maandenlang niet kon werken, zou dat een zware druk leggen op het toch al regelmatig krappe budget van de Waddles. Als Harper daaraan dacht, werd ze bijna misselijk van de spanning. Dus een paar uur zoenen met Judd, een paar uur waarin ze níét aan de talrijke verwondingen van haar vader hoefde te denken, vormden een welkom respijt van de harde werkelijkheid.

'Ik vind dat je er...' Hij tilde haar grijze Rip Curl-sweatshirt op en kuste haar net boven haar rechterheupbot. '...hier een moet laten zetten.'

Harper sloot haar ogen, genietend van de streling van zijn zachte, volle lippen. Het was grappig hoe vertrouwd die sensatie begon te worden. Een paar weken geleden zou het idee om Judd te zoenen haar in hysterisch gelach hebben doen uitbarsten, of haar hebben doen kokhalzen. Nu leek het volkomen normaal.

Bijna te normaal. Niet gecompliceerd en onvermijdelijk leidend tot rampspoed, waar Sophie haar voor had gewaarschuwd, maar meer in de trant van: het-is-moeilijk-om-ermee-te-stoppen-ook-al-hebben-we-afgesproken-dat-we-niet-met-elkaar-naar-bed-gaan. Hoe meer Judd en zij elkaar ontdekten, des te meer betrapte Harper zich erop dat ze volkomen opging in het moment. Het hitsige, zwetende, hijgende moment. En ze moest toegeven: soms betrapte ze zich op fantasieën dat ze hét met hem deed. Er waren ergere dingen dan ontmaagd worden door je beste vriend. Toch?

Het was allemaal zo... vertrouwd, zo ontspannen. Achteraf gezien was ze pijnlijk verlegen geweest bij haar kortstondige ontmoetingen met meneer Finelli. Natuurlijk had ze het opwindend gevonden om hem te zoenen, maar ze was zo bezig geweest met het feit dát ze hem zoende – haar voormalige leraar, die ze altijd had geadoreerd – dat ze niet had kunnen ontspannen, laat staan genieten. Met Judd had ze daar geen last van.

'Ik vind alleen niet dat je een doodshoofd met knekels moet nemen, maar een espressoapparaat.'

Harper trok het kussen onder haar hoofd vandaan en sloeg Judd ermee in zijn gezicht. 'Praat me niet over espressoapparaten! Wanneer mijn roman af is, wil ik nooit meer een espressoapparaat zíén. Sterker nog, dan wil ik alles van dit jaar vergeten. Dus ik peins er niet over om een herinnering op mijn heup te laten tatoeëren.'

Hij keek op. 'Dus volgend jaar ben je hier definitief weg?'

'Nou, dat mag ik wel hopen!' Ze rolde met haar ogen. 'Als ik hier nog een semester moet zitten zonder te studeren, ga ik dood van verveling. Of ik jaag iedereen om me heen de dood in van verveling. Of allebei.'

'Zó erg is het nou ook weer niet,' zei Judd zacht. Hij ging op zijn buik liggen en drukte haar dichter tegen de muur op het smalle, keiharde bed. 'Er zijn hier toch ook wel een paar léúke dingen?'

Harper voelde zich meteen schuldig. Alleen omdat zíj wonen in Boulder beschouwde als een misdaad tegen de menselijkheid, wilde dat nog niet zeggen dat iederéén hier diep ongelukkig was. Iedereen, of in dit geval Judd. Maar ze was schríjver, en het was haar plicht tegenover zichzelf om meer van de wereld te leren kennen dan het leven in een schilderachtig klein stadje. New York zou geweldig zijn – meer dan geweldig – maar op dit moment was ze bereid genoegen te nemen met alles, zolang het maar geen Colorado en omgeving was.

'Zo bedoelde ik het niet.' Ze wurmde zich wat verder naar beneden, zodat ze elkaar recht in de ogen keken. 'Jij vindt het hier fijn. Boulder past bij je.'

'Omdat ik zo saai ben?'

Ai, het was duidelijk dat ze nog wat aan haar presentatie moest doen. Maggie Hendricks, de Diva van het Debat, tevens Sophies potentiële kamergenoot, zou er geen goed woord voor over hebben. Harper stond op het punt zich uit de verbale kuil te werken, toen er zacht op de deur werd geklopt. Judd schoot onmiddellijk van het bed en trok zijn groene V-halstrui van J.Crew recht (een van de weinige onderdelen van zijn garderobe die Harper kon waarderen).

'Binnen!' Hij liep naar de deur.

Een extreem tenger meisje met stijlvol, kortgeknipt, donker haar en een zwarte retrobril, model jaren zestig, stak haar hoofd om de hoek. 'O, sorry. Ik wist niet dat je bezoek had.'

Harper zat al recht overeind en bladerde als een toonbeeld van onschuld een beduimelde catalogus door. Ze glimlachte naar het elfenmeisje en verwachtte dat Judd haar zou afpoeieren, zodat ze de draad weer konden oppakken.

In plaats daarvan deed hij de deur wijdopen. 'Dat geeft niet. Het is Harper maar.'

'Hallo!' begroette ze het meisje. *Het is Harper maar*? Was dat zijn wraak, omdat zij had geïnsinueerd dat hij saai was?

'Bij mij op de verdieping zijn ze allemaal naar buiten voor een sneeuwballengevecht, maar ik ben meer in de stemming voor warme chocolademelk.'

'O, die heeft Judd wel voor je.' Harper knikte behulpzaam naar het voorraadje levensmiddelen boven op het kleine koelkastje. 'Hij neemt het gratis mee naar huis van het café waar we werken.'

'Of ik zou wat voor je kunnen maken,' stelde Judd opgewekt voor. Hij rammelde met de deurknop alsof hij nerveus was. 'Ik kan aardig goed overweg met de magnetron.'

Even heerste er een ongemakkelijke stilte. Het meisje keek van Harper naar Judd en weer terug, alsof ze probeerde erachter te komen of ze stoorde. *Ja, je stoort*, vertelde Harper haar stilzwijgend. Ze wilde Judd duidelijk maken dat hij helemaal niet saai was, dat hij haar verkeerd had begrepen, en dan wilde ze verdergaan met vrijen.

Híj leek echter geen haast te hebben om van het meisje af te komen. Sterker nog, het leek erop alsof hij wilde dat ze blééf. Drie was te veel, en Harper kreeg plotseling het akelige vermoeden dat zij nummer drie was.

'Hoe heet je?' vroeg ze omdat Judd als een echte vent niet de beleefdheid had hen aan elkaar voor te stellen.

'Amelia.' Ze schonk Harper een warme glimlach, nog altijd half in, half buiten de kamer. 'Leuk je te ontmoeten.'

*Amelia.* Het meisje over wie Judd droomde dat hij met haar voor het eerst naar bed zou gaan! Amelia Dorf. Harper keek naar hem en betrapte hem erop dat hij ook naar haar keek. *Hij weet het. Hij weet dat ik het weet.*

Oké. Geen probleem. Judds heimelijke, maar hartstochtelijke verliefdheid had zojuist gezorgd voor het onderbreken van een serieus potje vrijen. Volgens het huishoudelijk reglement was duidelijk wat haar te doen stond. Ze moest haar spullen bij elkaar pakken – haar wollen ijsmuts, haar dubbelgevoerde North Face-parka, haar haveloze wanten en haar Uggs met inktvlekken – en maken dat ze wegkwam. Ze moesten hun activiteiten als vrienden met extra's aan de kant schuiven om de weg vrij te maken voor de Ware Liefde.

'Amelia en ik zitten samen bij Inleiding tot de Godsdiensten. Ze houdt er een aantal stevige opvattingen op na over de leer van Mormon,' zei Judd geforceerd grappig.

'Hm... Ach, dat doen we toch allemaal?'

*Sta op*, zei Harper tegen zichzelf. *Sta op en vertrek!* Ze had hier niets te zoeken. Helemaal niets. Hun hele overeenkomst was in belangrijke mate gebaseerd op het concept vrijheid, blijheid. En dus had ze er niets tegenin te brengen als hij wilde dat ze wegging, zodat hij lekkere warme chocolademelk kon maken voor Amelia aan wie hij idealiter zijn maagdelijkheid wenste te verliezen.

Dus waarom had ze dan zo'n akelig hol gevoel diep vanbinnen?

'Ik bedenk ineens dat ik naar huis moet!' Ze trok haar parka van de rugleuning van Judds stoel. 'Om... om mijn vader te wassen.' Ze keerde zich naar Amelia. 'Voordat je er iets raars van denkt... Hij is van het dak gevallen en heeft een heel stel botten gebroken. En mijn moeder werkt op het moment extra hard om het verlies van inkomsten althans een beetje te compenseren...'

Ze ratelde als een kip zonder kop, besefte ze.

'Ach, wat erg...' Amelia keek – en dat verbaasde Harper niets – alsof ze meer had gekregen dan waarop ze had gehoopt bij haar zoektocht naar *chocolat à deux.*

'Het is gelukkig meegevallen. Hij wordt weer helemaal de oude. Kwestie van een hard hoofd.' Het was haar gelukt de meerderheid van haar spullen bij elkaar te scharrelen. Nu liep ze naar de deur die nog steeds openstond.

'Van mij hoef je niet weg, Harper.' Maar Judd reikte al naar de minikoelkast, met daarop het blik Nestlé cacao met minimarshmallows.

'Ik zie je morgen,' zei ze tegen de deur, omdat ze hem niet wilde aankijken. Toen werkte ze zich langs Amelia heen naar buiten.

Ze rende de gang door, met zijn eindeloze hoeveelheid identieke, gesloten deuren, een spoor van wanten met gaten achterlatend. Onwillekeurig vroeg ze zich af of Sophie misschien toch gelijk had gehad. Het holle gevoel diep vanbinnen voelde verdacht veel als het echte Groene Monster. Toen dacht ze aan haar vader, in bed, en ze besloot dat het geen jaloezie was wat ze voelde. Ze had last van schuldgevoelens. Ze had thuis moeten zijn bij haar vader in plaats van alleen maar aan zichzelf te denken en tijd door te brengen met haar zogenaamde vriend met extra's.

Wat haar functioneren als dochter betrof, had ze een hoop goed te maken. In de relatie met Judd bleef alles bij het oude. Vrijheid, blijheid.

❤

'Wacht!'

Kate klemde haar tanden op elkaar en bleef staan bij het hek van de kraal. De stem die haar riep, was wel de laatste die ze wilde horen. En de voetstappen op de aangestampte grond achter haar, waren de laatste die ze had verwacht te zullen horen. Ze

had kunnen zweren dat Darby een uur eerder naar bed was gegaan. Hij was een van die mensen die altijd vroeg opstonden
– zodra het donker werd en de dorpskinderen naar huis gingen,
kroop hij in bed. Dat was zijn ritme. Waarom zou hij daar nu
ineens verandering in brengen?

'Wat is er?' Ze wist dat ze geërgerd klonk, maar het kon haar
niet schelen.

'Waar ga je zo laat nog naartoe?'

Ze aarzelde, in het besef dat ze hem niet kon vertellen wat ze
écht ging doen, maar ze had nooit goed kunnen liegen. Dus ze
vertelde hem een halve waarheid. 'Ik heb Angatu beloofd dat ik
haar zou komen instoppen.'

De laatste weken ging Kate zo vaak als ze kon 's avonds naar
Abebech. Sinds de oude vrouw uiteindelijk resoluut had besloten
dat ze haar toch níét wilde helpen met Mulugeta, had Kate alle
tijd genomen voor Angatu. Tussen pogingen door om Abebech
over te halen haar alsnog de geheimen te vertellen die ze blijkbaar wist over de dorpsoudste van Teje, had Kate geleerd injera
te maken, verse koffiebonen te branden en de houtoven schoon
te maken. Daarnaast kende ze inmiddels diverse Ethiopische kin-
derspelletjes en -liedjes, die ze voor Angatu zong wanneer ze het
kleine meisje in bed stopte.

De tijd die ze met haar doorbracht was bitterzoet, want daardoor werd ze zich scherp bewust van alles waarin ze tegenover
Habiba tekort was geschoten. Habiba was niet veel ouder geweest dan Angatu toen ze Kates zusje werd. Dat was inmiddels
vier jaar geleden, en Kate had met haar nooit een liedje voor het
slapengaan gezongen of haar haren gevlochten. Ze had nooit
naar haar geluisterd – écht geluisterd – wanneer Habiba over
haar verleden praatte. Er waren op die manier vier jaar verloren
gegaan. Jaren die ze niet meer kon inhalen. Ze kon alleen maar
hopen dat ze het er in de toekomst beter vanaf zou brengen. Met
die hoop was ze begonnen Habiba bijna dagelijks te schrijven, om

haar van alles te vertellen, tot in de kleinste bijzonderheden, van de vorderingen van de put tot de nukken en grillen van de regentijd in Ethiopië.

Darby nam haar wantrouwend op.

'Wat is er?' Vastbesloten zich met brutaliteit uit de situatie te redden, keek ze hem recht aan. Darby legde beschermend een hand op de poort van de kraal, alsof hij haar wilde tegenhouden.

'Ik... ik wilde je er alleen aan herinneren dat we morgen beginnen met de put in Kelem.'

Een paar dagen eerder hadden ze eindelijk de laatste hand gelegd aan de put in Mekebe, hetgeen aanleiding was geweest voor een viering die het feest ter ere van hun aankomst in het dorp zelfs nog had overtroffen. Elke keer dat Kate langs het schooltje kwam aan de hoofdweg, zaten er meer kinderen in de klas – onder wie Angatu. Vanaf de volgende dag zouden Darby, Jean-Pierre en Jessica de leiding hebben bij de put in het enkele kilometers verderop gelegen Kelem, terwijl Kate en Dorothé met de inwoners van Mekebe aan een uitgebreid latrinesysteem zouden gaan werken.

Kate had zich vrijwillig aangeboden voor het latrinewerk en erop aangedrongen dat Dorothé bij haar bleef, zodat ze onopgemerkt door Darby konden zoeken naar een nieuwe benadering van het probleem Mulugeta. Jessica was natuurlijk maar al te graag bereid vroeg op te staan voor de rit van een uur naar Kelem, als dat betekende dat ze uit de buurt kon blijven van de 'schijthuizen', zoals haar charmante benaming luidde. Bovendien viste ze altijd naar manieren om meer tijd door te brengen met Darby. Als Kate het niet zo verachtelijk had gevonden, zou ze bijna medelijden met haar hebben gehad. Darby had bij herhaling duidelijk gemaakt dat hij niet geïnteresseerd was in de opdringerige, aanbiddelijke, roodharige Jessica, ook al was hij nooit grof in zijn afwijzing. Het was iets waarom Kate hem bijna aardig zou gaan vinden. Bijna.

'Ja, dat weet ik,' antwoordde ze ten slotte, registrerend dat

Darby's slanke, gespierde armen er zelfs in het donker gebruind uitzagen. 'Dorothé en ik zijn er helemaal klaar voor. We hebben om zeven uur met de mensen uit het dorp afgesproken. Dus...'

'Oké.' Darby keek haar aan, toen haalde hij zijn schouders op en liep weg.

De hele wandeling naar het restaurant herhaalde Kate in gedachten zijn ergerlijke 'oké'. Wat wilde hij daarmee zeggen? Dacht hij dat Dorothé en zij niet opgewassen waren tegen de latrinewerkzaamheden? Zo ja, dan was dat puur seksistisch. En onnozel. Zeker gezien het feit dat Dorothé búítengewoon ervaren was in het graven van latrines. Of had hij een preek willen afsteken dat ze niet mocht verslappen, nu hij er niet de hele dag bij was om controle uit te oefenen? Alsof ze dat zou doen! Of had hij haar willen vertellen dat ze verbijsterend was, beeldschoon en slim en...

*Ai.* Kate bleef midden op de weg staan en riep zichzelf tot de orde. Blijkbaar kreeg ze last van een gebrek aan troostrijk, vertrouwd Amerikaans eten. Als ze de afgelopen maanden een keertje macaroni met kaas had kunnen eten, zou een dergelijke gedachte nooit bij haar zijn opgekomen. En ze mocht zoiets ook nooit meer denken! Het ging hier om kwesties van leven en dood die haar aandacht opeisten.

En het waren die kwesties die ze voor de zoveelste keer tegenover Abebech herhaalde, nadat ze Angatu had ingestopt op haar veldbed en toegedekt met grove, wollen dekens.

'Je weet iets over hem,' drong ze aan. 'Iets wat ik kan gebruiken. Je hebt gezegd dat je me zou helpen.' Ze gooide een stel lege bruine bierflesjes in de grote, metalen vuilnisbak, zich afvragend wanneer recycling zou doordringen tot het platteland van Ethiopië. Waarschijnlijk tegen de tijd dat ze Abebech zover kreeg open kaart te spelen over Mulugeta. De oude vrouw liet zich echter met een diepe zucht in een witte plastic stoel vallen, net binnen de keukendeur. Ze was mager en oogde broos, haar grijze haar was heel kortgeknipt, haar donkere ogen stonden moe.

'Je geeft het niet op.' Zelfs haar woorden klonken vermoeid.

Kate glimlachte en dacht dat Abebech zelf waarschijnlijk ook maar al te vaak niet had opgegeven. Na de dood van haar man, inmiddels twintig jaar geleden, was ze alleen achtergebleven, een weduwe in een maatschappij die keihard was voor alleenstaande vrouwen. Toch was het haar gelukt dit restaurant op te zetten en een plek voor zichzelf te verwerven in de gemeenschap. Die worsteling was terug te vinden in haar gebogen rug en gerimpelde wangen, en het was Kate opgevallen dat haar voortvarende, efficiënte bewegingen vertraagden tot een tempo dat beter paste bij haar oude botten, zodra de laatste klant 's avonds was vertrokken.

'Ik zal je helpen,' zei Abebech kalm en afgemeten. 'Maar dan moet jij mij helpen.'

'Natuurlijk.'

'Angatu...' Abebech keek Kate in haar ogen. 'Wanneer ik er niet meer ben...'

Ze kon de zin niet afmaken, en dat hoefde ook niet. Kate had veel over Angatu nagedacht. Het meisje stond helemaal alleen op de wereld, net als Habiba destijds. Abebech was de enige die ervoor zorgde dat ze niet een van de dakloze kinderen werd, die Kate in de straten van Addis Abeba had gezien. Zelfs in Mekebe waren diverse alleenstaande kinderen wees geworden door aids of armoede, of door een combinatie van allebei. Ze werkten als boerenknechten voor weinig of geen loon en woonden alleen in gehuurde kamers in de kraal van hun familie – als ze geluk hadden – of hun werkgevers, die hen voor dat voorrecht lieten betalen.

'Ze heeft een zuster, Masarat.' Kate had het gevoel alsof haar keel werd dichtgesnoerd. 'Ik ben al naar haar op zoek.'

De laatste weken had ze overal in het dorp naar Angatu's zusje gevraagd, en ze had ontdekt dat het meisje – of de jonge vrouw, want ze moest inmiddels achttien zijn – waarschijnlijk naar Addis Abeba was gegaan, in de hoop daar werk te vinden. Kate hoopte vurig dat Masarat niet een van de vrouwen was die ze met brandhout van Mount Entoto had zien afdalen. Trouwens, er waren nog veel ergere scenario's denkbaar.

'Ik zoek net zolang door tot ik Masarat heb gevonden. En als dat niet lukt... dan zal ik een manier vinden om voor Angatu te zorgen.' Ze nam Abebechs hand in de hare, nog niet wetend hoe ze die belofte moest houden, maar ze nam hem wel heel serieus. Ze wist dat ze niet naar huis zou kunnen gaan en haar leven weer zou kunnen oppakken, als ze er niet voor had gezorgd dat Angatu veilig was. Meer dan veilig. Ze wilde dat Angatu de kansen kreeg die ieder jong meisje zou moeten krijgen. Een opleiding, een carrière van haar eigen keuze, een man – in die volgorde – en kinderen als ze die wilde.

Door na te denken over Angatu's toekomst begaf ze zich op gevaarlijk terrein. Haar gevoelens voor Angatu en voor Habiba vloeiden samen en vervulden Kate met zo veel zorg en verdriet, maar ook met zo veel hoop dat de emoties haar te veel dreigden te worden. Dus ze schakelde ze uit en richtte zich louter en alleen op de praktische kant van de zaak. Ze zou Masarat weten te vinden. Ze zou Angatu herenigen met haar zuster, en ze zou hen helpen samen een bestaan op te bouwen. Verder dan dat kon ze nog niet denken.

'Vertel me alsjeblieft wat je van Mulugeta weet.' Kate trok een smerige witte stoel bij van een van de tafeltjes en ging zitten. Opnieuw legde ze haar hand op die van Abebech.

De oude vrouw knikte langzaam. 'Hij mag er nooit achterkomen dat je dit van mij hebt.'

'Afgesproken.'

Er verscheen een blik van minachting op Abebechs gezicht toen ze Mulugeta's naam noemde. 'Hij stamt helemaal niet af van Haile Selassie. Zijn oom werkte als bediende in het paleis.'

Kate trok haar wenkbrauwen op. Dit was schokkend! De status die Mulugeta bezat, was gebaseerd op leugens. Ze wist nog niet precies hoe ze het ging aanpakken, maar er moest een manier zijn om deze informatie te gebruiken.

'Toen Haile Selassie werd afgezet door de Derg, heeft Mulugeta's oom spullen gestolen uit het paleis om met de opbrengst daarvan het land in Teje te kopen,' vervolgde Abebech. 'Voor zover ik weet – en dat heb ik van de broer van mijn man, die tot de naaste vertrouwelingen van Haile Selassie behoorde – heeft hij diverse gouden vazen verkocht uit de woonvertrekken van de keizer. Dat weet Mulugeta. Maar wie kan hem nog in staat van beschuldiging stellen? Er leeft bijna niemand meer uit die tijd...'

Abebechs stem stierf weg. 'Als je hem weet te ontmaskeren... zullen de mensen zijn hebzucht niet langer tolereren. Zo. Nu weet je het.'

Ja, nu wist Kate het. Mulugeta had een geheim. Maar nu kwam de vraag hoe ze daar gebruik van kon maken.

❤

De jongens van 3F hadden weer eens een feestje. Het geblèr van Coldplay kwam Sophie al tegemoet terwijl ze de twee houten trappen naar Sams appartement beklom. Onder normale omstandigheden zou ze pissig zijn geweest. Door haar lange werkdagen was ze zo iemand geworden die anoniem de politie belde om een klacht in te dienen wegens geluidsoverlast wanneer andere mensen een beetje plezier maakten.

Maar vanavond kon het haar niet schelen. Het was middernacht, maar bij wijze van uitzondering was ze niet gesloopt. Misschien zou ze zelfs haar favoriete A&F-halterjurk aantrekken en afdalen naar 3F om zich bij de feestvreugde te voegen. Ze glimlachte bij de herinnering aan de reden van haar onverwachte, tweede energiepiek. Tijdens de avondspits bij Mojito had Matthew Feldman haar gebeld om haar te vertellen dat er nog geen beslissing was genomen over de nieuwe Paige bij *Heartland*, en dat hij van plan was de volgende avond zijn studievriendje mee uit te nemen voor een duur steakdiner bij Morton, om hem ervan te overtuigen dat hij Sophie een tweede kans moest geven om auditie te doen. En dan had ze Paige Dalloway in haar zak!

Toen ze de laatste hoek omsloeg, zag ze dat de deur van het appartement openstond. Over de reling hingen twee modellentypes van ergens in de twintig. Ze rookten een sigaret en keken uit op de binnenplaats. Sophie besefte dat de klanken van Coldplay niet uit 3F kwamen, maar uit 3B, Sams appartement.

Ze liep langs de modellen naar binnen en ontdekte dat het kleine driekamerappartement tot barstens toe was gevuld met prachtig uitziende mensen in prachtig uitziende kleren. Overal, op elk beschikbaar oppervlak, stonden bierflessen en shotglaasjes, er hing een zoete, prikkelende geur in de lucht. Sam stond in de kleine keuken limoenen uit te knijpen in een kan. Hij droeg zijn idiootste hawaïhemd, wat betekende dat hij in een goede bui was.

Sophie wist dat ze geen officiële huisgenoot was, maar een kléíne waarschuwing vooraf zou leuk zijn geweest. Er lagen bepaalde persoonlijke voorwerpen in 'haar' slaapkamer die ze zou hebben weggestopt als ze had geweten dat het appartement zou worden overspoeld door dronken vreemdelingen. Maar wat nog belangrijker was, als ze het had geweten, zou ze haar make-up hebben bijgewerkt voordat ze bij Mojito's wegging. *Aardig zijn,* droeg ze zichzelf op terwijl ze naar hem toe liep, in het besef dat ze het niet kon maken tekeer te gaan tegen iemand die mensen had uitgenodigd in zijn eigen huis, ook al had hij wat zorgvuldiger met haar kunnen omspringen.

'Hé Sophie! Margarita?' Ellie verscheen als uit het niets. Ze had waarschijnlijk op de grond gelegen om Sams voeten te kussen, dacht Sophie harteloos over de pessariumfan, terwijl ze keek naar het bleekroze jurkje met spaghettibandjes dat weinig aan de verbeelding overliet. 'We vieren feest!'

'Natuurlijk. Waarom niet?' Ze geneerde zich nog altijd voor

haar reactie toen Ellie onverwacht bij de auditie voor *Heartland* was verschenen. Na een lang gesprek met Harper had ze besloten dat ze niet alleen mannen had afgezworen, maar dat ze zich, althans voorlopig, ook niet meer schuldig zou maken aan onvolwassen uitbarstingen. Haar dramatische telefoontje naar Sam leek zo mogelijk nog dwazer nu ze geen van beiden de rol hadden gekregen.

'Wat vieren we?' vroeg ze aan Sam, die een verse margarita inschonk in een doorzichtige plastic beker vol ijs.

Hij aarzelde even. 'Ellie heeft die rol gekregen,' zei hij ten slotte. 'Ze wordt Paige Dalloway in *Heartland*.'

'Wat?' De glimlach bevroor op Sophies gezicht.

'Ik heb hem!' gilde Ellie. Ze viel Sophie om de hals en trok haar stijf tegen zich aan. 'Jij hebt me geluk gebracht, dat kan niet anders!'

Het kon niet waar zijn dat Ellie de rol van Paige had weten te scoren. Matthew Feldman had haar, Sophie, beloofd dat ze opnieuw auditie ging doen. En dat was ondenkbaar als iemand anders de rol had gekregen.

'Ik heb het net gehoord! Twee uur geleden!' vervolgde Ellie, wild gebarend met haar drankje. 'Ik moet maandag beginnen. Ongelooflijk, vind je niet?'

'Ja, ongelooflijk.' Sophie betrapte Sam erop dat hij naar haar keek. 'Welnee, natuurlijk niet. Gefeliciteerd.'

'Ze hebben het stilgehouden tot ze de oorspronkelijke actrice hadden verteld dat ze was ontslagen. Gelukkig zit ze in de afkickkliniek, dus ze verwachten niet dat ze voor problemen gaat zorgen.' Ellie schudde met haar achterwerk van blijdschap.

Matthew Feldman was nog maar een beginnend agentje, hielp Sophie zichzelf herinneren. Informatie stond in deze stad gelijk aan geld, en zo laag op de ladder verdiende hij dergelijke valuta blijkbaar nog niet. Zijn informatie was gedateerd. Ze had geen schijn van kans gehad.

'Goh... wat een mazzel,' zei ze houterig. Ze moest hier weg, de keuken uit, naar 'haar eigen' slaapkamer. Als ze niet maakte dat ze binnen 0,3 seconden weg was, zou ze spontaan overgaan tot zelfontbranding. 'Ik eh... ik ga even iets feestelijks aantrekken. Ik ben zo terug.' *Of ik kruip door het raam naar buiten en verstop me in de waskamer tot het feestje voor de Pessarium Prinses voorbij is.*

'De volgende rol is voor jou!' riep Ellie haar na toen Sophie naar de slaapkamer liep. Blijkbaar had ze ineens beseft dat de concurrentie misschien niet zo uitgelaten was als zij over de geweldige rol die ze had weten te scoren.

Goddank had Sam een bordje met VERBODEN TOEGANG op de deur van J.D.'s slaapkamer gehangen. Eenmaal binnen trok Sophie haastig haar gastvrouwenuitmonstering uit en liet ze zich in haar luipaardprint beha en dito string van Victoria's Secret op het bed vallen. De rol van Paige was haar laatste sprankje hoop geweest sinds ze uit het gastenverblijf van de Meyers was gezet en erachter was gekomen dat haar veronderstelde doorbraak bij de film schipbreuk had geleden op de planken van Duitse videotheken. Als ze hier lang genoeg naar de stoffige ventilator aan het plafond bleef staren, zou ze zichzelf er misschien van kunnen overtuigen dat het haar niet kon schelen dat Ellie de rol had gekregen. Misschien zou ze er dan in slagen ergens de zon achter de wolken te ontdekken. Maar het kon ook zijn dat ze in snikken zou uitbarsten. En zou liggen snotteren in haar kamer, terwijl aan de andere kant van haar deur vijftig mensen uitbundig feestvierden, dat was te zielig voor woorden!

Dus uiteindelijk liet ze zich kreunend van het bed rollen. Als het haar lukte zich aan te kleden, zou ze de rest van de avond en nacht ook wel doorkomen. Ze trok net haar rode halterjurk aan toen achter haar de deur openging.

'Sorry!' Sams stem drong door de stof om haar hoofd.

Vliegensvlug trok ze de jurk naar beneden. 'Geeft niet. Ik was me alleen maar aan het aankleden. Nou ja, dat lijkt me duidelijk.'

Even stond ze daar alleen maar. In de woonkamer had iemand een dancemix uit de jaren tachtig opgezet. Sophie hoorde de nasale stem van Cyndi Lauper, en voelde dat de vloer trilde van de dansende voeten.

'Was mijn halfblote kont zo traumatiserend dat je geen woord meer uit kunt brengen?' Ze pakte de kwast van haar blusher en zwaaide ermee over haar wangen.

'Matthew Feldman is er. Ik neem aan dat hij het nieuws ook net heeft gehoord en dat hij het je zelf had willen vertellen.'

'De arme jongen. Hij wilde bijna nog meer dat ik die rol kreeg dan ikzelf.' Ze was onder de indruk van de luchtigheid waarmee ze het zei. Wie durfde er nog te beweren dat ze niet kon acteren?

'Het feestje was niet gepland. Het gebeurde gewoon. Het is maar dat je het weet.'

'Hoor eens, het is jouw huis.'

'Het spijt me, Bushell. Echt waar.'

De tedere klank in zijn stem werd haar bijna te veel. Ze hoorde liever een van zijn hatelijke, sarcastische opmerkingen dan dat ze het gevoel had dat hij haar ontzag. 'Ach, zo belangrijk is het nou ook weer niet. Echt niet.'

'Ik heb Ellie niet verteld over die rol.' Hij kwam naar haar toe. 'Zoiets zou ik nooit doen. Dat weet je toch?' Zijn oprechtheid was in strijd met het belachelijk opzichtige hawaïhemd. Ze moest krampachtig slikken om niet in huilen uit te barsten.

'Als ik die rol niet op eigen kracht weet te scoren, dan heeft het blijkbaar zo moeten zijn.' Ze haalde haar schouders op. Had ze maar zo overtuigend weten te acteren tijdens de auditie!

Sam schonk haar een glimlach. 'Je klinkt erg volwassen.'

'Ja, dat is iets nieuws wat ik tegenwoordig uitprobeer.'

Sam deed nog een stap dichter naar haar toe en sloeg toen plotseling zijn armen om haar heen. Haar eerste impuls was zich terugtrekken, maar de troost die er van zijn omhelzing uitging, voelde te goed.

'Beloof je me dat je niemand vertelt dat ik mezelf wel van kant zou willen maken?' vroeg ze fluisterend, met haar wang tegen zijn schouder gedrukt.

'Dat beloof ik.' Hij trok haar nog dichter tegen zich aan.

Sophie sloot haar ogen en ademde de geur in van de lavendelshampoo die hij die ochtend van haar had geleend. Zo dadelijk zou ze Matthew Feldman gaan troosten. Maar eerst zou ze Sam even de ruimte geven om haar vriend te zijn. Want het bleek dat hij daar verdomd goed in was.

♥

'Je zou echt je telefoon moeten opnemen.'

'Dat doe ik ook... als jij dóód bent!'

Ineengedoken kroop Becca een hoek om, ze trok haar AK-47 en schoot Stuart recht in zijn gezicht.

'Je bent er geweest!' gierde ze. Wauw, wat zag ze er goed uit met die laarzen tot haar dijen en in dat minuscule mouwloze T-shirtje. *Grand Theft Auto* was geweldig, besloot ze, haar AK hoger over haar sexy, hoerige heupen bewegend. Wie had kunnen denken dat volledig amoreel bezig zijn op een zaterdagmiddag je zo'n kick kon geven? Vooral als buiten een ijzige regen het grootste deel van New England teisterde, met als gevolg dat het skitoernooi waarbij hun ploeg tegen de Universiteit van Vermont had moeten uitkomen, was afgeblazen. Het ijskoude weer maakte de gedachte om knus op Stuarts kamer te zitten en videospelletjes te spelen op de computer, ondertussen genietend van een vette pizza met peperoni, zo mogelijk nog aantrekkelijker dan anders. En het was altijd al zo aantrekkelijk, vooral omdat het pas halverwege de middag was en Becca zich geen zorgen hoefde te maken over de vraag of ze seks zouden hebben. Het was duidelijk geworden dat ze in dat opzicht avondtypes waren. Dat gold in elk geval voor haar. In het donker, met het licht uit, voelde ze zich het minst ongemakkelijk.

Alles bij elkaar genomen werd de seks wel steeds beter. Maar ze vond het nog altijd redelijk bizar. Het voelde nu eenmaal niet natuurlijk om zich spiernaakt aan een ander te vertonen. Ook al was die ander de man die ze liefhad. Daarnaast had ze regelmatig momenten waarop ze zich geen raad wist met het nieuwe intieme karakter van hun relatie. Werd ze geacht zich anders te gedragen nu ze met elkaar naar bed gingen? Het leed geen twijfel of haar gevoelens voor Stuart waren veranderd. Of eigenlijk niet veranderd, ze waren intenser geworden. Angstaanjagender. En door die angst voelde ze zich soms slecht op haar gemak, onzeker wat ze moest doen of zeggen.

Gelukkig had ze Harper te pakken weten te krijgen, die sinds kort een soort vriendschap met extra's onderhield met Judd Wright, een schattig soort oen die bij hen op de middelbare school had gezeten. Harper had Becca uitstekend van advies gediend. 'Beschouw Stuart als een vriend,' had ze gezegd. 'Een heel goeie vriend. Je hoeft aan je gedrag verder niks te veranderen. Het enige wat er is veranderd, is dat jullie nu seks hebben. Niet dat Judd en ik seks hebben... maar je snapt wel wat ik bedoel.'

Merkwaardig genoeg had ze steun gehad aan Harpers advies. Wanneer ze dreigde in paniek te raken over haar gevoelens, hield Becca zichzelf voor dat Stuart gewoon een heel goeie vriend was. In sommige opzichten haar beste vriend. Anders dan Harper, Sophie, en Kate – en zelfs Isabelle – zag ze hem elke dag. En geen van haar vriendinnen had haar ooit naakt gezien. Ze hadden niet eens haar bórsten gezien, tenminste niet zonder beha.

Het feit dat ze Stuart simpelweg zag als een heel goede vriend – met behoorlijk heftige extra's – nam iets van de druk weg. En nu, in zijn kamer, voelde ze helemaal geen druk. Sterker nog, de middag zou volmaakt zijn als Stuarts telefoon ophield met rinkelen. Dat had hij het afgelopen halfuur non-stop gedaan. En het laatste kwartier was Becca's mobieltje ook nog eens lawaai gaan maken. Ze waren echter geen van beiden bereid het spel stil te leggen, dus de twee telefoons bleven maar overgaan. Misschien waren ze zo fanatiek omdat ze allebei sportmensen waren. En competitief ingesteld. Net als bij football en skiën draaide het bij *Grand Theft Auto* ook om winnen.

Net toen ze op het punt stond door een van Stuarts schurken in het gezicht te worden gestompt, werd er luid en boos op de deur geklopt.

'Wie is daar?' riep Stuart, kortstondig afgeleid. Daar maakte Becca gebruik van door haar hoerige heldin ervandoor te laten gaan.

'Doe open, verdorie!' Het was de stem van Isabelle. En ze klonk alsof ze pisnijdig was. *Hm-m.*

Becca zuchtte. 'Ik denk dat we hem op pauze moeten zetten.'

Stuart drukte op een knop en kuste Becca op haar wang. 'Je neemt me behoorlijk te grazen, weet je dat? En dat is een van de dingen die ik zo leuk aan je vind.'

Becca kuste hem grijnzend terug. Net toen hij reageerde en hun zoen hartstochtelijker begon te worden, werd er opnieuw op de deur gebonkt.

'Hou op met zoenen!' riep Isabelle.

'Ik kom eraan!' Becca krabbelde blozend overeind. Hoe wíst ze dat? 'Wat is er?' vroeg ze terwijl ze de deur opendeed.

Op de gang stond Isabelle, met haar handen ferm op haar heupen geplant. 'Ik heb geprobeerd jullie te bellen,' zei ze, duidelijk gespannen. 'Je moet naar onze kamer komen.'

'Wat is er aan de hand?' vroeg Becca, geschrokken van de uitdrukking op Isabelles gezicht. 'Is er iets gebeurd?'

'Zo zou je het kunnen zeggen. En dat iets is je stiefzuster. Ze zit in onze kamer.'

De woorden landden op Becca's trommelvliezen maar stuiterden terug als rubberkogels. Dat kon gewoon niet waar zijn.

'Dat kan niet!' Ze schudde haar hoofd. Mia was zestien en woonde in Boulder. Punt. Het bestónd niet dat ze in Middlebury, Vermont, was.

Isabelle keek haar woedend aan. 'Als je niet over vijf minuten in onze kamer bent, breng ik haar hierheen.' Na die woorden draaide ze zich om en liep de gang uit.

Becca keek Stuart aan, die er bijna net zo geschokt uitzag als zij.

'Ik neem aan... dat ik weinig keus heb,' mompelde ze, terwijl ze haar laarzen aantrok en de kamer rondkeek, op zoek naar de lange grijze sjaal die ze uren eerder ergens op de grond had gegooid.

Als verdwaasd teruglopend naar haar eigen kamer, wist ze – net zo zeker als ze de winnende tijd wist waarmee coach Maddix een Olympische, gouden medaille had gewonnen – dat haar luie zaterdagmiddag aanzienlijk gecompliceerder zou worden.


Becca hield niet van Mia.

Sterker nog, ze vond haar niet eens áárdig. Dat was altijd al zo geweest. Al vanaf dat zij tien was en Mia acht en Martin hen aan elkaar had voorgesteld bij het hek van de dierentuin in Denver. Becca's moeder had het uitje geregeld, om de kinderen de kans te geven elkaar te leren kennen. Becca had het op dat moment nog niet geweten, maar Martin en haar moeder hadden zich die week verloofd, nadat ze maanden in het geheim met elkaar waren omgegaan.

Becca zou Mia's eerste woorden nooit vergeten. 'Hallo, dikzak,' had haar – toen aanstaande – stiefzusje gezegd, staande onder het bord met KINDEREN ONDER DE TIEN VRIJ ENTREE! Becca, die zichzelf niet als een 'dikzak' beschouwde, was met stomheid geslagen geweest. Omdat ze niet wist wat ze anders moest doen, had ze Mia ten slotte een beleefde glimlach geschonken. Carter, haar aanstaande stiefbroertje van zes, had gelachen. En Martin had het allemaal niet eens gemerkt. Binnen tien seconden was de toon van hun relatie voorgoed gezet. Mia zei gemene dingen en Becca negeerde ze. Mia kon ongestraft de verschrikkelijkste dingen doen, Becca hield haar mond.

Maar toen ze de deur van haar kamer opende en het behuilde, opgezette gezicht van Mia zag, en haar vuurrode neus, kreeg Becca even – heel even – bijna medelijden met haar. Isabelle gaf Mia een papieren zakdoekje. Niet het eerste, te oordelen naar de overvolle prullenmand.

'Het spijt me dat ik zo pissig deed,' begon Isabelle. 'Maar... nou ja, ik wist gewoon niet wat ik moest doen, en je nam je telefoon niet op...'

'Nee, het spijt mij,' viel Becca haar in de rede.

Mia schonk haar een kwaadaardige blik. 'Het zou je zeker moeten spijten. Want het is allemaal jouw schuld!'

Becca was gewend aan Mia's venijn, maar met deze beschuldiging leek ze een nog niet eerder vertoond niveau van vijandigheid te hebben bereikt. Waar had ze het over, vroeg Becca zich af.

'Hoe ben je hier gekomen?' was het enige wat ze kon bedenken.

'Met de fucking trein!' Mia's sluike, bruine haren hingen in een vettige wirwar op haar rug en leken verbijsterend dun.

'Uit Boulder?'

'Ja, waar dacht je anders dat ik vandaan kwam? Uit China?'

'Dus... je vader weet niet dat je hier bent?' Becca haalde diep adem en probeerde de haat te negeren die haar zusje leek uit te stralen. 'Heb je gegeten?'

'Ja, natuurlijk,' snauwde Mia. Ze snoot krachtig haar neus in een van de zakdoekjes die Isabelle haar had gegeven.

'Zonder over te geven?'

Mia rolde met haar ogen. Nee dus, dacht Becca. Dat kon er ook nog wel bij.

Isabelle zag een kans om te ontsnappen. 'Ik ga wel even... naar de kantine om iets te halen,' verklaarde ze, achterwaarts de deur uit lopend.

'Bedankt.' Becca schonk haar een verontschuldigende blik, waarop Isabelle nonverbaal uiting gaf aan haar verbijstering. Toen glipte ze de gang op.

Becca ging op Isabelles bed zitten, enigszins huiverig om binnen handbereik van haar ziedende stiefzuster te komen. 'Wat is er aan de hand? Wat is mijn schuld?'

Er kwam een wantrouwende blik in Mia's ogen. 'Heeft je moeder je dat dan niet verteld?'

Becca voelde zich nog meer in verwarring gebracht. 'Wat zou ze me verteld moeten hebben?'

'Over haar en je fucking vader!'

'Wat is er met ze?'

'Wat er met ze is? Ze zijn weer bij elkaar!'

Becca begon hardop te lachen. Mia had net zo goed kunnen zeggen dat haar moeder een buitenaards wezen was, afkomstig van de planeet Zorthon, en dat ze bij Martin op zolder een kennel met shih-tzu's was begonnen. Dat zou geloofwaardiger zijn geweest. Want dit... dit was krankzinnig.

Ineens haperde Becca's lach. *Liefde overkomt je. Het is een overweldigende ervaring*, had haar moeder nog niet zo lang geleden gezegd. Niet op haar gebruikelijke verbitterde, boze toon. Ze had... Nu Becca erover nadacht, moest ze bekennen dat haar moeder bijna meisjesachtig had geklonken. Alsof ze... verliefd was!

Nee, dat kon niet waar zijn. Haar moeder haatte haar vader. En haar vader voelde helemaal niets meer voor haar moeder. Bovendien waren ze allebei getrouwd. Met een nieuwe partner. Misschien waren ze geen van beiden echt gelukkig in hun huwelijk, maar ze waren wel getrouwd.

Anderzijds, tijdens dat etentje had zich wel een vreemd moment voorgedaan. Becca's hart begon te bonzen, ergens ter hoogte van haar slapen.

'Je weet niet waar je het over hebt.' Haar stem klonk schor en dik.

'Je bent er anders maar al te blij mee, kreng.' Mia verfrommelde snotterend het zoveelste zakdoekje. 'Geef het maar toe.'

'Ik... dat ben ik helemaal niet.' Becca besloot niet te vallen over dat 'kreng'. Een van hen moest althans enigszins beschaafd blijven. 'Maar... wat is er dan precies gebeurd?'

Haperend, onderbroken door snikken, vertelde Mia dat Becca's moeder de laatste weken regelmatig 's nachts niet was thuisgekomen. Martin, die nooit met stemverheffing sprak, was uiteindelijk tegen haar tekeergegaan. En toen was Mia op een dag thuisgekomen uit school, en toen waren de kleren van Becca's moeder verdwenen, terwijl Martin dronken op de bank zat met een fles Jägermeister.

'Jägermeister?' Becca fronste haar voorhoofd. Dat klonk ernstig.

'Die had hij in Carters kamer gevonden.'

Natuurlijk! Hoe kwam een man van achtenveertig anders aan een fles Jägermeister dan uit de kamer van zijn zoon van veertien?

'Maar dat betekent toch nog niet dat ze terug is naar mijn vader?' wist Becca uit te brengen. Het bonzen in haar slapen was veranderd in een stekende pijn die uitstraalde naar haar kaken.

'Toen ze haar meubels kwam halen, had ze je vader bij zich.' Er kwamen opnieuw tranen in Mia's ogen. 'Hij zat achter het stuur van het gehuurde busje. Ze dachten dat ik niet thuis zou zijn, maar ik heb hem gezien. Dus dat lijkt me duidelijk...'

'Mijn moeder wóónt niet meer bij jullie?'

'Nee, dat zeg ik toch net? Ze woont bij je vader.'

'Maar mijn vader heeft Melissa,' zei Becca in paniek, tevergeefs proberend de zaken op een rijtje te zetten.

'Dat is voorbij! Ben je soms hersendood?' Het leek er nu bijna op dat Mia medelijden had met Becca. Op haar eigen masochistische, Mia-centrische manier.

Becca peuterde aan een vetvlek op haar verbleekte Seven. Het was haar lievelingsspijkerbroek. Ze had hem al jaren. Hij sloot om haar lichaam als een tweede, buitengewoon comfortabele huid. De broek deed haar altijd denken aan winkelen in Denver met Sophie, Kate en Harper. Aan de middelbare school. Nu zou hij haar altijd doen denken aan... dit moment.

Ze voelde een overweldigende drang om al haar kleren uit te trekken. De spijkerbroek, haar witte T-shirt, de grijze kabeltrui die rook naar Stuart. Alles. Ze zou zich willen uitkleden en alles desinfecteren. Ze zou willen schreeuwen en het op een lopen zetten. Het kon haar niet schelen waarheen.

Maar in plaats daarvan keek ze Mia aan. 'We moeten je vader bellen,' zei ze kalm. 'Je moet naar huis.'

Zes uur later, nadat ze Martin had gebeld en haar stiefzus op een vlucht naar Boston had gezet, was het laatste wat ze zich herinnerde voordat ze in slaap viel – in haar eigen bed, met de slapende Isabelle aan de andere kant van de kamer – Martins stem aan de telefoon. Hij had zo verlaten geklonken. Zo verloren.

Becca daarentegen had zich volkomen leeg gevoeld.

# MOJITO

930 HILGARD AVE.
LOS ANGELES, CA 90024

Serveerster: Amber     Geb. Datum: ox/xx
Tafel 14/1                    1.52 pm
Gasten: 3

**#40059**

Type bestelling: A la carte
Locatie: Patio
Dagdeel: Lunch

| | |
|---|---:|
| Cristal Brut | 343,75 |
| Caesar Salad | 17,95 |
| Caesar Salad | 17,95 |
| Caesar Salad | 17,95 |
| | |
| Subtotaal | 397,60 |
| Btw | 29,90 |
| | |
| Totaal | 427,50 |
| | |
| Debetsaldo | 427,50 |

**Prettige dag verder!**

Mojito
930 Hilgard Ave.
Los Angeles, CA 90024

Serveerster: Amber     Geb. Datum: ox/xx
Tafel 14/1                    1:55 pm

Visa
Card# xxxxxxxxxxxx3715
Op naam van: **Benson, Trey**
Veiligheidscode: 361329

Bedrag:

+ Fooi    _100,00_

= totaal   _527,50_

x _Trey Benson_
Veiligheidscode: 36139

Merchant Copy

# *NEGEN*

'IK HEB EEN GROENE SALADE BESTELD, maar zou je tegen de serveerster kunnen zeggen dat ik maar een halve portie wil?'

Het verzoek kwam van een meisje, zo dun als een nagelvijl.

Sophie schonk haar glas vol uit de kan met ijskoud komkommerwater. 'Is dat alles wat je gaat eten?' Ze wist dat ze klonk als een zeurderige moeder, maar ze kon het niet laten er althans íéts van te zeggen.

'Ik heb net drie amandelen gegeten,' zei het meisje, met haar blik strak op haar Treo gericht. Ze was zo mager dat haar sleutelbeenderen als kleerhangers door haar dunne jersey topje prikten. 'Ik zit echt... stampvol.'

'Zoals je wilt, drie groene blaadjes.' Sophie voelde een lichte bevrediging toen ze zag dat de tafelheer van de wandelende tak, een man van ergens in de twintig met de sjofele dracht die in LA de schat- en schatrijken verried, een blik op haar eigen royale achterwerk wierp. De modebladen mochten zeggen wat ze wilden. Mannen hielden van een beetje spek daar.

Ze liep naar het bureautje van de gastvrouw, waar diverse groepjes stonden te wachten tot ze naar een tafeltje werden gebracht. De lunchdrukte bij Mojito was op zijn hoogtepunt, het terras zat vol met de gebruikelijke combinatie van pruilende modellen zonder figuur, zakenmannen in dure pakken en aantrekkelijke aankomende acteurs. Ze lette erop dat ze haar schouders naar achteren hield, haar borsten naar voren. Je wist tenslotte maar nooit of je kans maakte te worden ontdekt. Al lopend was Sophie in gedachten al bezig de gasten een plaatsje te geven. De oudere, gedistingeerd ogende man met de aanzienlijk jongere, rondborstige vrouw van wie ze vermoedde dat het zijn maîtresse was, zou haar waarschijnlijk een briefje van twintig in de hand drukken als ze hem naar het afgezonderde tafeltje helemaal achteraan op de patio bracht. De man met baard en honkbalpet, type filmproducer, zou erin blíjven als hij geen tafeltje vooraan in het midden kreeg. De acteur...

*Shit*!

Sophies vingers waren van het ene op het andere moment gevoelloos. Sinds oudejaarsavond, toen ze het heimelijke voornemen had gemaakt om hem uit haar herinnering te bannen, had ze zichzelf verboden om zelfs maar aan Trey Benson te dénken. Dat was haar vrij aardig gelukt, behalve op de avond met de Perkamenten Bejaarde, toen ze zichzelf had gedwongen de lijst langs te gaan van alle mannen met wie ze hier in Los Angeles in contact was gekomen, om tot de conclusie te komen dat ze er klaar mee was! Maar daar was hij, nonchalant poserend naast háár reserveringsbureautje.

En hij was niet alleen. Twee van de opzichtige, overdreven gespierde mannen uit zijn entourage stonden vlakbij te sms'en. Maar daarbij bleef het niet. Hij had bovendien een van de sterren uit *Laguna Beach* of *The Hills* of hoe het ook heette, aan zijn arm. Ze keek op naar zijn donkere ogen met de extreem lange wimpers, alsof hij een soort halfgod was. *Braak, braak*! Sophies eerste gedachte was er een van zelfhaat omdat ze ook ooit zo naar Trey had gekeken. Haar tweede gedachte was dat ze zich moest verstoppen. Ze had Trey sinds die verschrikkelijke avond in Aspen niet meer gesproken. En het was ondenkbaar dat ze de rol van gedienstige gastvrouw – *Mag ik u naar uw tafeltje brengen*? – zou spelen.

Ten prooi aan paniek dook ze weg achter een reusachtige ficus. Vandaar liet ze haar blik in het rond gaan, op zoek naar een manier om te ontsnappen. Helaas was de patio omheind, om ongewenste figuren buiten te houden. De enige weg naar buiten liep pal langs Trey en zijn blonde stoot, tevens fan. *Shit. Shit. Shit*! Bijtend op haar lip zag ze dat Celeste naar hen toe kwam. Het restaurant had een strikt beleid dat beroemdheden nooit hoefden te wachten. Dus als Sophie haar werk niet deed, nam Celeste het van haar over. Natuurlijk zag hij er net zo hot uit als altijd, in een slanke spijkerbroek met donkere wassing en een simpel wit T-shirt. De ellendeling.

Nog wanhopiger liet ze haar blik over de drukke patio zwerven, in een poging een ontsnappingsplan te bedenken. Vlak bij haar zaten drie vrouwen in donkere broekpakken – het type televisiebeleidsmakers – te roddelen boven hun Waldorfsalades. De vierde stoel aan hun tafeltje was vrij. Zoals Blanche DuBois zei – de tragische heldin van *A Streetcar Named Desire*, Sophies favoriete stuk van Tennessee Williams – zou ze moeten vertrouwen op de welwillendheid van onbekenden. Ze zette de kan met water achter de ficus, haastte zich naar het tafeltje en liet zich op de lege stoel vallen.

'Je denkt toch niet dat er íémand is die haar een eigen show geeft? Ze is volstrekt onberekenbaar, totaal aan de drugs! Nee, dat zou te...' De vrouw zweeg toen ze in de gaten kreeg dat er iemand bij hen was aangeschoven. Ze duwde haar bril – slank, metalen montuur – wat hoger op haar neus.

'Hallo allemaal.' Sophies hart bonsde in haar keel. 'Waar gaat het over?'

De vrouwen keken elkaar aan, zich duidelijk afvragend of een van hen de nieuweling kende. 'Je komt me bekend voor,' zei ten slotte degene met het duurst ogende kapsel. 'Heb je soms een gastoptreden gedaan in *Medium*?'

'Ze was onze gastvrouw,' zei de Bril droogjes.

Sophie schonk hun een glimlach en deed haar uiterste best zo veel mogelijk empathie op te roepen. 'Kunnen we misschien doen alsof we in een bespreking zitten of zoiets? Ik heb een serieus mannenprobleem op twee uur.'

De drie vrouwen keken onopvallend naar rechts, waar Celeste het groepje van Trey naar een van de beste tafeltjes bracht, die altijd werden vrijgehouden voor het geval dat er toevallig een beroemdheid langskwam. De ogen van de drie vrouwen werden groter, onopvallend maar onmiskenbaar.

'Trey Benson?' fluisterde het Dure Kapsel.

Sophie knikte. 'Inderdaad. En het is echt héél serieus.'

De derde vrouw – ze droeg dezelfde smaragd geslepen verlovingsring die Sophie bij Jennifer Garner had gezien – boog zich naar voren. 'Ik viel altijd voor acteurs, totdat ik mijn verloofde ontmoette. Hij is advocaat. Een geslepen rotzak, maar hij is tenminste trouw.'

'Wat heeft hij gedaan?'

Sophie was dankbaar dat ze haar niet wegstuurden, maar ook weer niet zo dankbaar dat ze hun lunch ging opleuken met haar vernederende verhaal. 'Het is te erg. Ik kan er niet over praten.' Ze schudde wanhopig haar hoofd.

De Bril gaf haar het onaangeroerde glas chardonnay dat ze bij haar lunch had besteld. 'Hier. Drink wat. Dan voel je je beter.'

Sophie nipte van de wijn, welbewust elke vorm van oogcontact vermijdend met Trey of zijn groepje volgelingen. Ze was zich er vaag van bewust dat, als de situatie niet zo hachelijk was, dit de perfecte gelegenheid zou zijn om zichzelf te presenteren als aankomend televisie-actrice. Maar gebabbel stond op dit moment niet op haar agenda, zelfs niet als het over haar carrière ging. De vrouwen hadden hun rekening al gekregen, dus het zou niet lang duren of ze gingen weg. En Sophie zou met hen meelopen. Wanneer ze eenmaal veilig was voor Trey, zou ze zich verstoppen in de keuken tot hij weg was.

'Hij komt deze kant uit!' zei het Dure Kapsel ademloos. 'Probeer zo gewoon mogelijk te doen!'

Sophie gooide haar hoofd achterover en begon te lachen, alsof het Dure Kapsel iets ongelooflijk grappigs had gezegd. Ze zag er allesbehalve gewoon uit, maar het was het enige wat ze kon bedenken. 'Je bent werkelijk hilarisch!'

Vanuit haar ooghoeken zag ze Trey met zijn gevolg haar kant uit komen. Blijkbaar was hij niet tevreden met de gebruikelijke tafel voor beroemdheden en stond hij op een tafel van zijn eigen keuze. Ze probeerde wanhopig haar blik af te wenden toen hij haar gezichtsveld betrad, maar haar ogen weigerden de commando's van haar brein te gehoorzamen.

Nog even, en hun blikken zouden elkaar kruisen. Sophie kon zich zijn onoprechte verontschuldigingen al voorstellen. In gedachten hoorde ze hem om vergiffenis smeken, beloven dat hij haar zou bellen, bla bla bla... Ze keek bijna úít naar de confrontatie. Wat zou ze zich heerlijk voelen wanneer ze hem kon aankijken met haar gepatenteerde voor-mij-ben-je-lucht-blik alvorens zich weer naar haar indrukwekkende, nieuwe beste vriendinnen te keren en hen toe te drinken met haar geleende wijn. Ze kon bijna vóélen dat de drie vrouwen collectief hun adem inhielden terwijl Trey dichterbij kwam.

En toen gebeurde het. Hij zag haar. Zij zag hem. Hun ogen ontmoetten elkaar. Sophie wachtte tot hij iets zou zeggen. Er was geen denken aan dat zij de eerste zou zijn. Maar zijn blik gleed langs haar heen zonder ook maar een zweem van herkenning. De werkelijkheid kwam hard aan. Trey zou haar niet alleen níét om vergiffenis smeken, hij weigerde zelfs haar bestaan te erkennen. De druk van de vernedering was zo onthutsend dat haar gezichtsvermogen vertroebelde. Ze knipperde met haar ogen, in een poging alles weer scherp te zien.

'Au!' Het Dure Kapsel legde een hand op Sophies arm.

'Laat je niet gek maken, lieverd,' troostte de Smaragd Geslepen Diamant. 'Het zijn allemaal wandelende ego's.'

Sophie zakte onderuit op de harde metalen stoel. Die dag in Aspen had ze niet gedacht dat Trey Benson haar nog erger zou kunnen bezeren. Ze had het mis gehad.

Becca was een grote fan van romantische comedy's. Goed, slecht, draaglijk – ze had ze allemaal gezien. De meeste zelfs meer dan eens. Van de klassieke films met Katherine Hepburn en Spencer Tracy (*Without Love* en *Woman of the Year* waren haar absolute favorieten), tot de nieuwste, met in de hoofdrollen veel te knappe mensen die veel te veel narigheid op hun pad vonden. Totdat ze werden gered door de liefde. Het waren films waar Becca naar keek wanneer ze gelukkig was. Maar wanneer ze verdrietig was, zwolg ze erin, gretig als een drenkeling die een laatste hap lucht neemt voordat hij onverbiddelijk naar de kille, gevoelloze diepten zinkt.

Dus toen Becca onder haar gele donsdeken vandaan was gekropen, de van Isabelle geleende, draagbare dvd-speler op haar bureau had gezet, haar blauwe Middlebury-joggingbroek had opgehesen en vermoeid de telefoon had aangenomen, was het niet meer dan logisch dat Harpers eerste vraag luidde: 'En, waar heb je je aan verslingerd?'

'Aan *The Holiday*,' antwoordde Becca somber. De film met Kate Winslet, Cameron Diaz, en Jude Law viel onder de categorie 'draaglijk'. 'Ik heb hem vier keer gezien.'

'Jakkes,' riep Harper uit. 'Dus de situatie is ernstig. Gaat het om Stuart?'

Becca kroop weer in bed, mét de telefoon. Ze schoof de mouwen van haar Fairview High-sweatshirt omhoog, trok de oude, vertrouwde donsdeken op tot aan haar kin en legde de telefoon naast haar oor op het kussen.

Dat was genoeg inspanning voor die dag. Ze had haar college Economie die ochtend geschrapt, en ze gaf zichzelf niet veel kans voor Psychologie. Om nog maar te zwijgen over skitraining. Daar kon geen sprake van zijn.

'Nee, het gaat om mijn ouders. Volgens Mia zijn ze weer bij elkaar.'

'Je ouders haten elkaar,' zei Harper op besliste toon.

'Mia zweert dat het waar is. Ze is hierheen gekomen om het me te vertellen.'

'Is Mia in Vermont?'

'Nee, ik heb haar naar huis gestuurd.' Er kwamen tranen in Becca's ogen.

'Oké,' antwoordde Harper kordaat en een en al zakelijkheid. 'Wat zei ze precies?'

'Dat mijn moeder bij Martin is weggegaan. Mia heeft gezien dat mijn vader haar hielp met het verhuizen van haar spullen.'

Het bleef verscheidene seconden stil aan de andere kant van de lijn. 'Nee maar!' klonk het ten slotte. 'Vertel! Het hele verhaal!' Dus Becca bracht verslag uit, van Mia die ineens in haar kamer stond, van de beschuldigingen die ze snikkend had geuit, en ze eindigde haar verhaal door te vertellen dat ze haar stiefzusje op Middlebury State Airport op het vliegtuig naar Boston had gezet.

'Mia is niet bepaald betrouwbaar. Weglopen en ineens bij jou opduiken is duidelijk een roep om aandacht, bedoeld voor haar pappie.'

'Dat weet ik.' Becca zuchtte. 'En ze heeft me nooit gemogen, maar... ze is met de tréin gekomen! Dus er moet wel iets van waar zijn. Daarom dacht ik dat jij misschien...'

'Wat?'

'Nou ja, het vorige semester heb je je vader een tijdje in de gaten gehouden, dus ik dacht...'

'Dat was te krankzinnig voor woorden,' hielp Harper haar vermoeid herinneren. 'Al dat gedoe over mijn vader die een verhouding zou hebben... dat kwam gewoon omdat ik hartstikke onzeker was en me geen raad wist. Dat heb ik toch gezegd?'

'Ja, dat weet ik. Maar ik moet weten wat er aan de hand is. Of het echt waar is.'

'Je zou je moeder kunnen bellen,' zei Harper, niet geheel onredelijk.

'Volgens Martin woont ze niet meer bij hem. Ik heb niet eens een telefoonnummer van haar.' Het was heel raar. Hoe kon haar moeder zijn verhuisd, zonder ook maar iets tegen haar te zeggen? Dat maakte het alleen maar waarschijnlijker dat haar ouders inderdaad weer bij elkaar waren. Ze hadden niets tegen Becca willen zeggen totdat de rust weer enigszins was weergekeerd, en het klonk alsof het allemaal erg heftig en snel was gegaan.

'Heeft Martin verder nog iets gezegd? Over je vader bijvoorbeeld?'

'Daar heb ik hem niet naar gevraagd.' Hoe had ze dat ook kunnen doen? Tenslotte had ze niet echt een band met haar stiefvader. Bovendien had hij zo verschrikkelijk van streek geklonken.

'Het enige wat je zou hoeven te doen...' Becca probeerde het zo luchtig mogelijk te brengen, '... is een paar uur het appartement van mijn vader in de gaten houden. Om te zien of mijn moeder daar zit. Of misschien zou je haar van haar werk naar huis kunnen volgen, om te zien waar ze heen gaat.'

'Wat vindt Stuart ervan?'

Nu was het Becca's beurt om stil te vallen. Stuart had niet veel gezegd. Daar had ze hem ook geen kans voor gegeven. Sinds ze Mia op het vliegtuig had gezet, inmiddels twee dagen geleden, had ze zich opgesloten in haar kamer. Niet omdat ze hem niet wilde zien. Ze wilde gewoon niemand zien... Daarvoor voelde ze zich te... Ze kon er niet goed de vinger op leggen. Misschien was ze er gewoon nog niet klaar voor om dit soort dingen met hem te delen. Het was te... verschrikkelijk. Te akelig.

Bovendien voelde ze zich onnozel, omdat ze zich had laten verleiden te geloven dat haar familie misschien... eindelijk... geen totale ramp meer was. Betoverd als ze was door Stuart, was ze vergeten dat ze uit een gezin van gefrustreerde duizendpoten stamde, in die zin dat iedereen duizenden psychische pootjes had, en aan elk voetje zat een volstrekt misvormd schoentje met heel dunne vetertjes, waardoor het schoentje vervaarlijk los bengelde en elk moment kon vallen. Inschikkelijkheid was de vijand, ze kon het zich niet permitteren haar alertheid te laten verslappen. Maar dat had ze wel gedaan. En de schoen die uiteindelijk was gevallen, was de militaire variant – met een stalen neus, loodzwaar, erg pijnlijk om op je tenen te krijgen.

'Stuart is geweldig,' zei ze ontwijkend, starend naar het plafond.

'Bec,' begon Harper voorzichtig. 'Je beseft toch wel dat dit niet jouw schuld is, hè?'

'Ja, natuurlijk!' Het antwoord kwam te snel.

'Becca Winsberg...' Er klonk een bijna moederlijke waarschuwing in Harpers stem die Becca te machtig werd. Ze haalde diep adem, en hoe ze ook haar best deed om zichzelf in de hand te houden, ze kon zich niet beheersen en barstte in snikken uit.

'Natúúrlijk is het mijn schuld. Als het waar is, dan is het volledig mijn schuld! Ik heb ze gedwongen te doen alsof ze geen hekel aan elkaar hebben!'

'Lieverd, je ouders zijn een stel neuroten,' troostte Harper. 'Dat is niet jouw schuld. Wat ze ook doen, het is niet jouw schuld. Je hebt ze de kans gegeven zich te gedragen als volwassenen. En wat doen ze? Ze gedragen zich als idioten! Tenminste, als het waar is.'

'Alsjeblieft, Harp.' Becca vond het afschuwelijk dat ze zo wanhopig klonk. Zo zielig. 'Je moet me helpen om erachter te komen of het waar is. Ik weet niet wat ik moet doen tot ik zekerheid heb. En ik kan het ze niet vragen. Ik kan toch niet zomaar mijn vader bellen? Wat zou ik dan moeten zeggen? "Hallo, is Melissa daar? O? Waarom niet? Omdat jullie weer hard bezig zijn mijn leven te verzieken!!!"'

Ze dwong zichzelf niet door te slaan naar hysterie. 'Sorry.'

'Oké.' Harper slaakte een diepe zucht. 'Ik zal het doen. En tot we zekerheid hebben, heeft Isabelle toevallig Xanax?'

Becca begon te lachen en veegde met een punt van de gewatteerde deken de tranen van haar wangen. 'Bedankt, Harp.'

'Ach, het is geweldige materie voor mijn toekomstige boeken. Dus eigenlijk zou ik jou moeten bedanken.'

Tegen de tijd dat Becca de verbinding verbrak, voelde ze zich goed genoeg om *The Holiday* te verwisselen voor *Guess Who's Coming to Dinner*. Het was geen *Woman of the Year*, maar het was in elk geval Hepburn en Tracy. Dat betekende dat ze zich beter voelde. Beter. Meer kon ze niet verwachten. Althans, op dit moment.

❤

Thuis in Boulder had Kate een gruwelijke hekel gehad aan msn'en. Het uitwisselen van eenregelige mededelingen met mensen die je gewoon zou bellen als je daadwerkelijk iets belangrijks te melden had, iets saaiers was nauwelijks denkbaar. Om nog maar te zwijgen over het ongemak. Als ze online was, dan had ze daar een reden voor – kijken of ze e-mail had, zoeken naar informatie voor een werkstuk, updates binnenhalen op msnbc.com over het laatste wereldnieuws, msn's vormden alleen maar een irritante onderbreking.

Haar ex-vriendje Jared was het ergst geweest. 'hoegatie?' kreeg ze dan ineens door met een ergerlijk hoge *bliep*. 'Prima,' tikte ze dan terug, met een nadrukkelijk: 'Aan het werk' erachteraan. Niet dat hij zich daar ooit door had laten ontmoedigen. Hij had zelfs een keer aangedrongen op msn-seks! Het uitmaken met Jared was het beste wat ze ooit had gedaan! Absoluut! Of eigenlijk had hij het uitgemaakt. 'Laten we elkaar een tijdje loslaten,' had hij op het vliegveld gezegd. Het deed er niet meer toe. Tijdelijk loslaten was uiteindelijk permanent geworden, en daar was ze alleen maar blij om.

Inmiddels waren haar gevoelens over msn'en echter volledig veranderd. Het was Habiba wel toevertrouwd om net zo lang door het web van het Web te manoeuvreren tot ze had uitgevogeld hoe Kate en zij contact met elkaar konden onderhouden. Telefoneren was leuker, maar met msn'en kwamen ze vast en zeker ook een heel eind. In haar laatste brief had ze Kate instructies gestuurd, plus een voorstel voor een datum en een tijd waarop ze elkaar zouden 'ontmoeten'. Omdat het in Boulder elf uur vroeger was dan in Ethiopië, was het bij Habiba al ver na middernacht – ongeveer een uur later dan ze hadden gepland voor hun transoceanische kletspraatje. Kate had er alles aan gedaan om op tijd in Bahar Dar te zijn, maar de dorpsoudste met wie ze meereed, had geen begrip voor haar noodzaak tot punctualiteit. Bovendien ging zijn stokoude Duitse auto niet sneller dan dertig kilometer per uur.

Dus ze was te laat bij het internetcafé gearriveerd, waar ze haastig, maar stap voor stap Habiba's instructies volgde – het downloaden van bepaalde software en zich een weg banen door een reeks van gratis websites. Toen eindelijk had ze haar eerste boodschap kunnen sturen ('H, ben je daar?') en 'Ik ben er!' teruggekregen, met een dikke, vette smiley.

Ze praatten met elkaar! En het gesprek was allesbehalve vrijblijvend. Habiba wilde alles weten over Angatu. Kate had al zoveel over het meisje geschreven, dat Habiba het gevoel had alsof ze haar kende. Habiba had zelfs een brief gestuurd naar de directrice van het weeshuis in Addis Abeba, waar ze voor haar adoptie had gezeten, met de vraag of die hen wilde helpen Masarat op te sporen. De kans was klein dat het via die weg zou lukken, maar het was het enige wat ze kon bedenken, en ze wilde althans íéts doen.

'Ik vind het geweldig wat je doet,' verscheen er op het scherm. 'Angatu mag van geluk spreken dat ze jou heeft ontmoet.'

Kate glimlachte terwijl ze zich haar kleine zusje voorstelde, thuis op haar slaapkamer, met haar benen bij de enkels gekruist, haar laptop op de antieke naaitafel die ze als bureau gebruikte. Haar altijd keurig opgeruimde kamer was in duisternis gehuld, op het groene leeslampje na op de hoek van haar eikenhouten bureau. Ze zat ongetwijfeld op blote voeten, in pyjama – waarschijnlijk een roze joggingbroek met een grijs Harvard T-shirt. Kate was zich pijnlijk bewust van het verlangen om even bij haar te kunnen zijn.

'Ik mis je heel erg,' typte ze. 'Ik kan niet wachten tot ik weer thuis ben. Dan kunnen we eindeloos kletsen en leuke dingen doen samen.'

*Bliep.*

'Je gaat naar Harvard!' verscheen er op het scherm. 'Dus ik krijg je amper te zien!'

Kate wist dat ze gelijk had. Wat zou ze er niet voor geven om vier jaar terug te kunnen gaan in de tijd, zodat ze de gemaakte fouten kon goedmaken. Waarschijnlijk was dat de voornaamste reden waarom het zo belangrijk voor haar was Angatu te herenigen met háár zusje.

'Ik overweeg om papa en mama over te halen om me naar je toe te laten gaan.'

Kate knipperde met haar ogen. Dat was wel het laatste wat ze had verwacht. 'Dus je zou er geen moeite mee hebben om terug te gaan naar Ethiopië?' Ze drukte op 'Send'. Hun ouders hadden Habiba herhaalde malen gevraagd of ze een keertje terugwilde, maar ze had altijd nee gezegd. Hoe kwam het dat ze ineens van gedachten was veranderd?

Het duurde geruime tijd voordat het antwoord op het scherm verscheen. 'Er zijn een hoop dingen die ik mis. Tenminste, dat neem ik aan.' Kate las de woorden zachtjes hardop. 'En misschien ben ik niet langer bang. Ik denk eigenlijk dat ik altijd bang ben geweest dat ik niet meer naar huis zou kunnen als ik terugging. Ook al weet ik niet waar ik dat vandaan haalde. Papa en mama zouden me heus niet achterlaten.'

Kate voelde een steek van pijn in haar hart. 'Nee, natuurlijk niet!' En ze voegde eraan toe: 'Maar zo denk je nu toch niet meer?'

'Nee.' Het antwoord kwam zonder aarzelen. 'Dit is mijn thuis. Mijn familie. Trouwens, had jij Joe Macintosh als mentor bij je toelatingstest?'

Kate lachte hardop om de plotselinge verandering van onderwerp. Ondanks haar emotionele rijpheid was Habiba duidelijk pas veertien.

'Ja. Stinkt hij nog zo uit zijn mond???'

Er verscheen een ongelukkig kijkende, gele emoticon op het scherm. 'Ik vraag elke keer of hij kauwgum wil.'

'Zorg dat hij je nooit thuisbrengt. Zijn auto stinkt nog erger!'

'Goed dat ik het weet. Bedankt!'

Er was nog iets wat Kate met haar zusje wilde bespreken. Ze had eindelijk een plan bedacht om Mulugeta te ontmaskeren, zonder Abebech te compromitteren. Niemand zou weten waar de informatie vandaan kwam. Mulugeta zou misschien een vermoeden hebben, maar zonder bewijs zou hij niets kunnen ondernemen. Het was iedereen duidelijk dat hij zijn rijkdom gebruikte om anderen, die minder fortuinlijk waren, in hun mogelijkheden te beknotten, en wanneer de dorpelingen eenmaal wisten dat hij niet was wie hij voorgaf te zijn, zouden ze niet langer naar hem luisteren. Schande was een machtig sociaal instrument in elke maatschappij, had Abebech uitgelegd, maar dat gold zeker in een diepgelovig land als Ethiopië. Kate voelde zich niet te goed om vuile handen te maken als ze op die manier zelfs maar één leven zou kunnen redden. De uitdrukking op Rebekkahs gezicht toen ze vertelde dat haar kindje was gestorven, was voldoende motivatie om Mulugeta onderuit te halen.

'Als ik je iets stuur, zou jij het dan voor me in het Amhaars kunnen vertalen?'

'Natuurlijk. Wat is het?'

Terwijl Kate de details uit de doeken deed, besefte ze dat ze grijnsde. Het was... ze zou bijna zeggen léúk... om de strijd aan te gaan met Mulugeta. En om dat samen met haar kleine zusje te doen, maakte het helemaal geweldig. Bovendien voelde het goed om zich niet te laten intimideren. Ze had een creatieve oplossing gevonden voor een lastig probleem – iets waar Darby niet in was geslaagd. Ze hoopte alleen dat het lukte, want als het fout ging, dan zou het wel eens kunnen zijn dat ze iedereen – zichzelf, Abebech en Dorothé, maar ook Darby, Jean-Pierre en Jessica – in ernstige problemen bracht. Daar wilde ze echter niet aan denken. Ze vond het veel te opwindend om een geheim plan uit te broeden met Habiba. Daar waren ze immers zusjes voor?

Ook al waren ze in twee totaal verschillende werelden opgegroeid.

❤

'Ik lijk wel gek dat ik dit doe!' Judd keek Harper aan door een enorme zonnebril met zilverkleurige spiegelglazen die hij uit de doos met gevonden voorwerpen had gevist in Café Hemingway.

'Studentenhaver?' Ze hield hem een plastic zak voor met noten, krenten en rozijnen. 'In noten zitten goede vetten.'

Ze had zich de laatste tijd extra ingespannen om haar vijftien 'kelderponden' kwijt te raken, en dus had ze chips en de bosbessenmuffins van Café Hemingway vervangen door gezondere snacks. Tot dusverre was ze twee pond afgevallen.

Hij viste twee amandelen uit het zakje. 'Ik zei iets,' zei hij al knabbelend.

Ze zaten inmiddels drie kwartier in Judds blauwgroene Saturn en hadden een opeenvolging van gescheiden uitziende types het appartementengebouw binnen zien gaan, waar Becca's moeder haar intrek zou hebben genomen bij Becca's vader. Harper had geprobeerd het voor de hand liggende gevoel van déjà vu te negeren. Een paar maanden eerder had ze Judd meegesleurd in haar paranoïde angst dat haar vader een verhouding had met een vrouw die ze de Roodharige Stoot had genoemd, en had ze hem min of meer gedwongen haar te helpen meneer Waddle te schaduwen. Er zat nog altijd een deuk in zijn rechtervoorbumper, opgelopen bij de kortstondige achtervolging per auto die onderdeel had uitgemaakt van de geheime operatie.

'Dit heeft niets te maken met waanideeën van mij,' zei ze met grote stelligheid. 'Deze keer doe ik gewoon mijn plicht.'

Ook al was Becca geen erg trouwe vriendin geweest sinds ze haar droom om verliefd te worden had verwezenlijkt, Harper kon het niet over haar hart verkrijgen haar in een crisis als deze de rug toe te keren. Natuurlijk, ze had kunnen proberen in haar eentje bewijzen te verzamelen van de veronderstelde affaire tussen Becca's ouders. Maar ze had een achterliggende reden toen ze Judd had gevraagd haar te helpen. Ze hoopte namelijk dat ze, wanneer ze maar lang genoeg met hem alleen was, iets te weten zou komen over Amelia. Hij had niet veel gezegd over hun chocolademelkdate, en Harper vond dat ze zich er niet mee mocht bemoeien. Maar om de een of andere reden was ze op een nacht wakker geworden met de vraag of er iets was gebeurd tussen die twee. Bovendien, en dat zat haar helemaal niet lekker, hadden ze sinds de dag van de sneeuwstorm niet meer geprofiteerd van hun 'vriendschap met extra's'.

Het bleef geruime tijd stil. Judd zette zijn zonnebril af. Harper at nog wat studentenhaver. Ze wist niet of de stilte een kameraadschappelijke was, of dat ze geen van beiden iets konden bedenken om te zeggen.

'En... hoe is het met Amelia?' Ze leunde naar voren toen een vrouw van middelbare leeftijd die wel wat op Becca's moeder leek, het appartementengebouw uit kwam, gewapend met een tennisracket. Vals alarm. Want voor zover Harper wist, had Becca's moeder niet recent iets aan haar tieten laten doen.

Judd bestudeerde de foto's die Becca per e-mail had gestuurd, zodat hij wist om wie het ging. 'Goed, neem ik aan.'

Weer zo'n nietszeggend antwoord. *Shit*! 'Heb je nog enige vordering gemaakt op het maagdelijkheidsfront?' Als vriendin met extra's had ze er récht op te weten wat er omging in zijn liefdesleven.

Hij sloeg kreunend zijn handen voor zijn gezicht. 'Daar wil ik het níét over hebben.'

'Waarom niet?' Ze dwong zichzelf de zak studentenhaver dicht te doen en op te bergen in het handschoenenkastje. Het spul mocht dan gezond zijn, het zat boordevol calorieën.

'Het is gewoon... raar.' Het begon donker te worden. In de cocon van de auto, met haar gezicht in de schaduwen, voelde Harper zich vrijer dan anders om te zeggen wat ze op haar hart had.

'Omdat wij vrijen?'

'Ik weet het niet... Ja.' Hij keerde zich naar haar toe. 'Er is niks gebeurd, oké?'

'Oké. Het maakt niet uit. Ik was gewoon nieuwsgierig.' Ze klopte hem op zijn knie. 'Misschien heb je volgende keer meer geluk.'

Harper deed haar best het sprongetje dat haar hart maakte, niet toe te schrijven aan blijdschap. Of misschien was het dat toch. Alleen niet omdat ze opgelucht was dat het niks was geworden tussen Judd en Amelia – dat liet haar koud. Als haar hart al een sprongetje van blijdschap maakte, dan was dat vanwege haar tevredenheid over haar evoluerende communicatieve vaardigheden met het andere geslacht. Als meneer Finelli ooit weer met haar wilde praten, zou ze misschien niet langer de stamelende idioot zijn die ze was geweest.

'Als ik je iets vertel, beloof je dan dat je niet boos wordt?' Judd streek een stukje amandel van zijn zwarte Café Hemingway-sweatshirt.

'Ik beloof je dat ik je niet zal slaan.' Meer kon ze niet beloven. Boos worden was een reactie die ze niet in de hand had.

'Toen je er zo van overtuigd was dat je vader je moeder bedroog, toen kwam dat eigenlijk door je writer's block. Toch?'

Ze had geen idee wat dat met Amelia te maken had. 'Ja, dat is zo,' gaf ze toe. Het was vernederend, maar waar.

'Ik denk dat deze obsessie van je om Becca's ouders samen te betrappen... Nou ja, misschien vloeit die wel voort uit het feit dat je moeite hebt met wat er thuis aan de hand is, met je vader.' Dus het had inderdaad niets met Amelia te maken. Ook best. Hij schoof zo ver bij haar vandaan als mogelijk was in de beperkte ruimte van de kleine auto. Blijkbaar stelde haar belofte dat ze hem niet zou slaan, hem niet voldoende gerust.

'Onzin!' Ze deed het handschoenenkastje open en haalde de zak studentenhaver weer tevoorschijn. Nog een paar handjes kon niet ál te veel schade aanrichten aan haar dijen. 'Dat heb ik je toch gezegd? Becca heeft me gevráágd of ik het wilde doen.'

'Volgens mij lijden jij en je vriendinnen aan een ernstige vorm van dissociatie.'

'Ik hoop dat ze het mis heeft. Trouwens, dat lijkt me ook heel waarschijnlijk. Maar ik heb beloofd dat ik hier tot middernacht zou blijven. Dus dat doe ik.'

'Waarom zou het zo erg zijn als haar ouders opnieuw verliefd op elkaar zijn? Dat moet je me toch eens uitleggen. De meeste kinderen van gescheiden ouders fantaseren voortdurend dat hun ouders weer bij elkaar komen.' Judd pakte het zakje studentenhaver uit haar handen en viste er opnieuw een paar amandelen uit.

'Dat is nogal ingewikkeld.' Met Judd over haar eigen gedachten en gevoelens praten was één ding. Over zichzelf mocht ze zeggen wat ze wilde. Maar Becca was een buitengewoon gevoelig meisje, en Harper was niet van plan uit de school te klappen als het om het gevoelsleven van haar vriendinnetje ging. Dat was heilig.

Judd knikte, blijkbaar niet van plan er verder op door te gaan. 'Dus je bent niet van streek over je vader?'

Er vormde zich een knoop in haar maag. Het was een knoop die hoe langer hoe vertrouwder werd en die ze voelde, telkens wanneer ze aan haar vader dacht. Hoe hij aan bed gekluisterd was en dapper deed alsof hij geen pijn had. 'Hij wordt weer helemaal de oude. Dus het is niet echt iets om door van streek te raken.'

'Oké, maar als je er ooit over wilt praten, dan weet je me te vinden.' Hij glimlachte en streek door zijn zwarte krullen, die nog warriger leken dan anders.

'Oké. Dank-je-wel.' Ze keken elkaar aan, en het was alsof ze elkaar zouden gaan zoenen, anders dan alle keren daarvoor.

Maar voordat Harper verder over die opmerkelijke gedachte kon nadenken, kwam er een marineblauwe Volvo-stationcar het parkeerterrein op rijden. Ze pakte Judd bij zijn arm.

'Becca's vader heeft zo'n auto.'

Hij bestudeerde haastig de uitgeprinte foto's en keek toen in dezelfde richting als Harper. Het was inmiddels volslagen donker, maar de Volvo werd verlicht door de lantaarns op het parkeerterrein. Meneer Winsberg stapte uit en sloot het portier. Toen ging het portier aan de andere kant van de auto open. De vrouw die uitstapte, was Becca's moeder.

'Dat is ze!' Harpers hart begon sneller te slaan. Ook al zat ze hier al uren, ze had eigenlijk niet verwacht dat er iets zou gebeuren.

Het kastanjebruine haar van Becca's moeder viel los op haar schouders. Ze droeg pumps met hoge hakken. Terwijl ze om de auto heen liep, lachte ze om iets wat meneer Winsberg zei. Toen schoof ze haar arm door de zijne. Dat hoefde op zich nog niets te betekenen. Zelfs Becca had gezegd dat haar ouders het tijdens het Ouderweekend beter met elkaar hadden kunnen vinden dan ooit. Misschien hadden ze puur vriendschappelijk contact met elkaar gezocht, omdat ze tot de conclusie waren gekomen dat ze het hun dochter al die jaren wel erg moeilijk hadden gemaakt, en omdat ze op zoek waren naar een manier om dat goed te maken.

Maar toen zoenden ze elkaar! Geen kuise zoen op de wang, maar meer het soort zoen aan het eind van een romantische comedy wanneer alle misverstanden zijn opgelost. Het soort zoen waarbij werd getongd. Tenzij ze ook hadden gekozen voor de optie 'vrienden met extra's', waren de Winsbergs weer helemaal bij elkaar.

'Jezus!' Judd staarde door de voorruit, de zak met studentenhaver stond vergeten op zijn schoot.

Harper reikte naar de achterbank en viste haar mobiele telefoon uit de zak van haar parka. Ze klapte hem open, drukte op 'camera', en binnen enkele seconden had ze gefocust en een foto gemaakt. Ook al had ze zich niet hoeven haasten. Becca's ouders maakten geen aanstalten elkaar los te laten. Harper wendde zich af. Ze had genoeg gezien.

'Ze zijn echt goed op gang!' merkte Judd op, alsof hij naar een footballwedstrijd zat te kijken. 'Wauw!'

Harper keek naar het verlichte schermpje van haar telefoon. Ze verkeerde in de verleiding de foto te wissen en Becca te rapporteren dat ze niets had gezien. Haar vriendin was eindelijk gelukkig! Waarom zou ze dat onnodig compliceren met zoiets onzekers als een mogelijke gezinshereniging?

Judd leunde zuchtend naar achteren. 'Ze gaan naar binnen. En ik wil wedden dat ze daar doorgaan met zoenen.'

'Getver. Je hebt het wel over Becca's óúders.'

Hij pakte twee van de riemlussen van haar bruine ribfluwelen Levi's en trok haar naar zich toe. 'Ik vind het wel inspirerend.'

Harper voelde dat haar wangen begonnen te gloeien. 'Hier?'

'Waarom niet?' Hij boog zich naar haar toe. 'Er is niemand die het ziet.'

Ze wist dat ze Becca zou moeten bellen, om haar te vertellen wat ze had gezien. Ze móést het vertellen. Als Becca erachter kwam dat Harper dit voor haar had verzwegen, waren de rapen gaar. Anderzijds, in Middlebury was het een paar uur later. Dus misschien sliep Becca al, of misschien lag ze heftig te zoenen met Stuart. Het had geen zin om haar dan te storen. Judds lippen zagen er erg uitnodigend uit, en de arme jongen verdiende een beloning voor het feit dat hij haar gezelschap had gehouden. Bovendien moest ze hem troosten omdat het niks was geworden met Amelia.

Wanneer Becca de foto eenmaal had gezien, zouden ze het er uitvoerig over hebben. Maar voor vanavond zat haar plicht als vriendin erop.

Dus ze werkte zich – mét haar dertien kelderponden – bij Judd op schoot. Voor het soort zoen waarbij werd getongd.

# MASARAT

Wat ik weet:
- Leeftijd: 18
- 1.60 m
- 45 kg
- Litteken op haar linkerarm
- Vertrok vier jaar geleden uit Bahar Dar naar Addis Abeba

Wat ik niet weet:
- Hoe ze er nu uitziet
- Waar ze woont
- Wat ze doet
- Wie ze kent
- Of ze inmiddels getrouwd is en kinderen heeft
- Of ze nog iets met Angatu te maken wil hebben
- Of ze nog leeft

# TIEN

KATE ZOU DE WONDEREN VAN DE WASMACHINE nooit meer als iets vanzelfsprekends beschouwen. Ze stond een smerig, wit mouwloos T-shirt te schrobben in een plastic emmer met sop, denkend aan de leuke lingerie waarmee ze in Ethiopië was gearriveerd. Inmiddels – dankzij het schrobben met een steen – was er niet veel meer van over en hingen de rafels erbij. Haar beha's waren grauw en haveloos geworden, haar T-shirts smoezelig en uit model. Alleen haar spijkerbroek en haar kakibroeken hadden het overleefd. Sterker nog, die zagen er door de slijtage zelfs béter uit.

Met haar handen was het minder goed gesteld, want ze kon geen was draaien (heette het nog wel 'draaien' wanneer je de was deed in een rode plastic emmer?) zonder met haar knokkels langs de steen te schrapen. En daarna moest de boel worden opgehangen. Met vijf mensen in de kraal was de lijn op het erf altijd vol. Bovendien weigerde ze haar beha's en slipjes tentoon te hangen voor de hele wereld – of in elk geval voor de dorpskinderen die elke avond op het erf kwamen voetballen. Dat was het enige waarover Jessica en zij het eens waren: ondergoed verdiende een speciaal plekje om te drogen. Dus ze hadden een lijntje gespannen in de hut, boven het kookoventje. Het voordeel was dat de kleren daardoor sneller droogden, het nadeel dat ze regelmatig naar mest roken.

Kate liet een ooit witte kanten beha in de emmer vallen en deed er wat schoon water en zeepvlokken bij. Wat een manier om de zaterdagavond te besteden! Ze bewoog de steen ritmisch op en neer over de zijdezachte stof.

'Je hebt de beweging aardig onder de knie.' Zodra het eruit was, leek Darby te beseffen wat hij had gezegd. Toen zag hij wat ze stond te wassen, en hij bleef op enige afstand staan. 'Ik bedoel... eh... met die steen,' hakkelde hij.

Kate vermoedde dat hij bloosde, maar dat was moeilijk te zeggen omdat hij zo bruin was. Tot haar eigen verbazing was ze niet gegeneerd. Wat kon het haar schelen of hij haar ondergoed zag? Ze klotste met de beha in het water en hield hem toen druipend omhoog, om te inspecteren of hij schoon was.

'Is er iets?' vroeg ze, wat zeepvlokken over een denkbeeldige vlek in haar B-cup wrijvend. Hij had ongetwijfeld wel eens sexyer ondergoed gezien, maar gegeven de tijd dat ze inmiddels in Afrika zaten, was het ongetwijfeld de meest sexy beha in maanden. Misschien moest zij voor de verandering maar eens onhebbelijk tegen hém doen. Ze wist dat ze er goed uitzag. De witte natala die ze als een rokje om haar middel had geknoopt, benadrukte haar gebruinde huid. Haar roze T-shirt was net strak genoeg om over haar ronde borsten te spannen.

'Ja...' Darby keek alle kanten uit behalve naar de druipende beha. Kate beleefde een pervers genoegen aan zijn ongemak. 'Ik wilde alleen maar zeggen dat ik blij ben dat je het idee om een put te slaan in Teje hebt laten varen. Want het gaat niet lukken, en ik heb de indruk dat je je daarbij hebt neergelegd. Nogmaals, daar ben ik blij om. Dat... dat was alles.'

Kate spoelde de beha langzaam in de emmer, bewoog hem heen en weer door het water, toen haalde ze hem er weer uit en modelleerde ze voorzichtig het kant langs de randen. Mooi zo. Hij dacht dat ze de put in Teje had opgegeven. Dat was ook de bedoeling. Als hij maar half vermoedde wat ze van plan was, zou hij proberen haar tegen te houden.

'Het was stom van me om het te willen doordrukken,' zei ze, zogenaamd verzoend met het onvermijdelijke.

Darby keek haar aan, alsof hij zocht naar woorden. 'Ik heb het je niet gemakkelijk gemaakt. Dat besef ik. Het hoort bij mijn werk. Maar misschien ben ik wat overhaast geweest in mijn conclusies... en heb ik me in je vergist.'

*O.* Kate voelde een ongemakkelijke druk in haar borst. Hij leek zo... *oprecht.* En... hot in dat verbleekte oranje T-shirt waar hij voortdurend in rondliep. Zijn lichtbruine haar, dat sinds hun aankomst in Mekebe niet meer was geknipt, was verwaaid door de wind, zijn onderlip gebarsten door de zon, en zijn wimpers waren heel lichtblond gebleekt.

'Je hebt aanleg voor dit werk.' Hij stopte zijn handen in de zakken van zijn spijkerbroek. 'Je bent geweldig met talen, je laat je door niets intimideren, je hebt een plek voor jezelf weten te verwerven in het dorp...'

Hoe meer hij zei – dat ze zoveel initiatief toonde, zoveel organisatorisch talent had, enzovoort – des te vuriger wenste Kate dat hij zijn mond zou houden. Al was het maar omdat, met elk woord dat hij zei, het gefladder in haar buik erger werd. En dat was ernstig. Darby werd niet geacht aardige dingen tegen haar te zeggen. Ze mochten elkaar niet – hij haar niet en zij hem niet. Dat was vanaf de allereerste dag hun dynamiek geweest, en dat moest vooral zo blijven. Nu helemaal. Want als Darby haar niet langer níét aardig vond, en omgekeerd... dan kon ze het minder gemakkelijk rechtvaardigen dat ze hem niets vertelde over haar plannen met Mulugeta. Ze kon hem niet in vertrouwen nemen, omdat ze absoluut zeker wist dat hij zou doen wat hij kon om haar tegen te houden. En dat mocht ze niet laten gebeuren.

En dan was Magnus er ook nog. Ze had al enige tijd niets meer van hem gehoord, en zelf had ze al veel langer niet meer geschreven. Toch bleef Magnus belangrijk voor haar. Ze hield van hem. Of hoe ze het ook moest noemen wat ze voor hem voelde. Het was in elk geval genoeg om het niet juist te vinden dat ze gevoelens kreeg voor een ander.

Het feit dat Darby de indruk wekte niet langer een totale hekel aan háár te hebben, wilde nog niet zeggen dat zij geen hekel aan hem kon blijven houden. Want dat was misschien maar het beste. Moest ze soms vergeten hoe afschuwelijk hij tegen haar was geweest, alleen omdat hij plotseling tot de conclusie leek te zijn gekomen dat ze nog wel íéts goed kon doen? Nee, ze zou lekker doorgaan met een hekel aan hem hebben. Dat was de enig begaanbare weg.

Darby wekte de indruk alsof hij haar vol verwachting aankeek. Had ze iets gemist?

Hij fronste zijn wenkbrauwen. 'Wat vind je ervan?'

Waarvan? Had hij haar mee uit gevraagd? Vond hij haar ineens echt aardig?

'Ik geloof niet dat ik het wil,' antwoordde ze op haar hoede. 'Maar vertel me er eens wat meer over.'

'Nou, je zou een halfjaar in opleiding moeten, waarschijnlijk in Zuid-Afrika, maar dan zou je gekwalificeerd zijn om teamleider te worden...'

'*Teamleider*?'

'Ja... Dat zeg ik net!'

'Oké. Oké. Alleen... denk je dat ik een goede teamleider zou zijn?' Kate wist niet zeker of ze gevleid was door deze suggestie, of teleurgesteld omdat hij haar niet mee uit had gevraagd.

Darby haalde zijn schouders op. 'Natuurlijk. Heb je eigenlijk wel gehoord wat ik zei?'

'Sorry. Je overvalt me.'

'Tenzij je volgend jaar naar Harvard wilt.' Hij wekte de indruk alsof er voor hem erg veel afhing van haar antwoord.

'Dat weet ik nog niet.' Kate schudde haar hoofd. 'Ik... ik denk eigenlijk van wel.'

'Ik ga terug naar Princeton.' Hij bleef haar strak aankijken, en gedurende enkele ogenblikken zwegen ze allebei. Toen bedacht Kate dat ze hem niet aardig vond. Ze mócht hem niet aardig vinden. Om verschillende redenen. Onder andere omdat hij niet aardig wás – ondanks al het bewijs dat ze op dit moment kreeg van het tegendeel.

Toch leek ze geen woord over haar lippen te kunnen krijgen.

'Je beha drupt,' merkte Dorothé op die de hoek om kwam. Haar blik ging van de een naar de ander.

Kate kneep het water uit de beha, terwijl Darby zich omdraaide naar het erf. 'Denk er eens over na,' zei hij over zijn schouder. Toen was hij verdwenen.

Dorothé trok geamuseerd een wenkbrauw op, zoals alleen Fransen dat konden.

'Doe niet zo idioot,' snauwde Kate. 'We hebben het hier over Dárby.'

'*Oui, exactement.*' Dorothé grijnsde, volstrekt niet ontmoedigd door Kates reactie. Ze hield een vel papier omhoog. 'Ik heb bericht van mijn vriendin in Addis. Geen goed nieuws. Ze kent twee meisjes van de juiste leeftijd die Masarat heten, maar ze hebben geen van beiden een zusje. Hoe dan ook, ze blijft haar ogen wijd open houden.'

'Bedankt.' Kate kon niet helpen dat ze teleurgesteld was.

'Vertel op! Wat was er aan de hand toen ik kwam storen?' Dorothé grijnsde. Ze zag er *très chic* uit in een lange rok met Afrikaanse print, een strak wit T-shirt en beige sandalen.

'Niets. Nee, echt niet. Hij stelde alleen voor dat ik een training zou volgen om teamleider te worden.'

'Dat is een enorm compliment uit zijn mond.'

'Hm-m.' Kate doopte haar handen weer in de emmer, dankbaar dat ze haar aandacht op haar was kon richten.

'Amerikanen.' Dorothé lachte zacht. 'Heb je het pakketje van je zus al binnen?'

'Nog niet.' Kate voelde diep vanbinnen een knagende bezorgdheid. 'Ik ben bang dat het wel een paar weken kan duren.'

Terwijl haar collega/vriendin terugliep naar de hut om het avondeten klaar te maken, dacht Kate aan het pakketje van Habiba. Zodra dat binnen was, zouden ze de inhoud gebruiken om Mulugeta te ontmaskeren. Ook al wist niemand dat zij erachter zat – en als volgens plan verliep, zóú ook niemand dat weten – Darby zou ze niks wijs kunnen maken.

En dan zou hij pas echt een hekel aan haar hebben. Voorgoed. Als ze ook maar iets om hem gaf, zou die gedachte haar hevig van streek hebben gemaakt.

Dus het was maar goed dat hij haar niets deed.

❤

Sophie deed abrupt haar ogen open. Het was midden in de nacht en ze had gedroomd dat Trey Benson haar had opgespoord in de rij bij Ralph's minimarkt aan Third Street. Bij de afdeling diepvries had hij zich midden in het gangpad op zijn knieën laten vallen en haar om vergiffenis gesmeekt. Ze had geschokt op hem neergekeken, met een blik spaghetti met gehaktballetjes in haar hand. Voordat ze kon zeggen wat een ongelooflijke klootzak hij was, begon Trey te huilen. Echt verschrikkelijk te huilen, compleet met snikken en hyperventileren en alles erop en eraan. Er verzamelde zich een menigte, een paparazzo maakte van dichtbij een foto, de tranen bleven maar stromen... Het was een heerlijke droom!

Terwijl ze op de digitale wekker naast haar bed keek, besefte ze dat het huilen zich niet alleen in haar droom had afgespeeld. Het was kwart over drie, en er huilde écht iemand. Ergens aan de andere kant van J.D.'s slaapkamerdeur. Gedurende enkele minuten probeerde ze de gekwelde geluiden te negeren en weer in slaap te vallen, maar er kwam geen eind aan. Uiteindelijk gooide ze het dek van zich af, liet ze zich uit bed glijden en trok de rode joggingbroek van Juicy aan onder het overmaatse UC T-shirt dat ze in bed droeg.

Op haar tenen liep ze de kamer door. Bij de deur gekomen

deed ze die op een kiertje open. Pessarium Ellie zat ineengedoken op de bank in een van de doorkijknachtponnen waaraan ze de voorkeur gaf. Ze had haar handen voor haar gezicht geslagen en zat te jammeren als een gewonde neushoorn. *Dit is niet mijn verantwoordelijkheid*, zei Sophie tegen zichzelf. Waarschijnlijk hadden Sam en Ellie ruzie gehad. Want Sophie twijfelde er niet aan, of Ellie was bezig zich te ontwikkelen tot een arrogant kreng sinds ze die rol in *Heartland* had gekregen. Dat had hij haar voor de voeten gegooid, waarop zij hem in het vuur van de strijd naar het hoofd had geslingerd dat hij een loser was die niks voorstelde. Waarop hij haar vervolgens zijn bed en de slaapkamer uit had gegooid. En nu zat Ellie – zo luidruchtig mogelijk – haar ogen uit haar hoofd te huilen, in de hoop dat Sam uit zijn kamer zou komen om te zeggen dat het hem speet en haar te vragen weer in bed te komen, zodat ze het met een potje seks weer goed konden maken.

Maar Sophie wist twee dingen die Ellie blijkbaar niet wist. Om te beginnen dat Sam extreem koppig was. En verder dat hij extreem vast sliep. Als hij was ingedut vóórdat Ellie begon te janken, zou hij daar geen weet van hebben tot hij de volgende morgen wakker werd en haar rode, dikke ogen zag. Sophie zuchtte. Ze kon er net zo goed naartoe gaan en Ellie aanbieden op haar schouder uit te huilen. Want als ze Ellie niet stil kreeg, kon ze de rest van haar nachtrust wel vergeten.

'Eh... hé,' begroette ze haar. 'Gaat het een beetje?' Sophie zag dat Ellie dringend behoefte had aan een tissue. Ze zat onder het snot. Het was werkelijk stuitend.

'Ik eh... Sorry... Heb ik je wakker gemaakt?'

*Eh... ja.* 'Nee... ik moest toch... eh... plassen. Te veel cola light gedronken voordat ik ging slapen.'

Ellie knikte alleen maar en begon weer te huilen.

'Heb je ruzie gehad met Sam?' drong Sophie aan. Hoe eerder ze kon beginnen met haar troostritueel, des te eerder kon ze terug

263

naar haar droom over de ultieme vernedering van Trey Benson.

Ellie schudde haar hoofd, niet in staat een woord uit te brengen. Jezus, dit was zwaar overdreven. Of ze had antidepressiva nodig of ze was een betere actrice dan Sophie had gedacht. Zulke tranen had ze niet meer gezien sinds de begrafenis van Storm Chase, een personage in *Cloud Bursts*, ooit haar favoriete soap.

'Ik kan het niet aanzien dat je zo verdrietig bent.' Sophie besloot dat er een flinke dosis gespeelde betrokkenheid aan te pas moest komen. 'Wat is er aan de hand?'

Het lukte Ellie twee tellen op te houden met huilen. 'Dat kan ik je niet vertellen... Het is zo gênant.'

'Heb je je pessarium weer laten vallen?' *Wat een vondst.* 'En heeft Sam het gezien?'

Ze werd beloond met een flauwe glimlach, toen kwamen de tranen weer. Sophie ging naast de nieuwe Paige Dalloway zitten en sloeg met tegenzin een arm om haar magere schouders. 'Vertel het me nou maar. Ik weet zeker dat je je dan beter voelt.'

Zulke dingen zei haar moeder tegen weigerachtige patiënten. Want zelfs als ze in therapie gingen, wilden mensen vaak niet het achterste van hun tong laten zien. Volgens Angela omdat ze zich schaamden. Tot ze naar LA was verhuisd en Trey had ontmoet, had Sophie nooit echt begrepen wat schaamte inhield. Inmiddels begreep ze het maar al te goed.

Ellie keek haar aan. 'Beloof je dat je het aan niemand vertelt?'

'Natuurlijk!' Sophies nieuwsgierigheid was nu serieus gewekt. Dit moest wel erg smeuïg zijn. Naaktfoto's op het internet? Een softpornovideo in Ellies verleden? Of had Ellie misschien vroeger Elliot geheten? Wat was er aan de hand?

'Ze hebben een nieuwe scène geschreven voor de pilot van *Heartland*. Daarin zegt Paige tegen haar moeder dat ze haar haat! Het is... nou ja... heel emotioneel. De opnamen zijn morgen, maar ik weet zeker dat ik er niks van bak. Absoluut, helemaal niks!'

'Is dat het? Zijn het de zenuwen?' Sophie had gehoord van acteurs die liepen te kotsen voor een belangrijke scène, maar dit klonk goed belachelijk.

'Een van de andere acteurs, Frazier Jung, hoorde me vandaag repeteren in de make-uptrailer. Toen niemand het hoorde, zei hij dat ik waardeloos was. En dat ze me zouden ontslaan, net als dat andere meisje.' Ze zweeg even, haar gezicht begon opnieuw te rimpelen. 'Hij heeft gelijk. Ik bén waardeloos. Ik heb zelfs nooit acteerlessen gehad. Ik was fotomodel, en toen... nou ja, toen gebeurde het ineens.'

Sophie probeerde het blije gevoel te negeren dat het resultaat was van de mededeling dat Ellie misschien zou worden ontslagen. Net zoals ze probeerde de vernietigende wrokgevoelens te verdringen, omdat ze was verslagen door een meisje dat nog nooit één toneelscène had gerepeteerd. Tenslotte probeerde ze zich tegenwoordig volwassen te gedragen.

'Die Frazier lijkt me een klootzak. Hij is waarschijnlijk kwaad omdat hij iets had met dat andere meisje, en omdat zij hem had gedumpt voordat ze werd ontslagen. Dus daar zou ik me maar niks van aantrekken.' Sophie klopte Ellie op haar rug, haar blik afwendend van het snot dat uit Ellies neus stroomde.

'Sophie, ik ben verrschríkkelijk.' Ellie veegde haar neus af. 'Want ik ben dol op mijn moeder. Ik kan me niet voorstellen dat ik haar – of iemand anders – zou haten. Dat zit gewoon niet in me. Dus ik kan het ook niet spelen.' Ze slaakte een diepe zucht. 'Ik ben altijd alleen maar áárdige mensen tegengekomen.'

Sophie kon haar wel slaan. 'Laat je tekst eens horen. Ik weet zeker dat het niet zo erg is als jij denkt.'

'Nu? Nee, dat kan ik niet.' Ze klonk nog altijd diep ongelukkig, maar ze huilde niet meer. Wat Sophie het meest stoorde, was dat ze zelfs met dikke ogen en een gezicht vol snot nog altijd beeldschoon was.

'Vooruit! Schiet op!' commandeerde ze. 'Anders vertel ik het aan Sam.'

Ellie keek haar aan en scheen te beseffen dat het geen loos dreigement was. Ze schraapte haar keel. 'Mam, je haat jegens papa is het enige waar jij voor leeft. Je bent verbitterd, verstard, ik word bang van je. Ik zou zo graag van je willen houden, maar je maakt het me onmogelijk...' declameerde ze.

'Hou op! Je had gelijk. Je bent verschrikkelijk.' En dat was ze ook echt. De Pessarium Prinses zei haar tekst op als een verveelde robot. Sophie had honden betere acteerprestaties zien leveren. Aanzíénlijk beter. Bovendien maakten Ellies wenkbrauwen overuren.

'Dat weet ik!' Ellie haalde diep adem en leek op het punt opnieuw in snikken uit te barsten.

'Maar ik zal je helpen om het beter te doen.' Het was eruit voordat ze er erg in had, want Sophie was helemaal niet van plan geweest haar hulp aan te bieden. 'Tegen de tijd dat je naar de studio moet, ben je een tweede Hilary Swank.'

'Echt waar?' Er kwam zo'n dankbare blik in Ellies ogen dat Sophie haar bijna aardig vond. 'O, dan ben ik voor altijd je beste vriendin.'

Sophie knikte, vurig hopend dat het daar niet van zou komen. Om te beginnen moest ze haar dat gedoe met haar wenkbrauwen afleren, en vervolgens zou ze Ellie helpen zich in te leven in de scène. Ze zou haar helpen die te zien op een manier waardoor ze het personage van Paige – en wat Paige doormaakte – begreep. Wanneer het Ellie lukte in de schoenen van Paige te gaan staan, dan zouden de woorden als vanzelf natuurlijk klinken. En Sophie wist precies waar ze moest beginnen. Met de kernemotie van de scène. In dit geval, was die kernemotie haat. En dat was iets waar ze een klein beetje van wist.

'Ik zal je iets vertellen over Trey Benson...' begon Sophie. Als ze dan niet kon teruggaan naar die verrukkelijke, vernederende droom, kon ze Trey en al zijn rottigheid net zo goed gebruiken voor iets goeds. Of in elk geval iets volwassens.

♥

Toen Becca klein was, hadden haar ouders een huisje gehad aan een meer, een eindje buiten Boulder. Ze wist er zo goed als niets meer van – het hoog oplaaiende vuur dat ze op foto's had gezien, de baars van meer dan een kilo die haar vader beweerde te hebben gevangen met haar kinderhengel, ze was het allemaal vergeten. Ze herinnerde zich zelfs niet meer dat haar ouders destijds nog gewoon getrouwd waren geweest. Het enige – echt het énige – wat ze zich nog wist, was de dode babyvleermuis.

Ze had nog nooit een vleermuis gezien, en toen haar moeder begon te gillen – te kríjsen, was een juistere omschrijving – was de vierjarige Becca komen toesnellen. Ze kon het kleine zwarte wezentje op de houten dakspaan in haar moeders hand niet thuisbrengen, maar ze begreep wel dat de spijker door de borst van het diertje weinig goeds betekende. Het bleek dat haar moeder bezig was geweest een houten dakspaan tegen de zijkant van de hut te spijkeren, toen ze gepiep hoorde. Onmiddellijk had ze de dakspaan teruggetrokken. Het bleek dat ze de spijker dwars door het lijfje van de kleine vleermuis had geslagen.

Het beestje was klein – misschien acht centimeter lang – met een zwart muizenkopje en vleugels zo dun als papier. Het bewoog ze een paar keer op en neer – *ffflap, ffflap* – toen stierf het diertje.

Dat was alles wat Becca zich herinnerde.

En vanavond voelde ze zich net als die kleine vleermuis. Ze had rustig haar eigen leventje geleid, zich verscholen houdend in haar kleine wereldje, maar toen waren haar ouders gekomen en hadden een spijker dwars door haar borst geslagen. In plaats van dat ze de kans kreeg rustig te sterven – wat ze het liefst zou doen – werd ze door haar 'vrienden' met geweld uit haar zelfgekozen isolement gehaald, ongeacht het feit dat ze zich voelde als die arme kleine vleermuis.

Ze had zich uitstekend staande weten te houden tijdens de belangrijkste skiwedstrijd van het jaar, net zoals ze zich de afgelopen dagen ook prima had gevoeld terwijl ze naar college ging, vrijde met Stuart, lunchte met Isabelle en hun vrienden van de skiploeg, enthousiast knikte bij het horen van de plannen van de anderen voor het Winter Festival dat weekend en alles op alles zette tijdens skitraining.

Maar sinds ze Harper had gesproken, moest ze zich elk moment van de dag forceren om de indruk te wekken dat het goed met haar ging. Haar ouders waren inderdaad weer bij elkaar. Harper had haar moeder het appartement van haar vader zien binnen gaan. Ze had zelfs gezien dat haar ouders elkaar zoenden! En dankzij de moderne technologie had Becca het ook gezien. Het was absoluut zeker dat Melissa niet langer bij haar vader woonde.

Harper, Isabelle en Stuart hadden haar allemaal aangemoedigd om haar ouders te bellen, en ze besefte dat ze dat zou moeten doen. Maar telkens wanneer ze naar de telefoon reikte, weigerden haar vingers het nummer te kiezen. Niet dat ze boos was. Of misschien ook wel. Ze wist niet goed wat ze precies voelde, alleen dat ze er ellendig aan toe was.

De skipistes waren de enige plek waar ze zich bijna gewoon voelde. Daar stortte ze zich zo fanatiek op haar sport dat ze bijna roekeloos werd. Coach Maddix was onder de indruk geweest van haar tijd die dag, en hij had haar gefeliciteerd met haar overwinning. Zijn lof werd echter getemperd door een grimmige waarschuwing. 'Neem de volgende keer niet zo veel risico's,' had hij gezegd, met haar elleboog in een ijzeren greep. 'Ik heb je het volgend seizoen ook nog nodig.' Becca had zwijgend geknikt.

Na de wedstrijd was ze het liefst in bed gekropen, maar het Winter Festival was in Middlebury dé happening van het jaar, en zowel Isabelle als Stuart weigerde te accepteren dat ze niet meeging. Dus ze had haar zwarte Anthropologie-rok en zilvergrijze boothalstrui aangetrokken en dapper geglimlacht toen Stuart aan de deur was gekomen om Isabelle en haar mee te nemen naar het feest.

Stuart was geweldig geweest, moest ze toegeven, terwijl ze in de drukte tegen hem aan leunde. Hij had haar de ruimte gegeven, zonder haar ook maar één moment te laten vergeten dat hij er voor haar was. En zonder over haar ouders te oordelen. In plaats daarvan had hij haar verzekerd dat ze zelf moesten weten wat ze deden. En dat het niet haar schuld was, wát ze ook deden.

'Zullen we dansen?' Hij boog zich naar haar toe om zich verstaanbaar te maken.

Isabelle was allang verdwenen, en het was alsof alle tweeduizend Middlebury-studenten zich in de feestzaal hadden verzameld. Een band speelde onafgebroken hits uit de jaren negentig, en iedereen leek wel iets van alcohol te hebben meegesmokkeld naar het door de universiteit gesponsorde gebeuren.

Becca wilde niet dansen, maar veronderstelde dat ze er niet onderuitkwam. Als ze zich goed had gevoeld, zou ze gedanst hebben. Dus dansen zou ze. Maar nu nog niet.

'Ik moet even naar de wc,' schreeuwde ze in zijn oor. 'Ik ben zo terug.'

Het wachten in de rij duurde een eeuwigheid. Tegen de tijd dat ze eindelijk had geplast en zich weer een weg door de menigte baande naar de plek waar ze Stuart had achtergelaten, was ze zo mogelijk nog minder in een feeststemming dan daarvoor. Tot overmaat van ramp was Stuart verdwenen. Waar was hij? Becca keek reikhalzend om zich heen. Was hij soms ook naar de wc?

Toen zag ze hem. Op de dansvloer. Hij danste met een dunne, spichtige blondine. Becca had haar eerder gezien – Middlebury was een tamelijk kleinschalige universiteit. Ze wist alleen niet hoe het meisje heette, hetgeen betekende dat ze waarschijnlijk een ouderejaars was. Misschien van Stuarts jaar. Bij de aanblik van haar vriendje op de dansvloer met de blondine kwam Becca's maag in opstand. Niet dat ze echt iets voelde, want ze hád op dat moment geen gevoelens. Anders dan natuurlijk dat ze zich 'prima' voelde. Al dansend legde het meisje haar hand op Stuarts schouder en ze leunde dicht naar hem toe terwijl ze iets in zijn oor fluisterde. Stuart begon te lachen en pakte haar hand. *Hij pakte haar hand.* In Becca's beleving gebeurde het in slow motion – Stuart die lachte, zijn hand uitstrekte, de hand van de spichtige blondine in de zijne nam en zich naar haar toe boog...

De vleugels van haar hart, dun als papier, sloegen zwakjes op en neer. *Ffflap... ffflap.* Toen waren ze stil.

Tegen de tijd dat ze weer tot zichzelf kwam, was ze op haar kamer, en ze huilde zo verschrikkelijk dat ze niet kon blijven staan. Ze liet zich op de grond vallen, met schokkende schouders, haar armen om haar middel.

Mannen! Ze waren echt allemaal hetzelfde! Ze zeiden dat ze van je hielden en dan ze werden verliefd op een ander. Haar vader had het gedaan. En het was alleen een kwestie van tijd geweest voordat het met Stuart gebeurde. Ze had het van meet af aan geweten. En ze had zichzelf voor de gek gehouden op de zeldzame momenten waarop ze had geloofd dat Stuart anders was. Misschien was hij nog niet verliefd op dat andere meisje, maar dat deed er nauwelijks toe. Het had geen zin om nog langer te doen alsof.

Becca had geprobeerd erin te geloven. Ze had het echt geprobeerd.

Maar ze kon het niet.

❤

'Water. Van levensbelang.'

'Water? Waar wachten we nog op?'

'Vecht voor je recht! Water, je kunt geen dag zonder!'

Harper schudde haar hoofd. 'Hm. Het klinkt allemaal niet pakkend genoeg,' zei ze tegen Habiba terwijl ze de twaalf bruine mokken die mevrouw Foster op het marmeren werkblad had klaargezet, vol schepte met rijk gevulde champignonsoep.

Ze waren in de keuken van de Fosters, waar Harper met de soep bezig was en Habiba hielp bij het bedenken van slogans op de pamfletten voor het puttenproject van Kate in Ethiopië. Meneer en mevrouw Foster hadden de Waddles ingehuurd om een etentje te cateren. Ze waren allebei te gestrest om zelf te koken, hadden ze gezegd, maar Harper vroeg zich onwillekeurig af of het etentje niet eigenlijk een excuus was om haar moeder de kans te geven wat extra's te verdienen. Het feit dat haar vader voorlopig niet zou kunnen werken, was bepaald geen geheim in Boulder. Dus Harper werd heen en weer geslingerd tussen dankbaarheid en wrok, want ze wilde niet afhankelijk zijn van liefdadigheid. Het waren gevoelens die ze aan niemand zou vertellen, en al helemaal niet aan haar moeder.

Bibi zuchtte terwijl ze het pamflet bestudeerde dat ze in het Amhaars had geschreven. 'Kate wil hiermee indruk maken op Darby. Dat voel ik. Dus ik wil echt proberen haar zo goed mogelijk te helpen.'

Harper kon zich niet voorstellen dat háár zusje hetzelfde voor haar zou doen. Amy ging door het leven zonder oog te hebben voor de noden en problemen van anderen. Zo ook de laatste tijd. Ze kwam regelmatig bij hun ouders binnenwippen, maakte een praatje met hun vader om te vertellen wat ze die dag had beleefd, maar ze bood nooit aan om eten voor hem te maken of om in huis te helpen. Sterker nog, Amy stond er ongetwijfeld niet eens bij stil dat Harper eigenlijk opgesloten had moeten zitten op haar wc, om aan haar boek te werken, in plaats van hun moeder te moeten helpen. Daarvoor had Amy het veel te druk met haar verplichtingen als cheerleader en haar schoonheidsrituelen – vierentwintig uur per dag, zeven dagen in de week.

'Die Darby is een lomperd,' bromde Harper. 'Waar haalt hij het lef vandaan om Kate te vertellen wat ze wel en niet mag doen?'

Bibi streek over de de koperen kralen van haar choker, wat betekende dat ze nadacht. 'Darby is een uitdaging,' verklaarde ze ten slotte op besliste toon. 'En uitdagingen kunnen goed zijn.'

'Een leven zonder elektriciteit en stromend water lijkt me voldoende uitdagend. Het laatste waar ze op zit te wachten, is een of andere betweter die zich met alles bemoeit.'

'Ik weet bijna zeker dat ze hem leuk vindt.'

'Jij denkt altijd dat iedereen iedereen leuk vindt.' Dat was zo, maar doorgaans had ze gelijk.

'We zullen zien.' Habiba hielp de mokken op een van de vijfhonderd antieke zilveren schalen te zetten die huize Foster rijk was, voordat ze naar boven ging, naar haar kamer, om het pamflet te herschrijven, zodat ze de tekst daarna opnieuw aan Harper kon voorleggen. Bibi slaagde er duidelijk beter in dan Kate om zich te onttrekken aan de intellectuele etentjes van hun ouders waarbij urenlang werd gediscussieerd in volstrekt onbegrijpelijk, academisch jargon.

Toen Harper het blad met de dampend hete soep naar de gasten bracht, die inmiddels aan tafel zaten, kwam ze haar moeder tegen, die terugkwam met de lege schalen waarop de amuses waren geserveerd. 'Heb je je vader nog gebeld?'

Harper voelde zich meteen ontzettend schuldig. 'Nee... eh, ik dacht dat jij dat zou doen.' Het was laf om de schuld bij een ander te leggen, maar ze wilde niet toegeven dat ze zo was opgegaan in het bedenken van kreten voor Habiba's pamflet, dat ze haar vader was vergeten.

'Het gaat ongetwijfeld allemaal goed thuis,' antwoordde mevrouw Waddle met een glimlach. 'Ik zal hem bellen zodra ik de salades heb geserveerd.'

Jezus! Haar moeder was altijd zo positíéf sinds het ongeluk van haar vader. Het leek wel alsof ze ervan genóót een bedlegerige, volkomen hulpeloze man te hebben. Daar was waarschijnlijk een psychologische term voor, maar Harper vond het te verontrustend om erover te denken. Ze zou willen dat haar moeder af en toe eens gefrustreerd reageerde, of liet blijken dat ze er genoeg van had, dat ze bang was of geërgerd zoals ieder normaal mens dat zou zijn in haar situatie.

Na bijna twee uur van serveren en afruimen liet Harper het wegwerken van het overgebleven eten aan haar moeder over en glipte ze de keuken uit, naar de kamer van Bibi. Ze stelde zich voor hoe Kate aan de andere kant van de wereld putten sloeg en de strijd aanbond met de geheimzinnige, koppige en waarschijnlijk waanzinnig dynamische en aantrekkelijke Darby.

'Meneer Finelli vroeg vandaag op school naar je,' zei Habiba terwijl ze haar iMac uitzette. Haar slaapkamer was bijna net zo ordelijk als die van Kate. Een van de muren was bedekt met familiefoto's van de Fosters en een poster van Johnny Depp.

'O ja?' Harper probeerde onverschillig te blijven, maar alleen al het noemen van zijn naam bezorgde haar tintelingen over haar hele lichaam, door een rare combinatie van gêne en opwinding.

'Hij had gehoord van het ongeluk van je vader. En ik moest tegen je zeggen dat hij hoopte dat je vader snel weer de oude is.'

'En dat vertel je me nu pas?' Niet dat het zo belangrijk was dat Harper het onmíddellijk had moeten weten, maar wanneer zij een boodschap voor iemand kreeg, probeerde ze die altijd zo snel mogelijk door te geven. Dat was niet meer dan beleefd.

Habiba haalde haar schouders op. 'Je bent toch niet meer echt in meneer Finelli geïnteresseerd?'

'Nee, natuurlijk niet.'

Harper liep de kamer uit voordat Bibi met een van haar kruisverhoren kon beginnen. Het laatste waar ze op zat te wachten, was een analyse van de huidige staat van haar gevoelens voor haar voormalige leraar. Ze wilde naar huis, zodat ze nog wat kon werken op haar laptop. Toen ze de keuken binnenkwam, trof ze daar niet, zoals ze had verwacht, haar moeder, efficiënt bezig de restjes af te dekken met huishoudfolie. In plaats daarvan stond de gootsteen vol met vuile borden, en het aanrecht met lege en half-lege wijnglazen. Hier klopte iets niet.

Op zoek naar haar voortvluchtige moeder trof Harper meneer Foster in de woonkamer, waar hij met een late gast sprak over de vraag of bepaalde docenten een vaste aanstelling verdienden. Harper liep op haar tenen de kamer uit. Kates vader kennende, wist ze dat hij royaal in staat was haar in een langdurige discussie over het onderwerp te betrekken, ongeacht haar volstrekte gebrek aan kennis en belangstelling. Toen ze de deur van de gezellige bibliotheek naderde, met zijn ingebouwde, mahoniehouten boekenkasten en leren fauteuils, hoorde ze zachte stemmen. Het waren de stemmen van haar moeder en mevrouw Foster, maar ze kon niet horen wat ze zeiden.

*Ik zou gewoon naar binnen moeten gaan.* Maar er was iets wat haar daarvan weerhield. Dus in plaats van naar binnen te gaan bleef ze net voor de deur staan en gluurde ze door de kier naar binnen. Haar moeder stond bij het raam, mevrouw Foster had een arm om haar heen geslagen.

'Ik weet gewoon niet wat we moeten doen. Er komt niet veel geld binnen... en nu Harper volgend jaar hopelijk gaat studeren...'

'Het komt goed, Cindy. Echt waar. Uiteindelijk komt alles goed.'

Haar moeder knikte, maar de tranen stroomden over haar gezicht. 'Ik wil niet dat de meisjes zien hoeveel zorgen ik me maak. Daar wil ik ze niet mee belasten.'

'Dat weet ik, en dat begrijp ik... Huil maar eens lekker uit.' Mevrouw Foster gaf haar een papieren zakdoekje en klopte haar op de rug.

Harper voelde diep vanbinnen een steek van pijn. Haar moeder was helemaal niet positief! Ze leed verschrikkelijk onder de situatie. Maar dat had ze dag in dag uit verborgen gehouden voor haar gezin, om haar kinderen en haar man er niet mee te belasten. Harper had haar moeder wel eerder zien huilen, zoals toen Alfred, hun hond, doodging, en bij sommige films, zelfs toen ze zich een keer had gebrand aan de oven. Maar dit... dit was anders. Dit was afschuwelijk.

Onverdraaglijk.

Harper haastte zich terug naar de keuken. Zij zou de afwas doen, de restjes wegruimen, en wat er verder nog gedaan moest worden. Maar ze zou nog meer doen. Nog veel meer. Van nu af aan zou haar droom om de nieuwe Grote Amerikaanse Roman te schrijven prioriteit nummer twee moeten zijn. En het was ondenkbaar dat ze naar NYU zou gaan, wat er ook in de brief stond wanneer die kwam in april. Ze was egocentrisch geweest, zelfzuchtig, totaal opgegaan in haar eigen leventje. Maar die tijd was voorbij. Het was nu haar taak om haar ouders te helpen. En dat was precies wat ze ging doen.

Want zoals ze haar moeder had zien huilen, dat wilde ze nooit, maar dan ook nooit meer meemaken.

## △ AOL mail

**Van:** waddlewords@aol.com
**Aan:** katherinef@ubc.edu, rebeccawinsberg@middlebury.edu, herdivaness@aol.com
**Onderwerp:** Plezierige extra's

Hallo allemaal,

Gegeven het feit dat privacy slechts een illusie is in geval van communiceren via e-mail, zal ik me onthouden van een Judd-update. Het laatste waar ik behoefte aan heb is dat ik ooit, wanneer ik een bekroond auteur ben, de smeuïge details van mijn privéleven tegenkom op de roddelpagina van de New York Post.

Laat ik volstaan met te zeggen dat er ontwikkelingen zijn waarover ik jullie zal inlichten wanneer jullie me bellen (dus bel!). Omdat ik jullie zo goed ken, verwacht ik dat jullie onvermijdelijk bepaalde vragen zullen stellen bij ontvangst van voornoemde update. Laat me die vragen nu maar vast beantwoorden, dan hoeven we het er aan de telefoon niet te lang over te hebben en kunnen we onze tijd aan belangrijker zaken besteden. Zoals: wat moet ik aan wanneer ik me van mijn triomfantelijk optreden bij de National Book Awards spoed naar de uitreiking van de Pulitzer Prize? Dus daar gaat-ie...

Vraag:    Zit ik te snotteren boven mijn warme chocolademelk?
Antwoord: Nee.

Vraag:    Ben ik totaal en onvoorwaardelijk opgelucht?
Antwoord: Ja.

Vraag:    Kan het me ook maar ene moer schelen?
Antwoord: Nee.

Mettertijd zal jullie alles duidelijk worden.

Dag en het ga jullie goed,
Harper E. Waddle

# ELF

'Obi is geen woord.' Sam wees naar de drie houten blokjes die Sophie op het scrabblebord had gelegd.

'Duh! Het is dat sjerpding waarmee een kimono wordt dichtgebonden.' Tijdens de vreselijke weken dat ze met de bus had gereisd, had ze zich aangewend de kruiswoordpuzzel in de *LA Times* te maken. *Obi* was ten minste één keer per week het antwoord op een aanwijzing.

Sophie was van plan geweest haar vrije avond thuis door te brengen met een reeks van schoonheidsbehandelingen. Ze was de laatste tijd niet toegekomen aan haar gebruikelijke onderhoudsroutine – maskertjes, een zoutscrub voor haar voeten, het verzorgen van haar nagels, peelings – en dat begon zichtbaar te worden. De vorige dag op haar werk had Celeste naar haar gouden sandaaltjes gewezen en laten doorschemeren dat de gasten hun eetlust wel eens konden verliezen bij het zien van Sophies droge, eeltige voeten. Maar net toen ze zich met een fles rode lak van Big Apple en een nagelknippertje op de bank had geïnstalleerd, had Sam het scrabblespel voor haar neergezet als een onuitgesproken uitdaging. Ze besefte dat hij geen tijd voor haar zou hebben gehad als zijn Pessarium Prinses niet een dineetje had gehad met de cast van *Heartland*, maar een uitdaging ging ze nooit uit de weg. Dus binnen vijf minuten waren haar Sally Hansen-pedicure en gezichtsmasker met perzikextract vergeten.

'Oké. Obi.' Sam noteerde haar punten op het grijze blokje van Mojito dat Sophie bij het begin van het spel uit haar tas had gehaald. Hij zag er volstrekt belachelijk uit in de zwart-witte, katoenen pyjamabroek met ijshoorntjes die zijn oma in New Jersey hem had gestuurd. Iets wat wonderen deed voor haar zelfvertrouwen. 'Maar het is een stom woord.'

'Je weet gewoon dat ik de vloer met je ga aanvegen.' Ze grijnsde. Hij had ongetwijfeld gedacht dat Sophie Bushell een lichtgewicht zou zijn. Maar dankzij het feit dat Harper en Kate het afgelopen jaar hadden gestaan op maandelijkse scrabbletoernooien, was ze er – ondanks zichzelf – behoorlijk goed in geworden.

'Dat is helemaal niet...' Sam zweeg abrupt toen van het ene op het andere moment de stroom uitviel. 'Wat krijgen we nou?'

Ze waren in totale duisternis gedompeld. Zonder gezoem van de airco, het tikken van de klok boven het fornuis, het geluid van de televisie in 3E die vierentwintig uur per dag keihard aanstond. Op het getoeter van claxons dat van buiten kwam na, heerste er volmaakte stilte.

Sam stond al bij het erkerraam. 'Een volledige stroomuitval,' kondigde hij bijna opgewekt aan. 'Ik zie nergens licht, zo ver als ik kan kijken. Het kan wel uren gaan duren voordat we weer stroom hebben.'

En dat moest natuurlijk uitgerekend op haar vrije avond gebeuren. 'Het lijkt wel alsof je het leuk vindt!' zei ze beschuldigend. Wat moesten ze nu gaan doen?

'Ik vind stroomstoringen toevallig altijd erg ontspannend.' Hij dook de kast in. 'Daarmee wil de stad ons duidelijk maken dat we het er af en toe eens van moeten nemen. Dat we moeten genieten van de simpele dingen in het leven.' Hij gooide haar een half opgebrande kaars toe. 'Doe maar alsof we aan het kamperen zijn.'

'Ik heb een hekel aan kamperen.' Wat niet helemaal waar was. Ze was dol op koekjes bakken en marshmallows smelten boven een kampvuur, op de gezellligheid en de onderlinge band, maar ze verafschuwde de dierengeluiden, de kou en de harde grond. Ze ging alleen mee om met Becca, Harper en Kate in de bergen te kamperen als ze haar luchtbed mee mocht nemen, plus oordoppen en een donzen kussen.

Een halfuur later besloot Sophie dat kamperen op z'n LA's zo slecht nog niet was. Sam had kaas en crackers tevoorschijn gehaald en een fles rode wijn die nog over was van Ellies feestje. In het schemerige kaarslicht kon ze niet zien dat het tapijt onder de vlekken zat en dat het meubilair nogal haveloos was. Het appartement leek zelfs bijna... mooi. En dat gold ook voor Sam (afgezien van de pyjamabroek), ook al kwam dat natuurlijk alleen door de wijn die ze had gedronken... Toch?

'Ik besef nu pas dat ik mijn rugspieren twee maanden onafgebroken te zwaar heb belast.' Ze leunde achterover op de bank en nestelde zich in de kussens.

'En ik heb drie weken lang hoofdpijn gehad, maar die is ineens weg.' Sam rolde tevreden met zijn hoofd. 'We zouden vaker moeten ontstressen.'

'Hoezo, vaker? Waarom niet altíjd?'

Sam sneed een groot stuk kaas af en deed het op een cracker. 'Ik overweeg om weg te gaan.'

'Waarnaartoe? Zelfs de straatverlichting doet het niet.' Ze voelde zich niet meer dan lícht gekwetst doordat hij hun stadskampeeravontuur in de steek wilde laten.

Hij kauwde even, streek een paar kruimels van zijn zwarte Bruce Springsteen 'Nebraska' T-shirt. 'Niet nu. Ik bedoel echt weg. Voorgoed.'

Ze verslikte zich in haar wijn. 'Je bedoelt, weg uit Los Angeles?' Waar kwam dat ineens vandaan?

'Misschien.'

'Met andere woorden, je geeft het op.' Dat was wat hij tegen haar zou hebben gezegd als het andersom was geweest.

Het bleef geruime tijd stil. Ze wist dat ze behoorlijk kattig moest hebben geklonken, maar ze meende het wel. Buiten klonk een langgerekte, luide gil, twee auto's toeterden. Ten slotte keek

Sam haar grijnzend aan. 'Daar had ik je even goed te pakken.'

'Maakte je een grapje?'

'Natuurlijk.' Zijn gezicht bevond zich in de schaduw, maar voor zover ze er iets van kon zien, keek hij niet alsof hij een grapje had gemaakt.

Sophie voelde zich plotseling koud en alleen. Sam kon niet weggaan uit Californië. Hij was... nou ja, niet álles wat ze had. Ze had haar baan. En Celeste. En Matthew Feldman. Ze had een auto. En een beperkte hoeveelheid kleren die echt te gek waren. Maar Sam was... Ja, wat was hij eigenlijk? Soms was hij haar eeuwige tegenstander, soms haar beschutting tegen de storm. En hij was wat Harper had gezegd. Hij was écht.

'Waarom denk je daar zelfs maar over?' Ze nam een grote slok van haar Pottery Barn-wijnbeker.

'Dat zeg ik toch? Het was een grapje. Ik denk helemaal niet over vertrekken.' Hij krabde aan de stoppels van zijn lichte, onregelmatige baard, wat betekende dat hij loog, zoals ze van talloze spelletjes poker had geleerd.

'Zeker omdat je die reclameopdracht niet hebt gekregen?' Sam had een paar weken daarvoor auditie gedaan voor een advertentie van Carl's Jr. maar hij was verslagen door een sjofeler versie van hemzelf met bruin haar. De advertentie maakte onderdeel uit van een landelijke campagne voor een fastfoodfranchise met het hoofdkantoor in LA. Als hij de opdracht had gekregen, had hij zich anderhalf jaar lang geen zorgen hoeven maken over zijn huur.

Hij schudde langzaam zijn hoofd. 'Als ik kijk naar Ellie en de rest van de cast van *Heartland*... Ze hebben het voortdurend over zonnebrillen en schoenen en welke nachtclub echt helemaal hot is. Dan vraag ik me af... Zelfs als er een wonder gebeurt en ik maak het helemaal... wat dat ook betekent... is dat dan waar het allemaal om draait?'

'Het gaat om je talent, om de kúnst,' hielp ze hem herinneren. Ze boog zich dicht naar hem om haar woorden kracht bij te zetten, want ze geloofde in wat ze zei. 'En er staat nergens dat we zonnebrillen en schoenen niet leuk mogen vinden.'

'Ik wil iets zinvols doen met mijn leven. En dat is iets anders dan voor de camera een hamburger in mijn mond stoppen.'

In het schemerige licht kon Sophie de gouden vlekjes in Sams lichtbruine ogen niet zien, maar ze wist dat ze er waren. Net zoals ze wist dat ergens in hem het verlangen huisde om acteur te worden.

'Toen ik hier aankwam, zei je dat ik uiteindelijk zou leren niet meer in mensen te investeren als ik hier maar lang genoeg was. Omdat mensen voortdurend kwamen en gingen. Dus het was zinloos om in ze te investeren.'

'Ja. En?'

'Wees alsjeblieft niet een van die mensen die komen en weer gaan, Sam.'

Hij keek haar lang aan, toen strekte hij zijn hand uit en maakte haar haren in de war. 'Het was zomaar een idiote gedachte. Dat komt door de stroomstoring. Dan ga ik rare dingen zeggen.'

Ze pakte hem bij zijn pols. 'Als je weer eens zo'n idiote gedachte hebt, dan wil ik dat je ermee bij mij komt. Afgesproken?'

'Afgesproken.' Hij drukte een kus op de punt van haar neus. 'Bedankt, Bushell. Dat had ik even nodig.'

Het voelde zo goed om gelijk te krijgen, dat ze zijn kus beantwoordde en hem op zijn linkerwang zoende. Tenminste, dat was de bedoeling. Maar omdat hij op het laatste moment zijn hoofd omdraaide, kwamen haar lippen gevaarlijk dicht bij zijn mond terecht.

En daar was het weer! De opwinding, de geladenheid. Niet meer het koortsachtige gonzen van een tienerverliefdheid. Nee, ze voelde zich een vrouw die naar een man verlangde.

Zijn gezicht was nog altijd dicht bij het hare. 'Vraag je je ooit af...'

Op dat moment ging zijn mobiele telefoon. Even keek hij verrast. Toen kwam hij overeind, hij nam op en liep een eindje bij haar vandaan om vrijuit te kunnen praten. Sophie haalde een paar keer diep adem. De Pessarium Prinses, precies op het juiste moment. Ze sloot hun gesprek buiten. Het was goed dat zijn vriendin had gebeld. Daarmee had ze haar gered. Ook al wist Sophie niet precies waarvan.

Sam hing op en draaide zich naar haar om. 'Dat was Ellie,' verklaarde hij volstrekt overbodig. 'Ze zit in Cobras & Matadors... en ze is totaal overstuur door de stroomstoring en alles.'

'Ik denk dat je haar beter kunt gaan halen. Om zeker te weten dat alles goed met haar is.'

Hij knikte en pakte zijn autosleutels. 'Ik weet dat je Ellie laatst met haar tekst hebt geholpen. Bedankt.'

'Ik kon het gewoon niet over mijn hart verkrijgen om haar te laten huilen. Zo'n kreng ben ik nou ook weer niet.' *Bovendien kon ik niet slapen van dat geblèr.*

'Heb je... heb je zin om mee te gaan?' Hij aarzelde bij de deur, keek haar aan.

'Nee, niet echt. Hoe vaak krijgt een meisje de kans om haar teennagels te lakken bij kaarslicht?'

'We maken dit af,' zei hij, met zijn hand op de deurknop. 'Ooit maken we dit af.'

Terwijl ze hem nakeek, vroeg Sophie zich af of hij doelde op hun potje scrabble, hun gesprek of de kus die er bijna van was gekomen. Maar daar kwam ze nog wel achter. Ooit zou ze het weten.

❤

'Ik vroeg om íjskoffie.' De Das (die ze zo noemden omdat hij altijd een marineblauw pak met een zwarte das droeg, ook in het weekend) schoof de dampend hete medium Columbia terug naar Harper, en deed dat met zo'n kracht dat de koffie op haar handen spetterde.

'Het is buiten min vijftien!' De kokendhete koffie brandde op haar huid. Ze negeerde de pijn in een poging zo professioneel mogelijk over te komen, ondanks het feit dat ze die nacht maar drie uur had geslapen en al om zes uur was begonnen. En ondanks het feit dat ze de Das op dat moment zag als de belichaming van het zuiverste, ongepast geklede kwaad.

'Ik heb niet om het weerbericht gevraagd. Ik wil gewoon ijskoffie.' Zijn bruine kraalogen schoten heen en weer, alsof hij zocht naar een zwaar voorwerp dat hij haar naar het hoofd kon gooien.

In gedachten Judd verwensend omdat hij te laat was op zijn werk, gooide Harper de dampend hete koffie in een beker met ijsblokjes en ramde er een dekseltje op. Hij wist hoezeer ze de Das verafschuwde. Als Judd er was geweest, had hij de bestelling kunnen afhandelen. Nu moest ze, uitgeput en chagrijnig als ze was, een rij van minstens tien klanten helpen die niet aan hun dag konden beginnen zonder hun shot cafeïne. Een beetje fooi zat er niet in vandaag. Koffie die werd geserveerd zonder een glimlach, nodigde de klanten niet uit om hun zakken te legen voor de barista.

Om negen uur waren de vetarme cranberrymuffins, de chocoladecroissants en haar geduld op. Bovendien begon ze zich een heel klein beetje ongerust te maken. Anders dan zij, was Judd nooit te laat. Zijn moeder had hem geleerd dat op tijd zijn betekende dat je altijd tien minuten te vroeg kwam. En sinds het ongeluk van haar vader werd Harper lichtelijk zenuwachtig wanneer ze niet op elk moment van de dag wist waar iedereen was. Het leek wel alsof ze een spreadsheet van namen, tijden en locaties in haar toch al overbevolkte hoofd had, dat voortdurend moest worden bijgewerkt.

'Waar zít je nou?' vroeg ze, zich er vaag van bewust dat het niet nodig was zo kortaf te doen, toen Judd na drie keer overgaan zijn telefoon opnam. Anderzijds, híj had zich het laatste halfuur niet afgevraagd of hij soms een ongeluk had gehad, ondertussen pro-

283

berend klanten te vriend te houden die boos waren omdat de vet-arme cranberrymuffins op waren.

'Goedemorgen, Harper. Je paardenstaart zit scheef.'

Ze keek op van de vanilla cappuccino die ze met haar vrije hand stond op te schuimen en zag Judd het café binnen komen. Door de tevreden grijns op zijn gezicht zag hij eruit als een demonische clown met krullen. 'Wat zie jij er gelukkig uit?' Ze klapte haar telefoon dicht.

Misschien had iemand die ochtend een xtc-pilletje in zijn havermout gedaan. Of hij had ontdekt dat Phish die week in het geheim een reunion-concert had gepland in Boulder. Of misschien had hij gewoon een nacht goed geslapen, iets wat haar niet meer was overkomen sinds ze had besloten haar moeder – onbetaald – te helpen met de stroom van etentjes en feestjes die ze caterde om het gezinsinkomen wat op te krikken. Met zo veel werk moest ze érgens op inleveren. Harper had besloten dat ze liever minder sliep dan haar roman op te geven, met als gevolg dat ze 's nachts schreef, op een tijd dat alleen nog obsessieve pornokijkers op het internet wakker waren.

'Uw soja latte komt eraan,' zei Judd stralend tegen de Jonge Moeder, moeiteloos in zijn routine stappend. Terwijl hij aan de slag ging, keerde hij zich naar Harper. 'Het is gebeurd.'

'Wat? Waar heb je het over?'

'Over mijn droom.'

Ze was klaar met opschuimen en reikte naar een dekseltje. 'De droom waarin je door holbewoners achterna wordt gezeten rond een ketel? Zodat ze je dood kunnen kietelen en je in de pan kunnen gooien?' Ze had geen idee wat het betekende, maar Judd had haar verteld dat die droom regelmatig terugkwam sinds hij op zijn zesde zijn eerste tand was kwijtgeraakt.

'Nee. De Dróóm.' Hij wiebelde ergerlijk met zijn wenkbrauwen. 'Je weet wel. Amelia!'

Amelia Dorf. Zijn maagdelijkheid. De droom. Harper was

ineens klaarwakker. 'Jullie hebben toch niet...' Om de een of andere reden kon ze zich er niet toe brengen het te zeggen.

'Ja. We hebben het gedaan! Het... het gebeurde gewoon. Krankzinnig, hè?' Hij haastte zich naar de toonbank om de Jonge Moeder haar soja latte te geven.

Bij gebrek aan een betere reactie klokte Harper de vanilla cappuccino naar binnen die ze net had gemaakt. Judd had het gedáán? Met Amelia? Ze kenden elkaar amper! Wat waren dat voor mensen die samen in bed kropen terwijl ze elkaar amper kenden? Ging daar niet een aantal fases aan vooraf? Zoals de fase van de eerste zoen, van de hand onder het shirt, van de opengeritste, maar nog altijd keurig op zijn plaats blijvende broek. Seks was de laatste fase, na uitvoerige en angstige onderhandelingen en testen op soa's. Dat gebéúrde niet zomaar. En als het wel gebeurde, wat moest zíj daar dan mee?

'Hé, dat is mijn vanilla cappuccino die je daar staat op te drinken!' riep een student Medicijnen in laboratoriumjas met een idioot kapsel, die elke maandag, woensdag en vrijdag in het café langskwam.

'O. Sorry.' Harper liep weer naar de machines en probeerde zich te herinneren hoe ze een cappuccino moest maken. Vijf minuten eerder had ze het desnoods slapend gekund. Nu wist ze ineens helemaal niets meer.

'Voor Amelia was het niet de eerste keer,' vertelde Judd haar in vertrouwen toen hij terugkwam om een dubbele espresso te maken. 'Op de middelbare school had ze een behoorlijk serieus vriendje. Maar ik vind dat ik het best aardig deed. Want eh... nou ja, ze eh... ze kwam klaar.'

Nu kreeg ze ook al van hem te horen dat Amelia Dorf was kláárgekomen? Dit gebeurde niet echt. Dat kon niet. Ze hallucineerde als gevolg van een gebrek aan remslaap. Of ze sliep nog stééds. Deze hele ochtend was één grote nachtmerrie geweest. Ja, dat was het. Ze sliep nog.

'Ik sta enorm bij je in het krijt. Zonder onze vriendschap met extra's zou ik nooit het zelfvertrouwen hebben gehad om ervoor te gaan.' Judd stompte haar vriendschappelijk tegen haar arm. 'Dus bedankt.'

Oké, dus het was geen droom. 'O, eh... natuurlijk. Graag gedaan.' Koffie maken. Tafeltjes afnemen. Boze cranberrymuffinklanten tevredenstellen. Zorgen dat haar beste vriend aan z'n trekken kwam in bed. Het hoorde er allemaal bij voor een schrijfster/barrista.

De ontmaagde, demonisch grijnzende Judd zette de dubbele espresso neer en keek haar aan. 'Je vindt het toch niet vervelend dat ik het je vertel? Ik dacht, nou ja, je weet wel, omdat je laatst naar Amelia vroeg, toen we in de auto zaten bij het appartement van Becca's vader... Ik dacht dat je alle bijzonderheden wilde weten.'

'Ja... natuurlijk... prima... ' Dat was wat ze zei. Maar wat ze vóélde was een overweldigende vlaag van woede. Ongelukkig genoeg was die woede er de oorzaak van dat ze het papieren bekertje met de versgezette medium cappuccino fijnkneep, zodat de koffie over haar favoriete rode capuchonsweater spetterde en meters ver op de rubberen matten spatte waarmee de vloer was belegd.

'Harper? Is alles goed met je?' Zijn demonische grijns was verdwenen en hij zag er weer uit als... Judd. Wat haar boosheid geen halt toeriep. Sterker nog, haar boosheid voelde meer als een aanrollende golf dan als een vlaag.

'Ik ben alleen verrast.' Ze probeerde zichzelf voor te houden dat het haar niet kon schelen. 'De laatste keer dat ik jullie samen heb gezien, zaten jullie nog in de chocolademelkfase.' Judd was tenslotte geen jongen in wie ze geïnteresséérd was. Zoals in meneer Finelli. Híj was haar ware liefde. Híj was degene met wie ze op de achterbank van een auto zou willen vrijen. Niet met Judd, die altijd koffiegruis onder zijn nagels had.

'We hebben de laatste paar weken veel opgetrokken samen. En gisteravond...' Hij zuchtte, wreef met zijn vingers over de toonbank. 'Echt, het was verbijsterend!'

*De laatste paar weken.* Harper liep in gedachten de afgelopen veertien dagen door. Buiten het café had ze Judd nauwelijks gezien, maar dat had ze toegeschreven aan haar overladen werkschema nu ze zich had voorgenomen het gezin te redden. En ze hadden ook helemaal niet meer gevrijd. Ook daarvan had ze gedacht dat het door haar kwam. Ze was te veel opgegaan in haar eigen leven om in de gaten te hebben wat er om haar heen gebeurde. Vooral met één iemand in het bijzonder.

'Dus... Nou ja, Amelia en ik zijn nu erg vaak samen en...'

'Het is afgelopen met de vrienden met extra's,' maakte Harper haastig zijn zin af. 'Ik snap het.'

Op de een of andere manier lukte het haar de woorden over haar lippen te krijgen zonder dat ze klonk als de ultieme feeks. Niet dat ze haar woede niet op enig moment de vrije loop zou laten. Dat zou ze zeker doen! Maar ze moest eerst zien uit te vogelen waarom die woede gerechtvaardigd was en hoe ze ervoor kon zorgen dat Judd zich zo ellendig mogelijk voelde.

'Weet je zeker dat alles goed met je is?'

'Natuurlijk. Vrijheid, blijheid. Even goeie vrienden.' Bij het zien van de terugkeer van de demonische grijns kon Harper hem wel wurgen.

'Tussen jou en mij verandert er verder niks. We blijven gewoon dingen samen doen.'

Ze knikte onverschillig, maar in gedachten was ze al bezig haar dienstrooster in het café te veranderen. Ze kon honderd keer zeggen dat ze even goeie vrienden bleven, maar dat deed niets af aan twee dingen. Om te beginnen dat ze zo min mogelijk tijd wilde doorbrengen in het gezelschap van de niet langer maagdelijke Judd. En ten tweede dat ze Amelia Dorf nu officieel haatte!

♥

'Je vertrouwt me gewoon niet meer, hè? Nooit meer?'

Stuart zat op de rand van Becca's bed en keek haar aan alsof hij haar voor het eerst zag. Ten slotte schudde hij langzaam zijn hoofd, wrijvend over de knie van zijn verbleekte Levi's. Zijn witte T-shirt lag in een verfrommeld hoopje op de grond. Becca kon zijn hart in zijn blote, gespierde borst bijna zíén kloppen – langzaam, regelmatig, pijnlijk.

Een zucht ontsnapte haar.

Hoe had het zover kunnen komen?

Toegegeven, ze bestookte hem al dagenlang met hatelijke opmerkingen, niet bereid te geloven dat het feit dat hij met het blonde, spichtige meisje had gedanst, verder niets voorstelde. En toegegeven, ze had zich – ondanks zichzelf, ondanks dat ze niets liever had gewild dan dat ze zich had kunnen inhouden – van haar ergste kant laten zien. En niet één keer. Meer dan eens.

Voor het eerst toen hij bij haar voor de deur had gestaan, ongerust omdat ze niet was teruggekomen van de wc, tien minuten nadat ze het Winter Festival was ontvlucht. Ze was een en al snot en tranen geweest, en zodra ze hem zag, had ze de deur voor zijn neus dichtgegooid. Duidelijk bezorgd had hij geprobeerd haar zover te krijgen dat ze hem weer opendeed, tot Becca het op een schreeuwen had gezet.

'Ga terug naar die blonde griet van je!' Terwijl ze het riep, wist ze al dat ze zich krankzinnig aanstelde. Dat ze gewoon de deur open moest doen om met hem te praten. Dat er een redelijke verklaring moest zijn voor wat ze had gezien. Hij had tenslotte alleen maar met dat blonde meisje gedanst. En iemands hand pakken... dat betekende misschien helemaal niets. Misschien. Hoe dan ook, hij verdiende de kans om het uit te leggen.

'Bec, laat me nou binnen,' had hij zacht gepleit. 'Wat je ook hebt gezien, het is niet wat je denkt.'

'Ga weg!' had ze teruggeschreeuwd.

Tot haar verdediging kon ze aanvoeren dat ze niet zichzelf was geweest. Al sinds het moment dat Mia met haar dramatische onthulling over haar ouders was gekomen. En als gevolg daarvan verwachtte ze niet ooit nog zichzelf te zijn. Tenminste niet haar naïeve, hoopvolle zelf die ze de afgelopen maanden eindelijk alle ruimte had gegeven.

Ze was inmiddels een stuk wijzer. De handelwijze van haar ouders had haar eraan herinnerd dat het niet veilig was om in mensen te geloven, om mensen te vertrouwen. Vooral de mensen van wie ze hield, en die werden geacht ook van haar te houden. Als ze hun de kans gaf, pakten ze een hamer en sloegen ze een spijker dwars door haar hart, net zoals haar moeder dat bij de kleine vleermuis had gedaan. Ze was er klaar mee en weigerde hun – of wie dan ook – nog een kans te geven. Want hoezeer ze zich ook pantserde, er was altijd iemand met een grotere hamer en een sterkere spijker.

Stuart had haar tot de volgende morgen met rust gelaten. Toen was hij weer aan haar deur verschenen, vastberaden om te praten. Isabelle, nog in haar roze flanellen pyjama, had haar toilettas gepakt en sloffend op haar slippers koers gezet naar de badkamer in de gang. Stuart was bij Becca in bed geklommen, had haar hand gepakt en haar dicht tegen zich aan getrokken.

'Wat is er nou toch met je?' fluisterde hij.

'Niks.' Becca trok haar hand weg.

'Dat blonde meisje is Emma Jenkins. Ze is derdejaars. Terwijl jij naar de wc was, trok ze me de dansvloer op. Dat is alles.'

'Oké,' zei Becca, maar het was helemaal niet oké.

'Becca, ik weet dat je door dat gedoe met je ouders... nou ja, dat je het er moeilijk mee hebt. Maar ik ben je vader niet. Ik bedrieg je niet. Dat zou ik nooit doen.'

Stuart keek bezeerd. En zo oprecht. Becca kwam bijna in de verleiding hem te vertrouwen. 'Je hield wel haar hand vast,' zei ze zacht.

Stuart fronste zijn wenkbrauwen, alsof hij het zich amper kon herinneren. 'Ik... Het was erg lawaaiig. Ik denk dat ik haar hand pakte om te zeggen dat ik op zoek ging naar jou. Om haar aandacht te trekken. Het was niet zo dat ik "handje in handje" met haar wilde dansen.'

Becca voelde dat haar verzet begon af te brokkelen.

'Waarom zou ik bij haar willen zijn als ik jou heb?' Hij kuste haar en Becca liet hem begaan. Toen hij haar in haar ogen keek, reageerde haar hart zoals het altijd reageerde. Ook al wist ze dat het nog niet voorbij was. In elk geval niet voor haar. Ze wilde het wel, en ze had de dagen daarna haar uiterste best gedaan om het te vergeten. Ze wist dat Stuart de waarheid sprak. Om te beginnen was hij geen leugenaar. Bovendien hield hij van haar. Hij hield oprecht van haar. Dat liet hij haar op talloze manieren blijken, en hij zei het minstens twee keer per dag. Maar wat stelde dat voor? Als je van iemand hield, wilde dat nog niet zeggen dat je iemand niet bezeerde. Bemind worden was niet altijd pijnloos.

Misschien was dat de reden dat ze opnieuw over Emma Jenkins was begonnen. Ze liepen hand in hand over de campus, onder een baldakijn van lichtgroen uitlopende berkenbomen. 'Ben je niet blij dat ik Emma Jenkins niet ben?' vroeg ze quasi-luchtig. Stuart kende haar echter goed genoeg om te weten dat er meer achter zat.

'Nou en of ik blij ben dat jij niet Emma Jenkins bent.' Hij kuste haar al lopend op haar voorhoofd. 'Waar wil je naartoe voor de lunch? Naar de kantine of het café?'

'Waar zou Emma Jenkins heen willen?'

Stuart liet haar hand los. 'Ik heb geen idee.' Voor zover hij tot ergernis in staat was, keek hij nu geërgerd. 'De kantine is waarschijnlijk sneller.'

'Dus je wilt zo snel mogelijk weer van me af?' Becca sloeg haar armen over elkaar en bleef staan. Wat mankéérde haar? Ze meende niets van wat ze zei. Emma Jenkins kon haar helemaal niets schelen. Dus waarom hield ze er niet gewoon over op? Sinds wanneer was zij zo'n hysterisch wezen waar ze samen met Harper, Sophie en Kate altijd om had gelachen?

'Ik wil helemaal niet van je af. Nooit,' zei Stuart sussend. 'Dus zeg jij het maar.'

'De kantine is prima.' Ze haalde haar schouders op.

Dus ze waren naar de kantine gegaan. Maar de hele maaltijd had er een ongemakkelijke stilte geheerst. Becca was te bang om haar mond open te doen, bang dat ze hem opnieuw de krankzinnigste beschuldigingen voor de voeten zou gooien, en Stuart leek te denken dat hij maar beter zo min mogelijk kon zeggen.

Vandaag hadden ze samen gestudeerd, zoals altijd – tegenover elkaar, in kleermakerszit op Becca's bed, met hun boeken opengeslagen tussen hen in. De situatie leek weer bijna normaal. Sterker nog, beter dan normaal. Gewoon goed. De chaos in Becca's hoofd was naar de achtergrond gedrongen terwijl ze haar best deed de psychologische diagnoses en definities uit haar hoofd te leren, en de namen van de belangrijkste psychologen van de twintigste eeuw in haar geheugen te prenten.

'Wat willen vrouwen eigenlijk?' vroeg Stuart, zijn donkere ogen lachten.

'Ik weet het niet, Doctor Freud,' antwoordde Becca op dezelfde plagende toon. 'Misschien kun jij me dat vertellen.'

Hij boog zich naar haar toe en kuste haar, met zijn hand langs haar wang. Ze voelde dat ze diep vanbinnen warm begon te worden, terwijl hij met zijn duim over de huid onder haar oog streek en zijn hand ten slotte liefkozend om haar nek legde. In een oogwenk lagen de zware psychologieboeken op de grond. Ach, wat voelde het toch heerlijk om zo dicht bij hem te zijn. Hij had zo lang zo ver weg geleken, en ze had hem nodig. Ze had het nodig om te voelen hoeveel hij van haar hield. Om te weten dat hij haar nooit in de steek zou laten.

Becca streek met haar handen over zijn borst, en hij deed zijn armen omhoog zodat ze hem in één vloeiende beweging zijn T-shirt kon uittrekken. Met zijn handen om haar rug tilde hij haar boven op zich.

'Waar is Isabelle?' vroeg hij fluisterend.

'Die heeft college tot vier uur.' Ze trok zijn gezicht naar het hare om hem te kussen.

En toen zei hij het. 'Emma.' Becca deinsde achteruit, sprong van het bed, staarde hem aan, vervuld van afschuw.

'Wat? Wat is er?' Stuart werkte zich op een elleboog overeind.

'Je zei haar naam!'

'Over wie heb je het?' Hij ging rechtop zitten en zwaaide zijn benen over de rand van het bed.

'Emma! Je zei "Emma!"'

Stuart zat doodstil. 'Ik zei "Becca".'

'Nee, dat zei je niet.' Maar ineens wist Becca het niet meer zo zeker. Tenslotte had hij haar gekust, dus het kon zijn dat de klanken vervormd waren geraakt.

O nee, ze was echt een van die onnozele, hysterische grieten geworden!

'Het spijt me,' begon ze. 'Ik... ik heb je verkeerd verstaan, en...'

Stuart knikte langzaam en keek haar aan met een blik, alsof hij nu pas begon te begrijpen wat zich tot op dat moment aan zijn begrip had onttrokken. Geruime tijd staarde hij haar alleen maar aan, wrijvend over zijn knie.

'Je vertrouwt me gewoon niet meer, hè? Nooit meer?'

Becca wilde protesteren. Natúúrlijk zou ze hem weer vertrouwen. Ze vertróúwde hem al – tenminste, voor zover het mogelijk was om iemand te vertrouwen. Wat, misschien, voor haar, niet meeviel. Maar op dit moment was het alles wat ze in huis had, en dat zou genoeg moeten zijn.

Maar dat was het niet.

Plotseling zag Becca een uitweg. Een manier om zichzelf – maar vooral Stuart – te sparen. Want hij verdiende dit niet. Hij verdien-

de het om een relatie te hebben met iemand die onvoorwaardelijk van hem hield. Iemand die hem alles zou geven zonder terug-
houdendheid. Iemand die hem vertrouwde en hem – terecht –
het gevoel zou geven dat hij geweldig was. Hij zou zich niet voortdurend gedwongen moeten voelen zich te verdedigen tegen
denkbeeldige overtredingen en onrechtmatigheden. Dat was niet
eerlijk. Ze wist echter dat ze er niets tegen kon doen. Misschien
ooit, maar... misschien ook niet. En dat wilde Becca hem besparen.

'Ik kan dit niet,' wist ze uit te brengen.

'Wat?'

'Met jou... verkering met je hebben.' Het kostte haar de grootste moeite de woorden over haar lippen te krijgen, maar ze zette
door.

'Becca...'

'Ik kan je nooit meer vertrouwen.' Ze hield haar stem welbewust vlak. 'Ik kán het gewoon niet, oké? Dus je kunt beter gaan.'

Stuart verroerde zich niet. Hij haalde diep adem en keek de
kamer rond, alsof hij zocht naar een manier om haar tot rede te
brengen.

'Ik meen het,' vervolgde ze. 'Ik dacht dat ik het kon. Ik dacht
dat dit was wat ik wilde. Maar dat is niet zo. Het ligt niet aan jou,
maar aan mij.'

'Dat moet je niet zeggen.' Hij klonk gespannen. 'Ik wéét dat het
aan jou ligt. Maar ik weet ook dat je van me houdt.'

'Dat doet er niet toe.' Becca keek naar de grond. Als ze dat niet
deed, zou hij de tranen zien die elk moment over haar wangen
konden stromen. 'Het is voorbij tussen ons. Dus ga alsjeblieft
weg.'

Ze bleef naar de vloer staren terwijl Stuart zijn shirt opraapte,
zijn boeken bij elkaar zocht en naar de deur liep.

'Becca...'

'Ga weg.' Ze keek hem niet aan. Ze keek helemaal nergens naar totdat de deur achter hem in het slot was gevallen. Toen dreigde ze door haar knieën te zakken en liet ze zich op de stoel achter haar bureau vallen. Vermoeid keek ze door het raam. Even later zag ze Stuart naar buiten komen. Hij liep langzaam, met opgetrokken schouders.

Toen hij eenmaal uit het zicht verdwenen was, klom ze in bed, ze maakte zich zo klein mogelijk en ging met haar gezicht naar de muur liggen. Het was beter zo. Beter om het nu uit te maken en hen beiden de pijn te besparen die onvermijdelijk in de toekomst verborgen lag.

Uiteindelijk kwam hij er wel overheen. Hij zou iemand anders vinden om van te houden. En hij zou weer gelukkig zijn. Ooit.

Ze wenste alleen wanhopig dat voor haar hetzelfde zou gelden.

❤

De geur van de markt in Kellem zou ze nooit vergeten. En hij zou ook voorgoed aan haar kleren blijven kleven. Hoe vaak Kate ze ook schrobde en te drogen hing in de koele, droge bries van Mekebe, de scherpe geur van ezels, graan, geiten, vuil, mest en bezwete mensenlijven zat voor altijd in haar kakibroek en haar verbleekte zwarte Banana Republic T-shirt.

Gelukkig bood de markt zelf een royale compensatie in de vorm van rijk gevulde kramen met prachtig gemaakte natala's, bronzen kruisen, religieuze kunstvoorwerpen, honingraten die uit verre bomen waren gesneden en waren vervoerd in grote, witte plastic emmers, druipend van de dikke, zoete honing. Verder waren er alle soorten graan, van teff tot maïs, maar ook kippen, geiten, schapen, Michelin-banden, schoenen met degelijke zolen en allerlei keukengerei, gemaakt in China.

Dorothé en zij waren met de rest van de ploeg een dag meegegaan naar Kellem om Darby, Jessica en Jean-Pierre een handje te helpen. De ploeg was achter geraakt op het schema bij het vrijmaken van de grond voor het afwateringsterrein. Kate zou er een maand huur om hebben verwed (wat niet veel was, want ze betaalde maar tweeëntwintig dollar) dat Jessica in elk geval deels verantwoordelijk was voor de vertraging. Het stoorde haar dat ze het oudere meisje opnieuw uit de brand moest helpen, ook al vond ze het leuk om de kans te krijgen eens een andere stad te zien.

Kellem was iets groter dan Mekebe, met bredere straten, waarvan er diverse verhard waren, dichtbevolkte kralen en een veel uitgebreidere markt. Het stadje stond bovendien bekend om zijn geweven producten, afkomstig van een coöperatie van wevers, voornamelijk mannen, die beroemd waren om hun beheersing van het ambacht. Vandaar dat Kate had besloten dat Kellem de perfecte plek was om een heel bijzondere natala voor Habiba te kopen. Dus toen de zon rond het middaguur hoog aan de hemel stond en de werkers naar huis gingen om te eten, zei Kate tegen Dorothé dat ze naar de markt ging. Ze haalde een boterham (injera met restjes geitenvlees) uit haar rugzak en ging op weg.

Diverse kramen beschikten over een indrukwekkende collectie natala's, maar Kate was buitengewoon kritisch. Habiba zou iets kleurigs willen, dat wist ze zeker, en bovendien zou haar zusje de kwaliteit en het vakmanschap herkennen, vooral in de ingewikkelde patronen waarmee de randen van de natala's waren versierd. Habiba deed zo veel voor haar en was haar zo behulpzaam bij het vinden van Angatu's zuster, dus Kate wilde een unieke, heel bijzondere natala voor haar kopen.

'Mag ik die eens zien?' vroeg ze aan een slanke vrouw met een lichtbruine huid, die achter een klein kraampje stond. Ze hoopte dat in Kellem hetzelfde Amhaarse dialect werd gesproken als in Mekebe. Blijkbaar had ze geluk, want de vrouw reikte haar met een glimlach de bewuste natala aan. Er was een primitief zonnetje midden op haar voorhoofd getatoeëerd en ze hield een klein jongetje, amper een peuter, op schoot. Ook het kind had een zonnetje op zijn voorhoofd.

'Is dat echt?' vroeg Kate over de tatoeage bij het kind.

De vrouw begon te lachen. 'Nee,' antwoordde ze in het Amhaars. 'Daar is hij nog te klein voor. Het is er met blauwe pen op getekend.'

Kate glimlachte en bekeek de natala. Hij was prachtig. De zachte katoen was gelijkmatig geweven en geverfd in een stralende kleur roze. De rand, zwart met een warme, levendige tint groen, was geweven in een complex geometrisch patroon. Habiba zou de natala prachtig vinden.

'Hoeveel kost deze?'

'Honderdveertig birr.'

Kate besefte dat de vraagprijs was verhoogd – misschien zelfs verdubbeld – omdat ze een *faranji* was, maar dat leek haar niet meer dan redelijk. Ze had niet veel geld, maar vijftien dollar was naar haar westerse maatstaven nog altijd een koopje.

'Ik neem hem.' Ze knikte en reikte naar haar portemonnee. Ze wist dat ze had moeten afdingen, in elk geval een beetje. Maar als ze er, door twintig of dertig birr extra te betalen, voor kon zorgen dat het kleine jongetje met zijn namaaktatoeage die avond beter te eten kreeg en dat zijn moeder misschien een handig keukenhulpje uit China kon kopen, dan was het dat waard. Kate gaf de vrouw een briefje van honderd birr en vier van tien.

Voordat ze haar portemonnee weer in haar rugzak kon stoppen, was ze ineens omringd door kinderen.

'*Faranji, faranji*!!!' Het waren er minstens zes, tussen de acht en de veertien, en ze riepen het Amhaarse woord voor buitenlander. Allemaal jongens. Kate had gehoord dat dit in Ethiopië regelmatig gebeurde, maar in Mekebe kende iedereen de ploeg van Water Partners, en in Addis Abeba waren ze nooit echt de straat op gegaan. Zelfs in Bahar Dar reden ze rechtstreeks naar hun bestemming, dus Kate had eigenlijk alleen maar bedelaars gezien door het raampje van de auto, of wanneer ze hen op straat passeerden. Dan gaf Kate wat ze kon missen, en dat was niet zoveel.

Zo veel tegelijk had ze er echter nog nooit gezien, laat staan dat ze ooit door bedelaars omringd was geweest.

'*Faranji, faranji!!!*' De jongens strekten hun hand naar haar uit.

Diep vanbinnen stak een vertrouwd paniekgevoel de kop op. *Dit is anders dan in Griekenland. Ze willen me niet beroven. Ze willen me geen pijn doen. Het zijn maar kinderen.*

Kate reikte in haar portemonnee, op zoek naar briefjes van een birr. Maar toen ze die begon uit te delen, werd het gedrang zo mogelijk nog uitzinniger. Plotseling waren er meer jongens, van wie sommige ouder – misschien een jaar of vijftien, zestien. Nog meer lichamen drongen zich om haar heen, nog meer stemmen verhieven zich, bedelend om geld, snoep, pennen voor school. Wat kon ze hun nog geven?

Ze gaf haar laatste birr aan een jongetje van vijf in een sjofel Coca-Cola T-shirt en ging koortsachtig in haar rugzak op zoek naar een ballpoint of gummetje. Maar ze vond niets. En het gevoel van paniek nam toe.

'Dat is alles.' Haar stem beefde. 'Meer heb ik niet.'

De jongens lieten haar echter niet met rust. Kate wist dat ze het niet kwaad bedoelden. Ze deden haar geen pijn, en dat zouden ze ook niet doen. Maar het waren er inmiddels minstens tien, en ze schreeuwden allemaal, staken allemaal hun hand naar haar uit. De opwinding, de gretigheid van de groep versterkte zichzelf. Kate stond inmiddels met haar rug tegen een schutting van golfplaten aan het eind van de rij kramen, en ze wist niet of ze het zich verbeeldde, maar ze had het gevoel alsof er een zekere vijandigheid van de oudere jongens uitging.

Onder andere omstandigheden zou ze lachend hebben geprobeerd een gesprekje aan te knopen. Dan zou ze hun hebben uitgelegd – tenslotte sprak ze de taal – dat ze nu weg moest en hebben gevraagd of ze haar alsjeblieft wilden doorlaten. Maar toen een van de oudere jongens haar krachtig bij haar bovenarm greep, knapte er iets in haar.

'Ga weg! Laat me met rust!' Het werd haar te veel – de handen, het lawaai, de geur, de wanhoop, de armoede. 'Alsjeblieft...'

'Kate!'

Zoekend liet ze haar blik in het rond gaan, boven de hoofden van de jongens. Waar was hij?

'Kom mee.' Darby baande zich een weg door de menigte en pakte haar bij de arm. Hij sprak haastig een paar woorden in het Amhaars, waarop de jongens afdropen. Ze verdwenen even snel in de drukte op de markt als ze waren verschenen. Darby liet haar arm pas los toen ze de markt achter zich hadden gelaten en weer op straat stonden.

'Wat bezielt je in vredesnaam?' tierde hij, terwijl hij haar dwong hem aan te kijken.

'Ik... ik wilde zo graag een natala kopen voor mijn zusje...' begon Kate.

'Waarom kroop je zo angstig weg? Het zijn maar kinderen!'

'Dat weet ik wel...'

'Ze wilden alleen maar een paar birr!'

'Die heb ik ze gegeven...'

'Als je zo door het lint gaat van Afrikanen, wat doe je hier dan?'

Ontnuchterd keek Kate hem aan. 'Bedankt,' zei ze toen.

'Waarvoor?' Er trok een spiertje in zijn kaak.

'Ik was bijna vergeten wat voor klootzak je bent. Dus bedankt. Nu weet ik het weer.' Ze begon van hem weg te lopen, terug naar de plek waar de put werd geslagen.

'Ik ben een klootzak omdat ik je heb gered?' Met twee snelle stappen liep Darby naast haar.

'O, dus nu heb je me ineens gered? Ik dacht dat het maar kinderen waren?'

'Dat waren het ook. De enige die raar deed, was jij...'

'Ik deed "raar", zoals jij dat noemt...' Kate bleef staan en keek hem aan, een hand op haar heup, in de andere de natala voor Habiba. 'Ik deed "raar" omdat die jongens me ergens aan herinnerden. Oké? Iets wat jou niets aangaat. Maar voor alle duidelijkheid, ik ging niet door het lint vanwege die jóngens.'

'Je bent anders volstrekt niet duidelijk,' zei Darby nijdig, zonder een greintje begrip.

Ze keek hem woedend aan.

'Dan zal ik het je vertellen. Ik ben ooit overvallen en beroofd! In Griekenland. Door drie jongens, in een steeg. Ik heb twee dagen in het ziekenhuis gelegen...' Ze was verrast door de tranen, die plotseling over haar wangen stroomden. Ze had gedacht dat ze eroverheen was. Over de angst, en in elk geval over de tranen. 'En jíj bent wel de laatste met wie ik het daarover wil hebben.' Ze haalde diep adem, veegde met de rug van haar hand haar tranen weg. 'Want er is niks met me aan de hand, en het gaat je geen moer aan. Trouwens, wat kan het je schelen? De groeten.'

Kate wist bijna zeker dat Darby de hele weg terug zo'n tien stappen achter haar liep. Maar hij zei niets meer. Toen ze hem terugzag, stond hij tot zijn ellebogen in het vulkanisch gesteente op het toekomstige afwateringsterrein.

*Me gered! Ik door het lint gaan door Afrikanen?*

Wie dacht Darby eigenlijk wel dat hij was? En nog belangrijker, wie dacht hij dat zíj was?

En waarom zou haar dat ook maar ene moer kunnen schelen?

# EXAMINATION BLUE BOOK

NAME: _Becca Winsberg_

CLASS: _Psy 240 Mid-Term_

GRADE: _Onvoldoende_

_Kom bij me langs._

9 780316 057936

# TWAALF

'IK BEN OKÉ.'

'Nee, dat ben je niet.'

'Wel waar.'

'Niet waar.'

Harper overwoog met haar hoofd tegen de muur te beuken. Maar de kans dat ze daarbij haar zwarte kunststof montuur zou beschadigen – en ze kon ze zich in deze fase van haar bestaan echt geen nieuwe bril veroorloven – hield haar tegen. Dus ze gaf Becca een grote zak Skittles, speciaal gekocht ter ere van hun hereniging in de voorjaarsvakantie, en maakte een cola light open.

Ze waren inmiddels zo'n anderhalf uur bezig over de vraag of Becca al dan niet oké was. En ze waren nog geen stap verder gekomen. Maar de avond was nog jong, en Harper was vastberaden om Becca zover te krijgen dat ze haar mond opendeed – voor een zinnig gesprek, niet voor vrijblijvend geleuter.

'Wat is erger? Dat je het hebt uitgemaakt met Stuart of dat je ouders weer bij elkaar zijn?' Het was een simpele vraag. Daar kon Becca toch tenminste antwoord op geven.

'Hoe gaat het met jou? En hoe zit het met je aanvraag voor NYU?' Het was een wel erg doorzichtige poging om het gesprek op een ander onderwerp te brengen.

'Binnen twee weken hoor ik of ik ben toegelaten. Maar dat wist je allang.' Harpers maag verkrampte bij het vooruitzicht. 'Vooruit! Vertel op.'

Becca zuchtte. 'Kunnen we niet gewoon naar *Dirty Dancing* kijken?'

Harper verkeerde in de verleiding om te zwichten. Ze had er een gruwelijke hekel aan wanneer een van haar dierbaren probeerde informatie van haar los te krijgen die ze vóór zich wilde houden. Anderzijds, ze vond het nóg afschuwelijker wanneer diezelfde persoon níét aandrong op informatie die ze vóór zich wilde houden.

'Nee, sorry. Dat zal niet gaan.'

Toen Becca de kelder was binnengekomen, had Harper verwacht dat ze in alle staten zou zijn over de klaarblijkelijke verzoening van haar ouders. Maar ook dat ze straalde van verliefdheid en elke vijf minuten Stuart zou bellen om hem met haar babystemmetje te vertellen hoe verschrikkelijk ze hem miste. Nou, Becca straalde bepaald niet. Integendeel. Ze was het tegenóvergestelde van stralend, van haar lege starende blik tot haar bleke wangen tot de stonewashed spijkerbroek met hoge taille die ze blijkbaar al had sinds haar zestiende.

Dof en monotoon had Becca verteld dat het uit was tussen Stuart en haar. Nee, ze wilde er niet over praten. En ja, haar moeder had bevestigd dat de spreekwoordelijke vonk weer was overgesprongen tussen haar en Becca's vader. Erger nog, ze had gezegd dat ze hun nieuwe romance aan Becca te danken hadden. Met haar boze uitval tijdens het Ouderweekend had ze hen gedwongen weer met elkaar te communiceren, en dat had geleid tot de ontdekking dat ze zich zelfs nog vuriger tot elkaar aangetrokken voelden dan toen ze elkaar voor het eerst ontmoetten. Voor zover Harper begreep, was het vooral dat 'vurig tot elkaar aangetrokken' waardoor Becca door het lint was gegaan.

'Is het echt zo erg dat je ouders weer bij elkaar zijn? Het heeft toch ook voordelen? Je hebt in elk geval geen last meer van je stiefbroer en -zus.' Harper had besloten het voortouw te nemen met de gezinssituatie.

Becca liet zich achterover op de matras vallen. Ter ere van de terugkeer van haar vriendin had Harper de Harry Potter-lakens op haar bed gedaan die Becca haar had gegeven toen ze haar kamer had opgeruimd omdat ze ging studeren. 'Omdat het niks wordt. Het wordt allemaal niks.'

Daarmee waren ze weer bij Stuart aangeland. 'Bec, hij houdt van je. Ik weet zeker dat hij het je vergeeft. Je moet gewoon zeggen dat het je spijt. Heel nederig, je weet wel.'

Becca schonk haar een verloren blik. 'Dat heb ik al een keer gedaan. Ik ben al een keer door het stof gegaan om te zeggen dat het me speet. Het is een wonder dat hij me toen heeft vergeven.' Ze doelde op de dramatische toespraak die ze voor Stuarts deur had afgestoken, nadat hij erachter was gekomen dat ze zich dronken had laten ontmaagden door de ex van Kate. 'Hoe vaak kan ik de boel verzieken en verwachten dat hij me vergeeft?'

Haar stem klonk gespannen, werd steeds hoger, maar Harper deed geen poging haar te onderbreken. Het moest eruit! Dat was de enige manier. Bovendien verveelde haar vader zich waarschijnlijk dood, boven in zijn kamer. Dus misschien bezorgde het luisteren naar een schreeuwende Becca hem althans enige afleiding.

'Dat zul je nooit weten als je het niet probeert,' merkte Harper optimistisch op. 'En bovendien, dat is Stuart je toch wel waard?'

'Je snapt het niet. Het is voorbij.' Becca pakte een kussen en bedekte haar gezicht met Harry en Hedwig, zijn trouwe witte uil.

'Nou, het klinkt niet alsof het voorbij is.' Harper zweeg even, plukte een denkbeeldig pluisje van de dekbedhoes. Ze zou zich op het terrein van de psychologie moeten begeven, en dat zou kunnen betekenen dat Becca gewelddadig werd. Nou ja, een paar blauwe plekken moest je voor je vriendin over hebben. 'Kan het zijn dat je denkt dat je nog niet klaar bent voor een relatie? En dat je de dansende blondine hebt gebruikt als excuus om het uit te maken?'

Becca ging rechtop zitten, haar groene ogen fonkelden. 'Ik geloof, eerlijk gezegd, niet dat jij de aangewezen persoon bent om je een oordeel aan te meten over relaties. Om te beginnen ben je verliefd op je *leraar Engels*. En vervolgens begin je aan dat rare gedoe met Judd. Wat volgens jou niks voorstelt, maar het is maar al te duidelijk dat het wel degelijk iets voor je betekent.'

'Vrijheid, blijheid,' declameerde Harper automatisch. Als ze die loze kreet nog één keer slaakte, zou ze zich misschien zelf moeten laten opnemen in een psychiatrische inrichting.

'Je bent goed van de kook door die griet, die Amelia. Geef het maar toe.'

Harper balde haar vuisten. *Ze is zichzelf niet. Ze is diep ongelukkig. Ze roept maar wat om me af te leiden.* Dat was allemaal waar, maar het verklaarde niet waarom Harper het gevoel had alsof iemand haar in haar maag had gestompt.

'Ik ben niet van streek. Ik ben dolblij. Want ik was toch al op zoek naar een manier om er een streep onder te zetten. Want ik denk dat meneer Finelli... Adam... en ik... Nou ja, ik denk dat we er allebei voor willen gaan.'

Wáárom nam ze toch altijd haar toevlucht tot liegen wanneer ze zich zielig voelde? Dat was nog zieliger dan het zielig zijn op zich.

'Het zal wel.' Becca sloeg haar ogen ten hemel. 'Ik heb mijn Droom verwezenlijkt. Ik ben verliefd geworden. Niemand heeft gezegd dat ik ook verliefd moest blíjven.' Ze stond op. 'Dus ik zou zeggen, hou jij je bezig met jóúw Droom en maak die vervloekte roman af waar je het altijd over hebt.'

Ze liep naar het raam van de kelder, duidelijk van plan te ontsnappen. Harpers eerste impuls was haar terug te halen en haar te vertellen wat een waardeloze vriendin ze was geweest sinds ze Stuart had ontmoet. Om haar te vertellen dat niet de hele wereld draaide om haar studentenvriendje, of haar gefrustreerde ouders. Dat er andere dingen waren in het leven. Zoals een vader die van sterk en onoverwinnelijk ineens zwak en kwetsbaar was geworden. Zoals... ach, er was zoveel.

Maar dat zei Harper allemaal niet. Omdat ze van Becca hield. Misschien was ze ergens, diep vanbinnen wel zo slecht dat ze zich bijna opgelucht voelde dat het in Middlebury allemaal niet zo'n sprookje bleek te zijn als het had geleken. Misschien voelde ze zich zelfs een beetje superieur. Tenslotte was er in haar eigen leven bepaald geen gebrek aan crises, en toch wist ze zich staande te houden! Maar de overheersende emotie, de emotie die ertoe deed en die haar maakte tot wie ze was, was dat ze niet wilde dat een van haar beste vriendinnen zo verdrietig was.

'Ga nou niet weg. We bellen Sophie. We e-mailen Kate. We gaan *Dirty Dancing* kijken en we proppen ons vol met snoep en pizza.' Harper zweeg om adem te halen. 'En samen komen we er wel uit.'

Becca draaide zich om. Er stonden niet eens tranen in haar ogen. Blijkbaar was ze dat stadium al voorbij. 'Ik verdien hem niet. Met alles waar ik mee rondloop. En eerlijk gezegd weet ik niet of ik hem ooit wél verdien.'

Ze deed het raam open en klom naar buiten. Als Harper had gedacht dat ze ervoor zou kunnen zorgen dat Becca zich beter voelde, zou ze haar aan haar benen weer naar binnen hebben getrokken. Maar ze liet haar gaan.

❤

*Forward Motion* was Sophies favoriete nieuwe serie. Ze had nog nooit een aflevering gezien, en ze wist niet eens precies wat het verhaal was, maar ze had net auditie gedaan voor de rol van een personage dat regelmatig haar opwachting zou maken: Mave, de parmantige, vroegwijze secretaresse die haar baas bij herhaling in verwarring zou brengen. En ze was tevreden, want *ze had ze eens wat laten zien!* Sterker nog, ze was zo tevreden dat ze zich al afvroeg wanneer ze bij 'de kleding' zou moeten komen. Het debacle van *Heartland* was nog slechts een verre herinnering. Wie zou

305

de door haar angsten beheerste Paige Dalloway willen spelen, als je de hilarische Mave kon krijgen, hoe ze ook van haar achternaam mocht heten? Sophies hand trilde toen ze haar mobiel pakte.

'Met Sophie Bushell. Ik bel voor Matthew Feldman.' Voor gesprekken met haar agent had ze een koele, strikt zakelijke toon geperfectioneerd.

'Ik zal even kijken of hij er is.' Sophie herkende de stem van de assistente niet, maar dat was niet zo verbazend. In de korte tijd dat ze met Matthew Feldman samenwerkte, was ze er al achter gekomen dat assistenten zo snel opbrandden dat ze het zelden langer dan een paar weken volhielden. Ze had geen idee van de hectische beslissingen die er op de kantoren van CTI werden genomen, van de strijd die daar werd gevoerd, en dat wilde ze graag zo houden. Tenslotte had ze genoeg aan haar eigen strijd om zich staande te houden als hostess en daarnaast ook nog audities te doen.

Terwijl ze wachtte tot Matthew Feldman aan de lijn kwam, liep ze een eindje verder over het terrein van Fox. Kijkend naar de reusachtige muurschilderingen van personages uit *Star Wars* en *The Simpsons*, stelde ze zich voor hoe het zou zijn als haar eigen gezicht – in de rol van Mave – de zijkant van een gebouw zou sieren.

'Vertel!' Zoals altijd klonk Matthew Feldman alsof hij vier dingen tegelijk deed – en waarschijnlijk was dat ook zo.

'Volgens mij heb ik de rol!' riep Sophie. 'Ik weet dat ik verschrikkelijk heb geklaagd en gejammerd na *Heartland*, maar achteraf gezien was dat zo...'

'Je hebt hem niet,' kapte Matthew Feldman haar af. 'Ze hebben gekozen voor Aziatisch.'

'Maar ik heb net auditie gedaan. Amper twee minuten geleden...'

'Sorry, maar zo gaat het in deze business.'

'Ze zeiden dat ze me geweldig vonden. Alle producers moesten lachen om mijn vertolking...' Plotseling haatte ze *Forward Motion* en iedereen die erbij betrokken was. Ze hoopte dat de serie de slechtste kijkcijfers in de geschiedenis zou scoren. Dat...

'Ze vonden je hilarisch, dat klopt. Maar het blijkt dat de hoofdrol nerveus wordt als iemand van de cast grappiger is dan hij. En daar hadden de producers geen zin in.' Ze hoorde dat hij ergens in beet. Het malende, kauwende geluid dat volgde, bezorgde haar braakneigingen. 'Dus wat moet ik ervan zeggen? Je was te goed.'

De verbinding werd verbroken. Hoe durfde hij? Zonder dag te zeggen. Anderzijds, dat deed hij nooit. Maar toch. Sophie schopte tegen een van de schilderachtige houten banken die overal over het terrein verspreid stonden, zich voorstellend dat het de hoofdrol was, of wie ook de beslissing had genomen haar niet te nemen. Hoe kon je té goed zijn voor een rol? En wat betekende: *Ze hebben gekozen voor Aziatisch*?

Haar mobiel begon te trillen. Dat was waarschijnlijk Matthew, die terugbelde voor een peptalk. Of... misschien had hij al een andere auditie voor haar geregeld. *Binnen een halve minuut?* Natuurlijk! Alles kon. 'Hallo?'

'Met mij.' Het was niet Matthew Feldman, maar Sam, en hij klonk alsof hij in paniek was.

'Wat is er?' vroeg ze, half teleurgesteld en half opgelucht dat het geen zakelijk telefoontje was. Ze maakte rechtsomkeert naar het parkeerterrein. Voordat ze bij Mojito moest zijn, had ze nog drie uur, en ze was van plan in die tijd haar verdriet te smoren door een bezoek aan haar favoriete vintagewinkel aan Melrose.

'Ellie belde net uit haar trailer. Ze is ingestort.'

Was het al niet erg genoeg dat ze net een klus was misgelopen waarvoor ze geknipt was? Moesten ze het nu echt over de emotionele instabiliteit van de Pessarium Prinses hebben? 'Ja, en?'

'Ze moet vanmiddag een moeilijke scène doen, en ze voelt zich erg onzeker.'

*Terecht, want ze is waardeloos.* 'En waarom bel je mij dan?' Het was een voor de hand liggende vraag.

'Jij had toch een auditie op het terrein van Fox? Ben je daar nog steeds?'

Sophie keek naar het parkeerterrein, vijftig meter verderop. 'Niet echt. Hoezo?' Ze begon wantrouwend te worden. Erg wantrouwend. Ze wist toevallig dat *Heartland* op het terrein van Fox werd opgenomen, iets wat ze tot op dat moment bewust had verdrongen.

'Ga jij dan even met haar praten. Alsjeblieft! Ze denkt dat jij over een soort magie beschikt.' Als het niet zo stuitend was, zou ze van de situatie genieten.

'Ik peins er niet over.'

'Doe het voor mij, Sophie. Alsjeblieft.'

Ze zuchtte. Het feit dat ze een zwakke plek had voor Sam, was beslist een psychologisch risico. Maar ze kon geen nee zeggen. 'Zeg maar dat ik over tien minuten bij haar ben.'

Toen ze op de deur van Ellies trailer klopte, aan de andere kant van het studioterrein, was ze in gedachten al bezig haar strategie te formuleren. *Ik ga naar binnen, ik geef haar een tissue, zeg dat ze een geniale actrice is, en ik trek de deur weer achter me dicht.* Als alles goed ging, hoefde het hele proces niet langer dan zeven minuten in beslag te nemen. En dan bleef er nog altijd tijd genoeg over om naar Melrose te gaan en alle geweldige, funky kleren te bekijken die ze zich niet kon veroorloven. De deur ging op een kiertje open. In de kier verscheen Ellies gezicht, compleet met doorgelopen mascara.

'Niemand mag je zien!' siste ze, en ze trok Sophie met een ruk naar binnen.

'Waarom niet?' Sophie keek om zich heen in de trailer, niet het type dat de grote sterren tot hun beschikking hadden, maar toch niet te versmaden. Ellie had een badkamertje, lichtgroen tapijt op de vloer, witte, nogal kantoorachtige gordijnen en een klein keukentje. Niet gek voor een meisje van twintig zonder talent.

'Ik heb tegen de eerste regieassistent gezegd dat ik migraine heb. Als iemand ons ziet, denken ze dat ik zo'n actrice met kapsones ben, die de productie ophoudt om met haar vriendinnen te kunnen kletsen.'

*Dat ben je ook*, dacht Sophie onwillekeurig. Alleen, Ellie en zij waren geen vriendinnen. Ze waren... Nou ja, wat ze ook waren, het was volstrekt disfunctioneel. 'Wat is er aan de hand?'

'Ik heb ruzie met mijn beste vriend in de serie, en in het geheim ben ik verliefd op hem. Ik heb geen idéé hoe ik dat moet spelen.' Op haar doorgelopen mascara na zag Ellie er op en top uit als een toekomstige televisiester. Ze was gekleed in een strakke Seven-spijkerbroek, een zachtroze topje van D&G en de hoge hakken in slangenleer van Jimmy Choo, waar Sophie twee weken eerder voor had staan kwijlen in de etalage van Fred Segal. Ellies lange goudblonde manen verrieden dat iemand bijna de hele ochtend bezig was geweest om ze te stylen tot een onverschillig, warrig meesterwerk. Vergeleken daarbij voelde Sophie zich een slons met haar zelfgekapte haar en haar vuurrode, mouwloze jurkje van J-Crew.

'Ik weet zeker dat het goed gaat. Denk nou maar gewoon aan alles waar we het laatst over hebben gehad. Probeer jezelf in die situatie te zien, zet jezelf in de schoenen van Paige enzovoort.' Ze liep al voorzichtig naar de deur, in de hoop dat die kort maar krachtige peptalk genoeg zou blijken te zijn. Maar Ellie pakte haar opnieuw bij haar arm en trok haar op de kleine witte bank.

'Nee, ik heb je nodig! Als jij me niet helpt met repeteren, dan kan ik het niet!' Ze klonk wanhopig. Er lag een verwilderde blik in haar lichtblauwe ogen.

Sophie aarzelde. De hand vasthouden van de actrice die háár rol had gestolen, was niet wat ze zich had voorgesteld van haar vrije middag. Zelfs niet als ze het deed voor Sam. Tenslotte was ze hem niets verschuldigd.

'Je kunt krijgen wat je wilt,' drong Ellie aan, met haar aerobicstrakke achterwerk op de rand van de bank. 'Wat wil je? Honderd dollar? Tweehonderd? Duizend? Alsjeblíéft.'

'Ik wil geen geld.' Sophie schudde haar hoofd. 'Maar...'

'Wat wil je? Zeg het maar!' Ellie pakte een tissue en bette haar lichtblauwe ogen. Er school duidelijk toch wel érgens een actrice in haar.

'Ik wil een gastrol in *Heartland*.' Sophie had het al gezegd voordat de gedachte zich volledig had gevormd. Ze leunde naar achteren en stootte met haar hoofd tegen de wand van de trailer.

Ellie klaarde op. 'Oké. Die krijg je.'

'Echt waar?' vroeg Sophie wantrouwend.

'Ik ben heel dik met de castingdirector. Dus dat is geen énkel probleem.' Ze sprong opgewekt overeind en pakte twee scripts, waarvan ze er een aan Sophie gaf. 'Laten we beginnen.'

Sophie sloeg glimlachend het script open. Na zeven maanden in Hollywood had ze eindelijk door hoe het systeem werkte. Er was weer hoop.

❤

'Ik snap het nog steeds niet. Je hebt het uitgemaakt om hem een hoop verdriet te bespáren?'

Becca, die tegenover Harper zat in Café Hemingway, knikte dapper. Ze was inmiddels enkele dagen in Boulder en eindelijk klaar om te praten. Het was rustig in het café, op een paar eenzame, postdoctorale types na die naar het scherm van hun laptop zaten te staren, en een oude vent die leek te zijn ingedommeld boven zijn krant. Dus Harper had met grote stelligheid verklaard dat het geen enkel probleem was om even pauze te nemen. 'Het is op dit moment gewoon even allemaal te veel. Ik ben mezelf niet,' probeerde Becca uit te leggen, ook al klonk het weinig overtuigend, zelfs in haar eigen oren. 'Ik mag niet van hem vragen dat hij rekening houdt met... '

'Jou?' vulde Harper aan.

Becca haalde haar schouders op en staarde in haar latte, die nog te heet was om te drinken. 'Ja.'

Het zou zo gemakkelijk zijn geweest om met Isabelle in de voorjaarsvakantie naar New York te gaan en zich twee weken te verstoppen in de logeerkamer van het schitterende appartement dat de Sutters bewoonden aan Park Avenue. Ware het niet dat Isabelle het als haar heilige plicht zag haar, Becca, zover te krijgen dat ze tegen Stuart zei dat haar lichaam bezet was geweest door aliens toen ze het plotseling met hem had uitgemaakt. Dat ze geen woord meende van wat ze had gezegd. Becca zou het niet hebben aangekund om twee weken lang onophoudelijk te worden lastiggevallen, en Boulder was de enige andere optie geweest. Het naar binnen werken van handenvol Xanax buiten beschouwing gelaten, wat ze – na enig overleg – had gedaan.

Helaas betekende het doorbrengen van de voorjaarsvakantie in Boulder, dat ze bij haar ouders moest logeren – haar vader én haar moeder – die in zonde leefden in het appartement van haar vader. Melissa had weliswaar haar biezen gepakt, maar Becca voelde haar aanwezigheid overal. De woonkamer was ingericht met de ultramoderne, strakke lijnen waaraan haar stiefmoeder de voorkeur gaf, en ook al was het merendeel van haar spullen verdwenen, Becca wist dat zij de diverse tinten wit waarin de muren waren geschilderd, had uitgekozen, evenals de glimmende, zwart granieten werkbladen in de keuken, de leistenen vloer, de tegels, de Thermador-koelkast en de matgrijze, roestvrijstalen deurknoppen.

Haar moeders romantische, knusse stijl combineerde niet echt met Melissa's dure, minimalistische smaak, hetgeen een allegaartje opleverde van sjofele chic en echte chic. In de woonkamer met glazen wanden stond de met rood gebloemde bank waarmee Becca was opgegroeid, tegenover een lichtbeige suède exemplaar zonder leuningen dat de keuze van Melissa was geweest. In de slaapkamer van haar ouders vormde het zwarte bamboebed een opzichtig contrast met het antieke bureau in Shaker-stijl dat haar moeder meteen na Becca's geboorte had gekocht.

Het was geen verrassing dat de disharmonie waarin haar ouders leefden, zich ook in andere dingen manifesteerde dan in hun niet bij elkaar passende meubels. Dat was Becca duidelijk geworden vanaf het moment dat ze uit het vliegtuig was gestapt. Op het vliegveld van Denver hadden haar vader en moeder hand in hand bij de bagageband gestaan, volledig opgaand in elkaar – wat Becca de kans had gegeven hen gade te slaan voordat ze haar in de gaten kregen. Ze zagen eruit alsof ze gelukkig waren, dat moest ze toegeven. Niet langer onder de invloed van Melissa, was haar vader informeler gekleed dan gebruikelijk, in een verbleekte spijkerbroek en een sportief overhemd met de boord los. Haar moeder stond tegen hem aan geleund en fluisterde iets in zijn oor. Ze leek nóg slanker – en ze was altijd al slank geweest – in haar donkere spijkerbroek en rode trui met lage hals.

Wat Becca verontrustte was de reactie van haar vader op wat haar moeder hem in zijn oor fluisterde. Hij luisterde, en glimlachte, zoals van hem werd verwacht, maar Becca had het gevoel dat het een werktuiglijke reactie was. Dat hij, ongeacht wat haar moeder had gezegd, op dezelfde manier zou hebben geglimlacht. Dat hij niet echt naar haar luisterde.

Zodra ze haar zagen, hadden ze elkaars hand losgelaten, als tieners die door de politie werden betrapt tijdens het vrijen op de achterbank van een auto. De angst voor haar reactie stond op hun gezicht te lezen. Maar Becca glimlachte slechts. Wat moest ze anders doen? Een scène maken op het vliegveld? Ze had geweten dat ze haar samen zouden komen halen, dus ze had in het vliegtuig de tijd gehad om zich erop voor te bereiden. Niet dat je je echt kon voorbereiden op de aanblik van twee mensen die hand in hand stonden, nadat ze elkaar ruim tien jaar lang hadden verafschuwd.

Sinds het telefoongesprek, een week eerder, had ze haar best gedaan de situatie te begrijpen en tot zich te laten doordringen. Haar ouders hadden weinig anders gezegd dan de voor de hand liggende, noodzakelijke verklaring.

'We hebben de band met elkaar herontdekt,' had haar moeder vanaf de telefoon in de keuken verklaard. 'En we zijn erg gelukkig.'

'We wilden niemand pijn doen.' Haar vader had zich op de telefoon boven bij het gesprek gevoegd. 'Als je bij Melissa langs wilt gaan, dan weet ik zeker dat ze dat heerlijk zou vinden. Ze wil graag contact blijven houden.'

Melissa, de stiefmoeder die Becca zelfs op haar verjaardag nooit had gebeld, wilde contact blijven houden? Goh, dat was nog eens een troost!

'Martin zit nogal in zijn boosheid,' had haar moeder vervolgd. 'Maar ik weet zeker dat hij het leuk vindt als je langskomt. En ik weet hoe dol je bent op Mia en Carter, dus je moet ze gewoon als je broer en zus blijven zien.'

'Eh... oké.' Wat Becca betrof, was het feit dat ze van die twee af was, het enige lichtpuntje in de hele puinhoop.

'Dus... je komt naar huis in de voorjaarsvakantie?' Haar moeders stem had schril geklonken. 'Dan kunnen we over alles praten. En dan zul je zien hoe gelukkig we zijn!'

Goddank had ze Harper. Becca had een groot deel van de afgelopen week in het souterrain van de Waddles en in Café Hemingway doorgebracht. Haar beste vriendin had erbij gezeten toen ze Melissa had gebeld – een telefoontje dat van Becca's kant voornamelijk zwijgend was verlopen. Haar stiefmoeder daarentegen had een heleboel te zeggen gehad – over Becca's béíde ouders. Blijkbaar had haar vader Melissa in de afgelopen zeven jaar meer dan eens bedrogen. En haar moeder had tijdens hun hele huwelijk regelmatig 's avonds laat gebeld en dan opgehangen zonder iets te zeggen. Het waren dingen die Becca liever niet had geweten. Haar stiefmoeder scheen er echter enorm veel plezier aan te beleven om ze met haar te delen. Toen het gesprek op z'n eind liep, had Melissa gevraagd of Becca zin had om samen te lunchen. Harper, die alles kon horen omdat ze vlak naast Becca zat, schudde haar hoofd en zei geluidloos, maar nadrukkelijk *neeeeee*!

'Ik heb het erg druk, en het is alweer bijna tijd om terug te gaan. Maar de volgende keer dat ik in de stad ben, spreken we iets af.'

Niet dat ze dat van plan was. Toen ze de verbinding verbrak, wist Becca dat ze Melissa nooit meer zou zien. Tenzij haar ouders uit elkaar gingen en Melissa en haar vader weer bij elkaar kwamen. Dus eigenlijk wist ze helemaal niets, zoals gebruikelijk.

Het meest dankbaar was ze Harper voor het feit dat ze met haar mee was gegaan naar Martins huis. Ze had van tevoren gebeld, om af te spreken dat ze haar kamer zou komen leeghalen. Door de telefoon had hij heel redelijk geklonken. Dus toen ze aan de deur klopte – met de achterbak van de van Judd geleende Saturn vol lege dozen – en hij stomdronken had opengedaan, had ze zich geen raad geweten. Ze had geprobeerd zich langs hem heen naar binnen te werken, maar ook al stond hij onvast op zijn benen, hij had hardnekkig de deuropening geblokkeerd. Onmiddellijk had Harper de leiding genomen.

'Martin!' had ze geroepen. 'Ik ben Harper Waddle. Becca's vriendin. We hebben elkaar al eerder ontmoet. Luister eens, we willen graag even naar binnen, om wat spullen te halen...'

Martin had Harper aangekeken en zich toen weer naar Becca gekeerd. 'Ze is bij me weggegaan,' zei hij lijzig, op een toon alsof hij haar moeders desertie nog altijd niet begreep. Of misschien alsof hij dacht dat Becca licht op de zaak zou kunnen werpen.

'Dat weet ik.' Becca verplaatste haar gewicht van de ene naar de andere voet. 'Het spijt me, Martin. Echt waar. Is alles goed met je?'

'Ik had mee moeten gaan naar Vermont.' Hij schudde langzaam zijn hoofd, wankel tegen de deurstijl leunend. 'Toen is het begonnen, tussen haar en die klootzak van een vader van je. Maar ik ben hier gebleven. Voor de kinderen. Neem nooit...' Hij wees naar Becca, stak zijn vinger uit alsof hij dacht dat ze dicht genoeg bij stond om haar aan te raken. 'Neem nooit kinderen.'

'Dank u wel. Dat is een uitstekend advies.' Harper deed een stap naar voren. 'Daar wil ik graag meer over horen. Dan kan Becca ondertussen naar boven.'

Even leek het erop dat hij ermee zou instemmen. Maar toen herinnerde hij zich blijkbaar iets. 'Wacht even!' Hij verdween naar binnen en trok de deur achter zich dicht.

'Bedankt! Je hebt het in elk geval geprobeerd,' fluisterde Becca. Ze had niet verwacht dat haar stiefvader er zo verschrikkelijk aan toe zou zijn. Hij had er nooit onberispelijk uitgezien, maar nu waren zijn kleren gekreukt, en de rafels hingen erbij.

'Hij drinkt duidelijk meer dan goed voor hem is,' zei Harper op gedempte toon.

Op dat moment ging de deur weer open, en Martin verscheen met een grote kartonnen doos.

'Dat was ik bijna vergeten,' zei hij met een kwaadaardige schittering in zijn donkere ogen. 'Ik had je spullen al bij elkaar gezocht.'

'O.' Becca pakte de doos aan die verdacht licht was. Het was ondenkbaar dat alles uit haar kamer in die ene doos zat, want haar moeder had alleen haar kleren voor haar meegenomen. Bovendien, los van haar spulletjes, wilde ze gewoon graag nog even afscheid nemen. Niet dat het zo'n geweldige kamer was, maar ze had er wel zeven jaar gewoond. En ze zeiden altijd dat het hielp om dingen goed af te sluiten. Om iets officieel en definitief te maken, net zoals ze dat met Stuart had gedaan.

'Misschien zou ik er toch even snel doorheen moeten lopen,' probeerde Becca beleefd. 'Om zeker te weten dat je niets hebt gemist.'

'Daar hoef je niet bang voor te zijn,' verklaarde Martin met grote stelligheid. 'Trouwens, je woont hier niet meer, dus je hebt hierbinnen ook niets meer te zoeken.'

Becca had het gevoel alsof ze een stomp in haar maag had gekregen. Het was één ding dat ze zichzelf verwijten maakte over de hereniging van haar ouders, maar het was iets heel anders als Martin dat deed.

Harper pakte haar bij de arm en loodste haar haastig de treden af, terug naar de auto. 'Bedankt, Martin,' riep ze opgewekt over haar schouder. Haar greep om Becca's arm voelde als een bankschroef, maar had tegelijkertijd de functie van een reddingsvest.

Tegen de tijd dat ze in de auto zaten, liepen de tranen over Becca's wangen. Harper reed rechtstreeks naar Café Hemingway, want ze moest werken, en na vier Groene Monsters was Becca tot de conclusie gekomen dat de schamele spullen in de doos – ze had ze op het met kruimels bedekte hoektafeltje uitgestald – inderdaad de enige dingen waren die ertoe deden. Martin was weliswaar onaardig tegen haar geweest, maar hij was niet gemeen. Dat bleek uit het feit dat hij al haar jaarboeken had ingepakt, haar fotoalbums en haar papieren van school.

Zodra Harper pauze kon nemen, was ze op de houten stoel tegenover Becca gaan zitten en had ze geprobeerd van onderwerp te veranderen door weer over Stuart te beginnen. Becca wist niet hoe ze het nog anders moest uitleggen. Stuart was geweldig, ze hield van hem, maar ze kon het niet aan om met hem samen te zijn, hij was beter af zonder haar. Dat was het. In een notendop.

'Nou...' Harper schudde zakelijk haar hoofd. 'Ik kan in elk geval niet ontkennen dat jij duidelijk niet helemaal fris bent op dit moment.'

'Ik moet ervandoor.' Becca zuchtte. 'M'n ouders verwachten me voor het eten.'

'Laat de doos maar hier. Ik doe hem wel bij ons in de opslag, totdat je weet waar je ermee naartoe wilt.'

'Bedankt.' Becca omhelsde Harper. 'Bij jou is hij in elk geval veilig.'

Op de terugweg naar het appartement van haar vader dacht Becca na over het begrip veilig. De momenten waarop ze zich echt veilig had gevoeld, waren schaars. Bovendien was haar gevoel van veiligheid – telkens opnieuw – gebaseerd geweest op een leugen. Niet dat het zo veel voorstelde, maar het was iets om in haar achterhoofd te houden, voor de volgende keer dat ze in de verleiding kwam te denken dat alles goed zat.

Toen ze thuiskwam, hing haar vader op de lichtbeige suède bank van Melissa en zat, met de afstandsbediening in zijn hand, zijn das los, de elektronische televisiegids door te kijken.

'Dag lieverd!' Hij keek op toen ze binnenkwam. 'Heb je een fijne dag gehad?'

'Ja hoor.' Becca liet zich op de gebloemde bank van haar moeder vallen. Ze móést het vragen. 'Hoe... hoe zit het met jullie? Gaan jullie trouwen? Of wat gaat er nu verder gebeuren?'

Haar vader deed zijn mond open, alsof hij iets wilde zeggen, maar er kwam niets. 'Eh...' Hij keek weer naar de televisie. 'Ach... wat zal ik zeggen? We zien wel hoe het loopt.'

'O. Mama denkt dat jullie gaan trouwen. Zodra jullie scheiding rond is, natuurlijk. Dus misschien zou je het daar eens over moeten hebben samen.'

Er klonk een geluid als van een gong toen haar vader op de elektronische televisiegids de een of andere ziekenhuisserie selecteerde. 'Ja. Ja, ik denk dat je gelijk hebt.'

Becca leunde achterover in de kersenrode gebloemde kussens en zag op de televisie hoe een chirurg door de laag vet van een vrouw sneed en zijn handen in haar bloederige ingewanden stak. Zonder enige aarzeling, zonder te denken aan alles wat er verkeerd kon gaan. Hij had zijn emoties uitgeschakeld en ging recht op zijn doel af.

*Eigenlijk doen we dat allemaal. Zelfs als we dat niet willen. Uit-*

317

*eindelijk denken we niet aan de ander, alleen aan onszelf.* Van nu af aan zou Becca haar emoties ook achter slot en grendel stoppen, maar ze zou ervoor waken ooit nog bloed aan haar handen te krijgen.

❤

Angatu giechelde.

'Wat is er?' Blijkbaar was er iets niet in de haak met de pamfletten. Maar Kate, die weliswaar Amhaars had leren spréken, kon het amper lezen. Dus ze had geen idee wat het zou kunnen zijn. Was Habiba's beheersing van haar moedertaal verslechterd? Had ze onbedoeld een grap gemaakt die het doel dat Kate nastreefde, zou ondermijnen?

In het schemerdonker van haar kleine kamertje achter Abebechs restaurant, hield Angatu een pamflet omhoog voor Kate en Dorothé. Op de grijze deken die over haar veldbed lag, stond een kartonnen doos met daarop AIRMAIL, gevuld met identieke vlugschriften.

'Hier staat "Mulugeta is een Leugenaar",' zei ze bijna juichend, met een twinkeling in haar ogen. 'Met daaronder het hele verhaal wat zijn oom heeft gedaan, en dat Mulugeta dat van meet af aan heeft geweten.'

'Goed werk, Habiba.' Dorothé was onder de indruk. Habiba had de pamfletten gekopieerd op papier in felle kleuren – roze, neongroen en geel. Het was ondenkbaar dat ze de bewoners van Teje niet zouden opvallen.

'Wat is dit?' vroeg Kate in het Amhaars, wijzend naar wat eruitzag als een lijst met cijfers onder aan het pamflet.

'Dat is heel goed.' Angatu grijnsde. 'Daar staat hoeveel baby's er elk jaar doodgaan in dorpen zonder put, en hoeveel in dorpen mét een put. En er staat ook hoeveel kinderen er naar school gaan, hoe oud meisjes trouwen, hoeveel uren kinderen per week moeten werken in dorpen mét en zonder put.'

'Dat heb ik haar helemaal niet verteld,' zei Kate verward.

'Blijkbaar heeft ze dat zelf uitgezocht.' Dorothé knikte trots. 'Je hebt een geweldige zus.'

Ja, Habiba was absoluut een geweldige zus. Niet alleen had ze zichzelf overtroffen met de pamfletten, ze had ook nog een pakketje spulletjes meegestuurd (pakjes wasmiddel – echte Tide – en zes Hershey's-repen met amandelen) én ze had er een Hello Kitty T-shirt bij gedaan voor Angatu. Kate had het kleine meisje nog nooit zo gelukkig gezien als toen ze het fleurige papier van het bleekroze T-shirt scheurde, helemaal alleen voor haar.

'Is het nieuw?' vroeg ze vervuld van ontzag. 'Heeft nog niemand anders het aangehad?'

'Het is spiksplinternieuw,' zei Kate. 'En jij bent de enige die het mag aantrekken.'

Angatu had het T-shirt op de bodem van haar zwarte plastic krat met kleren gelegd. Ze wilde het houden zoals het was, had ze gezegd, helemaal netjes en schoon, en ze zou het bewaren voor een heel bijzondere gelegenheid.

En die bijzondere gelegenheid was zeker niet die avond, wanneer ze in het zwart gekleed door Teje zouden sluipen, in het holst van de nacht, om de pamfletten op elk beschikbaar oppervlak te plakken. Zodra de pamfletten waren gearriveerd (een week later dan Kate in haar somberste voorspellingen had gevreesd, met 'dank' aan de Ethiopische posterijen), waren Dorothé en zij begonnen met plannen maken. Om te beginnen zouden ze de auto lenen van Isaac, hun buurman. Wanneer het eenmaal donker was, zouden ze naar Teje rijden en de pamfletten ophangen. Habiba, die aan alles had gedacht, had zelfs plakband bijgesloten. Angatu wilde mee, en Abebech had het goed gevonden. Zelf was ze te nerveus om aan de actie deel te nemen, maar ze had Angatu een grote, rode koelbox met eten en drinken meegegeven.

'Kom. We moeten gaan,' drong Kate aan, plotseling nerveus. Ze ging het echt doen, en wanneer ze het eenmaal had gedaan, was er geen weg terug – ongeacht de gevolgen. Misschien reageerde Mulugeta niet zoals Dorothé en zij verwachtten. Het was mogelijk dat hij zijn invloed aanwendde om te zorgen dat ze werden weggestuurd uit Mekebe of Kellem. Hoewel dat hoogst onwaarschijnlijk was, zou hij ook geweld tegen hen kunnen gebruiken. Er stond voor hem tenslotte veel op het spel. Wanneer de pamfletten eenmaal waren verspreid en de dorpelingen ze hadden gelezen, zou er heel wat diplomatie aan te pas komen om hem te helpen zijn gezicht te redden en hem zover te krijgen dat hij instemde met het slaan van een put op zijn grond. Ze hoopte echter dat die diplomatie op dorpsniveau zou plaatsvinden. Als alles goed ging, zou de ploeg van Water Partners Mulugeta niet meer te zien krijgen tot hij was overladen met schaamte en tot inzicht was gekomen dat het ook in zijn belang was om Water Partners toe te laten op zijn land.

Kate moest toegeven dat het leuk zou zijn geweest om Darby aan haar kant te hebben, wát het vervolg van haar actie ook mocht zijn. Hij was niet slimmer dan zij, maar hij had wel meer ervaring als onderhandelaar. Helaas, daar zou ze geen gebruik van kunnen maken. Niets aan te doen. Ze zou gaandeweg het proces zelf moeten bedenken wat haar te doen stond.

De rit naar Teje leek eerder een koorrepetitie dan een geheime operatie. Angatu leerde Kate en Dorothé haar favoriete volksliedje, waarna Kate de anderen de herkenningsmelodie leerde van een Amerikaans liedjesprogramma voor kinderen. Tegen de tijd dat ze Teje naderden, zongen ze een canon, en ze hadden zo'n plezier dat Kate bijna de afslag miste.

Zodra ze op de smalle zandweg reden, werd het stil in de auto. Angatu, die voor haar doen wel erg laat op was, begon te gapen. In Teje was het doodstil. Zelfs de dieren, gestald in de kralen, leken te slapen. Slechts bij een paar van de hutten scheen het licht van een lantaarn door de ramen.

'Het is zover.' Kate keek Dorothé aan en slaakte een diepe zucht, in een poging haar zenuwen te kalmeren.

Dorothé boog zich naar haar toe en legde een hand op het stuur. 'Het is goed wat we doen.' Ze knikte, en de stelligheid waarmee ze dat deed, was precies het duwtje dat Kate nodig had om uit te auto te komen.

Ja, het was goed wat ze deed. Er stond te veel op het spel om nu op te geven, alleen omdat ze nerveus was. Sterker nog, ze was bang. Maar wat was haar angst in vergelijking met een kinderleven? En daar ging het om in deze situatie. Het was – zonder overdrijving – een zaak van leven of dood.

Terwijl ze het eerste pamflet op een schutting van golfplaten plakte, dacht ze onwillekeurig aan Darby. Niet aan de praktische redenen waarom het prettig zou zijn geweest hem aan haar kant te hebben. Nee, terwijl ze met haar tanden een stuk plakband afscheurde en dat op het koude metaal drukte, dacht ze: *Als hij alles wist, zou hij trots op me zijn.*

Ze keek achterom naar Angatu, die naar haar glimlachte vanaf de veilige achterbank, en hield zichzelf voor dat het er niet om ging of anderen trots op haar waren. Het ging niet om haar ouders, niet om Magnus, zeker niet om Darby, niet om haar zuster. Nee, dit jaar ging het erom dat ze trots op zichzélf moest kunnen zijn. En het opplakken van deze pamfletten – ongeacht de gevolgen – was iets waar ze trots op kon zijn. Zorgen dat er in Teje een put werd geslagen, was het belangrijkste wat ze kon bereiken in haar tijd in Ethiopië. Dat, en zorgen dat Angatu's zusje werd gevonden.

Als ze die twee dingen wist te bereiken, kon ze in juni naar huis gaan in de wetenschap dat ze er juist aan had gedaan door op Harpers droomtrein te springen. Ook al ging ze nooit naar Harvard. Ook al zag ze Magnus nooit meer. En ook al haatte Darby haar.

Als ze die twee dingen niet voor elkaar wist te krijgen...

Daar wilde Kate niet aan denken, maar ze wist dat ergens vaag in haar achterhoofd het besef had postgevat dat ze, als ze faalde – hetzij met de put, hetzij met de hereniging van Angatu en Masarat – niet naar huis zou kunnen.

En als ze toch naar huis ging, dat ze dan niets had om trots op te zijn, niets waaraan ze innerlijke rust zou kunnen ontlenen.

From: mags@stockholmsuniv.se

To: katherinef@ucb.edu

Subject: Kate?

Kate

Waar zit je? Ik heb niets meer van je gehoord, dus ik denk dat we allebei onze eigen weg zijn gegaan. Laat het me weten als ik het mis heb. Want in dat geval zou ik me oprecht schuldig voelen over het feit dat ik steeds meer optrek met een meisje hier op de gang. Ze heet Hannah en we hebben een paar keer ergens koffiegedronken samen. Ze is geen Kate, maar niemand zal ooit de vergelijking met jou kunnen doorstaan.

Je hoeft het maar te zeggen, en ik laat de koffie staan. Ik hoop dat 'neem het water' je alles heeft gebracht waarop je had gehoopt.

Liefs, Magnus

Compose     Inbox     Sent Mail     Drafts     Trash

# DERTIEN

Kate werd nooit bang van enge films. Hoeveel blinde hoeken de knappe, schaars geklede heldin ook rondde, hoe luid of bloedstollend de muziek ook werd, hoe vaak het mes/de moker/de kettingzaag ook haperde voordat het doelwit eindelijk werd geraakt... de spanning werd haar nooit te veel.

Maar wáchten was een ander verhaal. Het wachten op de toelatingsbrief van Harvard, dat was pas angstaanjagend geweest! En moeten afwachten hoe Mulugeta zou reageren, was zelfs nog erger. Elke avond gingen Dorothé en zij bij Abebech eten, welbewust aan de ijzeren tafel in het midden van de patio, in de hoop flarden op te vangen van de omringende gesprekken. De afgelopen week hadden ze een stroom aan geruchten gehoord, geen van alle geloofwaardig en het ene nog wilder dan het andere. Dat Mulugeta zelfmoord zou hebben gepleegd (niet waar), dat hij in het holst van de nacht zijn spullen had gepakt en naar Sudan was verhuisd (niet waar), dat hij degene die de pamfletten had verspreid, op het spoor had weten te komen en had vermoord (absoluut niet waar).

Er was slechts één gerucht dat het waard was serieus genomen te worden. De bron ervan was een man uit het dorp die een paar dagen naar Teje was geweest om zijn zieke broer te bezoeken, net in de tijd dat de pamfletten in al hun fleurige glorie waren verschenen. De strekking van het gerucht was dermate weinig sensationeel, dat het duidelijk de potentie had waar te zijn. Het was echter juist dat gebrek aan sensatie waardoor – behalve Kate en Dorothé – niemand er enige waarde aan hechtte.

'Hoeveel dorpsoudsten zijn er bij hem geweest?' vroeg Kate op gedempte toon aan Dorothé. Het leek wel alsof het hele dorp naar het restaurant was gekomen, benieuwd naar de laatste ontwikkelingen van het drama in Teje, en Kate wilde niet dat iemand hen afluisterde.

'Ik heb geen details gehoord, maar zo te horen minstens vijf. Misschien meer.'

*Rustig blijven. Vooral rustig blijven*, zei Kate tegen zichzelf. Ze werden al dagen bestookt met geruchten, en uiteindelijk waren ze allemaal niet waar gebleken. 'Wat weet je nog meer? Hoelang zijn ze bij hem gebleven?'

'Minstens twee uur.' Dorothé zweeg, toen boog ze zich naar Kate. 'Ze hebben het erover,' fluisterde ze. 'Wacht even.'

Ze leunde naar achteren in haar stoel en rekte quasi-nonchalant haar nek. De twee mannen aan het tafeltje achter haar waren zich er niet van bewust dat ze werden afgeluisterd. Terwijl Dorothé probeerde vat te krijgen op de strekking van het gesprek, sloeg Kate rusteloos haar benen over elkaar en vroeg zich af hoeveel ze was afgevallen sinds ze in Ethiopië was. Het eten was heerlijk, en ze at naar hartelust, maar door de fysieke inspanning sloot haar spijkerbroek duidelijk minder strak om haar dijen, en haar armen waren nog nooit zo gespierd geweest.

'Ze hebben hetzelfde gehoord.' Dorothé boog zich opgewonden naar voren. 'Een groepje dorpsoudsten is Mulugeta gaan opzoeken in zijn kraal en heeft urenlang met hem gesproken.'

'Wanneer was dat?'

'Gisteravond.'

'Dus er zit beweging in.' Kate voelde dat haar hart begon te bonzen.

'Daar lijkt het wel op.' Ze keken elkaar veelbetekenend aan.

'En als hij nou eens weet wie het heeft gedaan?'

'Hoe zou hij dat moeten weten?'

'Nou, om te beginnen door het papier dat we hebben gebruikt,' veronderstelde Kate. 'Er is hier om de hoek geen Office Centre met papier in alle kleuren van de regenboog. Dus hij weet dat het niet uit Ethiopië komt...'

'Rustig nou maar.' Dorothé glimlachte. 'Dat maakt het alleen maar verwarrender. Het Amhaars was perfect. En hoe goed we ons ook allemaal weten te redden, we spreken bepaald geen perfect Amhaars. Sterker nog, we kunnen geen fatsoenlijke zin schrijven, dus hij zal denken dat wij het niet geweest kunnen zijn.'

'Gered door Habiba.' Kate nam een slok van haar scherpe St. George-bier, vurig hopend dat Dorothé gelijk had.

Een misselijkmakende combinatie van hoop en angst hield haar bijna de hele nacht uit haar slaap. Terwijl de kippen eindelijk stil werden en Jessica aanbiddelijk begon te snurken, lag zij te draaien. En dat deed ze nog steeds toen het eerste licht van de nieuwe dag de haan wekte. Uiteindelijk stond ze op, trok ze haar spijkerbroek aan en een paars T-shirt met lange mouwen en maakte het vuur aan in de kookoven.

Koken op mest was eigenlijk helemaal niet zo erg, bedacht ze, terwijl ze een blok in de opening van de oven gooide. Ze rook het nauwelijks meer, en de koffie van de vorige dag was in een ommezien opgewarmd. De dorpelingen zouden huiveren van afschuw als ze wisten dat Amerikanen hun oude koffie opwarmden, maar Kate was eraan gewend geraakt in de tijd vóór de put, toen water nog schaars was, en ze had geen moeite met de licht verschaalde smaak.

Net toen er damp begon op te stijgen uit de tuit van de zwarte, aardewerken koffiepot, ontstond er een kakofonie van stemmen bij de poort van de kraal. Wie kwam er op dit vroege uur al op bezoek? Kate boog zich over Jessica's veldbed om het raamluik van de grendel te doen, zodat ze naar buiten kon kijken.

Mulugeta stond amper drie meter van haar af, gehuld in een natala die de kleur had van rode aarde. Zijn dula rustte stijfjes op zijn schouder. Bij het geluid van het luik dat openging, draaide hij zich om. Zijn ogen ontmoetten die van Kate. Ze stonden ondoorgrondelijk. Kate was ervan overtuigd dat háár ogen alles verrieden, maar ze was te geschokt om haar gevoelens te verbergen. *Wat had zijn komst te betekenen? Wat kwam hij doen?*

Een van de leden van Mulugeta's gezelschap – Kate schatte het op een man of twaalf – liep naar de hut van Darby en Jean-Pierre en hief zijn dula om op de deur te kloppen. Voordat hij dat kon doen, deed Darby al open. Het was duidelijk dat hij ook niet veel had geslapen, dacht Kate. Hij was al aangekleed, in een korte kakibroek met een wit T-shirt, maar zijn gezicht stond vermoeid. Ze wist dat hij de geruchten ook had gehoord. Net als iedereen. Kate had hem er de vorige dag in Kellem op betrapt dat hij naar haar stond te kijken. Vermoedde hij iets? En zo ja, waarom had hij dan niets gezegd?

Ze durfde nauwelijks adem te halen terwijl ze de mannen in de hut van Darby en Jean-Pierre zag verdwijnen. Zodra ze uit het gezicht waren verdwenen, haastte ze zich naar het veldbed van Dorothé.

'Opstaan!' Ze reikte onder de klamboe en pakte Dorothé bij haar arm.

'*Quoi?*' vroeg Dorothé kreunend. 'Wat is er aan de hand?'

'Mulugeta is er! Hij is net bij Darby naar binnen gegaan, met een stel dorpsoudsten.'

Als door een wesp gestoken schoot Dorothé overeind. 'Hoelang zijn ze er al? Wat zeiden ze?' Ze bevrijdde zich uit de klamboe en haastte zich naar de koffiepot. 'Hoe zagen ze eruit? Zijn ze kwaad, denk je?' Ze schonk zichzelf met bevende handen koffie in.

'Nee, ze keken helemaal niet kwaad. Eigenlijk leken ze me heel kalm. Mulugeta keek me alleen maar aan – of liever gezegd, hij keek dwars door me heen! Verder gaf hij geen enkele reactie.'

Dorothé begon over de vloer van aangestampte aarde te ijsberen. 'Oké, dat is gunstig. Dat is gunstig.'

'Waarom?'

'Ik weet het niet. Het klinkt gewoon goed.'

Jessica werkte zich op een elleboog overeind. 'Waarom zijn we al op?'

'Dat zijn we niet.' Kate schudde haar hoofd. 'Ga maar weer slapen.'

'Hou dan op met die herrie.' Jessica trok de dunne deken over haar hoofd en nestelde zich weer op haar veldbed.

Kate rolde met haar ogen. 'Zullen we naar buiten gaan?' vroeg ze fluisterend aan Dorothé. 'Om te wachten tot ze naar buiten komen?'

'Dat kan wel uren duren.' Dorothé beet op haar onderlip. Hoe ze erin slaagde er chic uit te zien in een simpel grasgroen topje, een boxershort en op slippers, was iets wat Kate nooit zou begrijpen.

'We zouden de kippen kunnen gaan voeren,' stelde Kate voor.

'Uitstekend idee.' Dorothé knikte en pakte een van de witte katoenen beha's die aan de lijn boven de kookoven hingen.

'Die is van mij,' zei Kate, op weg naar het kippenhok.

Dorothé pakte een andere beha.

Het voeren van de kippen bleek een allesbehalve tijdrovend karweitje te zijn. De kippen moesten naar buiten worden gelaten en er moest graan uit de schuur worden gehaald, dat vervolgens werd uitgestrooid. Niet iets waar je uren mee zoet was. Toch wisten Kate en Dorothé het behoorlijk te rekken. Toen de deur van Darby's hut na een uur weer openging, stonden ze onschuldig op het erf, graan strooiend voor een groepje snel uitdijende kippen.

De mannen liepen zwijgend naar de poort van de kraal. Mulugeta was de laatste die vertrok. Zijn blik ontmoette die van Kate terwijl hij passeerde. Hij knikte, tilde groetend een hand op, toen was hij verdwenen.

*Hij weet het.* Kate keek naar Dorothé en las in haar ogen dezelfde paniek. Zou hij hun toestemming geven een put te slaan?

'Gefeliciteerd.' Vanuit de deuropening van zijn hut doorbrak Darby de stilte.

Dorothé was de eerste die reageerde. 'Wat kwamen ze doen?'

'O...' Darby keek naar Kate, die een onschuldig gezicht opzette. 'Ze kwamen vertellen dat Mulugeta toestemming heeft gegeven om een put te slaan op zijn land.'

'Zonder betaling?' wist Kate uit te brengen, terwijl haar hart overstroomde van blijdschap.

'Hij beseft dat het wel het minste is wat hij kan doen om zijn dorp terug te betalen voor de rijkdommen die het land hem heeft geschonken.'

*Dus dat was hun manier om te zorgen dat hij geen gezichtsverlies leed. Hij stond het dorp toe een put te slaan op zijn land, en op zijn beurt stelde het dorp hem in staat vast te houden aan zijn zogenaamde afkomst.* Het was precies waarop Kate had gehoopt. Ze wilde lachen, huilen, het uitschreeuwen van vreugde. Maar Darby stond haar nog altijd aan te kijken. Ze schraapte haar keel.

'O, wat fijn. Ik ben blij dat hij van gedachten is veranderd.'

'Zeg dat wel,' viel Darby haar bij. 'Dit zat natuurlijk niet in de planning...'

'Maar we kunnen het toch wel inpassen?' Kate weigerde deze kans te laten lopen, alleen omdat Darby's planning daardoor niet meer klopte.

'Toevallig heb ik een paar weken geleden wat extra spullen besteld.'

Ze meende een zweem van een glimlach in zijn ogen te zien.

'Ze zouden er volgende week moeten zijn. Dus zodra we klaar zijn in Kellem, beginnen we in Teje.'

Hij had wéken geleden al spullen besteld! Dat betekende dat hij vertrouwen in haar had gehad!

'Mooi.' Ook zij begon te glimlachen. Plotseling zou ze hem wel willen zoenen. Niet uit dankbaarheid, omdat hij zo aardig was. Nee, ze wilde hem echt zoenen – recht op zijn mond, hartstochtelijk, vochtig, met haar tong tegen de zijne. Haar maag maakte een salto. 'Eh... nou, oké dan.' Ze wendde zich abrupt af, en struikelde bijna over een bruingevlekte kip. Het beest kakelde haar verontwaardigd na terwijl ze zich terughaastte naar haar hut.

Ze wilde Darby zoenen. Dat wilde ze echt. En al heel lang. Wat niet betekende dat ze hem aardig vond. Het betekende alleen dat ze zich tot hem aangetrokken voelde. Want dat kon. Je kon je tot iemand aangetrokken voelen die je eigenlijk niet eens aardig vond. Alleen had zij dat nog nooit meegemaakt. Dus dit was nieuw voor haar. Maar het deed er niet toe. Om te beginnen moest ze rekening houden met Magnus. Ook al leek hun relatie te zijn teruggebracht tot niet meer dan vriendschap. Maar wat er vooral toe deed, was dat ze Darby niet aardig vond. En ze vrijde niet met mensen die ze niet aardig vond.

Kate haalde diep adem. Ze had meer dan genoeg aan haar hoofd – de put in Teje, de zoektocht naar Angatu's zusje. Darby zou hoe dan ook nooit méér zijn dan een afleiding, en waarschijnlijk niet eens een aangename.

Wat het ook was dat haar in hem aantrok, ze deed er goed aan het te negeren.

Te vergeten dat ze zich er ooit bewust van was geworden.

Makkelijk zat.

❤

'Kaasje?' Harper liep de slaapkamer van haar ouders binnen en hield haar vader een gestreept IKEA-blad voor met daarop vier gegrilde minikaassandwiches, een kop tomatensoep, tien selderijsticks en een Dr. Pepper.

Hij keek op van zijn sudokupuzzel en glimlachte. Overal lagen stapels boeken en dvd's. Verder had hij een iPod waarop Harper zijn favoriete hits van Frank Sinatra en Dean Martin had gezet, plus een stel bandjes om Spaans te leren. Haar vader had besloten dat God hem met het ongeluk duidelijk had willen maken dat hij een tweede taal moest leren. 'Gisteren had je moeder ook al een minigehaktbrood gemaakt, met een miniportie aardappelpuree en een minisorbet. Volgens mij is ze nu toch echt de weg kwijt.'

'Mama is een vrouw met een passie voor vernieuwing.' Harper zette het blad op zijn schoot en ging voorzichtig naast hem op het brede bed zitten. Hij knapte weliswaar met de dag verder op, maar ze was nog altijd bang om hem pijn te doen. 'Hoe voel je je?'

Zijn rechterarm en -been zaten nog in het gips, maar hij kon zich inmiddels redelijk voortbewegen op krukken. Twee dagen eerder had hij zelfs strompelend een wandelingetje om het blok gemaakt. Hij had er anderhalf uur over gedaan, en daarna zes uur geslapen, maar de kleine triomf had ervoor gezorgd dat de hardnekkige knoop in Harpers maag was verdwenen.

'Nogal jeukerig.' Hij legde het sudokublok op het nachtkastje van licht eiken en pakte een kaasbroodje. 'En jij?'

*Ik heb in geen drie dagen geschreven. Ik word doodziek van Judd en zijn nieuwe vriendin. Ik heb nog steeds niet het fatsoen of het lef gehad om meneer Finelli te bedanken voor de nieuwe aanbevelingsbrief die hij heeft geschreven. Trouwens, over aanbevelingsbrief gesproken, als het goed is moet ik over een paar dagen bericht krijgen van* NYU, *en ik knijp 'm ontzettend. Tot overmaat van ramp zit ik, na vijf dagen, twaalf uur en tweeëndertig minuten zonder chocola, nog altijd met twaalf van mijn vijftien 'kelderponden' opgescheept...*

'Harp? Heb je me gehoord?' Hij zwaaide met zijn gips voor haar gezicht.

'Ik? O, met mij gaat het prima. Neem wat soep.'

Haar vader keek haar onderzoekend aan, maar hij pakte gehoorzaam zijn lepel. Hij raakte steeds bedrevener in het gebruik van zijn linkerhand, ook al kon Harper het gekrabbel in de witte hokjes van zijn half ingevulde kruiswoordpuzzels maar moeizaam ontcijferen.

Ze liet zich in de buffer van drie kussens tegen het hoofdeind zakken. Het voelde zo heerlijk om op een echt bed te zitten, in plaats van op haar eigen dunne, smoezelige matras in de kelder. Misschien moest ze nog even blijven, om haar vader gezelschap te houden. Ze had nog een uur de tijd voordat ze haar Nike-joggingpak moest verwisselen voor de gevreesde zwart-witte cateringoutfit.

'Je ziet er doodmoe uit. Nog erger dan ik na mijn rondje om het blok,' merkte hij op. 'Waarom doe je niet even je ogen dicht?'

'Misschien een minuutje,' mompelde ze. Haar oogleden voelden zo zwaar, en ze lag zo lekker...

Toen ze wakker werd – zonder enig besef van tijd – was het donker in de kamer, op het kleine leeslampje na aan haar vaders kant van het bed. Een vochtige plek op het kussen verried dat ze in haar slaap had liggen kwijlen. Harper schoot in paniek overeind. De party begon om zeven uur. Haar moeder en zij werden geacht er om vijf uur te zijn – als het nog niet helemaal donker was. *Shit*!

'Jezus!' riep ze uit. 'Hoe laat is het?'

Haar vader keek op de klok naast het bed. 'Halfacht,' antwoordde hij kalm. Het blad met de kaassandwiches, de soep en de selderijsticks was verdwenen.

'Ik moet ervandoor!' Ze wilde al opstaan, maar haar vader hield haar tegen met zijn goede hand.

'Rustig maar. Amy helpt mama vanavond. Ze zijn al meer dan twee uur geleden vertrokken.'

Amy? Haar zusje Amy? Die nooit een gemanicuurde vinger optilde? Voor niemand? 'Ik heb geslapen...'

'Dat kun je wel zeggen. Je snurkte zelfs. Ik kon me niet eens concentreren op mijn sudoku.'

Harper nestelde zich weer in de kussens. Ze was een volstrekt ontaarde dochter! Het was schandalig. Ze had haar moeder belóófd haar die avond te helpen. Het maakte niet uit dat ze behalve haar werk als Gelegenheidscateraar ook nog een volledige baan had bij het café, en dat ze bezig was een roman te schrijven. Ze had verantwóórdelijkheden. En tot die verantwoordelijkheden behoorden geen dutjes van drie uur.

'Heb ik je ooit verteld dat ik architect wilde worden?' vroeg haar vader plotseling. Hij schudde het kussen op achter zijn rug. Misschien had ze gepraat in haar slaap en was dit het vervolg van het gesprek dat ze hadden gevoerd.

'Eh... nee.' Ze probeerde zich hem voor te stellen, achter een tekentafel, tien uur per dag op een potlood kauwend, net als de vader van Sophie, in plaats van rondstampend op bouwplaatsen en overleggend met zijn onderaannemers. Het lukte haar niet.

'Ik ben een keer naar New York gegaan, gewoon om naar de gebouwen te kijken. Drie dagen lang heb ik met mijn hoofd in mijn nek door de straten gelopen. Ik probeerde elk detail in mijn geheugen te prenten. Van het Empire State Building, het Chrysler Building...' Hij haalde zijn schouders op. 'Uiteindelijk kwam ik tot de conclusie dat ik niet voldoende wiskundige aanleg had om architect te worden. Maar als ik alles op alles had gezet, had ik het best gekund.'

'En dan had je nu niet de helft van al je botten gebroken,' grapte ze, om niet te hoeven zeggen wat ze dacht. Namelijk dat ze het verschrikkelijk vond dat haar vader zich niet had laten leiden door zijn droom. Wat had haar ouders bezield? Haar moeder had een beroemde kok willen worden, haar vader een beroemd architect. Waarom hadden ze het zo... zo gemakkelijk opgegeven?

Hij ging verliggen om haar aan te kijken – wat niet meeviel gezien de hoeveelheid gips om zijn arm en zijn been. 'Dit vertel ik niet om me te wentelen in zelfbeklag. Ik wil alleen dat je doorzet met dat boek van je. Denk erom dat je je door niets van je droom laat afhouden.'

'Daar hoef je niet bang voor te zijn!' Als het aan haar lag, zou ze zich door niets laten ontmoedigen. Helaas lag het niet aan haar. Want het was geen vrije keuze om elke vrije minuut haar moeder te helpen met het cateren van feestjes en etentjes zodat het gezin financieel het hoofd boven water kon houden. Dat was pure noodzaak. En daar ging ze niet over klagen. Zelfs niet tegen haar vader. Júíst niet tegen haar vader.

'Je hebt officieel een avond vrij,' zei die. 'Dus ga naar beneden, naar je hol, sluit je op in de wc en ga schrijven.'

'Hoe weet je dat, van die wc?'

'Je moeder vertelt me altijd alles.'

'O.' Harper stelde zich haar ouders voor, samen in bed, terwijl ze de vreemde gewoonten van hun dochter bespraken. Het was een ontmoedigende gedachte.

Maar toen ze zich eindelijk overeind werkte, merkte ze dat zich in haar hoofd al een stukje dialoog begon te vormen. Haar personages wilden gehoord worden, en het was haar plicht (een van de vele) om haar computer aan te zetten en ze die kans te geven.

'Pap?'

'Ja?'

'Wanneer de brief van NYU komt, wil je die dan alsjeblieft voor me verstoppen? Trouwens, dat geldt voor alle universiteitspost.'

Hij keek haar aan over zijn leesbril van de drogist. 'Dat meen je niet.'

'Echt waar. Ik wil het niet weten. Pas als het boek klaar is.' Ze schudde haar hoofd, zoekend naar de juiste woorden. 'Bovendien, ik weet niet eens zeker of ik wel ga, zelfs áls ik word toegelaten. Met alles wat er is gebeurd...'

'Ja, daar heb je gelijk in. We zijn erg blij dat je vorig jaar niet bent toegelaten.'

'Dat besef ik.' Ze kon zich nauwelijks voorstellen hoe rampzalig het voor de financiën van het gezin zou zijn geweest, als ze boven op alle ellende ook nog de kosten hadden gehad voor een particuliere universiteit.

'En weet je waarom we daar zo blij om zijn? Omdat we daardoor de kans hebben gekregen om te zien wat onze dochter allemaal in huis heeft. Om te zien dat we haar hebben grootgebracht tot iemand die in staat is iets slechts om te buigen naar iets goeds... Om te zien hoe ze haar verantwoordelijkheden niet uit de weg gaat en bijspringt wanneer haar familie haar het hardst nodig heeft.' De stem van haar vader beefde verdacht, alsof hij elk moment kon gaan huilen. Waardoor Harper op haar beurt ook bijna begon te snotteren. 'Maar er is één ding dat je moet weten. Welke universiteit zich ook gelukkig mag prijzen met jou als student, we gaan ervoor zorgen dat we je studie kunnen betalen. En daarmee uit.'

Harper slikte krampachtig. 'Bedankt, pap.'

Terwijl ze naar beneden ging om zich op te sluiten in de wc zoals hij haar had opgedragen, besefte ze dat ze zweefde. Voor het eerst sinds het ongeluk van haar vader. En dat had niets te maken met haar tuk van drie uur, of met zijn belofte om haar studie te betalen. Haar vader was trots op haar. Meer kon je als dochter niet verlangen.

❤

'Aha, daar ben je!'

De schrille stem van Isabelle deed Becca opschrikken uit haar dagdroom. Ze klapte het boek met korte verhalen van Grace Paley dicht en schonk haar vriendin een vermoeide glimlach. Isabelle stond aan het eind van een enorme boekenkast, met een hand op een zak van haar spijkerbroek.

'Ik had me verstopt,' gaf Becca toe. Ze had besloten voor haar midterm tentamen Engels te gaan studeren in het verste hoekje van de bibliotheek. Deels om Stuart te ontlopen, deels omdat ze zich oprecht geen enkele afleiding kon veroorloven. Haar cijfers waren de laatste tijd niet bepaald geweldig, dus ze moest dit tentamen echt heel goed maken. Dat zou onder de gunstigste omstandigheden al een hele opgave zijn. De docent was berucht om zijn lage cijfers, en zijn colleges waren buitengewoon pittig. En de laatste weken was het voor Becca bijna onmogelijk gebleken om bij te blijven met haar huiswerk.

Een deel van het probleem was de staat van melancholie waarin ze verkeerde. Bovendien had ze er moeite mee om zonder Stuart te studeren. Ze hadden een soort ritme ontwikkeld, een manier van studeren waar ze allebei baat bij hadden, en ze miste de uitdaging van het samen doen.

Ach, ze miste alles wat met hem te maken had!

Maar het was beter zo. Hij was beter af zonder haar. En in zekere zin was zij ook beter af zonder hem. Zonder Stuart hoefde ze zich niet voortdurend in te spannen om te doen alsof ze gelukkig was. En ze hoefde niet langer al haar tijd met hem door te brengen, met als gevolg dat ze veel meer optrok met Isabelle. Alles bij elkaar was het alleen maar goed dat ze het had uitgemaakt. Ze hoefde zelfs niet meer te huilen wanneer ze hem in de collegezaal zag, vijf keer per week, en hij keek niet langer haar kant uit. In het begin was het ondraaglijk geweest, te weten dat hij naar haar keek. Maar toen ze consequent had geweigerd zijn kant uit te kijken, was hij ermee opgehouden.

Het verlaten van de collegezaal was verraderlijker. Gelukkig leken ze als bij stilzwijgende overeenkomst te hebben afgesproken dat Stuart als eerste vertrok, terwijl Becca nog wat treuzelde met het bij elkaar zoeken van haar spullen.

'Tijd om een hapje te eten,' kondigde Isabelle aan. 'Wat dacht je van fusilli met gehaktballetjes?'

'Hmm.' Becca pakte haar boeken bij elkaar, trok haar zwarte fleecetrui aan en gooide haar rugzak over haar schouder. 'We gaan toch niet naar...'

'Nee.' Isabelle stopte haar handen in de zakken van haar strakke spijkerbroek. 'We gaan niet naar de kantine bij Stuart. Dat zou ik je niet aandoen.'

'Het was maar een vraag.'

Isabelle deed haar mond open, en meteen weer dicht.

'Wat is er?' Becca nam haar vriendin wantrouwend op.

'Ik heb... ik heb Stuart net gesproken.'

Becca bleef haar aankijken.

'Hoor eens, hij is een goede vriend van me,' vervolgde Isabelle alsof ze zich moest verdedigen. 'En hij heeft het zwaar.'

Een overweldigende moedeloosheid nam bezit van Becca. Isabelle keek haar doordringend aan. 'Ik weet dat je het niet wilt horen, maar hij heeft het er erg moeilijk mee. Net zo moeilijk als jij. En je weet dat ik het stom van je vind dat je het hebt uitgemaakt.'

'Ik kan het niet...'

'Dat weet ik. Je kunt het niet. Wat het ook mag zijn dat je niet kunt.' Isabelle schudde haar hoofd. 'Stuart en jij zijn je ouders niet.'

'Ik ga hem alleen maar pijn doen...'

'Je dóét hem al pijn.' Isabelle zweeg even. 'Hij mist je.'

'Zei hij dat?'

'Dat hoefde hij niet te zeggen. Dat kon ik aan hem zien. Hij mist je.'

Stuart miste haar. Wat had ze dan verwacht? Ze zou pas goed van streek zijn geweest als hij haar níét miste. Maar dat veranderde niets aan de situatie. Rokers misten hun sigaret wanneer ze stopten met roken. Alcoholisten de drank. Drugsverslaafden de drugs. Dat wilde nog niet zeggen dat ze in hun oude gewoonte moesten terugvallen, alleen om van het verlangen af te komen. Want uiteindelijk waren de sigaretten, de alcohol, de drugs slecht voor hen. En zij was slecht voor Stuart. Het was logisch dat ze elkaar misten – tenminste, even. Maar na verloop van tijd zou het verlangen minder worden en uiteindelijk zou het helemaal verdwijnen. Dat wist ze zeker. Bijna zeker.

❤

337

*Tabasco.* Alles smaakte beter met een beetje tabasco. Sophie stond aan het aanrecht in Sams appartement, gekleed in de bordeauxrode badjas die ze bij J.D. in de kast had gevonden, en schudde het flesje op en neer boven de waterige instantnoedels die ze bij wijze van avondeten had gekookt. Ze nam een hap, in het vertrouwen dat de hete saus wat pit had toegevoegd aan de saaie noedels. Eén hap was echter voldoende om te weten dat ze een verschrikkelijke fout had gemaakt.

'Getver!' Gelukkig stond de bijna overlopende vuilnisbak vlakbij. Ze boog zich eroverheen en spuugde de noedels op de koffieprut van die ochtend. Daar ging haar avondeten!

'Is alles goed met je?' Sam kwam zijn slaapkamer uit, in zijn beste, perfect gebleekte spijkerbroek en een spierwit sportief overhemd. Te oordelen naar de manier waarop zijn doorgaans weerbarstige blonde haren uit zijn gezicht waren geborsteld, had hij enige tijd voor de spiegel doorgebracht.

'Instantnoedels.' Meer hoefde ze niet te zeggen. Hij verafschuwde ze net zo vurig als zij. 'Waar ga jíj naartoe?'

'CTI geeft een reusachtig feest in Malibu.'

'CTI? Bedoel je Creative Talent International? Míjn impresariaat?' Ze gooide de rest van de noedels in de vuilnisbak en klapte het deksel dicht. Elk van de drie grote impresariaten stond erom bekend dat het minstens eens per jaar een daverend feest gaf, waar het schitterde van de beroemdheden. Dan werden alle relaties gevraagd, plus zo veel mogelijk grote en kleine sterren, die werden gelokt met de belofte van rijkelijk stromende champagne, verrukkelijke sushi en kostbare gunsten.

'Ze hebben de hele cast van *Heartland* uitgenodigd. Ik ben Ellies date.' Hij liep naar de gangkast en haalde het leren jasje tevoorschijn dat hij bewaarde voor speciale gelegenheden. Sophie overwoog om te gaan mokken. Tenslotte behoorde zíj tot de rechtstreekse relaties van CTI. Dus ze hadden haar ook moeten uitnodigen. 'Misschien is Matthew Feldmans assistente vergeten je een uitnodiging te mailen,' opperde Sam.

Natuurlijk! Dat moest het zijn. Hij had bijna dagelijks een nieuwe assistente. En de laatste aanwinst was waarschijnlijk het spoor bijster geraakt in de hectische voorbereidingen van het feest. Zo ging het wel vaker. 'Als je me vijf minuten de tijd geeft, ga ik met je mee.'

Sam aarzelde. 'Misschien moet je proberen Matthew Feldman op zijn mobiel te bellen. Gewoon voor de zekerheid.'

Tijd voor haar onderkoelde, zakelijke toon. 'Ik ben toevallig een van zijn meest gewaardeerde relaties. Het zou ronduit onbeleefd zijn om niet te gaan. En ik weiger onbeleefd te zijn.'

'Jij je zin. Maar schiet wel op. Ellie wordt pisnijdig als ik te laat ben.'

Sophie had er geen moeite mee om de Lieve Vrouwe van het Pessarium te laten wachten. Tenslotte liet zij Sophie ook al heel lang wachten. Om de paar dagen beloofde ze dat ze nu echt met de castingdirector ging praten over Sophies gastrol, maar tot dusverre was er niets uit gekomen. Vandaar dat Sophie in Malibu wilde zijn wanneer iedereen nog voldoende nuchter was om zich haar achteraf te herinneren. Ze rende naar de kamer van J.D. Haar vintage Halston-halterjurk zat in een van haar plunjezakken. Met een beetje geluk was hij niet hopeloos gekreukt.

Sophie was niet meer in Malibu geweest sinds ze een auditie voor een toneelstuk had laten lopen die Sam voor haar had geregeld, en met Trey Benson naar het strand was gegaan. Ze verdrong de herinnering, terwijl Sam zijn grijze Honda liet stilhouden bij een van de zes in het zwart geklede parkeerhulpen voor de ultramoderne witte villa met uitzicht op zee. Die taxatiefout lag inmiddels maanden achter haar, in een tijd toen ze nog naïef en onnozel was geweest. Sindsdien had ze alle mannen afgezworen, ongeacht leeftijd of niveau van beroemdheid, want het zou haar nooit meer gebeuren dat ze een date vóór haar carrière liet gaan.

De parkeerhulp trok een lelijk gezicht toen hij in Sams sjofele auto stapte. 'Trek het je niet aan, schat,' koerde Ellie, turend in het spiegeltje van haar poederdoos voor een laatste controle van haar make-up, waardoor ze bijna struikelde over de eerste trede. 'Ooit rij je in een BMW 7.'

Sam snoof. 'Alsjeblieft niet. Maar bedankt voor dit blijk van vertrouwen.'

'Wil je geen BMW?' vroeg Ellie ongelovig. 'Tsss.'

Sophie glimlachte terwijl ze het stel volgde naar de ingang van de villa, waar meisjes met koptelefoons zorgvuldig de namen van de gasten controleerden alvorens hen binnen te laten. Het was een opluchting te merken dat Sam en Ellie het ook wel eens ergens níét over eens waren. Tot op dat moment was Sam zo verblind geweest door haar volmaakte, parmantige borsten dat het hem nog niet leek te zijn opgevallen dat ze geen hersens had.

Nadat Ellie haar naam had opgegeven – 'Mét introducé' – en was doorgelaten, deed Sophie een stap naar voren. 'Sophie Bushell,' zei ze nadrukkelijk. Het meisje met de koptelefoon bladerde haar papieren door, maar ten slotte schudde ze haar hoofd.

'Sorry. Je staat niet op de lijst.'

Sam keek achterom terwijl Ellie hem meetrok naar de ingang van het glazen paleis. 'Misverstandje!' riep Sophie. 'Gaan jullie maar vast. Ik kom zo.'

Ze keerde zich weer naar de Bewaker van de Lijst. 'Ik ben een relatie van CTI,' zei ze op haar meest gezaghebbende toon. 'Je kunt het navragen bij Matthew Feldman.'

'Als je niet op de lijst staat, kun je niet naar binnen.' De slanke brunette keek al over haar schouder naar het volgende groepje gasten. Het andere meisje, gekleed in een nauwsluitende, gestreepte outfit in alle kleuren van de regenboog, verschoof haar koptelefoon en vermeed het welbewust Sophie aan te kijken.

'Maar ik ben hier met vrienden!' hield Sophie vol. 'Ik ben een relátie van CTI. Wat verwacht je dat ik doe? Op de stoep gaan zitten?'

Voordat het meisje met het donkere haar opnieuw een arrogante opmerking kon maken over De Lijst, voelde Sophie een warme hand op haar schouder. 'Ze hoort bij mij.'

Ze wist het op het moment dat zijn hand contact maakte met haar huid. En ook al haatte ze hem, ze moest toegeven dat hij er hot uitzag in een nonchalant lichtgrijs T-shirt, een versleten kakibroek en daaronder bruine leren slippers. Zoals altijd was Trey Bensons licht gebruinde huid zo smetteloos dat hij wel ge-airbrushed leek. Terwijl hij langs haar heen liep, met zijn gevolg in zijn kielzog, keek de brunette stralend naar hem op. 'Natuurlijk, Trey! Prima! Van harte welkom!' Ze gebaarde dat Sophie kon doorlopen, maar maakte geen oogcontact.

Het stond Sophie tegen om zelfs maar de kleinste gunst van Trey aan te nemen. Anderzijds had ze er weinig zin in om de komende drie uur op de Pacific Coast Highway rond te hangen. Dus ze slikte haar trots in en volgde hem naar het feestgedruis.

Binnen dreunde de muziek, terwijl obers rondliepen met bladen vol glazen. Alle drankjes waren limoengroen, de kleur van het impresariaat. Sophie pakte een limoengroene champagne en keek om zich heen, op zoek naar Sam en Ellie, maar die waren al verdwenen in de drukte. De achterwand van de villa, die geheel uit glas bestond, was opengeschoven ter ere van de party. Buiten in het maanlicht glinsterde de weidse uitgestrektheid van de Pacific Ocean. De eigenaar van de villa had deze precies zo laten vormgeven en inrichten als de kantoren van CTI – al het meubilair was van glas, staal en chroom, overal hing kleurige, moderne kunst. Het was een kille, intimiderende, ontzagwekkend imposante ruimte, net als het gebouw van CTI. Sophie liep naar buiten, in de hoop Matthew Feldman daar te treffen en benieuwd naar het zwembad, ongetwijfeld de schitterendste *infinity pool* die ze ooit had gezien.

Een halfuur later kwam ze tot de conclusie dat impresariaatsparty's verschrikkelijk waren. Matthew Feldman was nergens te bekennen, Sam en Ellie hadden het veel te druk met de cast van

*Heartland*, en iedereen met wie ze probeerde een praatje aan te knopen, keek haar met de nek aan zodra duidelijk werd dat ze niet beroemd was. Uit verveling en frustratie had ze na de groene champagne twee appletini's gedronken. Pas toen de infinity pool lichtelijk begon te golven, besefte ze dat ze misschien te veel gedronken had. *Ik ga even op een van de stoelen aan het zwembad liggen. Tot Sam en de Pessarium Poes klaar zijn,* besloot ze slaperig, terwijl ze strompelend om het enorme zwembad heen liep.

'Hé! Krijg ik niet eens een bedankje?' Trey kwam in al zijn gebronsde glorie naar haar toe, gebarend met een groene Cosmopolitan. 'Zonder mij zou je de hele avond buiten hebben gestaan.'

'Bedankt. En wil je me nu excuseren?' Ze begon weer in de richting van de witte, canvas ligstoel te lopen, maar Trey pakte haar bij haar arm.

'Kom op, schatje. Dat is geen manier om een oude vriend te behandelen.' Zijn stem klonk teder, zijn grote, ronde, bruine ogen keken haar lachend aan.

'Maar liegen tegen een oude vriendin om te zorgen dat ze met Kerstmis meegaat naar Aspen, dat mag wel?' Sophie keek hem doordringend aan.

Hij hief zijn handen. 'Ik zou je mijn verontschuldigingen hebben aangeboden als je mijn telefoontjes had beantwoord. Dus het is je eigen schuld.'

'Ik heb anders geen excuus van je gehoord toen ik je tegenkwam bij Mojito,' zei ze zuur. Haar stem klonk luider dan de bedoeling was – daar had ze altijd last van wanneer ze te veel dronk.

Hij kwam nog dichterbij, en ze rook zijn met muskus geparfumeerde zeep. O, wat had ze die lucht altijd heerlijk gevonden! 'Het meisje dat ik bij me had, is nogal jaloers van aard. Ik had geen zin in een scène. Je weet nooit of er een camera in de buurt is die zo'n ongemakkelijk moment vastlegt, nietwaar?'

Sophie wist dat hij refereerde aan de foto waarop hij zoenend met zijn tegenspeelster Pasha DiMoni was betrapt. De foto waardoor zij, Sophie, als een haas naar haar vriendinnen in Boulder was gevlucht en had gezworen dat ze nooit meer een voet in LA zou zetten. Een felle woede laaide in haar op, nog versterkt door de limoengroene appletini's. 'Je bent een KLOOTZAK, weet je dat!' schreeuwde ze, veel harder dan haar bedoeling was geweest. 'Je hebt me GEBRUIKT!'

Hij sloeg zijn beroemde ogen ten hemel. 'Ik heb jóú gebruikt?' 'Duh.' Ze wist niets welsprekenders te bedenken. Inmiddels stond er een groepje feestgangers in avondkleding naar hen te kijken, maar het kon haar niets schelen. Dit was haar kans om Trey de waarheid te zeggen, en die kans liet ze zich niet ontnemen.

'Elke keer dat je naar me keek, zag je jezelf al voor de camera's,' zei Trey. Zijn stem klonk kalm en vlak. 'Je wilde mijn agent, mijn contacten, je wilde dat ik je aan audities hielp. Dat vond ik niet erg. Integendeel, ik begreep het. Wanneer je begint, moet je elke kans aangrijpen. Je moet het zelf doen, ze komen niet naar je toe.'

'Je vergist je. Ik vond je leuk...'

'Misschien. Of misschien vond je me vooral leuk om wat en wie ik ben. Laten we eerlijk wezen, als ik Miguel Estoban de hulpkelner was geweest had je me niet zien staan! Dat weet je net zo goed als ik.'

Sophie was met stomheid geslagen. Trey was een klootzak, maar... hij had ook gelijk. Ze had hem inderdaad gezien als een opstapje naar de filmwereld. Dat kon ze niet ontkennen. Maar ze had nooit tegen hem gelógen, ze had hem nooit vernederd. Wat er in Aspen was gebeurd, dat was zijn schuld. Niet de hare. Dus ze wilde hem kwetsen. Sterker nog, dat had ze nodig.

'Ik ben blij dat ik nooit met je naar bed ben geweest!' tierde ze, nog altijd veel te hard. 'Want de seks zou vast en zeker net zo oppervlakkig en onbevredigend zijn geweest als je films.'

'Sophie!' Sam kwam naar haar toe, met een bezorgde uitdrukking op zijn gezicht. Op de achtergrond ontdekte ze de Pessarium

343

Prinses, die haar aanstaarde alsof ze haar verstand had verloren. En misschien was dat ook wel zo. 'Kom! We gaan.'

'Wacht even.' Sophie voelde zich ineens volkomen ongeremd. De martini's en haar grote mond hadden haar bevrijd. Ze had zin om te gaan zwemmen.

Trey was ook nog niet klaar. 'Je bent niet meer dan een niet-on-aantrekkelijk, niet-ongetalenteerd provinciaaltje, zonder enig idee hoe je in Hollywood aan de bak moet zien te komen. En je hebt twee keuzes. Of je stapt in de bus naar huis, óf je gaat van nu af aan je verstand gebruiken. Door mij af te zeiken kom je nergens.'

Hij draaide zich om en liep terug naar de menigte bewonderaars die zich inmiddels had verzameld. Ze hoorde iemand tegen hem zeggen wat een kreng ze was en hoe buitengewoon tactvol hij op haar krankzinnige tirade had gereageerd. Ze kreeg braakneigingen. Erger kon het niet meer worden.

'Kom, het is genoeg geweest.' Sam reikte naar haar arm. 'We gaan naar huis.'

'Niet voordat ik het zwembad heb geprobeerd,' zei ze hardnekkig, en ze rukte zich los.

'Je gaat nu mee!' klonk een andere stem. Toen Sophie opkeek, zag ze dat Peter Alterman, eersteklas perverseling en een van de partners van CTI, haar streng stond op te nemen.

'Ik ben een relatie van het impresariaat. Dus je kunt me niet wegsturen.' Ze wist dat ze klonk als een idioot, maar ze had zichzelf niet meer in de hand. Zeker niet tegenover de Perkamenten Bejaarde.

Zijn ogen vernauwden zich. 'Wie is je agent?'

'Matthew Feldman. De béste die er is.'

'Die sukkel hebben we vanmiddag ontslagen.' Alterman glimlachte zelfingenomen. 'Dus je wordt niet langer vertegenwoordigd door CTI. Ik eis dat je mijn huis verlaat. Nu meteen!'

Toen Sophie zich door Sam eindelijk door het huis van de pot-

344

loodventer naar buiten liet loodsen, klonken zijn woorden nog na in haar hoofd. *Die sukkel hebben we vanmiddag ontslagen. Je wordt niet langer vertegenwoordigd door* CTI. En ze had nog wel gedacht dat het niet erger kon!

## JOE WADDLES POTENTIËLE VERSTOPPLAATSEN

(oftewel: Waar, o waar zou mijn brief van nyu kunnen zijn?)

1. In hun matras

2. Onder de matras in de logeerkamer, aan het oog onttrokken door stofwolken

3. Achter de televisie in de woonkamer, geuwurgd door alle snoeren/elektriciteitsdraden

4. In mama's tas (slim als ze is, houdt ze die altijd bij zich)

5. In zijn gips en dus onder het zweet

6. In die oude kist op zolder

7. Onder de wirwar van kerstboomlichtjes in de garage

8. In mijn oude poppenaventje

9. Tussen de bladzijden van een boek (er zijn er hier maar een paar duizend of zo)

10. In mama's beha

11. In die ontzettend oude emmer Cookies + Cream van Häagen-Dazs in de vriezer

12. Geplakt tegen de onderkant van een van de meubels

13. Hij heeft de brief opgegeten omdat ik weer ben afgewezen.

# VEERTIEN

'HIJ IS WAARSCHIJNLIJK ERGENS IN HUN SLAAPKAMER,' redeneerde Harper terwijl ze een bagel met maanzaad in de aluminium bagelsnijder zette. 'Of in de garage. Daar kom ik nooit.'

Habiba ging zwijgend door met het opschuimen van haar mocha latte. Ze maakte haar koffie zelf sinds Harper had vastgesteld dat haar vaardigheden als amateurbarista uitstegen boven die van Harper als beroeps.

'Denk jij dat hij in de garage is?' drong Harper aan, maanzaad van haar handen afvegend aan de pijpen van haar favoriete oude spijkerbroek.

Habiba liep met haar vers opgeschuimde mocha latte naar de andere kant van de toonbank. 'Je hebt je vader niet voor niks gezegd dat hij alle toelatingsbrieven moest verstoppen. Dus nu moet je ook sterk blijven. Maak je roman af. En als die klaar is, kun je je zorgen gaan maken over je studie.'

'Misschien zijn het geen toelatingsbrieven. Het kunnen ook áfwijzingsbrieven zijn.'

'Ik ben optimistisch.' In haar versleten Gap-spijkerbroek en zwarte, gebreide J.Crew-sweatshirt zag Bibi eruit als een echte Amerikaanse tiener. Het was nauwelijks voor te stellen dat ze ooit iets anders was geweest. Bovendien was ze volledig doordrongen van het enorme belang van alles wat met de toelatingsprocedure op een universiteit te maken had. Met de Fosters als ouders kon dat ook bijna niet anders.

'Als ik door een wonder word toegelaten tot NYU, moet ik ze voor een bepaalde datum uitsluitsel geven,' legde Harper uit.

'Stel je voor dat ik te laat ben! Dat zou onverantwoordelijk zijn.'

'Dan moet je meer haast zetten achter je boek. En als je de drang voelt opkomen om op zoek te gaan naar die brief, dan kom je maar bij mij. Dan praat ik het je wel weer uit je hoofd.'

Harper verzweeg dat ze al op zoek was geweest. Dat ze tijdens een van haar vaders heroïsche wandeltochten rond het blok onder de matras van haar ouders had gekeken. Daar had ze een briefje gevonden in zijn krachtige, hoekige handschrift. *Geef het nou maar op. Je vindt hem toch niet.*

'Je ziet er goed uit.' Habiba bestudeerde haar aandachtig. 'Ik vind je haar leuk zo.' Met haar mocha latte en haar boek voor het toelatingsexamen dat ze tegenwoordig overal mee naartoe nam, ging ze aan het kleine bruine tafeltje in de hoek zitten.

De laatste tijd had Harper haar slonzige sweaters met capuchon verruild voor strak vallende sweatshirts. Zelfs haar haar zat anders. Niet langer in haar gebruikelijke paardenstaart, maar los. Er was geen speciale reden voor die veranderingen. Ze had alle récht om iets aan haar uiterlijk te doen. Dat kon je in elk modeblad lezen. Ze ging op de kruk achter de kassa zitten en liet haar blik door het café gaan. Judd had even pauze genomen. Ze vermoedde dat het groepje waarmee hij zat te praten, vrienden waren van uc die ze niet kende. Poppy en George waren de laatste tijd niet meer in het café geweest, en Harper miste de flarden van Poppy's wereldse kijk op het leven die ze tussen haar verplichtingen als barista door wist mee te pikken.

*Ze hebben het waarschijnlijk te druk met genieten van hun 'extra's'*, dacht ze, vurig wensend dat Poppy en zij dat gesprek in de wc's nooit hadden gevoerd. Misschien waren zij erin geslaagd 'vrijheid, blijheid' onder de knie te krijgen, haar en Judd was het niet gelukt. Sinds Amelia als een donderslag bij heldere hemel op het toneel was verschenen, waren ze weliswaar uiterst beleefd tegen elkaar, maar van hun vroegere verstandhouding was niets meer over. Tenminste, daar had het alle schijn van.

Judd keek elke minuut naar de deur van het café. Harper wilde het al toeschrijven aan een nerveuze tic die hij recent had ontwikkeld, toen de deur openging en Amelia binnenkwam. Judd schoot van zijn stoel om haar te zoenen. Toen hij klaar was, stak Amelia haar hand op naar Harper.

*Ik ben blij voor ze*, zei die kalm tegen zichzelf, terwijl ze terugzwaaide. *Ze zijn schattig.* Tenminste, Judd was schattig. Bij nader inzien stonden Amelia's ogen wel erg dicht bij elkaar, en haar huid was zo bleek als van een albino. Ook al leek Judd niet echt onder de indruk van deze in het oog lopende onvolkomenheden, te oordelen naar de manier waarop hij haar bij zich op de bank trok voor een uitgebreid potje vrijen. Schattig. Echt schattig. Harper had het zo druk met onopvallend toekijken terwijl Judd en Amelia amandelhockey speelden, dat het haar ontging dat ze klanten had.

'Voor mij graag een soja latte, alsjeblieft.'

Harper draaide zich om en stond oog in oog met een vrouw van ergens in de twintig. Ze had lange, kastanjebruine krullen, een hartvormig gezicht en groene ogen, die Harper vol verwachting aankeken. Doorgaans had Harper niet de neiging de fysieke kenmerken van haar klanten te inventariseren. Maar deze klant stond naast meneer Finelli. Sterker nog, ze stond hand in hand met meneer Finelli. Harpers maag, die toch al raar voelde, verkrampte. Het leek op menstruatiepijn die zich verplaatste naar haar dikke darm.

'Hallo Harper. Voor mij gewone koffie.' Meneer Finelli keek de vrouw aan met wie hij hand in hand stond en gebaarde naar Harper. 'Mag ik je voorstellen aan een van de beste studenten die ik ooit heb gehad? Haar opstellen waren altijd buitengewoon scherp en spannend.'

De vrouw schonk Harper een warme glimlach. 'Dat is een enorm compliment, als Adam dat zegt. Ik ben Tara.' Adam. Ze noemde hem Adam. Ja, natuurlijk noemde ze hem Adam. Het was duidelijk dat ze 'iets hadden' samen.

'Hallo.' Beleefd blijven was één ding, vrijblijvend geklets met de vijand was iets anders. Want Harper had inmiddels besloten dat deze vrouw de vijand was. Dus ze wijdde zich aan hun bestelling zonder verder nog een woord te zeggen.

Terwijl ze een pak sojamelk uit de koelkast onder de toonbank pakte, dwong ze zichzelf diep adem te halen. Wáárom moest iedere vent die ze ooit had gezoend, zo nodig met zijn nieuwe vriendin komen langs paraderen? Misschien kwam Albert Greenbaum – die had haar gezoend tijdens een gezinsvakantie in Estes Park – straks ook nog binnen om haar voor te stellen aan zijn huidige liefde, wie dat ook mocht zijn.

Tegen de tijd dat ze terugkwam met hun bestelling, ging ze volledig op in de tirade die ze in gedachten afstak, maar desondanks slaagde ze erin te glimlachen bij het overhandigen van de soja latte. 'Leuk je ontmoet te hebben,' jubelde Tara, waarna ze wegliep om een pakje zoetjes te pakken.

Harper bleef alleen achter met meneer Finelli. 'Bedankt voor je goede wensen voor mijn vader.' Ze knikte. 'Het gaat al een stuk beter met hem.'

'Daar ben ik blij om.' Hij gaf haar een biljet van vijf dollar. 'Hou het wisselgeld maar.' Toen hij zich omdraaide, meende ze hem op gedempte toon nog iets te horen zeggen. Het klonk als *Ik mis je*.

Ze schudde haar hoofd. Behalve aan publieke vernedering leed ze nu ook nog aan publieke krankzinnigheid. Ze zou dringend meer moeten slapen. *Om nog maar te zwijgen van het feit dat ze dringend een andere baan zou moeten zoeken.* Bij voorkeur ergens in Alaska, waar ze niet het risico liep ook maar iemand tegen te komen die ze ooit had ontmoet.

Uren later keek Judd naar buiten, waar het was begonnen te regenen. 'Ik vind dat we maar vroeg moeten sluiten.'

'Waarom? Heb je een spannende date?'

Harper deed haar uiterste best om de hele middag te vergeten

350

door *Gone with the Wind* voor de veertigste keer te herlezen. Tot dusverre zonder resultaat.

'Het kan gaan hagelen. Dus dan kunnen de wegen glad worden. En de klanten gaan er niet dood aan als ze geen café au lait meer kunnen krijgen.'

'Schei toch uit! Je wilt gewoon chocolademelk maken en vrijen met hoe heet-ze-ook-alweer.' Dat was niet krengerig bedoeld, maar gewoon een grapje. Dat moest kunnen. Ze waren tenslotte vrienden.

Judd legde de gele spons neer waarmee hij de glazen vitrine schoonmaakte die onderdak bood aan meneer Finelli's favoriete frambozenscones en de rest van het gebak. 'Is alles goed met je?'

Hij klonk eerder bezorgd dan nijdig. Ze vond het afschuwelijk als mensen bezorgd waren. Dat was nog erger dan nijdig. 'Ik voel me prima.'

'Zo zie je er anders niet uit.'

'Alleen, ik vind het publiekelijk tonen van je genegenheid náást de bagelsnijder niet erg professioneel.' Ze keek naar haar lichtbruine V-halstrui, op zoek naar een pluisje – of een maanzaadje – om haar aandacht op te richten.

'Amelia en ik waren niet eens in de búúrt van de bagelsnijder.'

'Bank. Bagelsnijder. Dat komt op hetzelfde neer.'

'Het lijkt me dat wij eens moeten praten.' Judd trok aan zijn donkere krullen, wat hij altijd deed als hem iets dwarszat.

Harper wist een stralende grijns te produceren. 'Je hebt gelijk, de wegen kunnen wel eens glad worden. En hoofdstuk twaalf wacht op me. Sluit jij af?' Ze pakte haar zwarte donsjack en haar rode rugzak en wandelde zo snel als ze kon naar de deur.

Praten werd zó overschat.

❤

Inademen. Uitademen. Inademen. Uitademen. In... Uit...

Op de grond van haar kamer leunde Becca in kleermakerszit tegen haar bed, zich concentrerend op haar ademhaling. *Tot dusverre gaat het goed.* Als dit alles was, dan was therapeutische visualisatie een eitje. Met haar handen losjes op de knieën van haar zwarte joggingbroek, ontspande ze welbewust haar schouders.

*Oké, daar gaan we.* Haar nieuwe therapeut – Isabelle had erop gestaan dat ze gebruikmaakte van de therapeutische diensten die Middlebury aanbood – had haar diverse keren door het hele proces gepraat, maar dit was voor het eerst dat Becca het alleen ging proberen.

*Stel je papa en mama voor*, zei ze tegen zichzelf. *Stel je voor dat ze met dikke touwen aan me vastgebonden zijn. Met honderden dikke touwen. En die touwen snijden in mijn middel, en mijn armen, en mijn benen. Ik wil me ervan losmaken. Ze moeten weg!*

Toen Dr. Bleiweiss de visualisatie had geleid, waren de gezichten van haar ouders uitdrukkingsloos geweest, bijna als de gezichten van etalagepoppen. Maar nu knarsten ze met scherpe, puntige tanden, ze verzetten zich tegen de touwen, en ze gingen tegen haar tekeer met een verwilderde, woeste blik in hun ogen.

Becca haalde gelijkmatig adem. *Ik wil dat jullie weer etalagepoppen worden. Ik ben niet bang voor jullie.* Na diverse keren diep ademhalen werden haar ouders geleidelijk aan rustig en vreedzaam. *Stel je nu een grote schaar voor. Groot genoeg om de touwen door te knippen.* Plotseling had Becca het gevoel alsof ze een schaar in haar hand hield. *Gebruik de schaar om de touwen door te knippen. Bevrijd jezelf. Snijd jezelf los...*

Haar vingers bewogen krampachtig op haar knieën terwijl ze zich voorstelde dat ze de touwen doorsneed die haar aan haar ouders bonden. Dr. Bleiweiss had gezegd dat dit een heel gebruikelijke visualisatie was om te stoppen met roken, dus toen Becca in hun tweede gesprek de vergelijking had getrokken met een verslaving, had hij geopperd dat ze hier misschien baat bij zou hebben.

Was ze maar begonnen op een rijpe, volwassen manier met haar gevoelens om te gaan vóórdat ze haar verstand had verloren en het had uitgemaakt met de enige jongen van wie ze ooit had gehouden.

*Knip, knip, knip.* Er kwam geen eind aan de touwen die haar met haar ouders verbonden. Hoeveel ze er ook doorsneed, het leek wel alsof er steeds nieuwe bij kwamen. *Rustig ademhalen*, zei ze tegen zichzelf. Hoe vruchtbaar de touwen zich ook vermenigvuldigden, ze zou niet opgeven. Als het niet anders kon, zou ze desnoods jaren blijven knippen. De touwen hadden er jaren over gedaan om zich te ontwikkelen, dus het sneed hout dat het niet gemakkelijk zou zijn om zich ervan los te maken.

'Sorry!'

Becca deed haar ogen open en zag Isabelle achterwaarts de kamer weer uit lopen.

'Dat geeft niet. Kom binnen.' Ze wenkte en maakte aanstalten overeind te krabbelen. 'Ik ben klaar. Tenminste, ik ben niet echt kláár. Maar Dr. Bleiweiss zegt dat het iets is wat ik dagelijks moet doen. Trouwens, ik wil met je praten.'

'Hm-m.' Isabelle liet haar grijze schoudertas op de grond naast haar bed vallen. Het weer werd steeds beter, en ze was gekleed in een witte korte broek van Banana Republic en een rood poloshirt met korte mouwen. Becca voelde zich erg lomp in haar donkere joggingbroek en witte, geribbelde topje. Ze trok haar knieën op naar haar kin en keek naar de grond.

'Ik moet je mijn verontschuldigingen aanbieden.'

'Je gaat me toch niet vertellen dat je mijn iPod kapot hebt gemaakt...'

'Nee.' Becca keek lachend op naar Isabelles angstige gezicht. 'Met je iPod is niks aan de hand. Maar ik wil je mijn excuus aanbieden... omdat ik de laatste tijd zo moeilijk heb gedaan. En daarvóór omdat ik...'

'Omdat je min of meer van de aardbodem verdwenen was?'

'Ja.' Becca glimlachte verontschuldigend. 'Dat wilde ik niet. Maar... nou ja, als ik bij Stuart was... dan was ik...'

'Gelukkig.' Haar kamergenootje ging tegenover haar op de grond zitten en legde een hand op Becca's knie.

'Ja.' Becca probeerde haar tranen terug te dringen. Ze was zo gelukkig geweest. En daardoor had ze haar vriendinnen verwaarloosd en in de steek gelaten. Ze mocht blij zijn dat ze nog met haar wilden praten. Want het was allemaal háár schuld. Zowel haar gedrag tegenover haar vriendinnen toen ze met Stuart was, als haar gedrag tegenover Stuart toen bleek dat haar ouders weer bij elkaar waren.

'Ik weet dat ik een tijd lang geen goede vriendin ben geweest.' Becca drukte Isabelles hand. 'En ik ben je echt heel dankbaar dat je me geen verwijten hebt gemaakt.'

Isabelle gaf haar een knipoog. 'Dat heb ik wel gedaan. Maar uiteindelijk heb ik het van me afgezet. Want wat jij deed, dat doen we allemaal.'

Becca vertrok minachtend haar gezicht. 'Ja, je hebt gelijk. Waarom dóén we dat toch?'

Isabelle haalde haar schouders op. 'Als het om jongens gaat, lijkt het wel alsof we niet goed bij ons hoofd zijn.' Ze trok haar fraaigevormde wenkbrauwen op. 'Trouwens, over jongens gesproken, wanneer ga je met Stuart praten?'

Becca schudde haar hoofd. Ze kon niet met hem gaan praten. Dat was te erg, te gênant. Na de manier waarop ze hem had behandeld, kon het niet anders of hij haatte haar. En daar had hij het volste recht toe.

'Oké.' Isabelle hief een hand op, om duidelijk te maken dat ze niet verder zou aandringen. 'Maar voor alle duidelijkheid, ik kom erop terug! En dat blijf ik doen.'

Becca glimlachte weemoedig. Misschien... heel misschien... als het haar lukte genoeg touwen door te snijden, zou ze zich voldoende vrij voelen om weer met Stuart te praten. Om hem de waarheid te vertellen waarom ze door het lint was gegaan en het had uitgemaakt.

Als dat moment ooit kwam, zou ze nog steeds van hem houden, wist Becca. Dat zou altijd zo blijven.

Ze wenste alleen vurig dat hij dan ook nog van haar zou houden.

❤

'Ik wed dat hij zijn vriendin heeft vermoord. Of zijn homovriendje.'

'Hij zal wel te veel gedronken hebben en door een rood licht zijn gereden. Dat is het meestal.'

Sophie bracht haar mobiele telefoon over naar haar andere oor en leunde naar voren op de bank. Over het scherm van Sams breedbeeld Sony high definition scheurde een donkerblauwe pick-uptruck met bijna honderd kilometer per uur over de Interstate 110 naar het noorden. De bestuurder was zo te zien een blanke man, ergens halverwege de veertig, in een wit, mouwloos hemd. Sophie zat te kijken naar een van de meeslependste verworvenheden van LA, een op televisie uitgezonden achtervolging per auto. En ze keek niet alleen.

'*Holy shit*! Het scheelde niet veel of hij had die Mercedes geraakt!' juichte Matthew Feldman.

'Mis ik iets?'

'Ik zat te fantaseren dat de bestuurder van die Mercedes een van mijn bazen was. Dat stelletje klootzakken. Het liefst zie ik ze allemaal in vlammen opgaan.'

'Ja, dat snap ik.' Sophie pakte de zak Cool Ranch Doritos die ze een uur eerder, bij het begin van de achtervolging, had opengemaakt en gooide de laatste kruimels in haar mond.

Sinds de CTI-party een week eerder was ze in een 'zelfbespiegelende winterslaap' gegaan. Haar moeder zou het waarschijnlijk een 'depressie' hebben genoemd. Ze liep dag en nacht in haar oudste Juicy-joggingpak, at alleen maar junkfood en keek veel te veel televisie, ook overdag. De tijd dat ze 's ochtends auditie ging doen en zich vervolgens naar haar werk bij Mojito haastte, leek honderd jaar achter haar te liggen. De ochtend na de party had ze Celeste thuis gebeld met de mededeling dat ze ziek was en niet op haar werk kwam. Voor onbepaalde tijd.

Sindsdien had Celeste minstens één keer per dag gebeld, maar Sophie nam niet op. Telkens wanneer ze zich voorstelde dat ze naar Mojito ging, zag ze zichzelf op de party van CTI, schreeuwend tegen Trey Benson, op het punt om stomdronken in het zwembad te springen, totdat ze uiteindelijk de aanzegging had gekregen te vertrekken. Behalve even vlug naar de 7-Eleven een eindje verderop in de straat om haar voorraden aan te vullen, wilde ze nooit meer naar buiten.

'Het is gewoon geweldig om werkloos te zijn,' zei Matthew Feldman. 'Dit had ik allemaal gemist als ik nu op kantoor had zitten ploeteren voor mijn relaties.'

Matthew Feldman had niet goed op zijn ontslag gereageerd. De eerste keer dat ze hem had gesproken, was hij er zo kapot van geweest dat hij had gedreigd om als daad van protest al zijn kleren te verbranden vóór het gebouw van CTI. Naarmate de tijd verstreek was hij wat rustiger geworden, en uiteindelijk had hij zelfs verklaard dat hij naar Hawaï ging, naar Big Island, om als barkeeper in het Four Seasons te gaan werken. Waarschijnlijk droeg hij op dit moment een hawaïhemd, dacht Sophie. Hij wachtte op een telefoontje van de hotelmanager, die hij scheen te kennen. Sophie en hij hadden de gewoonte ontwikkeld om samen televisie te kijken terwijl ze met elkaar aan de telefoon zaten. Tussen het leveren van kritiek op oude spelshows, soaps en alle commentatoren van CNN putten ze zich uit in wederzijds beklag en medelijden.

'Raakt zijn benzine soms op?' vroeg Sophie, toen de pick-up

steeds langzamer ging rijden en uiteindelijk bijna stilstond. Zo ging het altijd. En dan kwam het leukste gedeelte, wanneer de achtervolgende agenten met getrokken pistool uit hun auto sprongen en de arme sukkel dwongen zich over te geven.

'Vals alarm,' meldde Matthew Feldman. De pick-up had weer snelheid gemeerderd en naderde nu in razende vaart een afslag.

'Ik stop ermee,' zei Sophie voor de zoveelste keer. 'Ik kan het gewoon niet meer opbrengen om te proberen een poot aan de grond te krijgen.' Matthew Feldman was haar grote hoop geweest. Ze hadden het samen zullen maken, maar het was gedaan met haar wilskracht nu hun voor beiden lucratieve overeenkomst van de baan was.

'Groot gelijk. Ik ga nog liever in zo'n hokje zitten om tol te innen dan dat ik terugga naar die tank met piranha's. Want dat zijn het, al die agenten.' Ze kon hem horen kauwen – waarschijnlijk een plak gevulde cake of een Mars. Dat waren zijn favoriete snacks, had ze ontdekt tijdens een spannende marathonaflevering van *Project Runway*.

Op dat moment ging de voordeur open, Sam kwam binnen en deed het grote licht aan. Sophie kneep haar ogen dicht tegen het felle schijnsel. Ze had het te veel moeite gevonden om het licht aan te doen, dus met het vallen van de avond was ze geleidelijk aan in het donker komen te zitten. Sam keek naar haar, zoals ze daar op de bank hing, en toen naar de televisie.

'Je bent gewoon zielig, weet je dat?'

'Ik bel je terug,' zei ze tegen Matthew Feldman.

'Oké. Ik moet toch een pizza bestellen.' Hij hing op.

'Ik lig te rústen,' zei Sophie tegen Sam, zoals ze dat elke dag deed wanneer hij thuiskwam van zijn werk.

Hij liep naar haar toe en pakte de afstandsbediening van haar schoot.

'Hé! Ik zit te kijken!'

'Ik kan je precies vertellen hoe het afloopt. Werkloze loser maakt zijn leven kapot door te vluchten in plaats van zijn problemen onder ogen te zien. Komt het je bekend voor?' Sam zette de televisie uit en gooide een gewatteerde, gele envelop in haar schoot.

'Wat is dit?' Het pakketje was afgestempeld in Boulder.

'De oplossing om die luie reet van je van de bank te krijgen. Met de groeten van je vriendin, Harper Waddle.' Sam liep naar de keuken en vulde luidruchtig de fluitketel met water.

'Als het van Harper is, waarom is het dan aan jou geadresseerd?'

'Omdat ik haar heb gebeld om te zeggen dat een van haar beste vriendinnen bezig is weg te zinken in een afgrond van zelfbeklag.'

'Hoe durf je...' Sophie voelde dat haar gezicht begon te gloeien van schaamte, terwijl ze zich voorstelde hoe Sam en Harper achter haar rug over haar hadden gesproken. *Ach, die arme Sophie. Ze is helemaal de weg kwijt.*

'Ik maak me zorgen. En zij ook.' Hij wees naar de envelop. 'En als resultaat van onze wederzijdse bezorgdheid heeft ze me dát gestuurd. Voor jou.'

'Ach man, duik toch lekker de koffer in met die halvegare vriendin van je en laat mij met rust!'

De pulserende ader op zijn voorhoofd suggereerde dat ze misschien net iets te ver was gegaan. Maar sinds ze zich had overgegeven aan haar zelfbespiegelende winterslaap, was haar woede jegens Ellie Volkhauser gestaag toegenomen. Want het werd pijnlijk duidelijk dat Ellie volstrekt niet van plan was en zich niet geroepen voelde om Sophie een gastrol in *Heartland* te bezorgen. Dat ze Sophie had belazerd.

'Gezien je depressie zal ik die laatste opmerking negeren,' zei hij kalm, terwijl hij de fluitkeel op het fornuis zette. 'Maar als je ooit weer zo over Ellie praat, zet ik je op straat! En maak nou die vervloekte envelop open.'

Sophies nieuwsgierigheid won het van haar woede. Ze scheurde het pakje open en haalde er een ongemarkeerde dvd uit.

'Ik geef het op. Wat is het?'

Sam zette het gas aan. 'Stop hem in de dvd-speler, dan zie je het vanzelf. En tegen de tijd dat je kamillethee klaar is, voel je je een ander mens. Geloof me nou maar.'

Sophie deed wat Sam zei. Ze was nog altijd nijdig omdat hij de televisie uit had gezet, maar het zou deze maand niet meevallen haar deel van de huur op te hoesten, dus ze moest hem te vriend houden. Ze kon het zich niet permitteren dat hij nijdig bleef vanwege haar vernietigende kritiek op zijn vriendin. Maar wat er ook op die dvd stond, het was ondenkbaar dat ze zich daardoor een ander mens ging voelen. Ze zou de rest van het Droomjaar uitzitten op de bank van Sam, en daarna ging ze naar huis en naar UC. Gezien alles wat er was gebeurd – en vooral wat er niét was gebeurd – besefte ze inmiddels dat ze dat meteen had moeten doen.

❤

Dorothé legde een hand op de arm van Kate. 'Rustig nou maar,' fluisterde ze in het Frans.

'*Je lui déteste*,' mompelde Kate met haar tanden op elkaar geklemd, kijkend naar Darby en Mulugeta.

'*Darby oú Mulugeta*?' Dorothé had het lef geamuseerd te kijken.

'*Les deux.*' Kate verbeet een grijns. Hoe gefrustreerd ze ook was, toch zag ze de humor ervan in – dat zij, als overtuigd pacifist, niets liever zou doen dan Darby zijn hersens inslaan. Vanaf het moment dat de ploeg die ochtend in Teje was gearriveerd, had hij afwisselend Mulugeta geprezen voor 'zijn royale bijdrage' in de vorm van een stuk grond waar ze de put konden slaan, en zelf alle eer opgeëist voor de succesvolle onderhandelingen met Mulugeta en de dorpsoudsten. Hij had niet eens in Kates richting gekeken toen hij de dorpelingen toesprak die zich hadden verzameld om de toekomstige put te vieren.

'We beschouwen het als een eer hier in Teje een put te mogen slaan,' had hij gezegd, en vervolgens had hij uitvoerig stilgestaan bij Mulugeta's goedheid om de grond te schenken. Darby was dolgelukkig met zijn ploeg aan de slag te kunnen in een dorp dat hun inspanningen zo verdiende, had hij verklaard. Alsof híj het allemaal voor elkaar had gekregen! Hij had zelfs verwezen naar zijn vele gesprekken met Mulugeta – zíjn vele gesprekken! – om tot overeenstemming te komen wat betreft Mulugeta's schenking van het land.

Natuurlijk had Kate niet verwacht dat hij de pamfletten zou noemen. Volgens Abebech, die dat van familie in Teje had gehoord, waren ze na ontdekking bijna onmiddellijk verwijderd door Mulugeta's vrouwen. Maar ook al hadden ze er maar kort gehangen, dat wilde nog niet zeggen dat ze niet van wezenlijk belang waren geweest om de hebzuchtige dorpsoudste tot andere gedachten te brengen. Zonder de pamfletten zouden de dorpsoudsten Mulugeta nooit onder druk hebben durven zetten en zou die zich niet gedwongen hebben gevoeld om het land te schenken en op die manier zijn gezicht te redden.

Het was aan de pamfletten te danken dat ze een put gingen slaan. Zij waren de reden dat Mulugeta ermee had ingestemd hen toe te laten op zijn land. Het minste wat Darby kon doen, terwijl hij Mulugeta – en zichzelf – de hoogte in prees, was Kate áánkijken, om op die manier te erkennen dat ze in haar missie was geslaagd. Dat zíj het was aan wie velen in de toekomst hun leven te danken zouden hebben!

Was het nou echt zo veel gevraagd om haar op z'n minst even aan te kijken?

Maar hij deed het niet. Geen moment.

Het feit dat Darby de laatste tijd bijna aardig tegen haar was geweest, maakte het zo mogelijk nog frustrerender. Hij had de onderdelen voor de put in Teje al besteld voordat ze de pamfletten zelfs maar had ontvangen. Dat bewees dat hij vertrouwen in haar had, ook al zou hij haar aanpak niet hebben goedgekeurd. Dus was het dan te veel gevraagd om haar althans een beetje in de eer te laten meedelen?

'Ben je er klaar voor?' De zachte stem van Dorothé deed Kate opschrikken uit haar nijdige dagdroom.

'Waarvoor?' Kate keek haar niet-begrijpend aan. Toen zag ze dat Darby naar hen toe kwam.

Dorothé kreunde. 'Het is tijd om ons op te splitsen. Wedden dat ik het afwateringsterrein krijg toegewezen?'

Darby had het gevreesde klembord onder zijn gebruinde arm. Ondanks zichzelf moest Kate toegeven dat hij er geweldig uitzag in zijn lichtbruine combatbroek en haar favoriete oranje T-shirt.

'Dorothé!' riep hij, een en al zakelijkheid. 'Jij bent ploegleider afwatering.' Daarop keerde hij zich naar Kate, en hij hield haar het klembord voor. 'Kate...'

'Dat kun je niet menen.'

Darby keek haar aan, de blik in zijn ogen verkoelde. 'Wat kan ik niet menen?'

'Succes!' riep Dorothé luchtig over haar schouder, terwijl ze koers zette naar het afwateringsterrein.

Kate sloeg haar armen over elkaar. 'Ik vertik het om weer met dat klembord te gaan rondlopen.'

'Hoezo?' Darby trok zijn wenkbrauwen op.

'Blijkbaar denk jij dat ik niks anders kan, dus mag ik andermans vorderingen bijhouden op een stukje papier. Maar dat vertik ik.'

Darby knikte langzaam. 'Dan heb je wel een erg lage dunk van jezelf. Boeiend.'

De ergernis die Kate al de hele dag probeerde te bedwingen, sloeg om in pure woede. Hoe kon hij zo kalm blijven? Zo volstrekt onáángedaan door alles wat ze zei en deed?

'Weet je wat boeiend is?' Kate stopte haar handen in de zakken van haar smoezelige spijkerbroek. Haar witte T-shirt voelde plotseling te strak, bijna verstikkend. Sterker nog, de lúcht voelde ineens verstikkend. 'Eerst negeer je me de hele dag, alsof het feit dat we hier zijn, niet volledig aan mij te danken is! En vervolgens zadel je me op met de een of andere lullige opdracht die niets voorstelt...'

'Ai,' zei Darby lijzig, en hij tikte op het klembord. 'Dus we hebben het allemaal aan jou te danken? Nou, dan heb je wel een erg hoge pet op van jezelf.'

Kate liet zich niet intimideren. 'Dat kan ik beter van jou zeggen. Je kan het gewoon niet hebben. Volgens jou zou het nooit lukken, maar ik heb het toch voor elkaar gekregen.'

'En volgens jou kan ik dat niet hebben?'

'Nee! En dus eis je alle eer voor jezelf op!'

Darby knikte langzaam. 'Ik dacht dat ik maar beter alle eer kon opeisen, om te voorkomen dat Mulugeta in de gaten krijgt dat jij verantwoordelijk bent voor zijn ontmaskering. Ik dacht dat ik je op die manier beschérmde. Maar blijkbaar wil je niets liever dan de gezworen vijand zijn van de machtigste man in de wijde omtrek. Misschien vind je dat opwindend, ik weet het niet...'

Voordat Kate in de gaten had wat er gebeurde, lag ze in zijn armen. Hij legde een sterke hand in haar nek, begroef zijn vingers in haar haren, en ondertussen trok hij haar met zijn andere hand een donkere opslaghut in. Toen drukte hij zijn lippen – hard en boos – op de hare. Alsof ze in een strijd waren gewikkeld die hij vast van plan was te winnen. Maar dat weigerde Kate te laten gebeuren. Ze beantwoordde zijn kus. Al haar opgekropte woede en frustratie vonden een ontlading in de druk van haar lippen op de zijne, in de greep van haar handen terwijl ze zich vastklemde aan zijn borst.

Geleidelijk aan veranderde de kus, sloop er een soort onwillige tederheid in. Ten slotte liet Darby haar los.

Verdwaasd en met bonzend hart keek Kate hem aan.

'Dat had ik niet moeten doen,' mompelde Darby, naar de grond starend.

Kate fronste haar wenkbrauwen. *Dat had hij niet moeten doen?* Wat wilde hij daarmee zeggen? Maar wat belangrijker was, had de aarde opgehouden met draaien? Want ze was zich ineens bewust van een totaal ontbreken van de zwaartekracht.

Darby zette zijn kaken op elkaar en drukte haar het klembord in handen. 'Veel plezier ermee,' zei hij vlak, en zonder nog een blik achterom te werpen verliet hij de hut.

Kate leunde ademloos tegen de rieten wand.

Darby's kus had één ding heel duidelijk gemaakt. Namelijk dat hij geen hekel aan haar had. O, hij vond haar frustrerend, uitdagend, koppig, zelfs ergerlijk. Maar hij vond haar ook leuk – ondanks zichzelf. Die gedachte maakte dat Kate een glimlach niet kon verbijten.

Darby vond haar leuk.

En zoenen dat hij kon!

# VIJFTIEN

WAT EEN RIJK BEZIT, EEN ECHTE CHANEL! Het pakje – lavendel-blauwe tweed, wintercollectie 2005 – was een afdankertje van Genevieve Meyer, die het haar afgelopen december in een royale bevlieging had gegeven. Sindsdien had Sophie het zorgvuldig in de plastic beschermhoes bewaard, in afwachting van een moment dat ze het echt nodig had. En dat moment was nu aangebroken. Ze ging de strijd aan, en het pak was, samen met een paar superhoge grijze Prada-pumps die ze op een garageverkoop in Beverly Hills had gescoord, haar wapenrusting.

Bij de bewaakte poort van het Fox-terrein aangekomen trapte ze op de rem van de Oldsmobile.

'Uw naam?'

'Sophie Bushell. Ik heb een afspraak met Michael Rinkin.' Ze hád helemaal geen afspraak met Michael Rinkin, maar zonder toestemming van de bewaking kon ze het terrein niet op. En die toestemming kreeg ze niet zonder een afspraak. In gedachten bedankte ze J.D. die zijn connecties had gebruikt om zogenaamd een afspraak voor haar te regelen met een vriend die bij de afdeling reality-tv werkte.

De beveiligingsfunctionaris gaf haar een pasje. 'U weet waar u moet parkeren?'

'Reken maar.' *Zo dicht mogelijk bij de trailers van* Heartland. 'Prettige dag verder!' Sophie stak haar hand op, de beveiligingsfunctionaris drukte op een knop, het hek ging open en ze was binnen.

*Bedankt Harper,* dacht ze, terwijl ze langzaam over het terrein

reed. Als die haar niet de dvd had gestuurd met Sophies optreden, nu bijna een jaar geleden, als Blance DuBois in *A Streetcar
Named Desire*, zou Sophie nog steeds bij Sam op de bank hangen,
zich volproppen met chips en zich telefonisch met Matthew Feldman wentelen in beklag en zelfbeklag. De eerste keer dat ze de
dvd had bekeken, had haar depressie hardnekkig standgehou-
den. Maar Sam had haar gedwongen hem nog eens te bekijken.
En nog eens. Laag voor laag waren haar frustraties opgelost, en
geleidelijk aan had ze het gevoel teruggevonden hoe het was geweest om op het toneel te staan. Als Blanche had ze het gevoel
gehad zichzelf en de situatie volledig onder controle te hebben,
terwijl ze haar acteertalent gebruikte om het geboeide publiek de
geladen wereld van Blanche, Stanley en Stella binnen te voeren.
Ze hadden zes voorstellingen gedaan. Na afloop was Sophie telkens drijfnat geweest van het zweet en emotioneel volledig uitgeput. Maar ze had zich ook uitgelaten gevoeld. Ze mocht dan niet
het knapste meisje van de klas zijn, zoals Kate, of een indrukwekkend schrijfster zoals Harper, of een sportvrouw in hart en nieren
zoals Becca, maar zij had iets anders, iets van haarzelf, dat ze
wilde delen met de wereld.

Nadat ze de dvd vier keer had bekeken, was ze van de bank gekomen. Ze had een uur onder de douche gestaan, om al haar cynisme, alle uitzichtloosheid als het ging om Hollywood, van zich
af te spoelen, en ze was er sterker, zelfverzekerder en schoner
onder vandaan gekomen dan ze zich in maanden had gevoeld. In
de dagen daarop was ze weer aan het werk gegaan bij Mojito, in
gedachten mantra's zingend en elke vrije minuut druk bezig met
het maken van plannen. Trey mocht dan een klootzak zijn, met
het advies dat hij haar had gegeven, kon ze haar voordeel doen.
Hij had gezegd dat ze zelf het initiatief moest nemen. En dat zou
ze doen ook.

Sophie zette de enorme gele vintage cabriolet op een plek die
was gereserveerd voor bezoekers en controleerde haar make-up

in het achteruitkijkspiegeltje. Tegen de tijd dat ze hier wegging, was ze van plan een gastoptreden in *Heartland* in haar zak te hebben. Ze zou Ellie confronteren met haar belofte een gastrol voor haar te regelen en net zolang in de stoel voor Ellies make-upspiegel blijven zitten tot die de castingdirector belde, of de executive producer, of wie daar ook over mocht gaan. Sophie was urenlang in de weer geweest om te zorgen dat Ellie geen modderfiguur sloeg bij het spelen van haar rol. Nu ging ze ervoor zorgen dat ze kreeg wat ze voor die inspanning verdiende. Ellie zou ongetwijfeld met smoesjes komen of proberen tijd te rekken, maar daar zou Sophie geen genoegen mee nemen. Ze had haar lesje geleerd.

Bij de trailer van de Pessarium Prinses aangekomen, overwoog ze vluchtig om te kloppen, maar ze besloot het niet te doen. Hoe kon ze de blonde beauty beter duidelijk maken dat het haar menens was, dan door onaangekondigd binnen te stormen met haar eisenpakket. Zelfs als het tot niets leidde, zou Ellie in elk geval onder de indruk zijn van haar dramatische aanpak.

*Ik heb geprobeerd aardig te blijven. Maar die tijd is voorbij. Dus nu ga ik het hard spelen.* Sophie had het gevoel alsof ze in Treys voetsporen trad: dit was waarschijnlijk hoe hij zich had opgewerkt van de onbekende Mexicaanse immigrantenzoon uit Whittier tot de ster die hij was geworden.

Ze pakte de knop van de dunne deur van de trailer en trok hem met een ruk open. 'Luister eens, Ellie, ik ga hier niet weg tot je de castingdirector hebt gebeld en zorgt dat ik...'

Ze zweeg abrupt. Haar ogen werden groot. Zelfs het pantser van haar lavendelblauwe Chanel-pakje kon haar niet tegen dit schokkende tafereel beschermen. Ellie was zo goed als naakt, wat op zich niet opmerkelijk was, want ze leek bijna allergisch voor kleren. Het schokkende was wat Ellie dééd in haar bijna-naaktheid. Ze had seks op de grond van de trailer, met haar benen gespreid, haar blonde haren uitgewaaierd op het licht pastelgroene tapijt.

Maar niet met Sam. Cody Howard, de hotste jonge ster van *Heartland*, lag bovenop haar, met zijn spijkerbroek en zijn boxershort rond zijn enkels.

'Ellie?'

Ondanks het gekreun en gegrom kreeg Ellie in de gaten dat ze bezoek had.

'Sophie! Shit! Dit is niet...' Ze duwde Cody van zich af en reikte naar een minuscuul blauw topje.

'Wat het lijkt? Aha.' Sophie wist dat ze een reden had gehad om hier te komen, maar op dat moment kon ze niet bedenken wat die reden was geweest. *Terug naar de auto*, commandeerde haar verwarde brein. Zonder nog een woord te zeggen draaide Sophie zich om en liet ze de trailer achter zich.

Ze was al halverwege, terug naar haar auto, toen ze zich herinnerde dat ze hier was om de beloofde gastrol op te eisen. Maar dat leek ineens niet belangrijk meer, wanneer ze zich Sams gezicht voorstelde terwijl ze het hem vertelde. Áls ze het hem vertelde. Shit... móést ze het hem vertellen?

'Sophie, wacht!' Ellie kwam achter haar aan rennen. Behalve het minuscule topje had ze inmiddels ook een geruite boxershort aangetrokken. Waarschijnlijk van Cody, dacht Sophie. 'Zeg maar wat je wilt. En ik zorg dat je het krijgt.'

'Wat ik wil?' *Ik wou dat ik jou en je overuren draaiende pessarium nooit had ontmoet. Ik wou dat ík de rol van Paige had gekregen. En op dit moment wou ik dat ik thuis op de bank naar een achtervolging op de snelweg zat te kijken. In mijn joggingpak. Met een zak chips.* 'Van jou? Helemaal niks!'

'Ik zal zorgen dat je die gastrol krijgt!' riep Ellie gejaagd. Haar gezicht zag rood, ze wreef met de rug van haar hand over haar ogen. 'Maar je mag niks tegen Sam zeggen. Want hij zou het niet begrijpen.' Haar stem klonk ineens heel anders. Er was niets meer over van het bruisende, lieve, maar onnozele meisje. In plaats daarvan zag Sophie een kille, berekenende zakenvrouw. Iets wat ze waarschijnlijk altijd al was geweest, dacht Sophie.

'Er valt niets te begrijpen.' Terwijl ze het zei, overwoog Sophie het op een akkoordje te gooien. Ze twijfelde er niet aan of anderen hadden wel ergere middelen gebruikt dan emotionele chantage om een rol te krijgen. Zou dat zo verkeerd zijn? 'Ik hou van Sam. Ik heb hem nodig, hij is mijn anker. Dat met Cody... dat was maar eenmalig. Gewoon om ons in te leven in onze rollen... Dat begrijp je toch wel? Als collega-actrice?'

Sophie schudde haar hoofd, alle gedachten om het met Ellie op een akkoordje te gooien waren vervlogen. Wat ze zojuist had gezien, maakte haar misselijk. Ze begreep het niet. Ze wílde het niet begrijpen. Dit incident was als het glazuur op haar uit clichés opgebouwde cake die Hollywood moest voorstellen. Sophie twijfelde er niet aan of ze had die gastrol op zak, op voorwaarde dat ze bereid was te doen wat daarvoor nodig was.

Maar op deze manier wilde ze die rol niet eens.

'Het ga je goed, Ellie. Ik hoop dat je krijgt wat je wilt.' Sophie stapte in haar cabriolet, de pseudo-actrice met stomheid geslagen achterlatend. Uiteindelijk had ze haar Chanel-pakje niet nodig gehad, besefte ze. Geen betere wapenrusting dan wat degelijke, ouderwetse principes.

Op weg naar huis belde Matthew Feldman. Ze had in geen dagen van hem gehoord, dus ze had aangenomen dat hij op Big Island zat, waar hij piña coladas mixte voor zongebrande toeristen.

'Sophie Bushell! Hoe gaat het?'

'Als er een achtervolging op televisie is, dan zoek je maar iemand anders. Ik ben er klaar mee.' Het licht sprong op rood, en ze maakte van de gelegenheid gebruik om haar Prada-pumps uit te schoppen en met haar beknelde tenen te wiebelen.

'Geen achtervolging. Daar bel ik niet voor. Hoe is 't met mijn favoriete cliënt?' Hij gebruikte de gepatenteerde Matthew Feldman-stijl van korte, in staccato uitgesproken zinnen. Zo had ze hem niet meer horen praten sinds hij zijn ontslag had gekregen.

'Je favoriete éx-client,' verbeterde Sophie hem.

Hij lachte kakelend. 'Niet meer. Je hebt het tegen ICA's nieuwste en belangrijkste agent. Ik heb zelfs een eigen kantoor. Met een raam.'

'Het is niet waar!' International Creative Agency was ook een van de Grote Drie. Wat in de agentenwereld betekende dat Matthew Feldman niet langer een loser was.

'Ze deden me een aanbod dat ik niet kon weigeren.' Hij klonk erg tevreden met zichzelf. 'Ik heb een hele lijst met audities voor je. Televisie, film, de hele reut.'

Sophie glimlachte toen ze dacht aan zichzelf in de rol van Blanche DuBois.

'Geen televisie,' zei ze. 'En geen film. Ik wil het toneel op.'

Het licht sprong op groen. Sophie trapte het gaspedaal in en de auto schoot naar voren. Bij wijze van uitzondering was er weinig verkeer op Wilshire Boulevard. Het was alsof ze vloog.

❤

'De beste tv-series aller tijden. Als iemand met CSI komt aanzetten, zeg ik de vriendschap op.'

'*The Sopranos.*'

'Erg overschat.'

'Echt, volstrekt níét overschat.'

'*The Shield.*'

'Heeft iemand dat ooit gezien? Behalve de Hollywood Foreign Press Association?'

'Ja, een stuk of vijf, zes kijkers in het Midwesten.'

'Mijn moeder heeft *Northern Exposure* op dvd gekocht. Echt geweldig. Geniaal.'

Becca leunde achterover op haar ellebogen en sloot haar ogen tegen de zon. *Dit is echt wat ik me van het studentenleven had voor-*

*gesteld*, dacht ze. Samen met Isabelle, Taymar en Luke lagen ze op een plaid op het grote grasveld in het hartje van de campus te luieren. De zon brandde, de hemel was zo helder, zo blauw, dat het bijna pijn deed aan de ogen. De bergen achter hen waren bedekt met een kleed van groen. Studenten liepen af en aan op weg naar en komend van hun colleges. Ze wierpen jaloerse blikken op anderen – zoals Becca en haar vrienden – die het geluk hadden dat ze deze donderdagmiddag vrij waren. Te oordelen naar het aantal plaids op het dichtbevolkte grasveld, vermoedde Becca dat er behoorlijk werd gespijbeld. Na de lange winter in Vermont en een tot dusverre nogal sombere lente, kon ze dat niemand kwalijk nemen.

Alleen Isabelle wist dat het niet alleen aan het weer te danken was dat Becca zich had uitgestrekt op het gras – op een plekje dat toevallig op een paar stappen van Stuarts kamer lag. Na veel nadenken, na een maand van gesprekken met dr. Bleiweiss, na diverse telefonades met Harper en Sophie en e-mails naar en van Kate, en na enkele nachtenlange gesprekken met Isabelle, had ze besloten om met Stuart te gaan praten. Ze móést met hem praten. Om te beginnen om hem haar verontschuldigingen aan te bieden. Ten tweede om hem te zeggen dat ze nog altijd van hem hield. En ten slotte om te zien of hij eventueel bereid zou zijn haar nog een kans te geven – een kans om hem te bewijzen dat ze wel degelijk vertrouwen in hem kon hebben. Dat ze dat niet alleen kón, maar dat ze dat ook had. Dat ze dat altijd had gehad. De gedachte dat Stuart in de veronderstelling verkeerde dat ze hem niet vertrouwde, had ze aanvankelijk weten te negeren, maar het werd geleidelijk aan steeds moeilijker, het besef werd steeds pijnlijker, steeds nadrukkelijker, tot ze zich er voortdurend van bewust was.

Ze wilde gewoon dat hij wist hoe het zat. En hoe het vervolgens verderging... Nou ja, ze had natuurlijk haar verwachtingen. Grote verwachtingen. Maar haar vriendinnen hadden haar gewaarschuwd dat ze haar bruggen misschien achter zich had verbrand.

Ook al wilde dat natuurlijk niet zeggen dat er op dezelfde plek geen nieuwe brug kon worden gebouwd. Misschien zelfs een betere brug. Ze hoopte alleen dat ze daarvoor de kans zou krijgen.

Isabelle had haar keuzes in grimmige bewoordingen gedefinieerd. Becca kon vasthouden aan haar angst en blijven vluchten als de eerste de beste loser, of ze kon – ondanks haar angst – van Stuart blijven houden. Uiteindelijk zou de angst dan vanzelf weggaan, beloofde Isabelle.

'Hé!' Isabelle tikte Becca nadrukkelijk op haar arm.

Ze deed haar ogen open. Daar was hij. Ze zag hem de vertrouwde deur uit komen in een T-shirt dat zij voor hem had gekocht tijdens een skitoernooi in Wesleyan. Dat moest toch iets betekenen?

'Ben je er klaar voor?' vroeg ze zacht aan Isabelle, terwijl Taymar en Luke ruzieden over de kwaliteiten van *The Honeymooners* in vergelijking met *The Three Stooges*. Isabelle speelde een cruciale rol in het plan, dat er ongeveer als volgt uitzag: Stuart zou hun groepje zien (het was onmogelijk dat hij hen níét zag, daar hadden ze wel voor gezorgd); hij zou glimlachen, maar zich ongetwijfeld te ongemakkelijk voelen om naar hen toe te komen; en dus zou Isabelle hem geen keus laten en hem roepen en wild met haar armen zwaaien. Wanneer Stuart eenmaal een poosje met hen had gepraat, zou Isabelle vertrekken – en ervoor zorgen dat Taymar en Luke haar voorbeeld volgden.

Er kon niets misgaan. Het was een plan dat niet kon mislukken.

Alleen, Becca had niet op Emma Jenkins gerekend.

Op het moment dat Stuart hen in de gaten kreeg en Isabelle hem riep en begon te zwaaien, kwam Emma Jenkins naar buiten. Onbekommerd en beeldschoon in een gebloemde minirok en een wit-met-roze topje, schoof ze haar arm door die van Stuart en pakte ze soepel en zelfverzekerd zijn hand. Het gebaar wekte de indruk alsof ze voortdurend hand in hand liepen. Alsof ze daar het recht toe had.

Alsof ze zijn vriendin was.

Becca voelde een druk op haar borst, vergelijkbaar met een waterfles die te lang in de vriezer had gelegen – ijskoud, verstijfd en tegelijkertijd op het punt van exploderen.

Hij had iemand anders! Nu al. Maar dat kon toch helemaal niet! En waarom had ze niet méér zorg aan haar uiterlijk besteed? Ze had niet nadrukkelijk de aandacht willen trekken, maar nu voelde ze zich wel erg sjofel in haar kakishort en blauw katoenen topje.

Ze zag dat Stuart haar in de gaten kreeg. Het ontging haar niet dat hij zich scherp bewust was van Emma; en dat hij geen enkele behoefte had om naar hen toe te komen. Isabelle was gestopt met zwaaien zodra Emma naar buiten kwam, maar het kwaad was al geschied. Stuart en Emma kwamen naar hen toe.

'Hé, hallo!' zei Stuart, duidelijk niet op zijn gemak, tegen het hele groepje.

'Hoe gaat-ie?' vroeg Isabelle stralend.

Stuart mompelde iets dat ze op weg waren naar de bibliotheek, en Becca keek strak naar haar knieën, terwijl ze probeerde zich niet radeloos ongelukkig te voelen. *Ze studeren samen. Dat deden wij ook altijd.* Ze zou willen opspringen en Emma Jenkins willen aanvliegen. Haar hand uit die van Stuart trekken, haar tanden in Emma's zachte, bleke hals zetten.

Het enige wat ze deed, was naar Stuarts kaalgesleten tennisschoenen kijken. Het waren dezelfde Nikes die hij bij hun eerste ontmoeting had gedragen, op het footballveld. En nu droeg hij ze nog steeds, en hij hield de hand van Emma Jenkins in de zijne. De schoenen leken reusachtig vergeleken bij Emma's witte sandaaltjes.

De Nikes deden een paar stappen naar achteren. Becca keek op.

'Hé, tot ziens, hè!' zei Stuart tegen de groep als geheel.

'Dag!' Emma glimlachte. Ze had geen moment naar Becca gekeken. Alsof Becca niet bestond. Sterker nog, alsof ze nooit had bestaan.

Voordat hij zich omdraaide, bleef Stuarts blik heel even op Becca rusten, maar ze kon de uitdrukking in zijn ogen niet peilen. Stond er pijn in te lezen? Of opluchting?

Isabelle, Taymar en Luke keken allemaal naar haar.

'Wat is er?' Ze probeerde te glimlachen – en het feit te negeren dat Stuart van haar wegliep met een ander meisje; met de hand van dat meisje in de zijne. 'Niks aan de hand, hoor. Met mij is alles best.'

· 'Aha.' Taymar snoof. 'Vandaar dat alle kleur uit je gezicht is verdwenen.'

'Hé.' Luke stompte Becca kameraadschappelijk tegen haar schouder. 'Het stelt niks voor, dat gedoe met Emma. Hij valt gewoon terug in een oud patroon.'

Becca fronste haar wenkbrauwen. Hoezo, een oud patroon? Wat bedoelde hij? 'Ik snap het niet.'

'Heeft hij je dat niet verteld?' Luke keek schuldbewust.

'Wat?'

'Over Emma?'

Het bloed dat uit Becca's gezicht was weggetrokken, pompte nu kwaadaardig door haar borst. 'Wat is er met Emma?'

'Ze hebben vorig jaar iets met elkaar gehad. En een deel van het jaar daarvoor. Stuart heeft haar ontmoet tijdens een oriëntatiebezoek. Hij zat toen voor zijn eindexamen, en Emma was hier eerstejaars.'

'Dus... hij heeft voor Middlebury gekozen vanwege Emma?'

'Nou, zo sterk zou ik het niet willen zeggen...' mompelde Luke, weinig overtuigend.

'Maar het was al uit voordat hij jou leerde kennen,' zei Isabelle om Becca te troosten.

'En nu zijn ze weer samen.' Becca voelde zich als verlamd. Ze had gedacht dat haar jaloezie louter en alleen een reactie was op de gefrustreerde relatie van haar ouders. Dat het allemaal tussen haar oren zat. Dat ze in het reine moest zien te komen met haar problemen, en dat Stuart dan weer van haar zou houden. Zolang ze verstandig genoeg was om het niet weer te bederven. Emma werd geacht niet meer dan een klein obstakel te zijn op hun pad naar het geluk. Maar nu bleek dat hij van meet af aan eigenlijk alleen maar geïnteresseerd was geweest in Emma Jenkins.

De weg naar het geluk was niet bedoeld voor Stuart en Becca, maar voor Stuart en Emma.

Wat Becca tot het obstakel maakte.

❤

Soms was het alsof het hele universum je toelachte, dacht Kate.

De put in Teje was in recordtijd geslagen. Natuurlijk, aanvankelijk had het universum bedenkelijk gekeken, wat een schaduw op het project had geworpen, maar toen Mulugeta eenmaal om was, hadden de voorbereidingen en de daadwerkelijke werkzaamheden niet sneller en soepeler kunnen verlopen. De onderdelen waren op tijd en intact binnengekomen, de grondwaterspiegel was hoog, de ploegen werkten hard en waren goed georganiseerd, het weer was ideaal. Dus ze waren ruimschoots binnen het tijdschema gebleven.

Vandaag – een volle week eerder dan gepland – was de opening van de put op grootse wijze gevierd. Er was de hele dag gedanst, er waren toespraken gehouden, de lekkerste hapjes waren gepresenteerd, en zij was het allemaal misgelopen. Voor een zoektocht die door het universum blijkbaar níét welwillend werd bekeken.

Ze had eindelijk een aanwijzing gekregen over Angatu's zusje – Abebech had een vrouw in het dorp gevonden die beweerde de man te kennen met wie Masarat was meegereden naar Addis Abeba, nadat ze was weggelopen bij de boer die met haar wilde trouwen. Niet dat Kate er veel van verwachtte. Het was inmiddels zes jaar geleden dat Masarat was verdwenen, maar misschien zou de man in kwestie zich nog herinneren waar hij haar had afgezet, en of ze iets over haar plannen had gezegd, of over eventuele bekenden in de stad. Kate durfde haar bezoek niet uit te stellen, want volgens de vriendin van Abebech was de man erg ziek. Zelfs een uitstel van twee dagen kon al betekenen dat Kate te laat kwam.

Dus in plaats van deel te nemen aan de ceremonie ter ere van de put in Teje, had Kate – gewapend met een dikke stok om zich te kunnen verweren – de bijna vijf kilometer over de stoffige wegen naar het nabijgelegen dorp gelopen waar Eschetu ziek lag. Het dorp was zelfs nog kleiner en armoediger dan Mekebe, en Kate had niet lang nodig gehad om Eschetu te vinden.

Hij lag op bed, in het huis van zijn ouders, weggeteerd als gevolg van aids. Kate vermoedde dat hij pas een jaar of dertig was, maar zijn strakke gezicht was doorgroefd van pijn en totale uitputting.

Helaas herinnerde hij zich zo goed als niets over de toen twaalfjarige Masarat. Hij had haar opgepikt toen ze buiten het dorp stond te liften langs de weg, maar wist niet meer of ze welbewust naar Addis Abeba had gewild, of gewoon maar met hem was meegereden, ongeacht zijn bestemming. Hoe dan ook, hij meende zich te herinneren dat hij haar had afgezet in de buurt van Meskal Square, maar dat wist hij niet zeker – het was al zo lang geleden. En volgens hem had ze niets gezegd waaruit bleek dat ze bekenden had in de stad, maar ook dat wist hij niet zeker. Toen hij haar voor het laatst had gezien, liep ze over de drukke stoep, met haar schamele bezittingen in een smoezelige witte natala over haar schouder.

Het was op z'n zachtst gezegd ontmoedigend, en frustrerend. En ergens diep vanbinnen ook om woedend van te worden. Wat was er met Masarat gebeurd toen ze gedwongen was om het enige thuis dat ze had gekend, te ontvluchten? Hoe had ze zich in leven weten te houden? Tenminste, áls ze zich in leven had weten te houden...

Kate dwong zichzelf daar níét aan te denken, tijdens de voettocht terug naar Mekebe. In plaats daarvan had ze aan haar familie gedacht. En had ze beseft hoe dankbaar ze mocht zijn – ook al had ze haar ouders teleurgesteld door niet naar Harvard te gaan, en ook al had ze een veel betere zus voor Habiba kunnen zijn. Want ondanks dat hielden ze van haar.

En ze had hen nodig, nu meer dan ooit. Angatu had hen nodig.

Bij terugkeer in het dorp haastte Kate zich naar Abebechs restaurant, en ze betaalde de oude vrouw ruimschoots boven de standaardprijs om haar telefoon te mogen gebruiken. Het was de enige in het hele dorp, en Abebech was er buitengewoon zorgvuldig mee. Voor twee briefjes van honderd birr – en nadat ze Abebech ervan had verzekerd dat het telefoontje over Angatu ging – haalde de oude vrouw het oude, zwarte toestel van onder de met plastic beklede toonbank.

Met trillende vingers draaide Kate de internationale codes, gevolgd door het nummer van haar ouderlijk huis.

'Hallo?' De diepe stem van haar vader klonk luid en duidelijk.

Kate kreeg tranen in haar ogen. 'Hallo, wat eten we vanavond?'

'Katie?' Haar vader, beroemd om zijn kalmte en gelijkmatigheid, klonk op slag helemaal opgewonden. 'Ben jij het?'

'Ja, ik ben het,' zei Kate lachend.

'Wacht, dan roep ik je moeder en je zusje!'

Tien seconden later had Kate haar moeder, haar vader en Bibi aan de lijn, alle drie op een eigen toestel, en ze praatten allemaal door elkaar heen, ieder met zijn of haar eigen prioriteiten.

'Wanneer kom je thuis?' Haar moeder.

'Hoe gaat het met de put?' Bibi.

'We hebben nog niks van Harvard gehoord.' Haar vader.

'Ik moet jullie iets vragen,' zei Kate. 'Jullie moeten iets voor me doen.'

'Wat je maar wilt, lieverd,' zei haar moeder prompt.

'Wacht even, laten we het nu niet te gek maken,' grapte haar vader.

'Het is niet niks. En het zou kunen betekenen dat jullie hierheen moeten komen.'

Even bleef het stil aan de andere kant van de lijn. 'We doen mee,' zei Habiba toen.

Haar ouders begonnen te lachen – iets wat Kate heel lang niet had gehoord – en het maakte dat ze ineens naar huis verlangde. In de lange maanden dat ze inmiddels weg was, had ze geen moment last gehad van heimwee. Maar nu werd ze er plotseling door overweldigd, zodat het dreigde haar de adem te benemen. Ze miste haar familie, en haar vrienden en vriendinnen, om nog maar te zwijgen van een echt bed.

Maar het zou nu niet lang meer duren of ze was weer thuis. Het werk van haar ploeg in Ethiopië zat er bijna op. Voordat ze het wist, zat ze in het vliegtuig naar Colorado en zouden er beslissingen moeten worden genomen. Ging ze naar Harvard? Wist ze inmiddels wat ze wilde met haar leven? En dan was er nog de kwestie van de Droom. Daar had het tenslotte dit hele jaar om gedraaid – om erachter te komen wie ze wérkelijk was, los van de dromen en verwachtingen van haar ouders. Maar was ze daarin geslaagd. Had ze haar droom gevonden?

Kate zette de vraag van zich af. Het enige wat ze nu moest zien te vinden, was geen droom maar een mens: Masarat. Ze vertelde haar ouders alles wat ze tot op dat moment had gedaan om het vermiste meisje te vinden, samen met de geringe informatie die ze had over een mogelijke verblijfplaats en contacten.

'Ik kan hiervandaan wat research doen,' stelde haar vader voor. 'En dan moeten we maar zien hoe het loopt.'

'Oké.' Meer kon Kate op dat moment niet verwachten. Haar vader was geen man van snelle beslissingen. Hij was een denker, een plannenmaker. Net zoals zij dat tien maanden eerder was geweest, besefte Kate terwijl ze van Abebechs restaurant naar de kraal liep. Weloverwogen, licht obsessief, met een filosofie van alles op zijn tijd, alles stap voor stap.

Ze deed het hek open en liep het erf op. De maan stond net boven de straat, in geen van de hutten brandden nog kaarsen, dus blijkbaar was iedereen al naar bed. Kate mocht dan nog altijd de dochter van haar vader zijn, ze was ook een ander mens geworden. Om te beginnen minder bang, en spontaner. Ze durfde meer. In plaats van te vertrouwen op anderen om voor haar te beslissen, vertrouwde ze nu op zichzelf. Alleen al daardoor was het Droomjaar de moeite waard geweest.

Glimlachend duwde Kate de deur van de vrouwenhut open, waar hun gestage, regelmatige ademhaling verried dat Dorothé en Jessica in diepe slaap waren. Dorothé had een blok op het vuur gegooid, dat een warme, oranje gloed door de hut verspreidde. Op het vuilwitte geitenvel onder haar klamboe glinsterde een glazen potje in het schemerige licht. Kate trok het gaas opzij, pakte het potje en vouwde het briefje open dat eronder lag.

'Dit is het eerste water uit de bron van Teje. Ik vond dat jij dat hoorde te krijgen. Gefeliciteerd.'

Kate hield het potje omhoog. Het water zag er zanderig en grijs uit. Het schroefdekseltje was roestig en gedeukt. Het was niet helemaal gelukt om het etiket van het glas te peuteren, zodat er dikke, gomachtige korsten waren achtergebleven, zwart van het vuil.

Kate glimlachte. Dit smerige potje met zanderig water... was veruit het mooiste cadeau dat ze ooit had gekregen.

# Engels 234 – Moderne Afrikaans-Amerikaanse Literatuur

Professor Anita Smith
College-uren: ma, wo, vr 11.00 – 12.15 uur
Kantooruren: do 15.00 – 17.00 uur
Telefoonnr.: (802) 555-4320

Beoordeling: 1/4 presentie bij colleges
1/4 examen
1/2 papers

**Belangrijk:** Werkstukken die worden gedownload van het internet scoren geen punten. Hetzelfde geldt voor papers waarin stukken zijn overgenomen uit uittrekselboeken of – nog ernstiger – van andere studenten. Tegen de student die zich hieraan schuldig maakt, zullen disciplinaire maatregelen worden genomen. Ik zal er persoonlijk voor zorgen dat iedereen die welbewust gebruikmaakt van andermans werk, naar huis wordt gestuurd. Duidelijk? Mooi zo.

Veel plezier met lezen.

**Syllabus:**

**Week 1**: Their Eyes Were Watching God (Zora Neale Hurston)

**Week 2**: Invisible Man (Ralph Ellison)

**Week 3**: Paper nr. 1 (Onderwerp nog te bepalen)

**Week 4**: The Color Purple (Alice Walker)

**Week 5**: Native Son (Richard Wright)

# ZESTIEN

HARPER HAD EEN STRATEGIE. Ze zou twee biertjes drinken en dan naar huis gaan. Eén biertje was niet genoeg. Eén biertje, dat kwam neer op: *Ik heb hier helemaal geen zin in en ik ga zo snel mogelijk weer weg.* Twee biertjes, dat betekende: *Ik heb het zo naar mijn zin dat ik mezelf nog eens heb bijgetapt, maar helaas moet ik voor elven thuis zijn.* Misschien lukte het zelfs om er halfelf van te maken, als ze een beetje doordronk.

Judd had haar pas die ochtend om zes uur, toen ze samen Café Hemingway openden, verteld over het feestje in zijn studentenhuis waarvan hij een van de organisatoren was. Omdat hij haar had overvallen vóór haar eerste drie koppen koffie, was ze nog niet scherp genoeg geweest om meteen een excuus te produceren. Ze had overwogen op het laatste moment af te zeggen, maar ze wist wat de gevolgen zouden zijn als ze haar gezicht niet liet zien. Dan zou Judd opnieuw dreigen met een 'gesprek'. En dat was iets wat tegen elke prijs moest worden vermeden, om redenen waar ze niet helemaal zeker van was. Dus daar stond ze dan, in de sjofele, stampvolle grote zaal van Elmer Hall, omringd door veel te luidruchtige eerstejaars die al veel te veel gedronken hadden, nippend van haar eerste Coors Light.

'Ik ben zo blij dat je er bent.' Amelia schonk haar een glimlach en schoof haar retrobril wat hoger op haar neus. Haar ogen mochten dan te dicht bij elkaar staan, ze zag er geweldig uit in haar korte, rode wollen jurkje met een zwarte maillot en leren laarzen. Harper wilde dat ze iets anders had aangetrokken dan haar eeuwige spijkerbroek. Ze voelde zich net een vent.

'Bedankt.' Harper wist niet goed wat ze verder moest zeggen. Die ochtend had Judd haar de indruk gegeven dat ze die avond samen zouden optrekken, 'net als vroeger'. Inmiddels besefte ze echter dat hij dat alleen maar had gezegd, omdat hij wilde dat Harper optrok met *Amelia*, terwijl hij de twee vaten bier bemande die ze illegaal hadden weten te bemachtigen.

'Hij heeft het voortdúrend over je.'

'O ja?' Harper probeerde zich voor te stellen wat hij dan zei. *Harper is vandaag weer een pond aangekomen. Harper heeft vandaag een heel pak gemalen koffie over de kassa gemorst. O, heb ik je verteld dat Harper en ik vroeger altijd vrijden? Dat was voordat ik chocolademelk voor je maakte en we verliefd op elkaar werden...*

Aan de andere kant van de zaal speelde Poppy (in een strakke zwarte legging die alleen zij zich kon permitteren, en een koningsblauwe, mouwloze jurk, die ze in de taille had aangesnoerd) darts met een vent die een enorme elandskop op zijn hoofd had gezet. *George.* Harper vroeg zich af of het onbeleefd zou zijn om hun te vragen een pijltje naar haar hoofd te gooien.

'Ik vind het echt geweldig dat jullie beste vrienden zijn.' Amelia zette haar lege beker tussen ongeveer twintig andere op een met bier bevuilde pingpongtafel.

*Beste vrienden?* Had hij gezegd dat ze beste vrienden waren? Die gedachte bezorgde Harper een lichte steek in haar hart. Niet omdat Judd en zij de laatste tijd nogal moeite hadden gehad met het in ere houden van hun vriendschap. Maar omdat ze het verdrietig vond dat zij die rol in zijn leven vervulde. Zij had Sophie en Becca en Kate, ook al hadden ze elkaar de laatste maanden nauwelijks gesproken. Judd had... niemand. Behalve Amelia.

'Het idee dat mannen en vrouwen geen totaal platonische relatie zouden kunnen hebben is zó iets van de twintigste eeuw.'

Harper knikte, tikte met haar biertje tegen haar kin. Blijkbaar had Judd de 'extra's' van hun geweldige vriendschap onbesproken gelaten. Ze vroeg zich af hoe Amelia zou reageren als ze de waarheid wist. Niet dat ze die van Harper te horen zou krijgen. Dat zou een rotstreek zijn, en Harper mocht dan onmogelijk en nors kunnen zijn, zoiets zou ze nooit doen. Trouwens, ze had ook geen enkele reden om Amelia uit de droom te helpen. Ze had er geen behoefte aan een wig te drijven tussen haar en Judd. Als ze die behoefte wel had gehad, zou ze hier niet hebben gestaan, aan een laf biertje, gezellig babbelend met Amelia.

'Ik was eerst bijna een beetje jaloers op je,' bekende die, met haar slanke heup tegen de gammele tafel leunend. 'Want ik dacht dat Judd verliefd op je was.'

Harper nam een grote slok van haar Coors Light. 'Doe niet zo idioot!'

'Nee, inmiddels weet ik beter. We hebben er bijna een keer ruzie over gehad.' Ze dempte haar stem. 'Maar toen heeft hij me verteld over die leraar Engels.'

'Meneer Finelli?' Geweldig! Judd vertelde haar diepste en meest vernederende geheimen aan het meisje dat hem had ontmaagd.

Amelia ving Judds blik op en zwaaide naar hem. 'Judd zei dat je nog steeds verliefd op hem bent. Ik vind het rot voor je dat hij je hart heeft gebroken. Maar je mag wel zo ontzettend blij zijn dat je Judd had om je erdoorheen te slepen. Ik ken niemand die zo begrijpend is als hij.'

Harper had nooit gezegd dat meneer Finelli *haar hart had gebroken!* Oké, misschien had ze het geïmpliceerd. Maar een echte heer zou die informatie vóór zich hebben gehouden. Bovendien viel meneer Finélli niets te verwijten. Ze had het allemaal zelf gedaan, door zich te gedragen als een volstrekte idioot. En dacht Judd écht dat ze nog steeds verliefd was op meneer Finelli? Of had hij dat alleen maar gezegd om Amelia niet op het spoor te brengen van hun 'vriendschap met extra's'? Ze sloeg de rest van haar bier achterover en gooide het bekertje op de pingpongtafel.

'Ik heb dringend nog een borrel nodig,' kondigde ze aan, en ze draaide zich op haar hakken om. Nog één gang naar het vat, en dan kon ze deze nachtmerrie de rug toekeren.

'Zeg maar tegen Judd dat ik zo terug ben,' riep Amelia. 'Ik moet al een uur piesen.'

Terwijl Harper koers zette naar het vat, besloot ze dat ze haar tweede biertje een stuk sneller zou opdrinken dan het eerste. Want ze wist niet zeker hoeveel meidenpraat ze nog aankon.

'Vermaak je je een beetje?' Judd vulde haar beker tot de rand met lauwwarme Coors Light.

'Hm... ja hoor.' Ze slaagde erin minstens een centimeter bier te morsen terwijl ze het dunne bekertje naar haar mond bracht.

Hij straalde. 'Vind je Amelia niet fantastisch? Ik wist gewoon dat jullie het geweldig zouden kunnen vinden samen als jullie elkaar wat beter leerden kennen.'

'Ja... o ja... geweldig. Echt geweldig.' Harper sloeg hem waarderend op zijn rug. 'Trouwens, ze is naar de wc. Amelia. Dat moest ik tegen je zeggen.'

Judd keek haar doordringend aan. 'Je vindt haar echt aardig, hè? Dat zeg je niet alleen om mij een plezier te doen?'

'Ik vind haar absoluut helemaal geweldig.' Aan de andere kant van de zaal hoorde ze Poppy lachen: een van haar pijltjes had zich in de reusachtige elandskop van George geboord. Harper werd bestookt door een vlaag van schuldgevoel. Waarom was zij de enige op de hele wereld die moeite leek te hebben met het idee van vriendschap met extra's? 'Ik ga Poppy even gedag zeggen.'

Ze baande zich een weg door de luidruchtige, dicht opeengepakte feestvierders, vastberaden van haar tweede biertje drinkend.

'Hallo!' Harper proostte met haar inmiddels al halflege beker. Poppy grijnsde. Ze had haar zwarte haar in een strakke knot bij elkaar gebonden en haar lippen donkerrood gestift, wat een nogal dramatisch effect opleverde. Al met al zag ze eruit alsof ze in een nachtclub in Manhattan op de dansvloer zou moeten staan, in plaats van pijltjes te gooien met een vent in een elanden-pak.

'Harper! Ik had al naar je toe willen komen, maar ik had het te druk met winnen van Liam. We spelen om een gratis maaltijd.'

'Wie is Liam?'

De vent met de elandenkop stak Harper zijn hand toe. 'Leuk je te ontmoeten.' Hij had een sexy, zij het enigszins gesmoord, Iers accent.

'O? Dus je bent George helemaal niet?' Duh. Dat was duidelijk, maar Harper vond het allemaal erg verwarrend. Als Poppy de hele avond darts speelde met Liam, wáár was George dan? Ze had gedacht dat die twee onafscheidelijk waren.

Poppy pakte een reusachtige automok van UC van de lage tafel, die onder de brandplekken van sigaretten zat, en goot iets in haar mond dat rook naar schoonmaakvloeistof. 'Ik heb George al in geen twee weken meer gesproken.'

'Hè? Waarom is dat?' Harper was zo verrast dat ze vergat haar bier achterover te slaan.

'Hé, Liam... zullen we er nog één nemen?' Poppy hield hem haar automok voor, waarop de Elandenkop gehoorzaam naar de reusachtige schaal met 'punch' slenterde die naast de vaten bier stond. Poppy keerde zich naar Harper, boog zich naar haar toe en dempte haar stem. 'Dat idee van vriendschap met extra's bleek toch niet zo'n succes. Het is maar goed dat Judd en jij er nooit aan zijn begonnen.'

'Maar het was toch "Vrijheid, blijheid"?'

Poppy snoof. 'Praat me er niet van! Dat is zo'n onzin. Ik heb Liam leren kennen bij een poëziefestival, en ik was meteen hele-maal weg van zijn accent. We hebben gezoend, en toen ik dat aan George vertelde, ging die volledig door het lint. Sindsdien heeft hij geen woord meer tegen me gezegd.' Ze rolde met haar ogen. 'Het blijkt dat hij al die tijd stiekem verliefd op me is geweest. Toen ik voorstelde dat we onze relatie misschien verder zouden moeten onderzoeken en naar een volgend niveau zouden moeten tillen, zei hij dat ik alles kapot had gemaakt door een andere vent te zoenen. De klootzak.'

'Wauw.' Harper nam een reusachtige slok bier. Ze had de beker leeggedronken zonder dat ze er moeite voor had hoeven doen.

'Zoals ik al zei, gelúkkig dat Judd en jij er nooit aan zijn begonnen. Uiteindelijk raakt een van de twee toch bezeerd. Dat is onvermijdelijk.' Poppy sloeg zuchtend op haar perfecte billen. 'Als George en ik gewoon met daten waren begonnen, zoals normale mensen, zouden we nu knus samen skateboardvideo's kijken. In plaats daarvan ben ik veroordeeld tot een eindeloze dartmarathon, met een vent met een reusachtige elandenkop op zijn hoofd.'

'Wauw.' Merkwaardig genoeg voelde Harper zich ineens een stuk beter. Poppy en George práátten niet meer met elkaar. Zíj was er zelfs in geslaagd een normaal gesprek te voeren met Judds nieuwe vriendin.

Tien minuten later, nadat ze haar tax van twee biertjes had gehaald en iedereen dag had gezegd, fietste Harper door de kille straten van Boulder naar huis. Ze ademde de koele avondlucht in en probeerde het lawaai van de party buiten te sluiten. Maar terwijl ze haar trappers steeds sneller liet rondgaan, bleef ze in gedachten haar gesprek met Poppy herhalen. Hun situatie was totaal anders. Harper had geen behoefte om skateboardvideo's met Judd te kijken. Absoluut niet. Zoals Judd tegen Amelia had gezegd, was ze verliefd op iemand anders.

In plaats van links af te slaan op Pearl Street, stuurde ze haar fiets naar rechts, Rose Drive op. Ze was het niet van plan geweest. Of misschien ook wel. Hoe dan ook, voor het half vrijstaande huis van meneer Finelli aangekomen, trapte ze op de rem en staarde ze naar de keuken, waar licht brandde. Ze stelde zich voor dat hij aan de koffie zat, werkstukken te corrigeren, of misschien las hij de *New Yorker*. Tot op dat moment had ze geprobeerd niet aan hem te denken, op dezelfde manier zoals ze probeerde niet aan haar roman te denken, tenzij ze op de wc zat te schrijven.

Maar nu... Ineens besefte Harper dat Judd alleen maar een afleidingsmanoeuvre was geweest. Dat meneer Finelli... Adam... de man was die ze werkelijk wilde. En ze was bereid ervoor te gaan! Ze zou zich verontschuldigen voor haar krankzinnige, bijna gewelddadige reactie toen hij kritiek had geleverd op de eerste vijftig bladzijden gezever die ze hem ter beoordeling had laten lezen. Ze zou zorgvuldig geformuleerd uiting geven aan haar diepste gevoelens en hem terugveroveren. Dan zou hij Tara terzijde schuiven, hij zou haar in zijn armen nemen en vurig, hartstochtelijk de liefde met haar bedrijven. En zij zou zich tegen hem aan nestelen, en ze zouden samen skateboardvideo's kijken. Hun geluk zou volmaakt zijn.

'Harper?'

Shit! Adam zat niet in de keuken aan de koffie, hij zat geen werkstukken te beoordelen of de *New Yorker* te lezen. Hij stond naast haar, in een verschoten spijkerbroek en een grijze trui, met een verbijsterde uitdrukking op zijn knappe gezicht. In zijn hand hield hij een riem, en aan het eind daarvan zat een kleine Jack Russell, die haar nieuwsgierig opnam. Ongetwijfeld de hond van Tara.

'Ik dacht dat ik een lekke band had,' zei ze gehaast, en ze klom weer op het zadel. Ze moest hier weg! 'Maar ik heb me vergist. Dag!'

'Loop nou niet weg!' riep hij haar na. Zijn stem klonk klaaglijk. 'Dat doe je altijd!'

Terwijl Harper wegfietste, zo snel als haar gespierde benen de pedalen konden laten ronddraaien, besloot ze dat het geen gebrek aan moed was dat haar deed vluchten. Het was toewijding, inzet. De vorige herfst had ze tegen meneer Finelli gezegd dat ze hem niet meer zou zoenen totdat ze de eerste vijftig bladzijden van haar roman af had. Inmiddels was ze met haar nieuwe roman een heel stuk verder dan vijftig bladzijden, en wat ze had geschreven was aanzienlijk beter dan haar eerste probeersel. Ze moest haar roman afmaken. Dán pas zou ze zich verontschuldigen voor haar krankzinnige gedrag.

En als Adam haar terugnam... Misschien zouden Judd en zij dan in de toekomst kunnen dubbeldaten.

❤

Altijd was er dat moment, net voordat Sophie het toneel op liep, waarop het leek alsof de wereld stilstond, op haar wachtte. Ze had het elke keer weer ervaren, al sinds haar eerste optreden als levensgrote tand in het toneelstukje op de kleuterschool over mondverzorging. Het was een moment waarop niets anders ertoe deed. De ruzie niet die ze 's ochtends met haar moeder had gehad, het slechte cijfer voor geschiedenis niet, een gebroken nagel niet. Welke krachten zich in het universum ook leken te verzamelen om tegen haar samen te spannen... ze vielen allemaal weg. Op dat moment was ze niet eens meer Sophie Bushell, maar levende, ademende kunst, op het punt te worden onthuld aan wie zich achter het gordijn bevonden.

Wat ze nu ervoer, kwam zelfs niet in de buurt van dat moment. Ze zat op een van de fluwelen stoelen in het enorme Mark Taper Theater, in een oude Levi's en een geel Gap-T-shirt. Haar zwarte krullen had ze in een losse paardenstaart bij elkaar gebonden. En ze voelde zich in de zevende hemel. Want voor het eerst sinds ze naar LA was verhuisd en aan haar Droomjaar was begonnen, wist ze dat het moment weer zou komen.

Ze had de rol gekregen.

Sophie ging de zeventienjarige Debbie spelen in *The Real Thing* van Tom Stoppard, een rol waardoor de carrière van Cynthia Nixon in een stroomversnelling was geraakt toen ze hem als tiener op Broadway had gespeeld. Wanneer ze er langer dan twintig seconden aan dacht, kreeg ze moeite met ademhalen.

'We gaan dit stuk niet alleen repetéren. We gaan ervoor zorgen dat we het zíjn.' Sebastian Kramer, de regisseur die was bekroond met een Tony Award, ijsbeerde over het toneel, hij trok aan zijn grijzende haar en deed de planken af en toe kraken door om redenen slechts hem bekend op en neer te springen. Hij was al meer dan een uur aan het woord, maar Sophie kon er geen genoeg van krijgen.

Ze had zes dagen eerder auditie gedaan voor de rol. Toen ze tegen Matthew Feldman had gezegd, dat ze geen belangstelling had voor film en televisie, maar zich wilde concentreren op het toneel, had hij geroepen dat ze te veel Xanax had geslikt. Daarop had Sophie hem duidelijk gemaakt dat ze door toneel te doen het soort geloofwaardigheid zou opbouwen dat televisie en zelfs film haar niet kon geven. Als het theater goed genoeg was voor Julia Roberts, dan was het ook goed genoeg voor haar. Uiteindelijk was hij gezwicht – onder protest.

'Je gaat geen auditie doen voor de een of andere kloterol, in het een of andere klotestuk, van de een of andere kloteregisseur!' had hij getierd. 'Ik wil je niet op het toneel zien, rondrennend in een laken, schreeuwend over de wind. We doen alleen klassiek toneel.'

Sophie begon te lachen. 'Oké, geen geschreeuw over de klotewind.'

'Als dat maar duidelijk is.' Toen had hij de verbinding verbroken.

Twee dagen lang had ze niets meer van hem gehoord. Ze werkte bij Mojito, ze ging joggen, ze gaf zichzelf een lang uitgestelde pedicure. En ze wachtte af. Telkens wanneer de telefoon ging, begon haar hart te bonzen. Ze geloofde in Matthew Feldman, omdat hij in haar geloofde. Oké, omdat hij in haar geloofde én omdat hij tegenwoordig een kantoor had met een raam.

De derde dag belde hij. Ze was op haar werk en stond samen

met Celeste haar horoscoop te lezen in de LA *Times*, in afwachting van de drukte rond het diner. *De ster van de leeuw is rijzende.*

'Zorg dat je morgenochtend om negen uur bij het Taper bent,' luidde zijn opdracht. 'Dit is je kans! Om uit te stijgen boven de rotzooi. Eén kans. Meer niet. Dus zorg dat je het niet verknalt.'

Sophie was de hele nacht opgebleven, om *The Real Thing* te bestuderen, een toneelstuk over liefde, huwelijk en verraad. Maar toen ze bij het theater arriveerde, had ze zich nog nooit zo wakker gevoeld. Ze zat twee uur in de lobby, terwijl anderen de zaal binnengingen en weer naar buiten kwamen. Er zaten een paar min of meer bekende gezichten bij en wat karakterspelers die ze herkende, maar het waren voornamelijk onbekenden zoals zij.

Bij wijze van uitzondering had ze zichzelf verboden vergelijkingen te maken. Dus geen 'Zij is knapper dan ik', of 'Ik ben langer', of 'Hij ziet er nerveuzer uit dan ik'. Ze had rustig afgewacht, geconcentreerd op zichzelf, en had geprobeerd alles om zich heen buiten te sluiten.

Toen Sophie eindelijk aan de beurt was, had Sebastian Kramer helemaal achter in de zaal gezeten, onderuitgezakt in zijn stoel. Als ze niet volledig was opgegaan in de monoloog die ze had voorbereid, zou ze misschien beledigd zijn geweest omdat het leek alsof hij sliep. Maar toen ze klaar was, stond hij op.

'Iemand belt je morgen om je te vertellen wat ik heb besloten. Maar begin vast je agenda leeg te maken voor de komende drie maanden.' Hij had een schorre stem, van jarenlang roken en tegen acteurs schreeuwen.

Ze had niet de hoofdrol gekregen. Dat had ze ook niet verwacht. Maar de rol van Debbie was pittig, had diepgang, was een feest om te spelen, ook al had ze maar één scene. Sophie was van plan er alles uit te halen wat erin zat.

'Ik wil dat jullie je toneelkleding altijd aanhouden. Als je boodschappen gaat doen, als je naar de voetbalwedstrijd van je vriend gaat, onder de douche. Want je bent niet langer jezelf, maar je personage.' Eindelijk hield Sebastian op met ijsberen. 'Zo, en dan is het nu tijd voor het serieuze werk. Aan de slag!'

'Yes, sir!' Sophie was niet van plan geweest iets te zeggen, maar in haar enthousiasme was het haar ontglipt.

De donkere jongen die naast haar zat, boog zich naar haar toe. 'Rustig maar. Dit is het leger niet,' mompelde hij glimlachend. Ze herkende hem van Steve Buschemi's eerste film. Donker haar, sprekende hondenogen. Als ze de mannen niet had afgezworen, zou Sophie hebben teruggeflirt.

Sebastian keek vanaf het toneel grijnzend toe. 'Laat haar met rust. Een beetje respect heeft nog nooit een voorstelling kwaad gedaan. Kom op, mensen. We gaan beginnen.'

Sebastian verstond onder een repetitie iets heel anders dan Sophies leraar drama op de middelbare school. In plaats van het oefenen van scènes uit het stuk, liet hij de kleine cast urenlang improviseren in de rol van hun personage. Na zes uur had Sophie een zere keel van het schreeuwen tegen haar fictieve ouders over wat ze zogenaamd allemaal verkeerd hadden gedaan. Alles wat ze ooit tegen haar echte vader en moeder had willen zeggen, kwam er nu uit op het toneel.

'Ik wil dat jullie allemaal zorgen dat je vannacht acht uur slaap krijgt,' riep Sebastian ten slotte met bulderende stem. 'Morgen gaan we aan de slag om jullie een Engels accent aan te leren.'

Sophie pakte haar zwarte Gap-tas van de stoel op de eerste rij. Morgen gingen ze het allemaal opnieuw doen. Maar nu was ze zo uitgeput dat ze het liefst een dutje in de auto zou doen voordat ze naar huis reed.

Toen ze naar de uitgang liep, voelde ze plotseling een zware hand op haar schouder. 'Die vent achter in de zaal zit al een uur naar je te kijken. Volgens mij val je bij hem in de smaak.'

Sophie keek naar de achterste rijen van het enorme theater. Het was er schemerig, maar ze ontdekte een man van middelbare leeftijd, met een pet van de Dodgers over zijn voorhoofd ge-

trokken. Hij zat een kruiswoordpuzzel te maken. 'Wie is dat?'
Sebastian haalde zijn schouders op. 'Geen idee. Blijkbaar is de
beveiliging hier waardeloos.' Hij gaf haar een kneepje in haar
schouder. 'Welterusten, Debbie.'

Net waar ze op zat te wachten! Een of andere overjarige grie-
zel die zijn oog op haar had laten vallen. Ze overwoog vluchtig
een klacht in te dienen bij de bedrijfsleider, om althans een poging te doen ongure types buiten de deur te houden. Toen kwam
ze tot de conclusie dat Sophie Bushell zich misschien druk zou
maken over wie er naar haar keek, maar Debbie niet.

Desondanks voelde ze er niets voor het slachtoffer te worden
van de Gluurder. Dus van een dutje op het parkeerterrein kon
geen sprake zijn.

❤

Kate reikte in haar rugzak – niet omdat ze haar lippenbalsem echt
nodig had, maar omdat ze geen andere manier kon bedenken om
heimelijk een zijdelingse blik op Darby te werpen. Hij zat al vijf
minuten zwijgend naast haar, zijn benen nonchalant gekruist bij
de enkels, zijn armen over de rugleuningen van de stoelen aan
weerskanten. Hij leek merkwaardig op zijn gemak hier op het
vliegveld van Addis Abeba, waar ze wachtten op haar ouders.

Maar ze begreep nog steeds niet goed wat hij hier deed.

Toen ze de groep had verteld dat haar familie naar Ethiopië
kwam en dat ze hen ging halen in Addis Abeba, had Darby erop
gestaan met haar mee te vliegen. Blijkbaar had hij een of andere
ontmoeting met de mensen van Water Partners – wat verklaarde
waarom hij in Addis was, niet waarom hij per se met haar op het
vliegveld wilde blijven, om op de aankomst van haar familie te
wachten.

Tijdens de vlucht van Bahar Dar hierheen waren ze nauwelijks
nader tot elkaar gekomen. Kate was zelfs ongebruikelijk nerveus
geweest. In gedachten beleefde ze telkens opnieuw zijn kus – die

ene, volstrekt verbijsterende kus. Alles wat daaromheen hing, leek er niet toe te doen – het feit dat hij was weggelopen, dat hij boos was geweest. Dat was naar de achtergrond verdwenen, overweldigd door de bulderende donderslag van *de kus*.

Kate had er in Mekebe voortdurend aan moeten denken – telkens wanneer ze hem zag, wanneer ze zijn stem hoorde, wanneer iemand zijn naam noemde, wanneer ze de oranje kleur van zijn T-shirt zag... wat heel vaak gebeurde. Oranje was niet zo'n ongebruikelijke kleur als ze ooit had gedacht. Het was óveral. Het achtervólgde haar.

Zelfs de ruggen van de stoelen in het vliegtuig waren oranje geweest. Niet dat het enig verschil maakte voor de frequentie waarmee ze aan hem dacht – hij zat pal naast haar, met zijn elleboog naast de hare op de armleuning. Zelfs al had ze het geprobeerd, dan zou Kate hem niet uit haar gedachten hebben kunnen zetten. En ze hád het geprobeerd – eerst door te doen alsof ze sliep, toen door dezelfde bladzijde van *Mama Day* drieënveertig keer te lezen. Gelukkig was het een korte vlucht.

En nu hing hij nonchalant in de stoel naast haar, alsof het volkomen vanzelfsprekend was dat hij samen met haar wachtte op de aankomst van haar ouders en haar zusje. Ze had gezegd dat hij niet hoefde te blijven, dat hij gerust naar het hotel kon gaan. Dus... wat deed hij hier? Probeerde hij haar tot waanzin te drijven?

Kate smeerde haar bovenlip langzaam in met lippenbalsem. Waarom zei hij niets? Verlegen tuitte ze haar lippen.

'Mag ik ook wat?' Darby stak een gebruinde hand uit.

'Eh... natuurlijk.' Kate gaf hem het kleine gele blikje. Hij ging iets op zijn lippen doen wat zij ook gebruikte! De gedachte maakte dat er vlindertjes begonnen te fladderen in haar buik. Het was belachelijk, mopperde ze op zichzelf. Ze vond hem niet eens léúk.

Oké, vooruit, ze vond hem wél leuk.

Maar dat maakte niet uit. Want het kon toch nooit iets worden tussen hen.

Hoewel, misschien ook wel.

Darby stak zijn hand weer uit. 'Bedankt.' Glimlachend gaf hij haar het blikje lippenbalsem terug, met een twinkeling in zijn lichtbruine ogen. 'Is er een speciale reden dat je niet tegen me praat?'

Kate deed haar mond open. Het was niet waar dat ze niet tegen hem praatte!

'Ik... Er is geen...' Ze wist niet wat ze moest zeggen.

'Je hebt al twee uur niks gezegd.'

'Jij ook niet tegen mij!'

'Nee, ik probeer een beetje afstand te nemen omdat ik je heb gezoend, en omdat je volgens mij toen nogal door het lint ging.'

Kate slikte. 'Ik ging niet door het lint.'

Wauw! Ze kon het bijna niet geloven, maar ze gingen erover praten, in een echt gesprek. Ze wist niet zeker of ze daar wel klaar voor was.

'Sindsdien heb je amper meer een woord tegen me gezegd.' Hij keerde zich naar haar toe.

'Ik... ik wist niet wat het te betekenen had.' Het kostte haar de grootste moeite om hem aan te kijken zonder hem te smeken haar opnieuw te zoenen. 'Je reageerde behoorlijk pissig, en toen stormde je naar buiten. Bovendien heb ik het nogal druk gehad. Met de put, en met het zoeken naar Angatu's zusje.'

'Dus met andere woorden, ik was niet je eerste prioriteit.' Hij glimlachte bijna spijtig.

Kate beantwoordde zijn glimlach en keek toen weer naar de betegelde vloer. 'Ik had geen idee dat je dat wilde zijn.' Nog even, en ze bood hem haar lippen aan. Ze voelde dat ze zich niet lang meer zou kunnen inhouden.

'Misschien...' Maar wat Darby had willen zeggen, werd afgekapt door de buitengewoon luidruchtige aankomst van haar ouders, vergezeld door een hoge kreet van Habiba.

'Katie! Daar is ze! Katie!' Haar moeder schreeuwde bijna.

'Daar is mijn meisje!' De stem van haar vader schalde door de reusachtige hal van het luchthavengebouw.

'We zijn er!' riep Bibi, die liep te stuiteren van opwinding.

Kate was verrast door de blijdschap die ze voelde. Na bijna een jaar weg te zijn geweest was het een overweldigende ervaring om haar familie weer te zien, gehuld in praktische reiskledij. Ze stond lachend op van haar stoel en rende met open armen naar hen toe.

Terwijl haar vader haar omhelsde, dacht Kate aan de ochtend waarop ze hem had verteld dat ze niet naar Harvard ging. De uitdrukking op zijn gezicht zou voorgoed in haar geheugen gegrift blijven. Zo stil, zo boos, zo met stomheid geslagen. En haar moeder was er kapot van geweest. Ze hadden haar verweten dat ze een slecht voorbeeld was voor Habiba, een verwijt dat Kate nog altijd oneerlijk vond. De eerste maanden na haar vertrek naar Europa had ze dan ook geen contact gezocht.

En nu waren ze hier! Haar blonde vader en moeder hielden haar in hun armen, ze waren de halve wereld over gevlogen om haar te helpen en bij te staan. Ze wist dat hun bereidheid een rechtstreekse reactie was op alles wat ze had bereikt. Als ze in plaats van te gaan studeren alleen maar met een rugzak door Europa had getrokken, zouden ze die moeite niet hebben gedaan. Sterker nog, dan zouden ze haar uiteindelijk niet weer thuis hebben verwelkomd met de vreugde en de trots waarmee ze haar nu begroetten. Maar ze had niet alleen met een rugzak rondgetrokken, ze had zich tot taak gesteld om zichzelf te ontdekken, om te groeien, om de wereld te verkennen en zo veel mogelijk te leren. En ze had haar energie op meer dan alleen zichzelf gericht, iets waarvan ze wist dat haar ouders het enorm waardeerden. Niet dat ze het voor hen had gedaan. De goedkeuring van haar ouders was geen punt van overweging geweest toen ze had besloten naar Afrika te gaan.

Habiba wel. Kate maakte zich los uit de omhelzing van haar ouders en sloeg haar armen om haar zusje, die tranen in haar donkere ogen had.

'Ik hou van je, zusje,' fluisterde ze in Habiba's oor.

'Ik ook van jou,' mompelde die terug. Over de schouder van haar zusje zag Kate dat de ogen van haar moeder ook vochtig waren.

'Is het gek om terug te zijn?' vroeg Kate aan Habiba. Ze verbrak de omhelzing, maar hield haar arm stevig om de schouder van haar zus.

'Dat weet ik nog niet.' Habiba grijnsde. 'Ik ben er net.'

Habiba keek naar de open en dicht schuivende glazen deuren, naar de mistige middag daarachter. Ook al lag het vliegveld ver buiten de stad, ook hier hing er een sterke geur van rook in de lucht. 'Wauw.' Ze haalde diep adem. Ten slotte keerde ze zich naar Kate. 'Wie is dat lekkere ding?' vroeg ze met grote ogen. 'Is dat Dárby?'

Kate stikte bijna.

'Ja, dat ben ik.' Darby kwam met uitgestoken hand naar hen toe. Hij begroette eerst Kates vader, toen haar moeder en ten slotte Habiba.

Kates vader glimlachte. 'Wat is er met Magnus gebeurd?'

Kate kon wel door de grond zakken! Móést hij haar per se in verlegenheid brengen?

'O, dat is voorbij,' zei Habiba. 'Volgens Darby was hij een... Nou ja, dat kan ik maar beter niet zeggen.'

Kate keek naar Darby, hun blikken kruisten elkaar, en ze zag de schittering in zijn ogen. Toen keerde hij zich naar haar ouders. 'Kate is geweldig,' zei hij. 'Ze heeft in vier maanden meer voor elkaar gekregen dan alle andere vrijwilligers met wie ik heb samengewerkt. Zonder haar zou die put in Teje er nooit zijn gekomen...'

'Vergeet mij niet!' riep Habiba lachend.

'Nee, dat is waar.' Darby begon ook te lachen. 'Ik snap nu pas hoe Kate die pamfletten zo perfect voor elkaar heeft weten te krijgen. Goed werk!'

Habiba straalde. 'Dankjewel.'

'U kunt echt trots op haar zijn,' vervolgde Darby oprecht, en hij keerde zich weer naar Kates ouders.

Kate kreeg een brok in haar keel toen haar vader zijn hand op Darby's schouder legde. 'Dat zijn we ook.' Hij knikte. 'En bedankt dat je zo goed voor haar hebt gezorgd.'

'Hij heeft helemaal niet voor me gezorgd...' protesteerde Kate.

'Nou, wat dacht je van die avond met die hyena's?' vroeg Darby plagend.

'Daar kunnen we het beter niet over hebben.' Kate schonk hem een waarschuwende blik.

'Nou en of wel!' Haar moeder trok haar wenkbrauwen op en klopte nerveus op de zakken van haar safarivest. 'Daar moeten we het zeker over hebben!'

'Ach, dat stelde niks voor.' Darby schudde zijn hoofd. 'Ik was gewoon op zoek naar een excuus om een praatje met haar te maken.'

Kate knipperde met haar ogen. Wat was er aan de hand? Wie was deze man, en wat had hij met Darby gedaan? Habiba schoof haar hand in die van Kate en keek haar nadrukkelijk aan. 'Ik vind hem leuk,' zei ze geluidloos.

'Hoe is het met het zusje van Angatu?' vroeg Kate haastig, in een wanhopige poging het gesprek op een ander onderwerp te brengen. 'Hebben jullie meer geluk gehad dan ik? Hebben jullie iemand gevonden die misschien weet waar ze is?'

'Ja.' Haar moeder streek door haar haren, verward door de lange reis. 'Maar daar hebben we het wel over als we in het hotel zijn. Nu wil ik mijn meisjes alleen maar in mijn armen houden en ze nooit meer laten gaan.'

Kate kon niet helpen dat de tranen over haar wangen biggelden toen haar moeder Habiba en haar dicht tegen zich aan trok. Achter de rug van hun moeder vlocht Habiba haar vingers door die van Kate. Even was alles vergeten. Darby, Angatu, Masarat,

Magnus, de putten, haar vriendinnen, alles wat er in het afgelopen jaar was gebeurd.

Op dat moment werd ze slechts beheerst door één gedachte. Eén woord. Een woord dat ze zo verschrikkelijk graag had willen begrijpen en dat haar ineens duidelijk werd, in al zijn emotie en complexiteit.

En dat woord was *zusje*.

❤

Duran Duran. Hall and Oates. Pat Benatar. Blondie.

Welke bands uit de jaren zeventig en tachtig had haar moeder nog meer geweldig gevonden? Tears for Fears. En die andere... met die rare naam... hoe heette die ook alweer? Kajagoogoo!

Becca ging door met haar opsomming (The Police, A-Ha, The Thompson Twins) terwijl ze langs het laatste gebouw op de campus liep en koers zette naar de omringende bossen. Tot dusverre had ze lijstjes gemaakt van tapijtfabrikanten (Karastan en Dalton waren de enige die ze had kunnen bedenken), stofzuigermerken (Hoover, Dyson, Dirt Devil) en alle onderwijzers en leraren die ze had gehad sinds juf Anne op de Montessori School – die haar naam jaren later had veranderd in Sunshine en dus twee keer meetelde.

Zodra ze stopte met het maken van lijstjes, zou ze beginnen met denken, wist Becca. En daar had ze alle tijd voor wanneer ze haar bestemming eenmaal had bereikt. Dus tot het zover was... lijstjes, lijstjes en nog eens lijstjes.

Ze had alle presidenten van de Verenigde Staten al gehad (voor zover ze zich die kon herinneren), de huidige leden van het Hooggerechtshof, de schrijvers van de Beatgeneratie, en ze begon net aan chipssmaken toen het met dennennaalden bedekte pad een bocht maakte en ze bleef staan. Ze was er: een verlaten plek, ver van de bewoonde wereld.

Ze zoog haar longen vol met warme lentelucht. In de prachtige vallei waar ze op neerkeek, zagen de gebouwen van de campus eruit als speelgoedhuisjes, vóór haar verhieven zich de bergen, groen en vol leven. Tussen de bomen slingerden zich de skipaden waarop ze 's winters zo gelukkig was geweest, zo bruisend van levensvreugde en energie. Nu – dor en bruin – deden ze haar denken aan grillige littekens.

Net als de littekens op haar hart.

Ze trok haar Puma's uit en begroef haar tenen in de brosse dennennaalden. Deze bossen waren een van de redenen waarom ze voor Middlebury had gekozen. Harper en Sophie waren echte stadsmeisjes, en Kate voelde zich overal op haar gemak. Maar Becca had behoefte aan bomen, bergen, lucht – hoe ijler hoe beter. In de openheid van de weidse natuur voelde ze zich sterker, vrijer, losgemaakt van alles wat op haar drukte en waarvan ze zich soms pas bewust werd als ze het achter zich had gelaten.

Vandaag had ze haar drukkende lasten echter meegenomen. Na ze een uur lang te hebben verdrongen, overvielen ze haar als een plunderend leger zodra haar voeten ophielden met bewegen. Stuart... haar ouders... Emma Jenkins...

Het liefst zou ze het willen uitschreeuwen.

Als ze het maar begreep! Als ze alles maar kon ordenen en kon zien waar het allemaal was begonnen. Misschien met Harpers aankondiging dat ze een boek ging schrijven, waarop haar vriendinnen haar hadden laten beloven dat ze verliefd zou worden. Of misschien was het allemaal begonnen toen haar ouders gingen scheiden, of toen haar vader een verhouding begon met Melissa. Eigenlijk deed het er niet echt toe. Wat ze vooral wilde weten, was of er behalve een begin ook een eind zou zijn. Want wat moest ze beginnen als dat eind er niet was? Als het altijd zo zou blijven zoals het nu was? Als ze altijd zo ongelukkig zou zijn, zo... alleen?

Het was wreed, want ze had eindelijk het gevoel gehad – een

diep doorvoeld besef – dat ze het allemaal achter zich had gelaten. Door het huis uit te gaan, had ze erop vertrouwd dat de ruzies van haar ouders nog slechts een verre, verdrietige herinnering zouden zijn. Zo hoorde het immers als je ging studeren? Dan begon je een eigen leven. Je liet je jeugd achter je – met alle angsten en trauma's die daarbij hoorden. Was dat niet de reden waarom je het huis uit ging?

*Nee!* Tenminste, bij háár ouders werkte het zo niet. Ook toen ze in Vermont zat, waren ze haar psychisch blijven stalken. Ze hadden hun armen uitgestrekt om haar van de andere kant van het continent alsnog te kunnen raken, en ze hadden ervoor gezorgd dat ze de enige jongen had verloren van wie ze ooit had gehouden.

Nee. Daar mocht ze haar ouders niet de schuld van geven. Tenminste, niet volledig. Daar droeg ze zelf ook schuld aan. Tenslotte was zij het die Stuart had weggeduwd. Zelfs al wás hij altijd gevoelens blijven koesteren voor Emma Jenkins, hij had voor Becca gekozen. In elk geval voor de tijd dat ze samen waren geweest. Want Becca wist zeker dat de blikken waarmee hij haar had aangekeken, oprecht waren geweest. Net als zijn liefkozingen. Hij hield van haar. Misschien niet zo veel als van Emma, maar...

Becca veegde een traan van haar wang.

In gedachten slaakte ze een verwensing. Ze zou de rest van haar leven diep ongelukkig zijn, het kwam nooit meer goed. Waarom zou ze zich ertegen verzetten? Waarom zou ze proberen dapper te zijn? Waarom zou ze zo ellendig hard werken, wanneer het toch niets opleverde, alleen een afschuwelijk, ziek gevoel in haar hart en haar hoofd en haar ziel? Ze kon net zo goed stoppen met haar studie en bij Harper in de kelder gaan wonen. Harper zou volgend jaar waarschijnlijk naar NYU gaan. Dan stond de kelder van de Waddles leeg. Hij was al half ingericht – en nauwelijks smaaklozer en armoediger dan een kamer in een studentenhuis. Becca zou Harpers baan overnemen in Café Hemingway, ze zou vriendschap sluiten met Judd Wright...

Achter haar knisperden de dennennaalden.

'Hallo!'

Becca draaide zich om en zag een jogger aankomen. Hij bleef staan. Het was coach Maddix. Met zijn blauwe ogen, die ook in de zomerzon niets van hun ijzige uitstraling verloren, nam hij haar taxerend op. Zijn handen rustten op zijn heupen. Hij droeg een korte, rode hardloopbroek, zijn T-shirt van het us Olympic Team was hevig bezweet.

Becca voelde zich betrapt. Alsof ze zonder toestemming de campus had verlaten, of zijn privédomein was binnengedrongen.

'Je hebt een mooi plekje uitgekozen.' Maddix kwam naar haar toe.

Becca knikte, met afgewend gezicht. Ze wilde voor geen prijs dat hij zag dat ze had gehuild.

'Een mooi plekje om even weg te zijn van alles.' Maddix leek op een reactie te wachten. Waarom? Waarom wilde hij ineens met haar práten? Ze waren tenslotte bepaald geen vríénden.

Maar plotseling stroomden de woorden over haar lippen. Onstuitbaar. 'Ik heb het uitgemaakt met iemand van wie ik erg veel hou, en nu heeft hij een ander, wat waarschijnlijk ook maar beter is. Want... nou ja, ik ben er niet klaar voor... en mijn ouders zijn raar bezig. Dus het is allemaal mijn schuld. Nou ja, niet echt, maar...'

Becca zette haar kaken op elkaar. Ze voelde zich volslagen idioot. Maddix legde een hand op haar arm.

'Ik weet het van Stuart,' zei hij. Becca trok verrast haar wenkbrauwen op.

'En ik zal je wat vertellen,' vervolgde Maddix. Becca was meteen geboeid. 'Als jij die berg afsuist, dan zit ik in je hoofd. Ik weet precies wat je denkt.'

Hij liet zijn blik over de glooiende Berkshire Hills gaan. 'Namelijk helemaal niks. Tenminste, wanneer het goed gaat. Als je op je best bent – en dat is niet altijd, dat weten we allebei – is het enige waar je aan denkt dat je zo snel mogelijk beneden moet zien te komen, en wat je daarvoor moet doen. Dat is het enige waar je mee bezig bent.'

Becca knikte. Maddix had gelijk. Als ze de helling afsuisde, was ze al het andere vergeten.

'In het leven is het net zo,' zei Maddix zacht, op haar neerkijkend. 'Concentreer je op wat je moet doen om de berg af te komen. Want als je jezelf de ruimte geeft om ook aan andere dingen te denken, dan wordt het een moeizame afdaling.'

Becca knikte. Ze kon geen woord uitbrengen, haar keel werd dichtgesnoerd. Maddix had, zoals altijd, gelijk. Ze liet zich te veel afleiden door andere dingen, waardoor ze haar scherpte verloor. Het enige waar ze zich op dit moment druk over moest maken, waren haar colleges en haar vriendinnen – die waren haar berg. Als ze geluk had, trok Stuart misschien bij. Maar ze kon niet haar hele leven verspillen door over hem te blijven dromen, of over wie dan ook. Ze moest gewoon zorgen dat ze die berg af kwam.

'Oké. Ik doe m'n best.' Ze schonk hem een aarzelende glimlach.

Maddix knikte kordaat. Toen sloeg hij haar op haar schouder, zo krachtig dat ze het gevoel had dat ze een oplawaai kreeg met een stuk hout. 'Ik dacht dat je je zaakjes op orde had, Winsberg!' riep hij, alweer in draf. 'En ik heb het niet graag mis.'

Die laatste woorden drongen nog net tot haar door, maar werden al gedempt door de bomen. Toen was hij verdwenen. Becca keek in de richting van het geluid.

Hoezo, mis? Dat zou niet gebeuren. Want ze zou alles van zich afzetten waar ze niets aan had om beneden te komen – om te beginnen haar ouders.

En Stuart.

Het was tijd om hem los te laten.

Lieve Harper,
Je had gelijk. Ik ben zo blij
dat ik ben gegaan. Ik ben je
een Groen monster schuldig!
Het is geweldig en angstaanjagend en emotioneel om hier te
zijn... maar mijn ouders en
Kate zijn echt te gek. Ik heb
besloten niet naar het weeshuis
te gaan. Dat bewaar ik voor
een volgende trip. Je krijgt de
groeten van Kate. Ze heeft je
zoooooooooo veel te vertellen. Ik
ben echt trots op haar. Gek,
h? Nog maar een paar dagen,
dan mag je de brief van mijn
openmaken - ik ben zo be-
nieuwd!
    Kus, Habiba

Harper Waddle
5306, Canterbury Rd
Boulder, CO 80302

# ZEVENTIEN

'IK VIND HET NOG ALTIJD ONGELOOFLIJK dat je die auditie bij Brett Ratner hebt afgeslagen.' Sam kauwde peinzend op een frietje. De laatste paar weken liet hij zijn onregelmatige, goudgevlekte baard groeien, wat hem iets gevaarlijks gaf.

Sophie rolde met haar ogen. Ze zaten op de met vinyl beklede banken in een van de zitjes bij de In-N-Out aan Sunset Boulevard, met het lekkerste fastfood in heel LA, en hadden de special besteld: een double-double burger met alles erop en eraan, een aardbeienshake en een portie overheerlijke frietjes.

'Hoe vaak moet ik het je nou nog zeggen?' Ze slurpte uitvoerig aan haar milkshake. Hij was lekker koud, met precies de juiste hoeveelheid suiker. 'Ik ben een serieuze actrice.'

Sinds ze de Pessarium Prinses had betrapt op rotzooien met haar tegenspeler op de set van *Heartland*, had Sophie haar best gedaan Sam zo veel mogelijk te ontlopen. Moest ze het hem vertellen of niet? Ze wist het nog steeds niet. Maar toen ze die avond was thuisgekomen van de repetities voor *The Real Thing* en hij had voorgesteld iets te gaan eten, had ze geen nee kunnen zeggen. Om te beginnen had ze sinds elf uur die ochtend niets anders gegeten dan een mueslireep. Bovendien had ze hem gemist.

Aan de andere kant van hun tafeltje schudde Sam ongelovig zijn warrige, blonde hoofd. 'Het kleine meisje uit Boulder dat ik in september van het vliegveld haalde, zou nooit een kans hebben laten lopen om voor een camera te paraderen.'

'Ach, mensen veranderen,' zei ze uit de hoogte. 'En dat geldt in elk geval voor mij. Dit stuk stelt écht iets voor. Wat had ik anders moeten doen? De rest van mijn leven aan de halve wereld vertellen dat ik een haat-liefdeverhouding heb met mijn haar?'

Ze doelde op de shampoocommercial die ze de vorige herfst had gedaan. Destijds was ze in alle staten van vreugde geweest. Miljoenen mensen zouden haar op televisie zien! Maar voor elke commercial, elke rol van drie regels in een film zoals *Stud*, moest ze honderden audities doen – audities waarbij het de castingdirectors meer ging om hoe ze eruitzag dan om wat ze te bieden had als actrice.

'Oké, misschien heb je gelijk.' Sam stopte nog een frietje in zijn mond. 'Ik ben in elk geval blij dat je eindelijk van die bank af bent. Je begon een beetje raar te ruiken.'

'Níéíét!' Sophie bloosde van verontwaardiging. Ze had erop gelet deodorant te gebruiken, de paar dagen – oké, de vele dagen – dat ze niet de moeite had genomen om te douchen. 'En die periode op de bank was van groot belang voor mijn geestelijke gezondheid. Ik hield een zelfbespiegelende winterslaap.'

'Je was gewoon een slons.' Hij had gelijk, maar ze kon zijn kritiek niet waarderen.

'En hoe zit het met jou?' daagde ze hem uit, haar vette vingers afvegend aan een papieren servet. 'Wanneer heb jij voor het laatst auditie gedaan voor iets anders dan "poolboy nummer 2"?'

Sam wendde zijn groene ogen met de gouden vlekjes af. 'We hebben het niet over mij, maar over jouw bewering dat je droom om filmster te worden ineens niet meer bestaat. *Viva Het Toneel*.'

'Hoor eens, als Steven Spielberg me een rol aanbiedt in zijn volgende film... dan zeg ik echt geen nee.'

Duh. Natuurlijk wilde Sophie filmster worden. Maar hoe moest ze Sam uitleggen dat ze behoefte had aan een periode, weg van alles wat met Hollywood te maken had? Dat iets haar als het ware over een denkbeeldige grens had geduwd – waarschijnlijk de combinatie van het zien van zichzelf op dvd, nog puur en niet bezoedeld door de ratrace in LA, in de *Streetcar*-productie op de middelbare school, en het betrappen van Ellie en haar tegenspeler op de vloer van haar trailer. En wat dat laatste betrof, niet alleen zag ze Sams zogenaamde vriendin geleidelijk aan veranderen in een Hollywood-cliché, maar ze was ook geschokt door haar eigen reactie; dat afschuwelijke moment waarop ze had overwogen gebruik te maken van de situatie om hogerop te komen – ten koste van Sam. Gelukkig was ze op tijd tot inkeer gekomen, maar ze huiverde bij de herinnering. Want dat was niet het soort actrice – noch het soort mens – dat ze wilde worden.

Het probleem was dat ze haar worsteling alleen duidelijk kon maken door Sam te vertellen wat ze had gezien in Ellies trailer. Ergens had ze het gevoel dat ze het hem moest vertellen, maar tegelijkertijd wilde zij niet de brenger van het slechte nieuws zijn. Want het was meestal de boodschapper die het moest ontgelden.

En dan was er nog iets, namelijk dat ze niet helemaal zeker was van haar eigen motieven. Was het echt alléén maar voor Sams bestwil dat ze zijn vriendin wilde ontmaskeren als leugenachtig kreng, als manipulatieve vreemdgangster? Of hoopte ze door die onthulling te bereiken dat hij Ellie dumpte en dat zij samen de draad konden oppakken waar ze die avond waren gebleven, toen de stroom plotseling was uitgevallen?

'Wat is er?' Sam – zijn lippen glommen van het vet – keek haar aan alsof hij wist dat ze iets voor hem achterhield. 'Vertel op.'

'Niks.' Ze wurmde nerveus aan de rits van haar roze Juicy-trui met capuchon. 'Moet jij niet op een feestje zijn voor de cast van *Heartland*?'

Hij stopte het laatste, rommelige hapje van zijn hamburger in zijn mond. 'Ja. Of eigenlijk niet echt.'

'Wat betekent dat?' Sophie nam een slok van haar aardbeienshake en probeerde niet naar Sams warrige, blonde haar te staren, dat zo aanbiddelijk voor zijn groene ogen hing.

'We zijn uit elkaar.'

'Arrgghhh...' Ze verslikte zich in haar shake en begon te hoesten. O, nee! Wist hij het? Had hij haar daarom mee uit eten genomen? Om haar verwijten te maken dat ze de vreemdgangerspraktijken van de Pessarium Prinses voor hem had verzwegen? 'Waarom?' wist ze uit te brengen toen ze eenmaal weer gewoon kon ademhalen.

Hij draaide een frietje rond in een bloedrood plasje ketchup op een servet en ontweek haar blik. 'We waren uit elkaar gegroeid, bla, bla, bla.'

Sophie trok een wenkbrauw op. 'Bla, bla, bla? En dat is het?' Het was echt iets voor een man om bij zoiets schokkends alle relevante details weg te laten. Maar ze ontspande een beetje. Blijkbaar wist hij het niet van Ellie en Codie. En als hij het wel wist, dat wist hij niet dat zíj het wist.

'Doe maar niet zo verbaasd. Je hebt haar nooit gemogen.'

'Wel waar,' loog ze, reikend naar een frietje. 'Nou ja, anders dan dat ze een oppervlakkige dombo was, met als enig talent de toewijding waarmee ze haar pilatesoefeningen deed.'

Sam reageerde verontwaardigd. 'Ik ben niet de enige aan deze tafel die op de verkeerde is gevallen.' Hij priemde beschuldigend een druipend frietje in haar richting. 'En anders dan een zekere vent met de initialen T.B., heeft Ellie me nooit bedrogen.'

Sophie tuitte haar lippen. Het was Sam wel toevertrouwd om haar minst favoriete onderwerp ter sprake te brengen. Een sadist, dat was hij. 'Nou, ik kan je wel vertellen...'

'Wat?' Hij keek haar met zijn goudgevlekte groene ogen doordringend aan. Toen pas besefte ze dat ze daarin iets las wat ze er nooit eerder in had gezien. Verdriet. Sam mocht dan doen alsof het hem geen moer kon schelen dat zijn relatie met de Pessarium Prinses voorbij was, dat was alleen maar grootspraak. Hem vertellen wat ze die dag in de trailer had gezien, zou nodeloos wreed zijn.

'Ik... ik kan je wel vertellen dat haar lippen nep zijn,' improviseerde ze. 'Honderd procent collageen. Dat heeft ze zelf toegegeven tijdens een van onze acteersessies.'

Er verscheen een grimmige grijns om Sams mond. 'Heb je nou nog niks geleerd, Bushell? In Hollywood is alles nep.'

*Wij niet.* Sophie staarde naar het witte formica tafelblad. *Wat er tussen ons is, dat is hartstikke echt.* Maar zo snel als de gedachte bij haar opkwam, zo snel verdrong ze hem weer. Het was niet voor niets dat ze de mannen had afgezworen. En ze zou zich niet door Sam van haar voornemen laten afbrengen. Hoe schattig hij er ook uitzag met zijn sjofele baard en die verdrietige, verslagen blik in zijn ogen.

❤

'Is hij er?' Isabelle bracht een rood plastic bierglas naar haar mond – als een geïmproviseerd schild – terwijl ze haar blik door de stampvolle zaal liet gaan.

'Weet je zeker dat hij komt?' Becca wreef over haar nek, draaide zich nonchalant om en keek om zich heen. Als ze alleen was geweest, zou ze zich in een hoekje hebben verstopt. Sterker nog, in haar kamer. Maar ze was het aan Isabelle verschuldigd om haar vanavond niet alleen bij te staan, maar om bovendien te doen alsof ze zich kostelijk vermaakte. Vanavond was haar kans om de weegschaal van hun vriendschap weer in evenwicht te brengen. Ook al betekende het dat ze haar zelfgekozen afzondering had moeten opgeven en zich weer onder de mensen, sterker nog, de feestvierders had moeten begeven.

'Dat hoorde ik hem zeggen tegen Andi, na Politieke Wetenschappen,' schreeuwde Isabelle om boven de herrie uit te komen. Blijkbaar had degene die het feestje gaf, dezelfde muzikale voorkeuren als Becca's moeder – Pat Benatar schalde uit de speakers van de iPod aan de andere kant van de gemeenschapsruimte. Blijkbaar was retro het helemaal, veronderstelde Becca, maar zij vond het alleen maar ergerlijk. 'Matt en hij zijn oude vrienden,' vervolgde Isabelle. Haar blikken gingen nog altijd als laserstralen in het rond, het rode bierglas had precies dezelfde kleur als haar haltertopje. 'Hij is er. Dat weet ik zeker. We moeten hem alleen zien te vinden.'

De Matt in kwestie was een derdejaars die Becca zelfs nog nooit had ontmoet. Elk jaar gaf hij vóór de afsluitende examens een inmiddels legendarisch feest, waar studenten van ten minste drie andere universiteiten in New England op afkwamen, en waar een aantal van de feestgangers zich gegarandeerd onsterfelijk belachelijk maakte. Het jaar daarvoor was het feest geëindigd met een wedstrijd naaktworstelen op het gazon voor het huis van de rector, met als gevolg dat diverse studenten van Harvard een permanent campusverbod opgelegd hadden gekregen, en dat drie studenten van Middlebury waren geschorst.

Wat doe ik hier, dacht Becca, een feestelijke glimlach forcerend terwijl ze het ultrakorte, klokkende, gebloemde jurkje gladstreek dat ze droeg op aandringen van Isabelle. O ja, ze was hier voor Isabelle. Haar vriendin had haar nodig, en Becca zou... Wat werd er eigenlijk van haar verwacht? Dat ze Josh aansprak, Isabelles nieuwe idool, en eiste dat hij onmiddellijk met haar vriendin zou vrijen? Nee, hielp ze zichzelf herinneren. Het ging erom dat ze Isabelle tot steun was.

Isabelle had haar ook enorm gesteund, nadat Becca was geconfronteerd met de aanblik van Stuart en Emma Jenkins die hand in hand liepen. Ze was er voor haar geweest, ze had Becca laten praten en huilen, en ze had haar bijgestaan toen Becca eindelijk tot de ongelooflijk pijnlijke conclusie was gekomen dat ze verder moest met haar leven. Isabelle had een pizza besteld wanneer Becca de kantine niet aankon, en ze had haar een schop onder haar kont gegeven wanneer Becca het niet kon opbrengen te studeren. Zonder Isabelle zou Becca er nooit in zijn geslaagd haar cijfers weer naar een acceptabel niveau te tillen.

Hoewel het moeilijk te zeggen was in de massa van deinende lichamen, leek Stuart een van de weinige studenten van Middlebury die níét aanwezig waren. En dat gold ook voor Emma Jenkins. Niet dat Becca het een probleem had gevonden als ze er wel waren geweest. Ze kon het aan. Ze was eroverheen.

'*Holy shit*! Bec!' Ze voelde een paar armen om haar middel. Toen werd ze naar achteren getrokken en lagen er ineens twee gebruinde mannenhanden op haar buik.

'Wat krijgen we...' Becca zweeg abrupt toen ze werd omgedraaid, en ze recht in de blauwgrijze ogen keek van een dronken Jared Burke. De ex van Kate. De man die haar had ontmaagd, vorig jaar met Thanksgiving. Wat deed hij hier?

'Ik was helemaal vergeten dat jij op Middlebury zat,' zei Jared met een dikke tong. Hij hield zijn gezicht veel te dicht bij het hare. Zijn adem stonk naar bier.

'Ja.' Becca probeerde zich los te rukken, maar Jared hield haar stevig vast. Het laatste wat ze van hem had gezien, was zijn weerspiegeling in een raam op de twintigste verdieping, terwijl hij zijn broek stond aan te trekken. Ze had het niet kunnen opbrengen zich om te draaien. Tot ze het had uitgemaakt met Stuart, was het incident met Jared de grootste fout van haar leven geweest. Het gevoel van zijn handen op haar lichaam bezorgde haar koude rillingen.

'Je ziet er hot uit.' Zijn blonde haar was nat van het zweet, zijn grijze poloshirt stonk naar rook. 'Wat geweldig om je te zien! Is je kamer hier vlakbij?'

Becca vertrok haar gezicht van afschuw. 'Laat me los!' Ze keek om zich heen, op zoek naar Isabelle, en probeerde zich te bevrijden uit zijn hardnekkige greep. Maar Isabelle had Josh gevonden en stond een eindje verderop met hem te praten, totaal in beslag genomen door zijn nabijheid.

'Oké, zo is het wel genoeg.' Becca kromp ineen, ontweek Jareds lippen en wurmde zich met een geforceerde glimlach los. 'Ik ging net naar de wc. Dus ik zie je nog wel.'

Maar Jared pakte haar hand. 'Hé, ik wil gewoon even genieten van een oude vriendin.' Hij draaide wellustig met zijn heupen en trok haar naar zich toe. Becca rukte haar hand uit de zijne.

Wat hadden Kate en zij in 's hemelsnaam in hem gezien? Anderzijds, Becca kon zich niet herinneren dat hij zich op de middelbare school ooit als een stomdronken idioot had gedragen. Misschien was hij een van die jongens die volledig de weg kwijtraakten wanneer ze gingen studeren. Van die jongens die dan te veel dronken, te veel colleges misten, en uiteindelijk terechtkwamen op de postkamer van het bedrijf van hun vader.

Jared trok haar nog dichter naar zich toe. 'Kom op. Je weet net zo goed als ik hoe gezellig we het samen kunnen hebben... O...' Becca voelde een krachtige, warme hand op haar schouder, die haar bevrijdde uit Jareds klamme greep. Plotseling was ze in de arm van een andere jongen genesteld.

De arm van Stuart.

'Je valt mijn vriendin toch niet lastig, hè?' vroeg Stuart kalm, maar Becca was zich bewust van de spanning die hij uitstraalde.

Jared knipperde met zijn ogen, terwijl het tot hem doordrong wat Stuart had gezegd – en hoe breed diens schouders waren. 'Fuck, man. Dat wist ik niet.' Hij hief zijn handen in een laf gebaar van overgave.

'Dan weet je het nu,' zei Stuart ijzig. Becca sloot even haar ogen, de geluiden van het feestje werden vaag, raakten op de achtergrond. Het liefst zou ze tegen hem aan leunen, haar armen om hem heen slaan en hem nooit meer loslaten. Droomde ze of was het echt waar? Was Stuart haar te hulp geschoten? Zijn vriendín, had hij haar genoemd. Misschien gewoon om van Jared af te komen, maar ze had sterk het gevoel dat er meer achter zat. Het was duidelijk dat hij haar in de gaten had gehouden, en toen ze niet van Jared af kon komen, was hij haar te hulp gekomen. Dat bewees dat hij nog om haar gaf.

Toen Becca haar ogen weer opendeed en haar blik die van Stuart kruiste, las ze heel vluchtig iets in zijn ogen... iets wat verried dat hij haar miste... maar ook nog iets anders. Ze hield haar adem in. *Hij houdt nog steeds van me!* Het was alsof het op zijn gezicht geschreven stond, hoezeer hij ook zijn best deed om het te verbergen. Het was onmiskenbaar – Stuart verlangde er net zo hevig naar haar in zijn armen te houden, als zij ernaar verlangde zijn armen om zich heen te voelen.

Jared trok zich grijnzend terug. 'Leuk dat ik je heb gezien, Bec,' zei hij met een dikke tong, en hij strompelde naar de flessen met goedkope drank op een tafel tegen de muur.

Becca deed haar mond al open om Stuart te bedanken, maar hij was net zo snel verdwenen als hij was verschenen. Zonder nog een woord te zeggen was hij weer opgegaan in het feestgewoel.

Toch voelde Becca haar hart zwellen van hoop. *Hij houdt van me.* Hij mocht op dit moment dan met Emma Jenkins zijn, maar als Becca iets van haar ouders had geleerd, dan was het dat ware liefde niet zomaar overging. Deze strijd was nog niet gestreden. Ze zou naar hem op zoek gaan en hem ervan overtuigen dat ze voor elkaar bestemd waren.

En wanneer ze hem eenmaal terughad zou ze het allemaal anders doen. Ze had haar angsten inmiddels beter onder controle en ze had geleerd om vertrouwen te hebben in zichzelf – en om anderen te vertrouwen, zoals ze Harper, Sophie en Kate altijd had vertrouwd. Ze zou Stuart vertellen hoezeer ze was veranderd, en hij zou vergeten dat hij Emma Jenkins ooit had ontmoet. Het zou weer net zo zijn als vroeger, alleen beter.

*Alleen beter.* Die woorden bleef ze herhalen terwijl ze zich een weg baande door de drukte, maar Stuart was verdwenen. *Hij houdt van me.* Die gedachte dreef haar naar buiten, de zachte, winderige avond in, de donkere campus over naar Stuarts kamer. Hij reageerde niet toen ze klopte – wat bijna een opluchting was. Als hij met Emma Jenkins op zijn kamer had gezeten, zou Becca's kersverse vastberadenheid ongetwijfeld zijn verdampt tot ijle nevelen van lafheid.

Ze kon teruggaan naar haar kamer en de volgende dag met

Stuart praten. Maar als ze dat deed, was het moment gepasseerd. Wanneer ze de volgende morgen wakker werd, zou ze gaan twijfelen aan wat ze die avond in zijn ogen had gezien, en haar vastberadenheid zou wankelen. Dus ze bleef. Om te wachten. Ongeacht hoelang het ging duren. Vroeg of laat zou hij thuiskomen. Misschien samen met Emma, maar daar wilde Becca nu niet aan denken.

Ze kon niet de hele nacht op de gang blijven staan. Dus ze liep naar de rommelige gezamenlijke zitkamer naast de kamer van Stuart en maakte het zich gemakkelijk op de grijze fluwelen bank, recht tegenover de openstaande deur. Op die manier zou hij haar zien wanneer hij thuiskwam, en dan zouden ze praten. Op de een of andere manier zou het allemaal goedkomen.

Maar na een uur op de bank eisten de vele avonden hard studeren om haar achterstand in te halen hun tol. Pas toen ze werd gewekt door een jongensstem, besefte ze dat ze in slaap was gevallen. 'Krijg nou wat! Becca? Wat doe jij hier?'

'Wa...' Vermoeid deed ze haar ogen open, en het duurde even voordat ze besefte waar ze was. Voordat ze begreep waarom Mason zijn lange lijf over haar heen boog en waarom hij naar haar kin keek. Toen... O! De onderste helft van haar gezicht zat onder het kwijl. Terwijl ze haastig met haar hand over haar kin veegde, herinnerde ze zich de ontmoeting met Jared en Stuart. En in het heldere licht van een nieuwe dag – want te oordelen naar het zonlicht dat door de stoffige jaloezieën naar binnen scheen, was het inmiddels dag – besefte ze dat ze opnieuw een vernederende fout had gemaakt. Om hier bij Stuarts kamer te gaan zitten wachten, was... belachelijk. Volslagen idioot. Op de rand van krankzinnig.

En nu ging Mason zijn footballmakker Stuart natuurlijk vertellen dat Becca hem stalkte...

*Shit*! Ze was in slaap gevallen terwijl ze op Stuart wachtte, maar hij was niet thuisgekomen. Dat betekende... *dat hij de nacht met Emma had doorgebracht.* Er brandden tranen in Becca's ogen. Ze werkte zich overeind en liep naar de deur.

'Sorry,' mompelde ze. Mason stak stuntelig een hand uit, alsof hij haar wilde helpen, maar niet wist hoe. Bij de deur bleef Becca staan voor een laatste verzoek. 'Wil je hem alsjeblíeft niet vertellen dat ik hier zat?'

'Nee, natuurlijk zeg ik niks.' Mason klonk alsof hij medelijden met haar had.

En het kon ook nauwelijks beklagenswaardiger, dacht ze, naar buiten lopend, het zonlicht tegemoet. Van alle gênante dingen die ze ooit had gedaan, was dit wel het ergste. Gewekt worden door een van Stuarts vrienden, nadat ze de hele nacht op hem had gewacht, als een verdwaald jong hondje. Ze moest écht zorgen dat ze zichzelf beter in de hand hield, want ze wilde niet dat Maddix zich in haar had vergist. Ze wilde controle hebben op haar bestaan, ze wilde zelfverzekerd zijn, volstrekt capabel om een verbroken verkering aan te kunnen. Het gebeurde voortdurend dat verkeringen werden verbroken. Ze dacht toch zeker niet dat Stuart Pendergrass de liefde van haar leven was?

Maar dat was nu juist het probleem. Want dat dacht ze wel degelijk.

❤

Een jaar eerder, toen Kate haar toelatingsbrief van Harvard openmaakte, had ze het gevoel gehad... alsof haar hele leven een volmaakt gebruinde Thanksgivingkalkoen was. Ze had de vulling gemaakt, ze had hem gebraden en regelmatig bedropen, en wat er vervolgens uit de oven kwam, zag er nog mooier uit dan een foto in een kookboek – het rook perfect, het zag er perfect uit en het zou ongetwijfeld ook perfect smaken. Beter kon niet. Haar ouders waren nog nooit zo trots op haar geweest. Haar leraren waren niet verrast maar wel onder de indruk. Haar vriendinnen waren blij voor haar. En haar gevoelens... ach, die hadden eigenlijk niet zoveel voorgesteld. Een loom soort tevredenheid, als bij een volle maag. Lekker... hmmm... geeuw...

Dat gevoel – of het gebrek eraan – was een van de redenen geweest waarom ze op Harpers droomtrein was gesprongen. Inmiddels voelde haar leven minder als een kalkoen en meer als... als een leven. Háár leven. Ze had er bijna een heel jaar op zitten waarin ze dat leven ten volle had geleefd, met een duidelijk doel voor ogen.

En haar ouders waren nog steeds trots op haar.

Trotser dan nu kon ze zich haar ouders niet voorstellen, op de achterbank van de stoffige Range Rover, terwijl ze over de hobbelige weg naar Mekebe reden en luisterden naar Kate en Habiba die Masarat voor de tiende keer uitlegden hoe ze haar hadden weten op te sporen, in die hete, stampvolle keuken van een klein hotel aan de rand van Addis Abeba. Een wonder, dat was het. Via hun contactpersonen – vrienden van Kates vader, de directeur van Habiba's weeshuis, Abebechs familie en zelfs een paar mensen die Darby had voorgesteld – hadden ze door heel Addis Abeba het nieuws verspreid dat ze op zoek waren naar een meisje van achttien dat Masarat heette en uit Mekebe kwam. De een had contact gezocht met de ander, die het nieuws op zijn beurt ook weer had verspreid, en zo was het uiteindelijk terechtgekomen op de enorme Merkatomarkt. Op de derde avond dat haar ouders in Addis waren, kreeg Kate een telefoontje van een vrouw die graan verkocht aan het hotel waar Masarat werkte.

De volgende dag was de hele familie Foster in een gele Mercedes-taxi gestapt en had zich naar het hotel laten brengen. De uitdrukking op Masarats ingevallen, uitgeputte gezicht toen ze de naam van haar zusje hoorde – een combinatie van verdriet, blijdschap en angst dat ze misschien slecht nieuws te horen zou krijgen – zou Kate altijd bijblijven. De Fosters hadden Masarat gerustgesteld en haar verteld dat alles goed was met Angatu, maar dat Abebech een dagje ouder werd en uiteindelijk niet meer voor haar zou kunnen zorgen. Masarat had onmiddellijk verklaard dat ze Angatu naar Addis Abeba zou halen. Ze had een hutje in de stad, vertelde ze, en ze had haar zusje verschrikkelijk gemist.

Kate wist maar al te goed hoe Angatu's leven eruit zou zien als ze bij haar zusje ging wonen in een van de sloppenwijken van Addis Abeba. En haar ouders wisten het ook. Dus daarom hadden ze een regeling getroffen, zelfs al voordat ze naar Ethiopië waren gekomen, waarbij ze de hulp hadden ingeroepen van Kate en Habiba. Meneer Foster kende een professor aan de universiteit van Addis Abeba, vertelden ze aan Masarat. De professor en zijn vrouw hadden volwassen kinderen, die inmiddels de deur uit waren, dus ze hadden een kamer vrij – voor Masarat en Angatu. De Fosters namen met alle liefde de kosten voor hun rekening van de opleiding van de twee zusjes. Ze hadden al geregeld dat Angatu naar een particuliere basisschool zou gaan, en dat Masarat privéonderwijs zou krijgen om haar klaar te stomen voor de universiteit. Als ze dat wilde, kon ze in de herfst met haar studie beginnen.

Even had Kate zich angstig afgevraagd of Masarat leed aan een acute verlamming. De mond van het meisje hing open, ze had haar bruine ogen wijd opengesperd en keek verbijsterd om zich heen. Toen begon ze te snikken, en ze rende van de een naar de ander, viel hen om de hals, telkens weer. Kate had nog nooit iemand zo onbeheerst zien huilen. Het was alsof jaren van pijn, angst en verdriet eindelijk een barst hadden gevonden in het pantser dat Masarat om zich heen had gebouwd en dat als een stormram openbeukte. Kate had zelf ook tranen in haar ogen, terwijl ze toekeek hoe Habiba de hand van Masarat in de hare hield en haar verzekerde dat het allemaal waar was wat de Fosters zeiden.

Uiteindelijk kalmeerde Masarat. Ze stond doodstil, schudde langzaam haar hoofd. '*Amese genando*,' zei ze. *Dank u wel.*

Masarat had het nog talloze malen herhaald toen ze haar schamele bezittingen uit haar half ingestorte hutje hadden gehaald, toen ze aan boord gingen van een vliegtuig naar Bahar Dar in het noorden, toen ze de spullen in de gehuurde Land Rover laadden en toen ze begonnen aan de laatste etappe van hun reis. Maar hoe dichter ze bij Mekebe kwamen, des te stiller werd Masarat. Met haar slanke vingers peuterde ze beurtelings aan de losse draden van haar witte natala en streek ze over haar bruine haar dat ze glad naar achteren had gekamd en bij elkaar gebonden in een kort staartje. Toen ze bij Abebech aankwamen, moest Kate de bevende Masarat bij de hand nemen en haar van de auto naar het restaurant loodsen.

'Ze kent me vast niet meer,' fluisterde Masarat, met een angstige blik in haar ogen. 'En ze is vast en zeker boos op me omdat ik haar in de steek heb gelaten.'

'Ze weet dat je geen keus had.' Kate drukte geruststellend haar hand. 'Maar ze heeft je wel gemist.'

'Ze is je zusje,' viel Habiba haar bij, met een hand op Masarats arm. Ze keek Kate aan. 'En zusjes vergeven elkaar alles.'

Kate meende te zien dat haar moeder haar vader een tevreden glimlach schonk toen ze zijn hand pakte en hun groepje van vijf het restaurant binnenloodste.

'Ben je er klaar voor?' vroeg Kate. Masarat boog haar hoofd.

Op het moment dat ze binnenkwamen, verscheen Angatu in de deuropening naar de keuken. Ze schonk Kate een stralende glimlach. Toen ze het meisje zag dat Kate bij de hand hield, fronste ze verward haar voorhoofd. Plotseling vroeg Kate zich af of het wel juist was geweest Angatu niets te vertellen over de zoektocht naar haar zusje. Ze had geen verwachtingen willen wekken die ze misschien niet zou kunnen inlossen. Maar als Masarat nu eens gelijk had? Als Angatu haar helemaal niet wilde zien?

Angatu's ogen begonnen echter te stralen als van een kind op kerstochtend. 'Masarat?' fluisterde ze, alsof ze het nauwelijks kon geloven.

Masarat knikte en spreidde haar armen. Angatu viel haar om de hals.

En dat was het. Op dat moment was elke vraag die Kate een jaar eerder had gehad, beantwoord. Alle twijfels die haar de afgelopen tien maanden hadden gekweld, waren verdwenen. Alle ongemakken, alle gevaren... het was het allemaal waard geweest. Zonder haar blik van Masarat en Angatu af te wenden, pakte Kate de hand van Habiba. Die leunde tegen haar schouder, en Kate legde haar hoofd tegen dat van haar zusje. Ze wist wie ze was, en ze wist wat ze wilde, met een helderheid waaraan het haar achttien jaar lang had ontbroken. En dat besef betekende dat ze naar huis kon.

*Naar huis*. De woorden verspreidden een warm gevoel door haar hele lichaam. Een gevoel dat even haperde toen ze Darby in de deuropening ontdekte. Hij keek haar aan en glimlachte – het was zijn eerste échte glimlach, open, gul, gelukkig. Op slag sloeg het warme gevoel om in iets anders.

Ze ging naar huis. Maar dat zou tevens het afscheid van Darby betekenen.

❤

*Driehonderdzesenzestig. Driehonderdzevenenzestig. Driehonderdachtenzestig.* Harper slaakte een zucht toen de kreunende laserprinter de laatste bladzijde uitspuugde van haar roman, waarvoor ze nog altijd geen titel had bedacht.

Drie dagen eerder had ze Café Hemingway gebeld en gezegd dat ze de rest van de week niet op haar hoefden te rekenen. Vervolgens had ze haar ouders en haar zusje opgetrommeld in de keuken. 'Ik ga mijn roman afmaken,' had ze aangekondigd. 'Dat betekent dat ik tot nader order niet beschikbaar ben voor de catering.'

Amy was losgebarsten in gejammer omdat zij dan met al het extra werk werd opgezadeld, maar een blik van hun vader had haar het zwijgen opgelegd. 'Je moet doen wat je te doen staat, Harper,' had hij gezegd. 'We sturen je eten wel naar beneden.'

Daarop was Harper afgedaald naar het souterrain en had ze zich opgesloten in de wc. De afgelopen tweeënzeventig uur had ze haar tijd verdeeld tussen schrijven en slapen. Ze ging achter de computer zitten en schreef tot de accu leeg was, dan stopte ze die in de oplader, en deed ze een lange tuk. Na een haastige maaltijd van een kom cornflakes, een bord met de gegrilde minikaasbroodjes van haar moeder of een mueslireep begon het hele proces weer van voren af aan.

En toen, eindelijk... was het boek af. Harper haalde de driehonderdachtenzestig bladzijden uit de printer en stopte de hele stapel in een grote envelop.

Sinds januari was haar roman louter en alleen iets van haarzelf geweest. De verleiding was groot om hem nu in een la te stoppen en er niet meer aan te denken. Misschien was het voldoende dat ze haar voornemen had uitgevoerd. Misschien hoefde ze haar meest persoonlijke gedachten niet te delen met de rest van de wereld...

*Nee!* zei een krachtige stem in haar hoofd. Een stem die geen tegenspraak duldde. Ze was een échte schrijver. En echte schrijvers deelden hun werk met een publiek. Dat was het hele punt van een boek schrijven!

Met bonzend hart keek ze naar de naam en het adres die ze op een bestellingenblokje van Café Hemingway had geschreven.

*Joan Sutter*
*965 Park Avenue*
*Suite 311*
*New York, NY 10112*

Joan Sutter was de moeder van Isabelle, met wie Becca op Middlebury een kamer deelde. Ze was tevens literair agent. Het soort literair agent dat auteurs vertegenwoordigde die werden bekroond met de National Book Award en die met hun boeken elke zondag op de lijst van bestverkochte boeken in de *New York Times* stonden. Becca had heel nonchalant gedaan toen ze Harper een paar weken eerder het adres had gegeven. *Als het klaar is, stuur je het boek gewoon naar haar toe. Ze is echt heel aardig. Dus je hoeft je nergens zenuwachtig over te maken.*

Je hoeft je nergens zenuwachtig over te maken? Dat kon Becca gemakkelijk zeggen. Die had niet haar hele ziel en zaligheid in die driehonderdachtenzestig bladzijden gelegd. Die zou niet verpletterd zijn als het oordeel van Joan Sutter luidde dat ze een broodschrijver was zonder enig talent.

Harper liep naar de douche – haar eerste sinds haar Definitieve Afdaling in de kelder drie dagen eerder. Ze zou het boek inderdaad naar Isabelles moeder sturen. Ze móést het doen. Maar eerst moest ze zeker weten dat het niet waardeloos was. Ongelukkig genoeg was er maar één die haar eerlijk zijn mening zou geven. En wanneer ze om die mening ging vragen moest ze tenminste schoon zijn.

❤

'Is Tara thuis?'

'Kom je voor Tara?' Leunend tegen de deurstijl, met zijn armen over elkaar geslagen, gekleed in een T-shirt van American Apparel en een versleten kakibroek, leek meneer Finelli eerder achttien dan vierentwintig.

'Nee!' Dit gesprek liep meteen al heel anders dan Harper het zich had voorgesteld. Hij klonk een beetje nijdig.

'Dat is maar goed ook, want ze is drie weken geleden naar Boise verhuisd. En voor alle duidelijkheid, het was leuk, maar niet leuk genoeg voor alle inspanningen van een lange-afstandsrelatie.'

Harper haalde diep adem. Dat was informatie die ze moest verwerken. En dat wilde ze ook. Dat wilde ze echt. Maar ze had iets te zeggen, en daar liet ze zich niet van afbrengen.

'Je had gelijk. Ik zat fout.' Harper drukte het manuscript stijf tegen haar nieuwe zwarte topje. 'Dat wilde ik je al heel lang zeggen.'

'En loop je nu weer weg?' Meneer Finelli trok een wenkbrauw op. 'Of misschien moet ik zeggen, fiets je nu weer weg?' Hij keek over haar schouder naar de fiets die ze op het gras voor zijn twee-onder-een-kapwoning had gelegd.

Ze schudde haar hoofd en hield hem de gele envelop voor. 'Ik wil je om een enorme, reusachtige gunst vragen.'

Meneer Finelli keek naar de envelop en grijnsde. 'Is dat wat ik denk dat het is?'

'Driehonderdachtenzestig bladzijden bloed, zweet en tranen. Ik ben opnieuw begonnen.'

'En ik dacht nog wel dat je over ons kwam praten.' Hij zette zijn bril af en wreef de glazen schoon aan zijn T-shirt. 'Anderzijds, er is nooit echt een "ons" geweest, hè?'

Een vertrouwd gevoel maakte zich van haar meester, alsof ze zou moeten spugen. 'Ik dacht van wel,' bracht ze uit, zonder acht te slaan op de gal die omhoogkwam in haar keel. 'Maar dat heb ik volledig verknald.'

'Dat kun je wel zeggen, ja.'

Dit was het moment waarop Harper werd geacht haar dramatische toespraak af te steken. De toespraak waarin ze hem haar eeuwige liefde bekende en hem smeekte haar nog een kans te geven. Maar de envelop in haar hand voelde als een bom die elk moment kon afgaan. Als ze niet zorgde dat ze er meteen vanaf kwam, was het enige wat er van haar zou overblijven, haar zwarte kunststof brilmontuur.

'Wil je het lezen?' Ze duwde hem de roman in handen, onstuimiger dan haar bedoeling was.

'Ik weet 't niet...' Hij aarzelde, nog altijd zijn brillenglazen schoon wrijvend. 'Ik kan je niet beloven dat ik het mooi vind.'

'Nee, maar ik kan wel beloven dat ik niet door het lint ga als je het níét mooi vind,' drong Harper aan. 'Het spijt me dat ik me de vorige keer zo idioot heb gedragen. Dat zal niet meer gebeuren.'

Ze had het boek aan haar moeder kunnen geven, of aan haar vader, of aan Habiba. Maar die zouden niets hebben gezegd als het waardeloos was. Integendeel, ze zouden haar briljant hebben genoemd, ze zouden haar inzichten hebben geroemd en diep onder de indruk zijn geweest. En zij, Harper, zou van hun woorden hebben genoten, ze zou zich hebben gekoesterd in de glorie van haar prestatie. Maar ze had hier te veel in geïnvesteerd om op safe te spelen. Ze moest de waarheid weten.

'Alsjeblieft?'

Hij knikte en pakte de envelop van haar aan. 'Ik ga het vanavond meteen lezen.'

Harper ging op de treden van zijn stoep zitten. 'Fijn. Ik wacht hier.'

Hij schonk haar een verbijsterde blik. 'Je gaat hier op de stoep zitten terwijl ik driehonderdzoveel bladzijden zit te lezen?'

'Eh... ja.' Ze glimlachte vluchtig. De stoep was koud en hard. 'Tenminste, als je dat goedvindt?' Zelfs al zou ze willen, dan nog kon ze niet opstaan. Haar benen leken niet meer te weten hoe ze functioneerden.

'Eerst wil je niet met me praten, en nu kom ik niet van je af.' Maar meneer Finelli glimlachte en ging hoofdschuddend weer naar binnen.

Het eerste halfuur zat ze roerloos op de treden, en telde ze de seconden, de minuten. *Inmiddels heeft hij waarschijnlijk de eerste regel gelezen. De eerste alinea. De eerste bladzijde. Oké, misschien heeft hij Hoofdstuk Een uit. Tenzij hij even pauze heeft genomen om koffie te zetten...*

Uiteindelijk zei ze tegen zichzelf dat ze daarmee moest ophouden. Dergelijke obsessieve gedachten konden niet goed zijn voor een mens. Sterker nog, het was krankzinnig om zo te denken. Ze dwong zichzelf aan het enige andere onderwerp te denken dat onder deze omstandigheden voor afleiding kon zorgen.

Adam Finelli die haar zoende.

Harper dacht aan die avond toen hij haar had verrast door haar naar zich toe te trekken en zijn zachte lippen op de hare te drukken. Ze sloot haar ogen en probeerde het gevoel terug te halen. Zijn wang was stoppelig geweest en hij had zijn hand op het kuiltje van haar rug gelegd, zodat de huiveringen van genot over haar rug liepen. Toen hij haar gezicht streelde, had ze gedacht dat ze zou flauwvallen. Dat waren de feiten. Helaas voelde ze er niets bij. Niet meer. *Waarom niet?*

Achter haar ging de deur open. Harper schrok op uit haar dagdroom. Was ze zo verloren geweest in haar gedachten dat meneer Finelli het boek inmiddels uit had? Was ze zó ver heen? Ze draaide zich om en zag dat hij naar haar stond te staren.

'Je vond het afschuwelijk.' Ze zag het aan zijn gezicht.

Haar eerste gedachte was dat ze zou sterven. De tweede dat ze eerst de roman zou verbranden, net zoals ze dat met de eerste vijftig bladzijden van de vorige versie had gedaan, en dán zou sterven. Het was niet nodig om een erfenis van niet-literair gezever achter te laten waar iedereen op de begrafenis om zou grinniken. Ze verdiende althans enige postume waardigheid.

'Ik vind het geweldig.' Hij streek glimlachend door zijn verwarde, donkere haar. 'Een grote verbetering. De eerste vijf hoofdstukken zijn geweldig. Maar voordat ik verder lees, wilde ik je uit je lijden verlossen.'

Harper sprong overeind, zonder acht te slaan op het feit dat haar beide benen in slaap waren gevallen. 'Je... wat...'

'Ik vind het prachtig, Harper. Het is... zoals jij bent.'

Ze was doodsbang dat hij loog om zich niet weer een scène op de hals te halen. Alleen... mensen stráálden niet wanneer ze logen. Ze keken je niet recht aan, met twinkelende ogen. Dat was ondenkbaar. En dat kon maar één ding betekenen. Hij vond het echt goed. Of in elk geval de eerste vijf hoofdstukken. En daarna werd het alleen maar beter.

Harper was niets van plan, al helemaal niet om hem om de hals te vallen... het gebeurde gewoon. Hij deinsde struikelend achteruit. Ze had hem verrast. Maar toen voelde ze zijn armen om zich heen.

'Sorry, ik...'

Hij verstrakte zijn omhelzing. 'Het is goed zo. Echt.'

Zijn jongensachtige gezicht was vlak bij het hare. Hij rook fris, naar pepermuntjes, als de mannen in commercials voor tandpasta. Doordat ze allebei korte mouwen droegen, voelde ze zijn huid tegen de hare. 'Ik had een lange toespraak ingestudeerd,' fluisterde ze, plotseling verlegen.

'Ik hou niet van lange toespraken.' Hij trok haar zelfs nog dichter tegen zich aan. 'Weet je nog wat ik je heb geleerd op school? Geen woorden maar daden.'

Harper zou willen lachen, huilen, het uitschreeuwen. Of misschien een combinatie van die drie. Net zoals ze hem dolgraag niet met woorden, maar met daden duidelijk zou willen maken hoe blij ze was weer in zijn armen te liggen. Waar ze hoorde. Ze kuste hem voordat de gedachte zich volledig had gevormd.

En hij beantwoordde haar kus, hartstochtelijk, verlangend. Ze leunde tegen hem aan, ze klampten zich aan elkaar vast, hun lippen bewogen in harmonie. Haar droom werd werkelijkheid. Meneer Finelli – Adam – was weg van haar boek. Misschien was hij zelfs weg van haar.

Er was echter één probleem. Terwijl ze elkaar zoenden, kon ze slechts aan één ding denken. Of liever gezegd, aan één persóón. Judd.

# Dewar's

TWELVE **12** YEARS OLD

*Special Reserve*

## BLENDED SCOTCH WHISKEY

 John Dewar & Sons Ltd

TWELVE YEARS OLD

BLENDED SCOTCH WHISKEY

# ACHTTIEN

BECCA EN ISABELLE STORMDEN MET TWEE TREDEN TEGELIJK de trap
op naar hun kamer.

'Ik wou dat ik nog dronk,' zei Becca lachend, bijna licht in haar
hoofd. 'Want dit moeten we vieren!' Zij, Becca Winsberg, had zojuist haar allerlaatste tentamen gedaan van haar eerste jaar op
Middlebury. Het was krankzinnig zwaar geweest en ze had zich
voorgenomen absoluut nooit meer één college psychologie te volgen, maar ze had het gevoel dat ze het er goed vanaf had gebracht. Beter dan ze had verwacht – in aanmerking genomen dat
Stuart achter in de collegezaal had gezeten. Het grootste deel van
de twee uur tentamentijd was het haar gelukt hem uit haar gedachten te zetten, maar het was een opluchting toen hij eerder
klaar was dan zij en de collegezaal verliet. Bovendien was ze
dankbaar geweest dat Isabelle, die ook net haar laatste tentamen
had gedaan, haar opwachtte toen ze naar buiten kwam, uitgeput
maar euforisch.

'Ik heb een fles whisky achter in mijn kast.' Isabelle bleef boven
aan de trap staan. 'Heb je trek in een neut?'

'Een néút?'

Isabelle haalde haar schouders op. 'Dat zegt mijn oma altijd.'

'Ja, ik lust wel een neut.' Becca knikte. 'Maar wel een heel
kléíntje.'

'O.' Isabelle keek plotseling ongemakkelijk en begon aan haar
platina ketting te frunniken. Becca volgde haar blik naar het eind
van de lange gang met aan weerskanten deuren. O...

Stuart zat voor hun deur, op de grond, met gebogen hoofd.

426

Isabelle draaide zich op haar hakken om en liep haastig de trap weer af. 'Ik zie je straks nog wel. Succes!'

Becca had het gevoel alsof haar knieën in drilpudding veranderden terwijl ze de laatste meters aflegde en Stuart overeind zag krabbelen.

'Hallo.' Hij stopte zijn handen in de zakken van zijn spijkerbroek, nog altijd met gebogen hoofd. In zijn lichtblauwe, sportieve overhemd met daaronder een wit T-shirt zag hij eruit als een model voor Abercrombie. Alleen schoner. En aanzienlijk gestrester.

'Kan ik even met je praten?' Hij vond het moeilijk haar aan te kijken.

Becca besefte dat ze hem stond aan te staren. 'Eh, ja...' Ze viste haar sleutel uit haar lichtgele North Face-rugzak en deed enigszins onbeholpen de deur van het slot. Ze was merkwaardig kalm. Of verdoofd. Dat was toch normaal wanneer mensen in shock raakten? En ze kon zich geen grotere schok voorstellen dan Stuart voor haar deur aan te treffen.

Ze liet haar rugzak op de grond vallen en wachtte een beetje ongemakkelijk tot hij de deur achter hen had dichtgetrokken. Toen keken ze elkaar aan, nerveus, roerloos, zonder een woord te zeggen. Becca's hart bonsde, haar mond was zo droog dat ze geen woord kon uitbrengen. Ten slotte schraapte Stuart zijn keel.

'Heb je... Ik hoorde van Mason dat je vorige week bij ons op de bank in de zitkamer in slaap was gevallen,' begon hij, zijn gewicht van de ene naar de andere voet verplaatsend.

*Shit!* Mason had het dus toch verteld. Met als gevolg dat Stuart dacht dat ze hem stalkte. Daarom was hij hier natuurlijk. Om haar duidelijk te maken dat ze uit zijn buurt moest blijven.

Ze haalde diep adem, vastbesloten volwassen te reageren. 'Het spijt me,' zei ze langzaam, en ze vervolgde nijdig: 'Mason had beloofd dat hij zijn mond zou houden!' Daar ging haar volwassen aanpak! Ze kon net zo goed als een klein kind gaan stampvoeten.

'Hij vond dat ik het moest weten.' Stuart boog opnieuw zijn hoofd en staarde naar de grond. 'Omdat... nou ja, omdat ik van je hou.'

Hij keek op, en op slag voelde Becca zich overgeplant in een ander universum. Het universum waar dingen gingen zoals ze werden geacht te gaan. Waar de liefde geweldig was, en echt, en niet voorbijging.

Maar ze was gewoon in haar eigen universum, waar zulke dingen niet gebeurden. Dus misschien had ze hem niet goed verstaan.

'Je... Wat zei je?'

'Ik dacht dat je misschien... Omdat je in de zitkamer zat te wachten... Nou ja, dat je misschien nog iets voor me voelde. Dus...' Zijn stem stierf weg. Hij had zijn wenkbrauwen gefronst, in zijn kaak trok een spier.

Becca wist niet wat ze moest zeggen. Natúúrlijk voelde ze nog iets voor hem. En dat zou nooit overgaan. Ze zou altijd sterke gevoelens voor hem hebben. Gevoelens van líéfde.

Stuart vatte haar zwijgen verkeerd op. 'Sorry, ik ga al.' Hij draaide zich om naar de deur.

'Niet weggaan!' Becca legde een hand op zijn arm, en het volgende moment had ze haar armen om hem heen geslagen, haar gezicht begraven tegen zijn schouder. 'Ik hou van je,' zei ze, met haar wang tegen het katoen van zijn T-shirt.

Stuart pakte haar bij haar schouders en hield haar een eindje van zich af om haar aan te kijken. 'Echt waar?'

'Echt waar.'

Stuart keek haar zo stralend aan dat zijn glimlach de achterkant van de maan had kunnen verlichten. Becca straalde terug, tot ze weer met beide benen op de grond belandde. 'Alleen... hoe zit het met Emma?'

Stuart schudde zijn hoofd, keek een beetje gegeneerd. 'Emma is een oude vriendin. Een ex-vriendinnetje. Maar... ik ben nooit echt verliefd op haar geweest. We hebben een tijdje verkering gehad, en...' Hij pakte Becca's hand en trok haar naast zich op de rand van het bed. 'Ik... eh... Toen jij het had uitgemaakt, was ik er nogal beroerd aan toe, en ze was er voor me. Ik dacht... Ach, ik weet niet wat ik dacht. Waarschijnlijk dat ik jou zou kunnen vergeten als ik iemand anders had.'

De verdoving begon weg te ebben, en Becca vroeg zich af of haar hart het allemaal wel aan zou kunnen. Stuart was bij haar. Hier, in haar kamer. Hij hield van haar. Ze had zich niet vergist, die avond dat hij haar had geholpen van Jared af te komen. Het was inderdaad liefde geweest wat ze in zijn ogen had gelezen.

'Maar je bent die nacht niet thuisgekomen...'

'Omdat Emma en ik hebben gepraat... om er een streep onder te zetten. Ze was tot de conclusie gekomen dat ik nog lang niet zo definitief over je heen was als ik wel wilde.'

'Wilde je dat?'

Stuart knikte. 'En toen besefte ik...' Hij grijnsde, met een twinkeling in zijn ogen. 'Je bent niet bepaald de meest... evenwichtige persoon die ik ken.'

Becca moest lachen. Dat was wel erg voorzichtig uitgedrukt. 'Ik doe mijn best,' zei ze. 'Ik ben in therapie...'

'Wat ik probeer te zeggen is, dat het me spijt. Ik had moeten weten wat je doormaakte. Ik had het moeten zien. Je duwde me weg, maar dat had ik niet mogen laten gebeuren.'

Becca knipperde met haar ogen, met stomheid geslagen. Hoorde ze het goed? Nam hij de verantwoordelijkheid voor haar krankzinnige gedrag? 'Maar... ik ben afschuwelijk tegen je geweest...' stamelde ze.

'Je was bang, je wist je geen raad. Ik had je meer tijd moeten geven. Ik was diep gekwetst omdat je me niet vertrouwde, maar het is heel logisch dat je dat niet kon...'

'Ik vertrouw je.' Becca keerde zich naar hem toe, pakte zijn hand en legde die op haar hart.

Ze hield van hem. Ze vertrouwde hem.

En hij hield van haar.

❤

*Ik ben toegelaten.*

*Nee, ik ben afgewezen.*

*Jawel, ik ben toegelaten.*

Harper keek naar de brief van NYU, zich afvragend wanneer ze het eindelijk zou kunnen opbrengen hem open te maken. Ze nam hem overal mee naar toe – naar haar souterrain, naar de wc, naar Café Hemingway – in de verwachting dat ze het zou weten wanneer het juiste moment was aangebroken. Tot op dat moment had het zich niet aangediend. Ze haalde de brief om de haverklap uit haar zak, keek ernaar, vouwde hem dubbel en stopte hem terug. Op dit moment was ze in de kijkfase.

*'Holy shit!'* Judd stond ineens achter haar, met zijn blik op het adres van de universiteit van New York, in de linkerbovenhoek van de gekreukte envelop. Ze probeerde het misselijke gevoel te negeren dat haar overviel, telkens wanneer ze bij hem in de buurt was, sinds die laatste keer dat ze meneer Finelli had gezoend. 'Wanneer heb je die ontvangen?'

'Een paar dagen geleden.' Harper vouwde de envelop weer dubbel en stopte hem in de zak van haar donkere Levi's. 'De Das wacht op zijn ijskoffie.' Ze gebaarde met haar hoofd in de richting van een van hun vaste klanten.

'Vanavond maken we hem open,' zei Judd, de koffieprut uit het bakje tikkend. 'En dat meen ik!'

Haar vader had haar de brief twee avonden daarvoor gegeven, toen ze thuiskwam van haar bezoekje aan meneer Finelli. Hij had gezegd dat hij trots op haar was, ongeacht wat er in die brief stond. Toen was hij de trap op gestrompeld om naar bed te gaan. Harper had niet geweten wat ze zou voelen, op het moment dat ze de brief die over haar toekomst besliste, in haar handen hield. Angst? Opwinding? Nervositeit? De hoop op verlossing? Maar toen ze de dunne, witte envelop van haar vader had aangepakt, was ze overweldigd geweest door dankbaarheid. Dankbaarheid voor het feit dat NYU haar het jaar daarvoor had afgewezen. Want ook al woonde ze in de kelder van haar ouders, ook al miste ze haar vriendinnen, ook al zag ze zich gedwongen de kost te verdienen als barista – om maar enkele van haar persoonlijke catastrofes te noemen – het afgelopen jaar was het meest bevredigende jaar van haar leven geweest. En ze was er niet aan toe het Droomjaar voor geëindigd te verklaren. Nog niet. Zo kwam het dat ze, dagen na ontvangst van de brief, nog steeds geen duidelijkheid had over haar toekomst.

Judd reikte langs haar heen om de Das zijn ijskoffie te geven. Terwijl zijn arm langs de hare streek, voelde ze dat haar gezicht begon te gloeien. Een buitengewoon ergerlijke ontwikkeling, dat gebloos! Het was begonnen – samen met de misselijkheid – op de dag na het ZMF, oftewel het zoenen met meneer Finelli.

'We sluiten wat eerder!' riep Judd naar de drie klanten die nog in het café rondhingen. 'Wegens persoonlijke omstandigheden.'

Judd legde een hand op haar schouder en drukte die bemoedigend. Harper hield zichzelf met moeite in de hand. 'Welnee, we gaan helemaal niet eerder dicht!' riep ze. 'Geniet in alle rust van uw drankje.'

'Succes met NYU,' zei de Das, en hij hief zijn ijskoffie in haar richting. 'Ze mogen wel heel blij met je zijn.' Allemachtig! Zelfs de sukkel van het vasteklantenbestand was op de hoogte van haar brief.

Ze was nerveus, besefte Harper. Sterker nog, ze hád het niet meer van de zenuwen! Ze wist niet of het zweet in haar oksels kwam door het vooruitzicht dat ze de brief ging openmaken, of door het besef dat ze daarbij alleen zou zijn met Judd. Hoe dan ook, ze wenste dat ze een deodorant bij zich had in de rode rugzak die ze onder de toonbank bewaarde. Of – nog beter – een koude douche.

'Is alles goed met je?' vroeg Judd. 'Je ziet helemaal rood.'

'Ik ben in de opslag, om spullen... op te slaan.' Harper pakte een ongeopende zak koffiebonen en zette koers naar het stampvolle hokje achter in het café, waar op planken aan de muren de voorraad stond opgeslagen.

Ze legde de zak koffiebonen op een reusachtige doos met wc-papier en trok de deur achter zich dicht. Op een klein strookje licht na dat onder de deur door sijpelde, was het donker in het hokje. Ze ging op het kleine trapje zitten en dwong zichzelf rustig en beheerst adem te halen. *Niks aan de hand,* zei ze tegen zichzelf. *Zo belangrijk is het niet.*

Ze was toegelaten, of niet. Als NYU haar had afgewezen, dan wachtten er thuis nog zeven soortgelijke brieven. Dus ze zou heus wel érgens onder dak komen. Het was nu anders dan het jaar daarvoor, toen haar leven ervan leek af te hangen of ze een adres in Manhattan zou krijgen. Inmiddels deed het er niet meer toe wat een stelletje anonieme universiteitsbestuurders van haar dachten. Waar het om ging, was hoe ze over zichzelf dacht. En – ze moest eerlijk blijven – wat Isabelles moeder van haar manuscript vond. Dat deed er ook een beetje toe. Maar dat was iets waar ze zich op dit moment niet door kon laten beheersen.

Harper haalde de gekreukte envelop tevoorschijn. Het Droomjaar liep ten einde, en ze was er – eindelijk – klaar voor om te zien wat er daarna zou gaan gebeuren. In de bijna volmaakte duisternis streek ze langs de flap van de envelop en scheurde ze die langzaam open. Met stijf dichtgeknepen ogen haalde ze het velletje papier eruit en vouwde ze het open. Het was zover. Het moment van de waarheid was aangebroken. Ze deed haar ogen open.

En zag niets. Het was te donker om iets te zien. *Daar ging haar zorgvuldig gekozen dramatische moment!* Net toen ze zich van het trapje overeind wilde hijsen om het licht aan te doen, ging de deur open.

'Ze zijn allemaal weg,' meldde Judd, terwijl een zee van licht het opslaghokje binnen stroomde. Hij aarzelde. 'Waarom zit je in het donker?'

Harper reageerde niet meteen. Ze was als verlamd door de brief. Of liever gezegd, door één woord in het bijzonder.

*Gefeliciteerd.*

Ze was toegelaten tot NYU. Wat moest ze doen? Het uitschreeuwen? In een woeste dans losbarsten? Een tribale oorlogskreet slaken?

'Harp?' Judd stond recht voor haar. 'Wat staat erin? Vertel op!'

'Het spijt me dat ik zo'n pesthekel heb aan Amelia.' Het was niet wat ze had verwacht dat ze zou zeggen, maar het was wel waar.

Hij pakte de brief uit haar handen. 'Jaaaa!' Zijn uitroep kaatste terug van de metalen planken. 'Jaaaa!' Hij hield de brief voor haar neus. 'Het is je gelukt! Jaaaa!'

Ze glimlachte. 'Stoer hè?'

Hij grijnsde. 'Geweldig!' Toen fronste hij zijn wenkbrauwen. 'Wat zei je nou? Je hebt een pesthekel aan Amelia? En je zei dat je haar zo leuk vond?'

'Dat was gelogen. Sorry. Ze is ongetwijfeld erg aardig, maar ik kan haar niet luchten of zien.' Harper pakte de brief uit zijn hand en verliet haastig de opslag. Als ze zo dicht bij hem bleef staan, liep ze nog derdegraads brandwonden in haar gezicht op. 'We zouden eigenlijk moeten dweilen vanavond. Het is een zooitje achter de toonbank.'

Ze was bijna bij de kassa toen ze zijn hand op haar arm voelde. Hij draaide haar naar zich toe. 'Wat doe je raar.'

'Ik ben toegelaten! Hoera! Zo, kom op. Laten we gaan dweilen.' Natuurlijk was ze blij, maar ineens leek haar toelating tot NYU niet meer het allerbelangrijkste. Ze voelde zich bijna een beetje...

verdrietig. Want ze vond haar huidige leventje eigenlijk wel best, los van alles wat er verschrikkelijk aan was. Zelfs dweilen viel best mee.

Judd nam haar geërgerd op. 'Dat is niet eerlijk, Harper. We zijn vrienden. Dus je kunt me op z'n minst de kans geven je een zoen te geven of zoiets.'

'Oké, ga je gang.'

Hij sloeg zijn armen om haar heen en trok haar tegen zich aan. Na enkele ogenblikken ontspande ze voldoende om zijn omhelzing te beantwoorden. 'Het spijt me dat ik zo'n kreng ben,' fluisterde ze. 'Vat het alsjeblieft niet persoonlijk op.'

'Waarom kijk je niet blij?' Hij trok zijn hoofd vol warrige krullen iets terug om haar aan te kijken. 'Dat vind ik zorgelijk. Erg zorgelijk.'

*Omdat ik je ga missen. Omdat ik, totdat ik meneer Finelli weer zoende, niet heb beseft dat de geweldigste vent op aarde vlak naast me staat aan het espressoapparaat. Omdat ik je het liefst om je hals zou willen vallen, maar dat kan niet.*

'Sorry. Ik voel me gewoon een beetje raar,' antwoordde ze ten slotte. 'Je kent me. Zo ben ik. Harper Waddle is nu eenmaal altijd een beetje raar.'

Judd liet haar lachend los. 'Ik zou sorry moeten zeggen. Die vriendschap met extra's, daar had ik nooit over moeten beginnen. Ik ben echt een klootzak.'

'We waren het er allebei over eens,' hielp ze hem herinneren, en ze probeerde niet te blozen. 'Je hebt me nergens toe gedwongen. Vrijheid, blijheid, toch?'

'Dat kan wel zo wezen...' Hij leunde tegen de toonbank. 'Maar onze vriendschap is erdoor veranderd. Dat weet jij net zo goed als ik. En dat vind ik jammer.'

Ze haalde haar schouders op. 'Dingen veranderen nu eenmaal. Zo gaat het in het leven.'

Judd sloeg zijn armen over elkaar. Zijn dikke zwarte haar was nog verwarder dan anders, en hij had koffievlekken op zijn T-shirt. 'Het is toch al behoorlijk bizar allemaal, dus mag ik je iets vertellen wat het allemaal nog erger maakt?'

'Namelijk? Dat ik niet kan zoenen?' Dat was een van haar ergste angsten. Naast de angst dat er BARISTA-ONGEPUBLICEERD AUTEUR op haar grafsteen zou komen te staan.

'Ik heb nooit vrienden met extra's willen zijn,' zei hij zacht, met de punt van zijn schoen wat koffiegruis heen en weer bewegend. 'Ik vind je al leuk sinds ik tweedejaars was, dus ik dacht... Ik weet niet precies wat ik dacht. Waarschijnlijk dat het een begin was.'

Harper keek hem ongelovig aan. 'Niet om het een of ander, maar volgens mij zeg je dat alleen maar om mijn ego op te vijzelen.'

'Nee, het is echt waar.'

'Hallo! Het was je droom om te worden ontmaagd door Amelia Dorf, weet je nog?'

Judd schudde zijn hoofd. 'Nee, ik wilde dat het met jou zou gebeuren. Daarom ging ik met je mee als je weer eens ging posten voor iemands huis, en toen je een kerstboom ging kopen, en daarom kwam ik die avond langs toen je het vijfde hoofdstuk van je boek af had. Want ik wilde jóú.'

Nu wist ze het helemaal niet meer. Ze was totaal de kluts kwijt. Want dit sneed geen hout. Hij had haar immers gehád? Ze waren lekker aan het vrijen geweest toen Amelia op het toneel verscheen voor een kop chocolademelk à deux. Hij had haar kunnen wegsturen en zich weer aan haar, Harpers, borsten kunnen wijden. Maar dat had hij niet gedaan. Hij was verdwenen naar Amelia-Land en nooit meer teruggekomen.

'Dat is niet waar,' zei ze dan ook koppig. 'Zodra Amelia op de proppen kwam, was je verdwenen.'

Hij trok aan zijn haren. 'Omdat jij voortdurend naar haar bleef vragen. Het leek wel alsof je wílde dat het iets werd tussen ons. Dus uiteindelijk kreeg ik de boodschap en snapte ik dat je me nóóit leuk zou vinden. Tenminste, niet op de manier dat ik jou leuk vond. Dus toen heb ik mezelf gedwongen je los te laten en verder te gaan. En eerlijk is eerlijk, Amelia is geweldig.' Hij zuchtte. 'Hoor eens, zo belangrijk is het allemaal niet. Ik wilde alleen dat je het wist.'

Even overwoog Harper het daarbij te laten. Ze was als begeerlijk en onbereikbaar uit het gesprek komen, en daar kon ze tevreden mee zijn. Maar Judd was in het Droomjaar haar beste vriend geweest. En ze wilde niet langer oneerlijk tegen hem zijn, ook niet door iets voor hem te verzwijgen.

'Ik vind jou ook leuk,' zei ze zacht, hem recht in zijn donkere ogen kijkend. 'Dat had ik niet meteen door. Maar toen ik meneer Finelli laatst weer zag, besefte ik het ineens... Misschien heb ik het al heel lang geweten, daar ben ik nog niet uit. Daar probeer ik nog duidelijkheid over te krijgen.'

'Dus meneer Finelli hoeft je niet, en dan besluit je dat je mij leuk vindt? Toe maar, dat noem ik nog eens een opsteker.'

'Hij hoeft me wel! Sterker nog, hij heeft me gezoend. Uitvoerig zelfs. Maar al die tijd moest ik alleen maar aan jou denken.'

'Echt waar?' De uitdrukking op Judds gezicht verzachtte.

'Toen hij ophield met zoenen, heb ik gezegd dat ik dacht dat ik griep kreeg en ben ik er als een speer vandoor gegaan.' Ze haalde haar schouders op. 'Waarschijnlijk niet de beste aanpak, maar ik neem aan dat de boodschap duidelijk was.'

'Wauw.'

'Ja, zeg dat wel.' Ze keken elkaar aan. Harper verlangde ernaar dat hij haar in zijn armen zou nemen. Niet als vriend met extra's, maar als iets anders. Iets meer.

Judd trok haar echter niet naar zich toe voor een filmzoen. 'Shit! Ik heb een vriendin. Een echt leuke vriendin die van me houdt.' Hij zweeg even. 'En ik vind haar eigenlijk ook wel leuk.'

Dat was het moment waarop Harper besefte dat ze de avond niet zouden besluiten door samen in de sjofele oude Saturn de zonsondergang tegemoet te rijden. Ze verdrong de verpletterende, overweldigende teleurstelling. Ze was een goede prater. Als ze haar vriendinnen ervan had weten te overtuigen een studie op te geven waar ze jaren naartoe hadden gewerkt, moest het haar ook lukken Judd zover te krijgen dat hij een vriendin in de steek liet die hij pas een paar maanden had. En dan? Over drie maanden ging ze weg. Judd en Amelia bleven hier. Dus als hij met haar gelukkig kon zijn... Harper zou het hem gemakkelijk maken. Na alles wat hij voor haar had gedaan, was dat wel het minste wat ze hem schuldig was.

'Joh, maak je geen zorgen,' zei ze dan ook. 'Waarschijnlijk zijn we hoe dan ook beter af als vrienden. We zouden het waarschijnlijk verzieken als er meer tussen ons was.'

Hij reageerde niet meteen en keek haar alleen maar aan, alsof hij probeerde te peilen wat ze dacht. Toen glimlachte hij geforceerd, overdreven blij, precies zoals zij naar hem glimlachte. 'Je hebt gelijk. We blijven goede vrienden.'

Harper greep de dweil. Dit was de tweede keer dat ze had gelogen sinds het lezen van een toelatingsbrief van NYU. De eerste keer was ze in een neerwaartse spiraal van zelfbeklag en minderwaardigheidsgevoelens geraakt en had ze de levens van haar vriendinnen op hun kop gezet. Deze keer was het anders. Deze keer wist ze dat het juist was wat ze had gedaan.

Maar als ze had kunnen kiezen, had ze een ander eind geschreven. Dan zou ze haar roman hebben afgemaakt, zijn toegelaten tot NYU én Judd hebben gekregen. Ze schudde haar hoofd. *Ach. Twee van de drie is nog niet zo slecht.*

❤

'En wat is je volgende stap?'

Al voordat hij het vroeg, was Kate zich bewust van het feit dat Darby in de deuropening van haar hut stond. De laatste dagen

– sinds ze had opgemerkt hoe hij naar haar en haar familie keek bij de hereniging van Angatu en Masarat – had ze intuïtief geweten waar hij was. Ze voelde het wanneer hij 's ochtends op het erf was, wanneer hij overdag aan het werk was in het dorp, wanneer hij 's avonds terugkwam naar de kraal. Bij het vallen van de duisternis kon ze bijna exact voorspellen wanneer de gloed van zijn lantaarn zou doven, die in lange stralen door het raam boven Jessica's veldbed scheen. En als ze er haar best voor deed, was ze ervan overtuigd dat ze kon voelen wanneer hij in slaap viel.

Zelf kwam ze niet veel aan slapen toe. Op dat moment was ze alleen in de hut. Na een geëmotioneerd afscheid van Abebech hadden de Fosters Angatu en Masarat meegenomen naar hun nieuwe thuis in Addis Abeba. Dorothé was met hen meegegaan, in de hoop dat er plaats was op de eerstvolgende vlucht naar Frankrijk. Ze had afgesproken met Mira, die Kate destijds in Parijs had ontmoet op de dag dat ze voor het eerst van Water Partners had gehoord. Dorothé en Mira waren van plan in Parijs een fundraiser voor Water Partners te organiseren, en Chantal, de universiteitsdocent die een goede vriendin van Kate was geworden, had ermee ingestemd als gastvrouw op te treden in haar appartement dat met zijn vele boekenkasten wel iets weghad van een bibliotheek. Ook Jessica's bed was leeg sinds ze haar intrek had genomen in Hotel Tana in Bahar Dar. Een paar dagen eerder had ze bij het wakker worden verklaard dat ze geen schijthuis meer kon zien. Haar laatste dagen in Afrika wilde ze ergens doorbrengen waar stromend water was. Kate vermoedde dat Jessica eindelijk had beseft dat Darby nooit voor haar charmes zou bezwijken. Dus waarom zou ze nog de moeite nemen om te doen alsof ze ook maar ergens om gaf, behalve om zichzelf?

De laatste twee nachten had Kate dan ook alleen in de hut geslapen. 's Avonds at ze samen met Darby en Jean-Pierre en voetbalde ze met de kinderen uit het dorp, ook al herinnerde ieder lachend meisje haar aan Angatu. Het was een bitterzoete herinnering. Natuurlijk was ze blij dat Angatu en Masarat weer bij elkaar waren, maar tegelijkertijd miste ze het kleine meisje verschrikkelijk.

Het was al een paar keer gebeurd dat Darby en zij met elkaar in gesprek raakten, als de kinderen eenmaal naar huis waren. Zittend op de boomstronken op het erf werd er dan heel wat afgepraat. De laatste drie dagen was ze meer over hem te weten gekomen dan in de daaraan voorafgaande vier maanden. Zijn ouders waren in Boston bezig om – zonder steun van de overheid – een voorlichtingscampagne over aids op te zetten. Over enkele maanden zouden ze teruggaan naar Afrika, naar Sudan, wat Darby niet lekker zat. Hoe ouder hij werd, bekende hij, hoe scherper hij zich bewust werd van de gevaren waaraan zijn ouders zichzelf blootstelden. En ook al begreep hij dat ze moesten doen waar ze in geloofden, hij maakte zich ook zorgen over hen.

'Het is belangrijk werk, wat ze doen,' zei Kate. 'Ze redden levens. Waarschijnlijk meer levens dan de meeste doktoren in hun hele carrière.'

'Dat weet ik.' Darby had geknikt, met de warme gloed van het kampvuur op zijn gezicht. 'En ik ben trots op ze. Alleen... ik wil gewoon niet dat hun iets overkomt.'

Ze spraken over Kates ouders, over Habiba, over het Droomjaar... zelfs over Magnus.

'Hou je nog van hem?' vroeg Darby. Zijn gezicht stond ondoorgrondelijk.

'Absoluut. Maar niet meer op een romantische manier. Hij was precies wat ik op dat moment nodig had. En daarom zal ik altijd van hem blijven houden. Maar niet... Nou ja, je weet wel wat ik bedoel.'

'Er wordt niet meer gevrijd.' Darby grijnsde.

'Precies.' Ze keek glimlachend terug.

Ze had in die uren meer met hem gelachen dan ooit met haar vriendje Jared, of zelfs met Magnus. Maar dat was niet waar het om ging. Sinds die vurige kus had hij geen toenaderingspoging meer gedaan. Natuurlijk, hij was geweldig geweest met haar ouders. En het was duidelijk dat hij haar graag mocht. Maar er was geen toekomst voor hen weggelegd. Dit was het einde – haar laatste avond. De volgende dag zou ze in Addis Abeba zijn, en twee dagen later terug in Boulder. Dus dit was het afscheid.

Terwijl Kate een laatste T-shirt in haar rugzak stopte, kwam Darby de hut binnen. 'Mijn volgende stap is dat ik naar huis ga,' antwoordde ze op zijn vraag.

'En dan?' Darby kwam naar haar toe.

'Ik weet het niet. Om te beginnen een lekker bord macaroni met kaas.'

Darby kwam steeds dichterbij. Kate voelde dat haar hart heftig begon te bonzen. 'En dan?' Hij keek haar doordringend aan.

'Harvard, in september.' Kate moest vechten tegen de neiging een stap naar achteren te doen.

'En dan?' Darby was nu zo dichtbij dat hun lichamen elkaar bijna raakten. Kate voelde dat ze naar hem toe werd getrokken. Het kostte haar de grootste moeite om er niet aan toe te geven, om niet haar handen op zijn borst te leggen.

'Dat weet ik niet,' fluisterde ze. 'Hoezo?'

Darby legde een hand in haar nek, begroef zijn vingers in haar haren. Ze concentreerde zich op haar knieën, die dreigden haar in de steek te laten. 'Ik dacht dat je misschien naar Boston zou kunnen komen,' zei Darby zacht. 'Mijn ouders willen je graag leren kennen.'

'Je ouders? Heb je ze over mij verteld?'

Darby knikte, haar nog altijd doordringend aankijkend. Ze kon zich niet langer tegen de aantrekkingskracht verzetten. Hè verdorie, waarom zoende hij haar niet?

En toen deed hij dat. Heel anders dan de vorige keer. Niet boos. Teder, warm, bijna smekend.

Kate had haar hele leven gestreefd naar perfectie. Maar in de nacht die volgde, leerde Darby haar dat perfectie niet iets was waarvoor je je best moest doen.

Het was er gewoon.

❤

'Heb je zin in een biertje, om de vermoeidheid te verdrijven?' Jackson Achebe was lang, knap en donker. Ze hadden twaalf uur samen op het toneel gestaan met Sebastians talrijke, inspannende acteeroefeningen, ze hadden gewerkt aan hun Engelse accent en ze hadden zich uitgeput met grondgymnastiek.

Sophie keek op van haar mobiele telefoon. Ze controleerde haar gemiste oproepen. Harper had een boodschap ingesproken, net als Becca. Over een paar dagen zouden ze in Boulder herenigd zijn met Kate. Het feit dat Sophie niet naar huis kon voor de grote reünie, was nog altijd niet echt tot haar doorgedrongen. Maar zodra ze de rol had gekregen in *The Real Thing*, had ze geweten dat er geen einde zou komen aan het Droomjaar. In elk geval niet voor haar. Ze had haar ouders gebeld met de mededeling dat ze in Los Angeles bleef om op het toneel te staan. Ze was actrice. Dat was wat ze wilde. Om te voorkomen dat ze door het lint gingen omdat ze haar studie definitief opgaf, had ze beloofd in de herfst een paar vakken te gaan doen op UCLA. Het feit dat ze actrice werd, wilde nog niet zeggen dat ze daarnaast geen opleiding hoefde te doen.

'Vanavond kan ik niet,' zei ze tegen Jackson. 'Ik heb afgesproken met mijn huisgenoot.'

'Smoesjes. Je hebt altijd wel een excuus.' Jackson vroeg haar dagelijks mee uit, en elke dag had ze een andere reden waarom ze geen tijd voor hem had. Maar deze keer was het geen smoesje.

Haar hart begon onrustig te kloppen als ze dacht aan haar afspraak met Sam die avond. Hij had gezegd dat hij haar iets belangrijks te vertellen had. Dus tijdens haar springoefeningen en terwijl ze probeerde net zo te praten als Bridget Jones, had ze zich afvraagd wat voor 'belangrijks' dat wel kon zijn. Misschien was het vanavond eindelijk zover. Misschien zouden ze eindelijk het gesprek oppakken waarmee ze waren begonnen op de avond dat de stroom uitviel. Voor alle zekerheid was Sophie van plan ruimschoots de tijd te nemen in de badkamer om haar haar en haar make-up bij te werken. Het kon geen kwaad om voorbereid te zijn.

Tegen de tijd dat ze over het parkeerterrein liep – een halfuur later – was Sophie ervan overtuigd dat Sam met haar had afgesproken om haar te vertellen dat de huur omhoogging. Of erger nog, dat J.D. eindelijk zijn kamer terug wilde, met als gevolg dat ze opnieuw op straat stond. *Tot twee keer toe dakloos in negen maanden*, dacht ze. Een prestatie van formaat! Ze had voor *The Real Thing* haar baan bij Mojito moeten opzeggen, en haar gage voor de rol van Debbie zou nauwelijks genoeg zijn om een appartement te huren – een beetje gezellig en met een slaapkamer – anders dan heel ver buiten het centrum. *Ik heb Bessie nog*, dacht ze bij het zien van de enorme, gele, vintage cabriolet. Ze ging nog liever in haar auto wonen dan elke dag anderhalf uur heen en anderhalf uur terug te moeten rijden naar haar werk.

Toen ze haar zwarte tas op de achterbank gooide, gingen de haartjes in haar nek plotseling overeind staan. Daar was hij weer, de engerd met de honkbalpet. Hij kwam over het verlaten parkeerterrein naar haar toe lopen. In het theater had Sophie hem niet gezien. Had hij haar hier opgewacht, in de hoop haar alleen te treffen? Alleen en hulpeloos?

'Ik heb pepperspray!' riep ze toen hij vlak bij haar was, en ze reikte in haar tas. Ze had helemaal geen pepperspray, maar ze hoopte dat het dreigement voldoende zou zijn om hem weg te jagen.

'Sophie Bushell?' vroeg hij, haar opmerking over pepperspray negerend. Net waar ze op zat te wachten. Een stalker zonder drang tot zelfbescherming. 'Ik ben Steven.'

Hij was haar tot op een meter genaderd, en ze zag dat hij onder zijn Dodgers-pet een dure zonnebril droeg en peper-en zoutkleurig haar had. Hij zag er niet angstaanjagend uit. Hij zag eruit als...

'St... Steven?' Nee, dat kon niet waar zijn...

'Sebastian en ik zijn al jaren bevriend. Al sinds vóór *Jaws*. Hij nodigt me altijd uit in het theater voor een blik op het nieuwe talent dat hij heeft ontdekt.'

'Ik... ik...' De engerd was geen engerd, maar een van de beroemdste namen in Hollywood. Een levende legende. Een van de grootste regisseurs aller tijden... Sophie dacht dat ze zou flauwvallen.

Hij glimlachte, niet ontmoedigd door het feit dat ze was veranderd in een hulpeloos, stotterend hoopje mens. Blijkbaar was hij eraan gewend dat mensen in zijn aanwezigheid veranderden in hulpeloze, stotterende wezens. Terwijl Sophie volslagen in shock naar hem luisterde, vertelde Steven dat hij even een adempauze wilde na alle kaskrakers die hij de afgelopen tientallen jaren had gemaakt. Hij had zichzelf een paar maanden de tijd gegeven om een kleine film te maken, een onafhankelijke productie zonder grote sterren. Om zichzelf te bewijzen dat hij geen honderd miljoen nodig had om indruk te maken op het bioscooppubliek.

'Er is één rol die ik nog niet heb gecast,' besloot hij. 'En volgens mij zou jij er geknipt voor zijn.'

'Ik...' Sophie had nog geen samenhangende zin geformuleerd in zijn aanwezigheid.

'Ja, jij.'

Ze droomde. Dit kon niet waar zijn.

Sophie keek om zich heen, op zoek naar een verborgen camera. Die zag ze niet, wel een fonkelnieuwe zwarte Mercedes aan de andere kant van het parkeerterrein. Maar... dit kon niet anders dan een zieke grap zijn.

'En het toneelstuk dan?' *Wat kan jou het toneelstuk schelen? Waarom val je hem niet om de hals? Waarom bedank je hem niet? Dit is je droom die werkelijkheid wordt!* 'Daar zou je mee moeten stoppen. Ons opnameschema valt samen met de voorstellingen.' Hij haalde zijn schouders op. 'Sebastian zal me haten. Maar daar kan ik me niet druk over maken. Hij haat iedereen.'

*Vooruit! Zeg ja!* Alle audities, alle vernederingen, alle teleurstellingen... Het had allemaal naar dit moment geleid.

Ze was ontdekt.

Door het stuk. Zonder die gekke Sebastian Kramer die het met haar had aangedurfd, zou dat niet zijn gebeurd. Dan had ze nog steeds bij Mojito de telefoon aangenomen en aankomende sterren hun tafeltje gewezen.

Ze vond het verschrikkelijk, maar ze moest het zeggen. 'Dat zal helaas niet gaan.' Ze slaakte een diepe zucht. 'Het spijt me, maar ik kan niet zomaar uit het stuk stappen.'

Hij zuchtte. 'Sebastian had al voorspeld dat je dat zou zeggen. Je was eerlijk, zei hij, zonder achterbakse streken. En hij had gelijk.' Hij haalde een kaartje uit zijn portefeuille. 'Bel me zodra de voorstellingen erop zitten.'

'Oké.' Het was niet wat ze had verwacht dat hij zou zeggen. Ze pakte het kaartje van hem aan, keek naar de keurig gedrukte naam, in de verwachting dat ze elk moment wakker kon worden.

Steven trok aan de klep van zijn honkbalpet. Hij draaide zich om, maar bleef toen nog even staan. 'Zal ik je eens wat vertellen, Sophie Bushell? Volgens mij word jij een grote ster.'

Het eerste wat ze zag toen ze het appartement binnenkwam, waren de dozen. Ze stonden op elkaar gestapeld bij de voordeur. Onmiddellijk kwam de herinnering bij haar op aan die dag dat ze het gastenverblijf binnen was gekomen, waar Genevieve en

Marco bezig waren met de herinrichting van háár stek. Hier zat iets niet goed.

'Wat is er aan de hand?' riep ze toen Sam de slaapkamer uit kwam met een stapel cd's. Hij liep in zijn favoriete groene legerbroek en een Mojito T-shirt dat zij ooit voor hem had meegenomen. 'Krijg ik niet eens twee weken opzegtermijn?'

'Jij ook goeiemiddag.'

Toen zag ze dat er een adres in Newark, New Jersey op de dozen stond. Newark was de stad waar Sam vandaan kwam. 'Wat moet dit voorstellen?'

Hij zette de stapel cd's neer. 'Ik ga weg.'

'Wat?' Maar ze wist het al. Hij had al eerder geprobeerd het haar te vertellen, maar ze had niet willen luisteren.

'Dit is niet het leven dat ik wil.'

Sophie zou het willen uitschreeuwen. Ze zou hem eraan willen herinneren dat hij had beloofd met haar te komen praten wanneer hij weer het een of andere krankzinnige idee in zijn kop kreeg. Ze zou in snikken willen uitbarsten.

'Sam, je kan toch niet zomaar...'

'Het is niet erg, Bushell. Het is goed.'

'Hoe kun je dat nou zeggen?' De euforie waarin ze had verkeerd sinds dat magische moment op het parkeerterrein, dat moment van haar ontdekking, was op slag verdwenen. Waarom moest elk hoogtepunt toch altijd worden gevolgd door een dieptepunt? Als ze ergens de pest aan had, dan was het aan het onontkoombare evenwicht in het leven.

Sam pakte haar arm en trok haar op de bank. Ze liet zich neerploffen, overweldigd door een gevoel van dreigende eenzaamheid. Wat moest ze zonder hem beginnen? Met wie moest ze ruziemaken? Op wie kon ze zonder hem nog rekenen?

Sam streek zijn verwarde, blonde haren uit zijn gezicht. Zijn groene ogen met de gouden vlekjes stonden ernstig, maar niet verdrietig. 'Ik ben het kwijt, Bushell. De drang om er iets van te maken. Als ik naar jou kijk... en zelfs naar Ellie... Jullie willen dit echt. Maar ik raak alleen maar verveeld bij het idee dat ik wéér auditie zou moeten doen. Ik word er moe van. Niet omdat ik de moed heb verloren... Het interesseert me gewoon niet meer.'

'Maar je was zo geweldig in *De Kersentuin*. Als je volhoudt, weet ik zeker dat je het gaat maken...'

'Dat stuk was een geweldige ervaring,' gaf hij toe, onderuitzakkend in de kussens. 'Maar toen we uitgespeeld waren... toen was ik er ook klaar mee. Ik heb heel lang geprobeerd dat gevoel te negeren, maar ik kan het niet meer.'

'Ik snap het niet.'

Hij glimlachte. 'Nee, en dat kun je ook niet snappen. Want jij bent anders. Dit is jouw bestemming. En het wordt tijd dat ik erachter kom wat míjn bestemming is.'

'Je wilt je eigen Droomjaar,' fluisterde Sophie.

'Ja, dat denk ik.'

Ze wilde niet dat hij wegging. Maar ze wilde hem ook niet tegenhouden. Ze wist hoe het was om het verkeerde leven te leiden, om met het verkeerde bezig te zijn. Dat was verstikkend, frustrerend, ronduit verschrikkelijk. Het zou wel gaan, alleen. Sterker nog, ze zou ervoor zorgen dat het geweldig ging.

'Mag ik dan jouw kamer?'

Hij lachte. 'Alleen als ik hier kan logeren wanneer ik langskom. Want ik moet je natuurlijk wel zien in de première van *The Real Thing*.'

'Afgesproken.'

Sophie dacht aan hun eerste ontmoeting. Sam was niet bepaald aardig tegen haar geweest, ervan overtuigd dat ze een of ander rijk leeghoofd was dat in Beverly Hills kwam rondhangen tot ze de beschikking kreeg over haar trustfonds. Toen ze hem op zijn botheid had aangesproken, had hij zijn schouders opgehaald. *Er is niemand die het hier lang genoeg volhoudt. Je ziet zo veel mensen komen en gaan. Het heeft geen zin om tijd en energie in ze te in-*

*vesteren.* Nu wist ze wat hij daarmee had bedoeld. Maar het was een inwijdingsritueel dat ze graag had willen missen.

'Er is wel íéts wat ik jammer vind,' gaf hij toe.

'Wat? Dat je me niet langer het leven zuur kunt maken?'

Hij schudde zijn hoofd. 'Ik had graag hier willen zijn als je besloot de mannen niet langer af te zweren. Want ik hoopte eigenlijk dat ik een kansje maakte.'

Ze keek hem aan en glimlachte. 'Ik zou mijn voornemen een nachtje kunnen opschorten. Voor de juiste man.'

Sophie kwam er niet meer aan toe Sam te vertellen dat ze was 'ontdekt' door Steven. Want nog geen halve minuut later lagen ze in elkaars armen. Ze eindigden tussen de dozen in wat spoedig haar kamer zou zijn. In de daaropvolgende acht uur ervoeren ze hoe het tussen hen had kunnen zijn. Tegen de tijd dat het ochtend werd, waren ze het bij wijze van uitzondering roerend met elkaar eens: het zou fenomenaal zijn geweest.

Harper Waddle
5306 Canterbury Rd.
Boulder, CO 80302

Joan Sutter
965 Park Avenue
Suite 311
New York, NY 10112

Geachte mevrouw Sutter,
Mijn naam is Harper Waddle. (Inderdaad, Waddle – Waggel. Het is een
grapje dat ik wel vaker hoor, dus u mag best even lachen. Dat doet
iedereen. En ik voel me niet gekwetst. Echt niet.)

Hoe dan ook, ik ben schrijver. Tenminste, dat probeer ik te zijn. Een jaar
geleden (om precies te zijn negen maanden, maar laten we het naar boven
afronden), vlak voordat ik werd geacht naar NYU te gaan, nam ik een
besluit. Als ik schrijver wilde worden, dan moest ik het zíjn. Waarom zou ik
mijn droom op de lange baan schuiven?

Dus ik liet de universiteit wachten. Een jaar. Lang genoeg om de nieuwe
Grote Amerikaanse Roman te schrijven... de roman die Mijn Generatie zou
Definiëren. Op dat moment leek het een redelijk plan.

Ik stak een nogal ontroerende toespraak af tegen mijn drie beste
vriendinnen – Kate, Sophie en Becca – over dromen en creatieve ideeën, en
dat je de dag moest plukken. Ik moet althans over énig talent met woorden
beschikken, want ze besloten mijn voorbeeld te volgen. We zouden
allemaal een jaar de tijd nemen om onze dromen te verwezenlijken.

Dus ik bleef thuis om de briljante schrijver te worden, de volgende winnaar
van de Pulitzer Prize. Dat was mijn bestemming, geloofde ik...

Sophie vertrok naar Los Angeles om de nieuwe Halle Berry te worden...

Kate kocht een enkele reis naar Parijs en ging op reis om de wereld – en
zichzelf – te ontdekken...

En Becca... die ging studeren. Deels omdat uitkomen voor de skiploeg van
Middlebury haar droom was, en deels omdat...

Ach, dat is nogal ingewikkeld. Trouwens, dat zijn dromen altijd. Ze komen
bijna nooit uit zoals je je had voorgesteld. Ze veranderen bijna altijd. En
soms veranderen ze jou...

Ik weet dit uit persoonlijke ervaring. Ik wilde de nieuwe Grote Amerikaanse Roman schrijven. En dat heb ik geprobeerd. Ik heb het echt geprobeerd. Ik ben ik-weet-niet-hoe-vaak opnieuw begonnen, en toen besefte ik...

Dat ik niets weet over Grootheid. Nog niet. Hoewel ik na alles wat we dit jaar hebben meegemaakt, denk dat ik wel een hoop heb geleerd. Over Amerika weet ik ook nog niet zo veel. Tenminste, niet over het Grote Geheel. Ik ben tenslotte pas achttien.

Waar ik alles van weet, dat zijn mijn vriendinnen. En ook al zijn we het afgelopen jaar ieder onze eigen weg gegaan, in bepaalde opzichten zijn we hechter dan ooit. Want wanneer je elkaar niet dagelijks spreekt – wanneer het contact bestaat uit niet meer dan af en toe een telefoontje of een e-mail – is er geen tijd voor zwak geleuter. Dan moet je meteen tot de kern van de zaak komen. Dan heb je het over de dingen waar het echt om gaat.

We hadden onszelf een jaar gegeven, en in dat jaar zijn we onze dromen achternagegaan. We zijn ze achternagegaan, we hebben ze gevonden en we hebben ze verwezenlijkt. En dat is waar dit boek over gaat. Het is misschien niet het boek dat Onze Generatie definieert.

Maar het definieert Ons.

Ik hoop dat u het mooi vindt.

Met vriendelijke groet,

*Harper Waddle*

Harper Waddle

PS: Nog één ding. Mijn toespraak over wachten met studeren en mijn droom achternagaan, was niet helemaal eerlijk. Tenminste, wat mijn studie betrof. Want ik was niet aangenomen op NYU. En dat vond ik zo vernederend dat ik het niet durfde toe te geven.

PPS: Dat heb ik met Kerstmis eerlijk opgebiecht, en Becca, Kate en Sophie hebben het me vergeven. Dat had ik ook eigenlijk wel verwacht. Want het was het beste jaar van ons leven.

PPPS: Tenminste, tot dusverre.

# Epiloog

WEER THUIS. Kate stond in de deuropening, met haar sjofele, zwarte rugzak over haar schouder, en liet haar blik door haar kamer gaan. *Haar kamer.* Het grote, comfortabele koperen bed stond nog in dezelfde hoek, op haar antieke bureau lagen haar boeken Engelse literatuur van de middelbare school en cursusinformatie van Harvard nog altijd opgestapeld. Alles was precies zoals ze het bijna een jaar geleden had achtergelaten. De jonge vrouw die terugkwam, was ook nog steeds dezelfde. En tegelijkertijd een ander mens. Om te beginnen was ze bruiner. Haar haren waren ongelooflijk veel lichter, de spieren onder haar gekreukte kakibroek en paarse T-shirt met lange mouwen soepeler en getrainder. Ze hield nog steeds van haar familie, maar die liefde was intenser geworden, meer doorvoeld. En ze was een heel stuk wijzer geworden, dacht Kate, terwijl ze haar rugzak op de grond liet vallen en naar het donkere raam liep. Ze was altijd al intelligent geweest, maar inmiddels had ze ook een beetje over de wereld om haar heen geleerd. Genoeg om te weten dat ze nog heel veel zou moeten leren.

Ze keek uit het raam, naar het platte dak waar het Droomjaar ooit was begonnen. Als Harper destijds had geweten wat de gevolgen zouden zijn, had ze nooit tegen hen gelogen over het feit dat ze niet op NYU was toegelaten. Dan zou ze open kaart hebben gespeeld, hoe vernederend de werkelijkheid ook was. En dat zou een verschrikkelijke fout zijn geweest. Want Kate had dit jaar voor niets ter wereld willen missen. Het was het meest verbijsterende, belangrijkste jaar van haar hele leven geweest.

En dat zou ze Harper vertellen wanneer ze haar de volgende morgen zag. Nu zou ze alleen even het dak op gaan, om te genieten van het feit dat ze thúís was.

Maar toen ze het raam opendeed, zag ze drie donkere vormen... en het leek wel alsof ze... Bewógen ze?

'Welkom thuis!' riepen Harper, Becca en Sophie als uit één mond, terwijl ze overeind sprongen. Voordat het tot Kate doordrong dat haar drie beste vriendinnen er waren – ze waren er echt! – pakten ze haar beet en trokken ze haar door het witte raamkozijn naar buiten. Toen stonden ze alle vier te dansen op het dak, lachend, schreeuwend, allemaal door elkaar heen pratend...

'Je vliegtuig had vertraging!'

'We hebben je gemist!'

'Habiba heeft Harper een sleutel gegeven zodat we je konden verrassen!'

'Hoe bestaat het? Je bent nog magerder dan je al was!'

'Becca en Stuart zijn weer bij elkaar...'

'Stop!' riep Kate lachend, en ze maakte zich los om haar vriendinnen aan te kijken. Ze zagen er zo... zo helemaal uit als zichzélf! Ook al hadden ze contact gehouden, toch had ze hen gemist.

Sophie trok haar volmaakt gevormde wenkbrauwen omhoog en keek Becca aan, toen Harper. 'Huilt ze?'

Waardoor Becca natuurlijk ook begon te snotteren. 'O Katie! Je hebt leren huilen!'

Harper rolde met haar ogen en liet zich op de kunststof dakbedekking vallen. 'Geweldig! Nou hebben we twee jankers.'

Sophie pakte Kate bij de hand en ging tegen het afbrokkelende muurtje langs de rand van het dak zitten. 'Vertel op! We willen alles weten over Magnus.'

Kate ging zitten en sloeg haar benen over elkaar. Op dat moment verscheen er als uit het niets een fles gekoelde Pino Grigio in Harpers hand. Becca haalde vier plastic bekers uit haar tas.

'Je moet wel zorgen dat je bijblijft, Soof,' zei Becca, terwijl Harper de wijn inschonk. 'Magnus is passé. We hebben nu Darby.'

'Ach, een detail!' Sophie reikte grijnzend naar een beker wijn.

'Darby is geweldig.' Kate bloosde. 'Ik denk dat ik deze zomer naar hem toe ga, in Boston.'

'Dan zul je nog even een paar weken geduld moeten hebben.' Becca keek Harper en Sophie aan.

'O, wat dan? Hebben we een plan?' Wat was het heerlijk om thuis te zijn! Raar, maar heerlijk.

'We hadden bedacht om samen een tripje te maken.' Harper schonk haar een samenzweerdersgrijns. 'Sophie verhuist permanent naar LA. Dus haar spullen moeten daar ook heen.'

'Wacht eens even, hoe komt het eigenlijk dat jij hier bent?' vroeg Kate, denkend aan Sophies laatste mail. 'Je zat toch in een toneelstuk?'

Sophie haalde op haar eigen onnavolgbare wijze haar schouders op en draaide met haar hoofd. 'De regisseur heeft een geperforeerde maagzweer, en dat is blijkbaar het enige waarvoor "the show must go on" moet wijken. Dus ik heb een paar weken vrij voordat ik verder kan met mijn Droom.'

Harper stak haar hand op. 'Over dromen gesproken...' Ze keek Kate aan. 'Tijd om verslag uit te brengen.'

Kate glimlachte. 'Nou,' begon ze. 'Dankzij jullie...'

'En dankzij jezelf,' viel Becca haar in de rede.

'En dankzij mezelf...' Kate knikte '... weet ik wat mijn Droom is.' Ze zweeg even om de spanning te laten stijgen en bestudeerde de gezichten van haar drie beste vriendinnen die haar opgetogen aankeken. 'Om te beginnen ga ik inderdaad naar Harvard in september, om Economie en Internationale Betrekkingen te studeren, met Afrika als specialisme. En ik ben van plan om elke vrije minuut te gebruiken om geld in te zamelen voor Water Partners.'

'Ga je terug naar Ethiopië?' vroeg Becca.

Kate knikte. 'Ga je mee?'

Becca lachte. 'Zolang ik maar niet bij de kippen hoef te slapen.'

Kate glimlachte. 'Afgesproken.'

Harper keek teleurgesteld. 'Dus... uiteindelijk ga je gewoon doen wat je een jaar geleden al van plan was?'

'Nee!' Kate pakte haar hand. 'Een jaar geleden zou ik naar de universiteit zijn gegaan en waarschijnlijk Engelse literatuur als bijvak hebben genomen omdat ik niet wist waar mijn interesse naar uitging. Toen zou ik niet hebben geweten hoe kostbaar het is om de kans te krijgen daar te studeren waar ik kan leren wat ik nodig heb om wezenlijke veranderingen tot stand te brengen...'

Ze had nog wel een kwartier door kunnen gaan, maar Harper stak lachend haar hand op. 'Oké. Ik snap het. Je gaat de wereld redden. Dat is een goede droom.' Toen sloeg ze haar ogen neer, en Kate vroeg zich af of Harper ook ging huilen. 'Als iemand dat kan, ben jij het. Ik ben eigenlijk heel trots op je,' zei Harper zacht.

Sophie schraapte haar keel en hief haar plastic beker met wijn. 'Op Kate,' zei ze, als een echte actrice dramatisch haar stem verheffend. 'En op het Droomjaar.'

Kate hief glimlachend haar beker. 'Op ons allemaal.'

'Op ons allemaal,' vielen haar drie beste vriendinnen haar bij. 'En op het Droomjaar.'

❤

Wat een jaar was het geweest, dacht Becca. Ze had Stuart gevonden, toen was ze hem kwijtgeraakt, daarna had ze hem weer gevonden. Toen was ze hem opnieuw kwijtgeraakt, en ten slotte had ze hem voorgoed weer gevonden. Terwijl Harper en Sophie Kate bijpraatten over hun voorgenomen rit naar Californië, betastte Becca het laatste bedeltje aan de armband die Stuart haar met Kerstmis had gegeven. Op hun laatste avond op Middlebury had hij haar een nieuw bedeltje gegeven – een klein ringetje van platina. Het was geen verlovingsring, geen vriendschapsring, zelfs geen ring die iets beloofde. Tenminste, niet in de traditionele zin van het woord.

'Dit is om je eraan te herinneren dat ik van je hou, wat er ook gebeurt,' had hij gezegd toen ze het doosje openmaakte. 'Zelfs als je weer bang wordt en denkt dat ik niet van je hou.'

Het zou niet meevallen wist ze, om Stuart toe te voegen aan het korte lijstje van mensen die ze vertrouwde. Harper, Kate en Sophie stonden op die lijst. Isabelle kwam ook een heel eind in de buurt. En verder... Nou ja, ze deed haar best, zelfs met haar ouders. Ze had eindelijk beseft dat wat ze ook deden, dat dat hun zaak was. Dat het niets met háár te maken had. Niet in positieve zin en ook niet op een negatieve manier. Ze legde niet langer de schuld bij zichzelf, en ze investeerde ook niet te veel in hun toekomst. Als ze die al hadden. Ze dacht eigenlijk van niet, gezien het late thuiskomen van haar vader en de kattige manier van doen van haar moeder.

'Je zit weer aan je ouders te denken.' Sophie legde haar hoofd in Becca's schoot en keek naar Kate. 'Ze heeft twee manieren van kijken – de Stuart-blik, en de ik-denk-aan-mijn-ouders-blik.'

'Zelfs ik vind het al bizar dat ze weer bij elkaar zijn.' Kate zuchtte. 'Laat staan hoe jij je moet voelen.'

'Dat valt eigenlijk wel mee.' Becca speelde met Sophies prachtige haar. 'Het is niet leuk, en dat is nog heel voorzichtig uitgedrukt. Maar wat ze ook doen, dat heeft niks met mij te maken.'

Ze begon te lachen toen Harper, Kate en Sophie in applaus losbarstten en een fluitconcert aanhieven. 'Goed zo, Bec! Zet 'm op! Inderdaad! Het heeft niets met jou te maken!'

'Shit...' Harper grijnsde. 'We zijn echt volwassen geworden. We zijn rijpe vrouwen. Wat erg! Geef de wijn eens door.'

'Genoeg over mij.' Becca keerde zich naar Harper, die haar hoekige, zwarte bril rechtzette en wijn morste. 'Volgens mijn informatie heb jij ons iets te vertellen.'

Becca en Sophie hadden Harper al drie dagen bestookt met vragen over NYU, maar tot hun ergernis had Harper geweigerd ook maar iets te zeggen totdat Kate erbij was. Ze moesten compleet zijn, aldus Harper. Wat op zich een aardige gedachte was, maar Becca had de afgelopen tweeënzeventig uur aan niet veel anders kunnen denken – Stuart buiten beschouwing gelaten.

Harper glimlachte koket. 'Misschien.'

Becca schonk haar een waarschuwende blik. 'Ik ben vannacht om drie uur wakker geworden omdat ik er zelfs van droomde!' zei ze. 'En ik word chagrijnig als ik niet genoeg slaap krijg. Dus vooruit! Voor de draad ermee.'

Kate omklemde haar bekertje zo strak dat er een barst in het plastic sprong. 'Oei!' Ze dronk haastig, in één lange teug haar wijn op. 'Ja, vertel op!'

Harper hield haar gezicht in de plooi, reikte achter zich en haalde met haar vrije hand een envelop uit de zak van haar spijkerbroek. Becca, Sophie en Kate keken elkaar aan. Ze wilden allemaal niets liever dan dat Harpers wens in vervulling zou gaan, wist Becca. Ongeacht of ze de Grote Amerikaanse Roman had geschreven of niet, Harper had altijd naar NYU gewild. En dat verdiende ze ook. Ze had er keihard voor gewerkt.

'Het is wel een erg dunne envelop,' zei Kate bezorgd.

Er verscheen een stralende glimlach op Harpers gezicht. 'Ja, want het is een brief over húísvesting! Omdat ik naar New York ga!'

Becca klapte in haar handen, Kate sloeg haar armen om Harper heen, Sophie wikkelde de hare om Harpers knieën. 'Mijn complimenten voor je gevoel voor drama,' zei ze, met een klank van opluchting in haar stem.

'Voor drama en voor dromen,' zei Becca lachend.

Háár had het afgelopen jaar beide gebracht – misschien wel meer dan haar lief was. Maar de uiteindelijke beloning... die zag ze nu duidelijk voor zich. En natuurlijk had ze Stuart.

De blik op Harpers gezicht toen ze vertelde over NYU, deed

Becca denken aan wat coach Maddix had gezegd over hoe je moest zien de berg af te komen. Om haar berg af te komen had Harper moeten schrijven, en nu moest ze ervoor naar NYU. Maar Becca... had alleen haar vriendinnen nodig. Dankzij hen, en dankzij Stuart zou ze wel beneden weten te komen, ongeacht de problemen die ze op de helling tegenkwam. Sterker nog, ze zou de afdaling moeiteloos tot een goed eind weten te brengen. Veilig. Evenwichtig. Met een hart vol warmte.

En – dat was het heerlijkst van alles – omringd door liefde.

❤

'Bel me zodra jullie ergens gaan overnachten. En rijd niet te hard. Blijf op de rechterbaan. En als je moe bent, stóp dan in vredesnaam. Weet je wel hoeveel tieners er omkomen in het verkeer?'

Sophie zette de doos met schoenen neer en trok een gezicht naar haar moeder, die zich uitputte in goede raad. 'Angela, ik ben negen maanden op mezelf geweest. Dus ik weet echt wel hoe ik mijn spullen van hier naar LA moet krijgen. Daar heb ik geen handboek bij nodig.'

Haar mam zette een hand op haar heup en schudde haar lange vlecht naar achteren. 'Moeders maken zich nu eenmaal zorgen. Zelfs moderne, progressieve moeders zoals ik.'

Sophie keerde zich naar Kate, Becca en Harper die grijnzend van haar naar de gehuurde aanhanger keken. Op de rit naar Los Angeles zouden ze de snelweg mijden. Een tocht van twee weken, door de mooiste gebieden die ze onderweg tegenkwamen, leek een gepaste manier om het Droomjaar af te sluiten. Bovendien had Harper wat ideeën voor de inrichting van Sophies appartement. Het was een nogal angstaanjagende gedachte, maar ze was zo enthousiast geweest dat ze het geen van allen over hun hart hadden kunnen verkrijgen om haar te vertellen dat de bultige, oranje bank die ze voor een prikje bij het Leger des Heils had gekocht, een hopeloos voorbeeld van wansmaak was.

Kate deed een stap naar voren en bond haar nog altijd volmaakt blonde haar in een paardenstaart. 'Ik heb onze route uitgestippeld, mevrouw Bushell. We rijden via alle belangrijke historische plekken, en ik heb ervoor gezorgd dat we niet langer dan zeven uur per dag onderweg zijn. Op die manier zijn we geen gevaar achter het stuur.'

Harper rolde met haar ogen. 'En dat beweert dat ze veranderd is dit jaar! Volgens mij ben je nog net zo'n controlfreak als vroeger.'

'Wat vind ik dat een rotopmerking!' Kate zette haar handen op haar heupen.

'We maken een omweg en rijden via Kansas City,' zei Becca tegen de moeder van Sophie. 'Voor de barbecue.'

'We gaan níét naar Kansas City,' zei Kate, en ze ging achter het stuur van de lelijke witte Nissan zitten die ze hadden gehuurd om de aanhanger te trekken. 'Dat is helemaal de verkeerde kant uit.'

'Je kunt echt wel twee weken zonder Stuart,' voegde Harper eraan toe, op Becca's bedelarmband tikkend.

'Het was maar een vóórstel,' zei Becca uit de hoogte. 'Je hoeft me niet naar de keel te vliegen, alleen omdat je wou dat je tegen Judd had gezegd dat hij het uit moest maken met Amelia.'

Sophie begon te lachen. Ja, ze waren allemaal veranderd in het afgelopen jaar. Ze waren rijper geworden, complexer, meer zichzélf. Maar hoeveel duizenden kilometers ze ook zouden afleggen – alleen of samen – ze zouden altijd dezelfde vier vriendinnen blijven die ooit, in hun eerste jaar op de middelbare school, op de meisjes-wc, vriendschap hadden gesloten. Die vier vriendinnen zouden ze altijd blijven.

Terwijl Kate, Becca en Harper op de vertrouwde manier verder kibbelden, zette Sophie de laatste stampvolle doos in de aanhanger, waarop ze de zware deur dichtgooide. Ze had het droog weten te houden toen ze die ochtend afscheid nam van haar vader, maar terwijl ze Angela omhelsde, biggelden er een paar tranen over haar wangen. Ze kwam met Thanksgiving naar huis, zei ze, maar deze keer voelde het toch alsof ze voorgoed wegging. En in zekere zin was dat ook zo. Boulder was niet langer haar thuis. En dat gold ook voor dit huis.

'Dit is het begin van je nieuwe leven,' fluisterde haar moeder terwijl ze haar dicht tegen zich aan hield. 'Probeer ervan te genieten en zo veel mogelijk in je geheugen te prenten, want het gaat allemaal zo snel voorbij.'

'Nog meer goede raad?' vroeg Sophie, licht snotterend.

Haar moeder glimlachte. 'Wees gewoon jezelf. Dan kan het nooit verkeerd gaan.'

*Zichzelf zijn*. Dat moest wel lukken. Dat was ze tenslotte al bijna achttien jaar. En tot dusverre ging het redelijk. Ze kroop naast Becca op de achterbank van de witte Nissan en trok het portier dicht. 'Op naar Californië!'

❤

'Hebben we iets lekkers bij ons?' vroeg Becca toen ze bij Sophie de straat uit reden, met de aanhanger stuiterend achter hen aan.

'Dat is Harpers afdeling,' atnwoordde Kate vanaf de voorbank. 'Ik heb Twizzlers besteld.'

Harper haalde een plastic zak onder haar voeten vandaan en gaf Becca een sinaasappel. 'Ik heb fruit en zonnebloempitten,' zei ze tegen haar vriendin. Ze was dertien van haar 'kelderponden' kwijt, en ze was van plan dat zo te houden.

Sophie kreunde. 'Harper Waddle, bekeerd tot gezondheidsfreak? Waar moet het heen met de wereld?'

Harper reikte nogmaals onder haar stoel en haalde een zak Lay's chips tevoorschijn die ze voor noodgevallen had ingeslagen. 'Ze zijn in de óven gebakken,' zei ze. 'Dus dat telt niet echt.' Ze maakte de zak open en stak een chip in haar mond. Puur, in de oven gebakken genot.

'Waar willen jullie eerst heen?' Kate zette haar zonnebril recht.

'Dat moet je niet aan ons vragen.' Becca viste een handvol Lay's uit de zak. 'Jij hebt de reisroute uitgestippeld.'

'Dat denk je toch niet echt? Ik heb geen idee waar we heen gaan, of hoe we moeten rijden.'

'Maar je zei...' begon Becca.

Kate grijnsde. 'Grapje.'

'Ik weet het.' Sophie trok haar groene Puma's uit en maakte het zich gemakkelijk voor de lange rit. 'Laten we gewoon naar het westen rijden. Dan zien we wel waar we uitkomen.'

'Precies. We weten waar we heen willen als we er zijn,' viel Becca haar bij.

Kate zette haar richtingaanwijzer aan en reed de snelweg op. 'Klinkt goed.'

'Ik heb alleen één verzoek,' zei Harper. 'Wanneer we in LA zijn, wil ik naar Sophies fotograaf.'

Sophie trok een wenkbrauw op. 'Armando? Die mijn portretfoto's heeft gedaan? Waarom?'

'Isabelles moeder belde vanmorgen. Ze vond mijn boek zo goed dat ze het al naar een redacteur heeft gestuurd. Dus het lijkt erop dat ik een auteursfoto nodig heb.' Ze zweeg even. 'Ze gaan het uitgeven.'

Het gejoel was oorverdovend. Kate nam haar handen van het stuur om haar te knuffelen, Sophie en Becca staken triomfantelijk hun vuist de lucht in. Sinds die avond op het dak, toen Harper haar vriendinnen onbedoeld had overgehaald om op de droomtrein te springen, had ze geleerd dat het bij het najagen van een droom net zozeer om de reis ging als om de bestemming. Ze hoefde haar naam niet in druk te zien om te weten dat ze een echte schrijver was. Maar wie was zij om haar lezers de vreugde van haar creatie te ontzeggen?

'Weet je wat raar is?' vroeg Kate toen het gejoel enigszins was verstomd. 'Zonder Harpers boek zouden we hier nu niet zijn. Dan had ik de zomer doorgebracht als stagiaire op een of ander suf advocatenkantoor om mijn cv op te pimpen.'

'En ik zou nooit verliefd zijn geworden op Stuart,' zei Becca peinzend. 'Maar mijn hele eerste jaar op mijn kamer hebben gezeten om met jullie te sms'en.'

'Zonder dat boek zou ik waarschijnlijk terechtstaan voor de moord op Maggie Hendricks, die kwelgeest van een kamergenote. En ik zou al helemaal niet met Stevens kaartje in mijn portemonnee lopen.'

'Steven!' Harper kneep Sophie in haar arm.

'Niet dat het vaak niet verschrikkelijk was,' zei Kate, invoegend op de snelweg richting het westen.

'Nou en of. Echt verschrikkelijk!' viel Sophie haar bij. 'Ik denk niet dat ik ooit nog een hap instantnoedels door mijn keel krijg.'

'En ze zeggen niet voor niets dat liefde een werkwoord is,' verzuchtte Becca. 'Ik heb me kapót gewerkt!'

Harper zuchtte weemoedig. 'Ik zal het Droomjaar missen.'

Kate en Sophie knikten. Er daalde een gevoel van weemoed neer in de enigszins verschaald ruikende huurauto, terwijl ieder voor zich wegdwaalde naar haar eigen gedachten. Ten slotte verbrak Becca de stilte.

'Ik mag dan braaf zijn gaan studeren, maar volgens mij heb ik iets geleerd wat jullie met al jullie ervaringen in de echte wereld niet weten.'

Harper draaide zich naar haar om. 'En dat is?'

'Je dromen volgen, dat is geen kwestie van een jaar. Dat duurt je hele leven.'

Harper grijnsde. 'In dat geval... heb ik genoeg materiaal voor een vervolg.'

Ze begonnen allemaal te lachen. Toen trapte Kate het gaspedaal in en voegde ze in op de linkerbaan. Ze waren op weg naar overal en nergens, met honderd kilometer per uur. Harper deed haar raampje open. Om de wereld binnen te laten. De hele wereld, die hun reis was en hun bestemming.

EINDE

# Een woord van dank

EC & SF: Om te beginnen willen we Cindy Eagan, onze uitgever, in het zonnetje zetten. Want Cindy is geweldig! En met haar bedanken we ook de rest van het team bij Little, Brown, in het bijzonder Alison Impey en Christine Cuccio. Onze agenten, Richard Abate en Matt Solo, en onze juridisch raadsman, Eric Brooks, zijn we dankbaar voor hun begeleiding en hun advies, altijd even intelligent en scherpzinnig. Een extra vermelding verdient Paula Morris, die onmisbaar is geweest bij de totstandkoming van dit boek.

EC: Ik bedank mijn vrienden en mijn familie, en ik hoop dat ze me alle onbeantwoorde telefoontjes willen vergeven. Sorry! En dan Adam Fierro, mijn kersverse echtgenoot, dankjewel! Karen Schwartz en Mike Feldman, hartstikke bedankt. Jullie zijn om te zoenen!

SF: Mijn grote dankbaarheid en diep respect gaan uit naar de Abebech Gobena Children's Care and Development Organization (Yehetsanat Kebekebena Limat Dirijit) in Addis Abeba. Daarbij denk ik aan Ato Anchelew, Ato Echetu, Ato Tesfaye, Azeb, "Mirror" en Isaac, maar vooral aan Weizero Abebech, die haar leven in dienst heeft gesteld van vrouwen en kinderen in nood. Dankjulliewel Simenen en Tashome, onze allerhartelijkste gidsen in Addis Abeba. Dankjewel Maserat en alle leerkrachten op de kleuterschool van de Fregenet Foundation. En dankjewel Tafesse Woubshet, voor het opzetten van zo'n verbazingwekkende organisatie en voor het feit dat ik een kijkje mocht komen nemen. Verder wil ik Heather Arney van WaterPartners bedanken. Dankzij haar had ik althans enig idee van de gang van zaken bij het slaan van waterputten. Ik ben erg blij dat je je ervaringen met me hebt willen delen. En ook al heb ik er een verhaal omheen verzonnen, de kernwaarheden blijven overeind. Zoals altijd bedank ik mijn ouders, in het bijzonder mijn moeder, Judy Strong, die met me is meegereisd en die me al haar foto's heeft gestuurd. Maar voor mij is dit boek in de eerste plaats voor Angatu.

Meer informatie over de genoemde organisaties is te vinden op hun website:

Abebech Gobena Children's Care and Development Organization:
www.telecom.net.et/~agos/Pages/aboutus.html

The Fregenet Foundation: www.fregenetfoundation.org

WaterPartners: www.water.org

Lees ook over
Harper, Sophie, Kate en Becca:

# WERELDMEIDEN!
## DEEL 1

### Vier vriendinnen
### Vier schooldiploma's
### Vier studies
### Eén verpletterend besluit

Harper, Sophie, Kate en Becca staan op het punt te gaan studeren. Maar wanneer Harper een afwijzing van de universiteit krijgt, vertelt ze haar vriendinnen de halve waarheid: ze ziet af van een studie omdat ze besloten heeft haar grote droom te volgen – een wereldberoemd schrijfster worden.
Haar besluit brengt een kettingreactie teweeg. Waarom zouden de meiden het pad volgen dat al voor hen is uitgestippeld? Waarom niet net zoals Harper hun dromen volgen?
En zo vertrekt Sophie naar Hollywood om actrice te worden, gaat Becca een ski-opleiding volgen en besluit Kate door Europa te reizen om uit te zoeken wat ze het liefste wil.
Voor alle vier begint een avontuurlijke en woelige periode vol liefde en gebroken harten; dromen blijken in werkelijkheid niet zo gemakkelijk te verwezenlijken. Wanneer het jaar ten einde loopt, voelt Harper zich steeds schuldiger: geen van haar vriendinnen weet de echte reden van haar beslissing. Wat zullen ze zeggen als ze ontdekken dat ze hun leven overhoop hebben gehaald voor een leugen?

ISBN 978 90 261 3221 6